철도와 근대 서울

철도와 근대 서울

정재정 지음

국학자료원

이 저서는 2013년 정부(교육부)의 재원으로 한국연구재단의 지원을 받아 수행된 연구임(NRF-2013S1A6A4017339)

책 머리에

한국처럼 식민지 지배를 경험한 나라의 철도역사연구는 '침략'과 '개발'이라는 상반된 시각에서 이루어지기 쉽다. 朝鮮總督府가 편찬한 『朝鮮鐵道四十年略史』(1940년)와 일본인 철도종사원들이 집필한 『朝鮮交通史』(1986년) 등이 후자라면, 필자가 집필한 『일제침략과 한국철도 1894~1945』(1999년)와 철도청이 편찬한 『한국철도100년사』(1999년) 등은 전자를 대표한다.

그렇지만 철도 자체가 어느 한 쪽의 기능만을 가지고 있는 것은 아니다. 철도를 운영하고 활용하는 주체에 따라, 또는 철도를 탐구하고 평가하는 논자에 따라 '침략'과 '개발'의 어느 한 측면을 더 강조할 뿐이다. 식민지에서 철도가 실제로 수행한 역할은 '침략'과 '개발'의 경계를 훨씬 뛰어넘는다. 철도는 '침략'과 '개발'의 속성을 다 가지고 있으면서, 한국과 세계에 훨씬 더 복잡하고 다양한 영향을 광범하게 미쳤다. 철도는 어느 지역을 막론하고 19세기 중반에서 20세기 중반까지 근대문명을 창출하고 확산시킨 가장 강력한 교통수단이자 산업기구였기 때문이다.

필자는 위와 같은 철도인식을 바탕으로 지난 30여 년 동안 한국철도역사에 관심을 기울여왔다. 이번에 출간한 졸저는 그런 관심사 중에서 '일제하의 철도와 서울 그리고 시민의 삶'을 서로 관련시켜 탐구한 것이다. 한반도의 중앙에 위치한 서울은 한국 간선철도망의 시발점이자 종착지였다. 한국의 주요 철도노선 이름에 모두 서울 경(京) 자가 붙어 있는 것이 그런 사정을 웅변한다. 게다가 서울은 동북아시아 철도네트워크의 결절 지점이었다. 서울은 일본제국주의 세력권의 한 가운데 위치한데다가 동북아시아의 직통 국제열차가 왕래하는 거점도시였기 때문이다. 따라서 서울과 관련된 철도의 역사를 다각적·국제적 시야에서 체계적·종합적으로 분석하면 서울이 겪은 식민지 근대의 실상과 서울시민이 체험한 근대문명의 전모를 아주 새롭게 파악할 수 있다. 그리고 한국철도가 태생적으로 지니고 있는 보편성과 특수성을 좀 더 확실하게 이해할 수 있다.

이번 졸저에서 밝히고자 한 물음은 다음과 같은 것들이다. 서울의 철도망은 어떤 경위를 거쳐 형성되었는가? 서울의 각 철도노선은 동북아시아 철도네트워크 속에서 어떤 특성을 지니고 있는가? 철도의 운수영업에서 서울의 각 노선은 어떤 위상을 차지하는가? 서울에 위치한 각 철도역은 여객과 화물의 集散에서 어떤 실적을 올렸는가? 철도와 정치, 곧 철도는 지배세력의 침투와 독립운동의 확산에 어떻게 활용되었는가? 철도는 서울의 교통체계와 대중교통을 어떻게 바꿔갔는가? 서울시민은 철도를 이용하면서 어떤 일상을 영위하고 어떤 의식을 체득했는가? 철도는 한국의 문명전환에서 어떤 의미를 지니고 있는가?

필자는 이상의 물음이 한 권의 책에서 모두 답변하기에는 너무나 광범하고 방대하다는 것을 잘 알고 있다. 그럼에도 불구하고 이런 질문을 한꺼번에 쏟아놓은 것은 정년퇴직을 계기로 무언가 그럴듯한 책 한 권이라도 써야겠다는 초조감 때문인지도 모르겠다. 아무튼 필자는 위와 같은 물음에 답하기 위해 역사학과 인접 학문을 넘나드는 방법을 구사하며 나름대로 혼신의 힘을 기울였다. 그렇지만 물음 자체가 워낙 광범하고 방대하기 때문에 졸저에서 완벽하게 정답을 제시했다고는 생각하지 않는다. 오히려 필자의 답변에 점수를 매기는 것은 독자의 몫이라고 여기고, 기탄없는 평가를 바랄 뿐이다.

필자는 이번 졸저의 상재에 앞서 40여년의 공직생활을 마감했다. 그 동안 사회에 기여한 것보다 훨씬 더 많은 혜택을 받으며 살아왔다. 새삼스럽게 송구스러운 마음을 금할 수 없다. 이번의 졸저가 그 동안 각계각층에서 베풀어주신 은혜를 갚는데 만분의 일이라도 도움이 된다면 다행이다. 한 분 한 분 존함을 밝힐 수는 없지만, 필자가 지금까지 연구와 교육 및 봉사에 전념할 수 있도록 도와주신 여러분께 진심으로 감사드린다. 여러분의 지원과 격려가 없었다면 이런 졸작조차 세상에 나올 수 없었을 것이다.

끝으로 졸지를 출간해준 국학자료원의 정구형 사장, 난삽한 원고를 깔끔하게 정리해준 우정민 편집자, 사진 등의 자료 검색을 도와준 한애라 박사생에게 고맙다는 뜻을 전한다.

2018년 4월 1일

정재정 삼가 씀

목차

5장 / 경원선(서울-원산, 1910~1914년)

9장 / 철도의 운수개황과 서울 철도역의 실적

10장 / 철도의 국제운수와 서울의 지위

13장 / 서울의 교통재난과 민관의 대응

종장 ┃ 철도네트워크와 서울시민의 근대문명

■ 별책

서장

철도 네트워크와 서울의 식민지 근대

서장. 철도 네트워크와 서울의 식민지 근대

1. 문제의식과 접근방법

20세기가 막을 내린지도 벌써 십 수 년이 흘렀다. 지난 100여 년 동안 한국인들의 생활과 의식에 가장 큰 영향을 미친 교통기관은 무엇일까? 많은 사람들은 철도를 꼽는 데 주저하지 않을 것이다. 100년 전만 하더라도 한국의 교통수단은 돛단배와 달구지, 가마와 조랑말이 주류를 이루었고, 외국에서 막 들여온 몇 대의 인력거와 자전거, 그리고 서대문과 청량리 사이를 왕래하던 전차가 고작이었다. 이런 상황에서 기차가 집채 같은 쇳덩어리 위에 사람과 물건을 가득 싣고 검은 연기를 내뿜으며 철길을 위를 바람과 같이 달렸으니, 철도가 한국인들에게 준 충격은 천지개벽과 같은 것이었다.

한국의 철도시대는 1899년 9월 18일 경인선이 개통되면서 막을 열었다. 영국이 1825년, 미국이 1830년, 일본이 1872년에 철도를 개통한 것에 비하면 세계사에서는 말할 것도 없고 동아시아 수준에서도 무척 늦은 편이었다. 그 후 100여 년 동안 철도는 한민족과 榮辱을 함께 하면서 파란만

장한 역정을 걸어왔다. 철도가 일제 침략을 선도하고 지배를 확산한 경우도 있었고, 국토의 남북분단으로 스스로 半身不隨가 되어 同族相殘의 도구로 사용된 적도 있었으며, 경제개발과 국민통합의 기제로 힘차게 활약한 시기도 있었다.

세계사의 차원에서 보아도 근대문명의 형성과정에서 철도가 담당한 기능은 가히 절대적이었다. 특히 19세기 전반부터 20세기 전반에 이르기까지 100여 년 동안 선진 자본주의 국가에서 철도가 수행한 역할은 오늘날의 자동차보다 훨씬 더 컸다. 철도는 인간 · 물자 · 정보 · 의식 · 행위 등의 운반용량과 수송속도에서 종래의 어느 교통기관보다도 뛰어났기 때문에 정치 · 경제 · 사회 · 문화 등 모든 분야의 교류와 변화에 커다란 자극을 주었다. 실제로 이 책의 주제와 직결되어 있는 일본만 하더라도 국민생활을 지탱하는 물자의 70%는 철도에 의해 운반되었다. 그런데다가 철도의 건설과 운영에는 대량의 자금과 노동력 및 노하우가 필요한 까닭에 철도산업은 자본 · 기술 · 회계 · 고용 · 관리 등의 여러 측면에서 다른 산업을 촉발하는 선구자가 되었다. 대체로 선진 여러 나라에서는 철도의 이런 순기능을 최대한 살려서 철도를 국민경제 형성과 국민국가 수립의 지렛대로서 활용했다. 따라서 선진제국에서는 철도역사에 대한 연구와 편찬이 역사연구에서 뿐만 아니라 국민의 문화생활에서도 아주 중요한 부분을 차지하고 있다.

반면에 식민지 혹은 반식민지의 철도는 그 역할과 성격이 무척 달랐다. 식민지 · 반식민지의 철도는 대체로 제국주의국가의 자본 · 상품 · 군대 · 이민을 침투시키는 한편, 원료 · 식량 · 자원 · 인력을 수탈하는 역할을 담당하는 경우가 많았다. 따라서 식민지 혹은 반식민지의 철도는 일면에서 근대문명의 전파자로서 운용된 면도 있었지만, 총체적으로는 국민경제의 형성을 왜곡하고 현지인의 주체적 성장을 억압하는 역할이 강하였다. 그리하여 식민지 혹은 반식민지를 경험한 나라에서는 철도역사에 대한 연구가 많지 않을 뿐만 아니라, 그 시각도 철도의 역기능 곧 부정적 역할을 강조하는 경향이 강하다.

1899~1945년의 한국철도는 전형적으로 반식민지 또는 식민지의 경우에 해당한다. 일본은 이 기간에 한국을 침략하고 지배하기 위하여 5천여 km의 국유철도와 1천 4백 km 가량의 사설철도를 부설하고 경영하였다. 한국인은 철도부설권을 빼앗기는 단계에서부터 철도의 부설공사와 운수영업에 이르는 모든 과정에서, 한편으로는 격렬하게 저항하고 또 다른 한편으로는 어쩔 수 없이 타협하면서 자신의 활로를 개척해 나가지 않으면 안 되었다. 따라서 한국의 철도는 한국과 일본 사이에 존재하였던 침략과 저항, 지배와 동화, 개발과 수탈, 억압과 성장 등의 상극관계를 한 몸에 지니고 있던 민족모순의 핵심 고리였다고 할 수 있다. 이것은 선진 여러 나라가 철도를 근대문명의 총아로서 받아들인 것과는 아주 다른 현상이었다.

한국인은 일제 강점기 내내 철도종사원으로 근무하거나 사설철도에 주주로서 참가한 적은 있지만, 단 1 km의 철도도 스스로 건설하여 운영한 적이 없었다. 그렇다고 해서 철도가 한국이나 한국인의 운명과 별 상관이 없었던 것은 아니다. 오히려 그렇기 때문에 철도는 한국과 한국인에게 특별한 의미를 지니고 있었다. 곧 한국과 한국인은 일본과 일본인이 철도를 건설하여 운영했다는 업보 때문에 선진 여러 나라와는 달리 삿가시 고통과 수난, 그리고 애환과 굴절을 진저리치게 맛보았다.

싫든 좋든, 혹은 자발적이든 강제적이든 간에 철도는 한국의 경제와 사회, 한국인의 생활과 의식 등 근대문명의 전반에도 큰 변화를 초래했다. 철도의 이용으로 사람 · 물자 · 정보의 유통이 전국이나 국외로 확산되고, 시간 · 거리 · 속도가 큰 폭으로 단축되거나 확장되었다. 철도 연선에 새로운 도시가 출현하여 일본인의 이주가 많이 늘어나고, 한국인 중에서도 도회지의 삶을 누리는 사람들이 증가하였다. 그러므로 철도는 근대문명의 총아로서 일본의 한국침략을 선도했을 뿐만 아니라, 한국의 사회변화와 한국인의 일상생활에 깊은 영향을 미친 핵심 교통기관이었다고 할 수 있다.

이처럼 한국철도에는 세계 어디에서나 찾아볼 수 있는 보편적 성격과 한국에서만 나타날 수 있는 특수한 성격이 혼재되어 있다. 그렇기 때문에 우리가 한국철도를 학문적으로 연구하려면 보편성과 특수성을 아울러 살필 수 있는 균형 잡힌 시각을 가져야 한다. 곧 한국철도에 붙어 있는 '침략'과 '개발'이라는 이분법적 딱지를 떼어낼 필요가 있다. 철도는 근대문명을 전파한 利器이자 產業인 반면에 침략을 선도한 觸手이자 凶器이기도 했다. 어느 한 편에 치우치거나 양자를 무 자르듯이 기계적으로 구분하여 파악한다면 한국철도가 지니고 있는 다양하고 복잡한 모습을 제대로 그려내지 못할 가능성이 많다.

모든 길이 로마로 통하듯이 일제가 한국에서 부설한 간선철도는 모두 서울을 거점으로 삼았다. 그리고 일본열도↔한반도↔만주↔유라시아대륙을 최단거리로 연결하기 위해 항만이나 국경도시를 起點으로 하여 한반도를 종관했다. 따라서 서울은 자연스럽게 한국뿐만 아니라 동북아시아 철도네트워크에서도 結節地域에 해당했다.

<지도 서-1>은 일본의 세력권(이른바 대동아공영권) 속에서 한국의 간선철도가 중추에 해당한다는 사실을 일목요연하게 보여준다. 당시 일본열도와 동아시아를 연결하는 주요 교통로는 5개(동해, 황해, 대한해협, 동중국해를 경유하여 동아시아 각 지역의 철도와 접속하는 노선)가 있었는데 한반도의 중심에 위치한 서울을 경유하는 노선이 가장 안전하고 신속했다. 따라서 한국의 간선철도 이름에 흔히 서울 '京'자가 붙어있는 까

닮은 서울을 발착지점으로 삼고 있다는 것 이상의 의미를 담고 있다고 볼 수 있다.

경인선은 1899년에 개통되고, 경경선(중앙선)은 1942년에 완공되었다. 이 점을 상기하면, 서울을 거점으로 한 간선철도망은 40여 년에 걸쳐 형성되었다고 볼 수 있다. 그동안 서울은 철도망의 도움을 받아 1944년 5월 국세조사에서 인구 약 99만 명(그 중에서 일본인 약 16만 명)을 포옹하는 거대도시로 팽창했다. 서울에는 13개의 대소 철도역이 설치되어 일본열도↔한반도↔만주↔유라시아대륙에서 운반되는 여객과 화물을 싣고 내렸다. 서울의 철도망은 거미줄처럼 뻗어나간 도로 및 전차노선 등과 연계하여 서울시민의 일상생활을 지탱하는 교통을 제공했다. 그러므로 근대의 서울은 정녕 철도가 만든 도시라고 해도 과언이 아니다.

필자는 일제 강점기의 한국철도사 연구에서 나타나고 있는 '침략'과 '개발'이라는 이분법적 접근을 극복하겠다는 문제의식을 가지고 이 책에서 '일제하의 철도와 서울 그리고 시민의 삶'을 상호 관련시켜 입체적 · 다각적 · 국제적 시야에서 탐구해보겠다. 곧 동북아시아 속의 서울 철도 네트워크의 형성과정, 철도가 초래한 서울과 연선 공간의 재편, 철도의 운영체계와 국제연락운수의 실태, 철도시설의 분포와 기능, 철도역의 客貨集散과 역세권의 변화, 철도를 활용한 군사수송과 정치 행위, 철도가 선도한 서울의 대중교통과 서울시민의 생활 변화 등을 역사 · 지리 · 경제 · 도시 · 정치 · 문화 등을 넘나드는 관점에서 다각적으로 검토해보겠다.

서울은 일제 강점기에 식민지 근대를 대표하는 도시로 변모했다. 그 과정에서 서울시민은 식민지 근대 문명을 체험하며 자주적 현대문명을 개척하는 주체로서 역량을 축적해갔다. 서울과 서울시민의 이러한 변화 모습을 철도교통과 상호 관련시켜 검토하는 것은 도시역사뿐만 아니라 한국역사, 나아가서 동북아시아역사 연구에도 큰 의미가 있다고 할 수 있다. 이때 형성된 서울의 도시공간과 교통체계, 서울시민의 일상생활과 의식구조는 해방 이후 70년이 지난 오늘까지도 서울과 서울사람뿐만 아니라 한국과 한국 사람 전체에게 짙은 영향을 미치고 있기 때문이다.

2. 연구동향과 자료소개

세계사의 시각에서 보면, 자동차 교통이 대세가 되기 이전인 19세기 중엽부터 20세기 중엽까지는 철도의 시대였다. 서양의 선진 제국은 철도를 통해 국내의 정치와 경제를 통합하고 국민국가를 건설했다. 그렇지만 식민지 · 반식민지의 철도는 그 반대 역할을 수행했다. 이곳의 철도는 제국주의 본국의 이익에 봉사하는 성격이 강하여 오히려 식민지 · 반식민지의 정치와 경제를 분단하고 국민국가 형성을 방해하는 기능을 담당하는 경우가 많았다. 한국의 철도도 예외는 아니었다. 한국철도는 일본의 자본과 상품을 반입하고 한국의 자원과 식량을 반출했다. 또한 일본의 지배력과 이민자를 방방곡곡에 부식한 반면, 한국의 노동력과 원자재를 송출했다. 또 일본은 철도를 부설하고 운영하는 과정에서 한국인에게 폭력과 강압을 행사하고, 차별과 모멸을 퍼부었다. 토지와 자재의 수탈도 격심했다. 그리하여 한국인은 일제하의 철도가 침략의 觸手, 지배의 지렛대, 곧 문명의 흉기라는 이미지를 강하게 가지고 있다.

그렇지만 철도는 또한 문명의 利器로서 근대사회를 이룩하는 데 지대한 공헌을 했다. 철도는 신속하고 정확하게 대량의 여객과 화물을 수송하기 때문에 인간과 물자의 교류를 촉진하고 자원을 개발하며 사회를 통합하는 기능을 수행했다. 또 철도 그 자체가 대량의 자본 · 물자 · 인력을 所要하는 종합산업이기 때문에 경제발전을 추동하는 역할을 했다. 철도가 인간의 의식과 행동에 미친 영향도 무시할 수 없다. 일상에서 시간과 규율을 정확히 지키고, 이동에서 공간과 거리를 단축하게 만든 데는 철도의 공로가 컸다. 그렇기 때문에 선진 제국에서는 철도를 문명의 傳令, 발전의 상징으로 받아들이는 게 보통이다. 일본의 일각에서 지금도 일제하의 한국철도를 善政의 사례, 개발의 偉業이라고 치켜세우는 것도 그 예라고 볼 수 있다.

종래 일제하의 한국철도에 관한 연구는 위와 같은 두 가지 시각 중에서 어느 한쪽만을 충실히 반영한 경우가 많았다. 전자를 제국주의침략사론이라고 한다면 후자는 식민지근대화론이라고 할 수 있을 것이다. 그렇지만 이런 이분법적 시각을 가지고는 일제하의 철도를 온전히 파악할 수 없다. 식민지에서의 철도는 凶器와 利器의 역할을 동시에 수행했기 때문에 분석의 관점도 複眼的·綜合的이어야 한다.

한국철도사연구에 대한 學說史는 필자가 이미 다른 저서에서 자세히 정리한 바 있으므로,[1] 여기에서는 일제시기 한국철도사를 단독의 주제로 삼은 네 권의 연구서에 초점을 맞춰 논점을 정리하는 데 그치겠다.

정재정의 연구는 철도의 다양한 역할을 시야에 넣으면서도 기본적으로는 제국주의침략사론의 관점에서 한국철도의 전반을 다루었다. 특히 경부선과 경의선 등과 같은 간선철도를 분석의 대상으로 삼고, 철도의 부설과정, 운수영업, 客貨輸送, 종업원의 민족별 구성, 연선각역의 소운송업 등을 거시적으로 분석했다. 이로써 일제하의 한국철도사 연구는 어느 정도 기틀을 잡게 되었다.[2] 그리고 이후 한국철도사 연구는 이 책을 토대로 하여 진척되거나 보완되어 왔다고 해도 과언이 아니다.

---

1) 鄭在貞著·三橋廣夫譯, 2008, 『帝國日本の植民地支配と韓國鐵道－1892~1945』, 明石書店.

2) 정재정, 1999, 『일제침략과 한국철도, 1892~1945』, 서울대학교 출판부.

임채성은 1930년대부터 1950년대까지 외부환경의 변화(전쟁→해방 · 분단→전쟁→부흥)에 대응하여 가는 주체로서 한국의 국유철도를 검토했다. 조선총독부 철도국과 한국교통부는 철도영업기관인 동시에 다른 육운부문에 대한 감독기관이자 교통정책의 추진기관이었다. 임채성은 특히 전쟁기간에 이들이 철도를 통해 제공한 수송서비스, 수송력 배분, 교통기관의 정비 등을 소상히 분석했다. 이를 통해 제2차 세계대전→해방 · 분단→한국전쟁→휴전체제에 이르는 역사전개 속에서 식민지철도로서의 한국국유철도가 어떤 계기를 통해 냉전체제하의 분단철도로서 다시 태어났는가를 밝혔다. 임채성의 연구는 한국철도사연구의 '수탈론'과 '개발론'과 같은 이분법적 시각을 탈피했을 뿐만 아니라, 한국철도사연구에서 공백이었던 해방 전후를 계기적으로 파악했다는 점에서 특기할 만하다. 요즈음 한국근현대사연구에서 해방전후사의 연속과 단절이 새롭게 논의되고 있는데, 임채성의 연구는 여기에 중요한 시사를 주었다고 평가할 수 있다.[3]

허우긍은 일제 강점기에 사람들이 얼마나 멀리 기차를 타고 다녔는지, 어떤 노선이 사람과 화물을 얼마나 수송하였는지, 각 철도역의 여객과 화물의 취급 규모는 어떠하였는지, 여객과 화물의 유동 양상은 어떤 변화를 겪었는지 등을 교통지리학의 관점에서 통계처리를 구사하여 체계적으로 밝혔다. 좀 더 구체적으로 말하면, 한반도 철도망의 형성 배경, 확장 추이, 수송의 지리적 특성, 수송의 증가 추이, 여객과 화물의 이동거리 분포, 철도노선별 수송 특성, 철도역의 여객과 화물 취급량 및 순위 등을 분석했다. 허우긍의 연구도 한국철도의 '수탈론'과 '개발론'과 같은 일도양단식의 평가를 피하면서 데이터에 의거하여 철도의 역할을 수치로써 밝히고,

3) 林采成, 2005, 『戰時經濟と鐵道運營』, 東京大學出版會.

그것이 지역사회의 변화에 어떤 영향을 미쳤는지를 검토했다는 점에서 중요한 업적이라고 할 수 있다.[4)]

김종혁의 연구는 철도망의 확산 과정을 DB로 구축하고 GIS 프로그램을 이용하여 시공간데이터로 구축함으로써 심화연구의 기틀을 마련하였다. 역사지리정보시스템(HGIS, Historical Geographic Information System)에 정통하지 않으면 해낼 수 없는 努作이라고 평가할 수 있다. 김종혁이 적잖은 품을 들여 한국철도의 시공간데이터베이스(spatiotemporal database)를 만들어냄에 따라 한국철도의 공간적 확산 과정을 시계열적으로 복원하고 지도로 그려내는 것이 가능해졌다. 다만 졸저의 초고가 완성된 단계에서 김종혁의 저서가 출간되었기 때문에, 그의 성과를 충분히 활용하지 못한 점을 유감으로 여기며, 그가 복원한 서울 거점 철도의 각 노선도를 적절히 인용하겠다.[5)]

최근 학문의 融複合이 화두가 되고 있다. 사회현상이 複雜多端해지고 인간생활이 多岐多樣해짐에 따라 어떤 특정 학문만으로는 그 본질을 구명하기 어렵다. 종래에도 學際間 硏究를 중시하지 않은 것은 아니지만, 지금처럼 아예 학문의 융합과 복합을 강조하지는 않았다. 인문학의 중요성이 갑자기 부각된 것도 학계와 사회의 이런 요청과 무관하지는 않을 것이다. 위에서 연구사로 제시한 세 권의 연구서도 각각의 측면에서는 未踏의 경지를 개척한 뛰어난 업적임에 틀림없지만, 새로운 시대의 요청에 부응하기에는 한계가 있다.

많은 허점이 있겠지만, 이 책에서 논하게 될 '일제하의 철도와 서울 그리고 시민의 삶'은 우리 학문의 융복합 요청에 어느 정도 답할 수 있으리라고 생각한다. 철도는 신형교통의 선구이자 근대문명의 총아이고 서울

4) 허우긍, 2010, 『일제 강점기의 철도수송』, 서울대학교출판문화원.
5) 김종혁, 2017, 『일제시기 한국 철도망의 확산과 지역구조의 변동』, 도서출판 선인.

은 철도거점이자 식민수도였기 때문에 양자의 상호관계를 다각적으로 살펴보면 식민지 근대의 실상과 성격을 정확하고 충분하게 파악할 수 있을 것이다. 아울러 '일제하의 철도와 서울 그리고 시민의 삶'을 다채롭게 그려내면 정치 · 경제 · 사회 · 문화 등과 관련된 학문의 융합과 복합을 촉진하는 데 자극이 될 것이다. 이러한 작업이 축적되면 '개발'과 '수탈', '억압'과 '저항' 등의 상반된 이미지로 각인된 일제시기의 歷史像이 수정 · 보완되어 종합적 · 체계적인 한국근대사의 모습이 구축되리라 믿는다.

일제하의 철도와 서울에 관한 자료는 방대하다. 관계당국의 관찬자료는 물론이고 공개되지 않은 극비문서도 있다. 일간신문이나 정기간행물의 기사, 개인의 기록이나 저작도 무척 많다. 그것들의 서지는 이 책의 별책에 제시한 <참고문헌>에 소상히 기재되어 있다. 필자는 이러한 자료들을 종횡으로 구사하며 이 책을 저술할 것이다. 개중에는 이 책에서 처음 활용되는 자료도 많다.

3. 이 책의 구성과 범위

이 책은 서장과 종장을 제외하고 모두 3부 13장으로 구성된다. 서장에서는 이 책이 왜 '일제하의 철도와 서울 그리고 시민의 삶'을 논하는가를 설명한다. 주로 문제의식, 연구방법, 연구동향, 내용구성, 참고문헌 등을 소개한다.

제1부는 7개의 장으로 구성되는데, 서울의 철도노선이 어떤 과정을 통해 형성되었는가를 동북아시아 철도네트워크 속에서 검토한다. 먼저 한국철도망이 확대되는 추세와 만주 간선철도망이 짜지는 개황을 서울의 관점에서 살펴봄으로써 철도교통의 결절지로서 서울의 위상을 가늠한다.

다음에 경인선, 경부선, 경의선, 경원선, 경춘선, 경경선의 계획과 부설 그리고 개통 과정을 일제의 정책과 연선의 사정과 서로 관련시켜 분석한다. 이로써 서울의 철도망을 구성하는 각 노선이 어떤 특성을 지니고 있는가가 밝혀질 것이다. 아울러 한국 간선 철도의 기점이자 교차점인 서울이야말로 일본열도와 아시아대륙의 철도교통을 이어주는 결절지점이라는 점이 부각될 것이다.

제2부에서는 3개의 장을 설정하고, 철도의 운영과 부속기관의 기능, 서울 철도노선의 운수영업과 국제열차의 운행을 분석한다. 일제하의 서울에는 경성역, 용산역, 영등포역, 청량리역을 비롯하여 크고 작은 철도역이 13개나 존재했다. 그리고 조선총독부 철도국, 철도학교, 철도공장, 철도도서관, 철도병원, 철도관사, 철도박물관, 철도회관 등의 부속기관도 자리를 잡았다. 철도역은 서울에 여객과 화물을 집산하는 관문이었고, 부속기관은 철도운영을 지원하는 핵심 시설이었다. 또 서울에 집산된 여객과 화물의 내역은 각 철도노선과 철도역의 세력과 위계를 보여준다.

서울을 통과하는 철도는 모두 표준궤이고, 경부선과 경의선은 일제 말기에 복선으로 개축되었다. 일본열도↔한반도↔만주의 연결이 일제에게 死活의 의미를 지니고 있었기 때문이다. 일제하 부산에서 출발한 국제열차는 서울을 지나 奉天(瀋陽), 北京, 新京(長春), 哈爾濱까지 직통으로 달렸다. '히까리' '노조미' '흥아' '대륙' 등의 이름을 가진 이 열차들의 속력은 당시 세계 최고 수준이었다. 한국을 관통한 국제열차의 운행실태와 국제여행의 경로를 밝혀내면 동북아시아에서 한국철도와 서울이 차지하는 중요한 의미를 확인할 수 있다. 제2부는 철도라는 창을 통해 서울의 外延이 어떻게 확대되고 內包가 얼마나 심화되었는지를 파악하는데 도움이 될 것이다.

제3부에서는 3개의 큰 장을 설정하여 철도가 침략과 통치 그리고 이에

맞선 저항의 도구로 활용된 사례를 검토한다. 나아가서 철도가 선도한 서울의 대중교통을 살펴보고, 이들이 초래한 서울시민의 일상과 여가, 의식과 행동의 변화 양상을 분석하겠다. 실제로 철도는 해방 당시까지 항상 일제의 군사수송을 지탱한 동맥이었고, 대한제국 말기에는 순종 황제의 순행, 일제 강점기에는 조선총독의 순시에 아주 많이 이용되었다. 반대로 민족해방운동 진영도 철도를 활용하여 저항의 범위를 넓혀가고 강도를 높여갔다.

일제 강점기 서울에서는 기차 이외에도 자전거, 인력거, 전차, 택시, 버스 등이 운행되었다. 서울시민은 철도가 선도한 이런 대중교통을 수용하고 이용하는 과정에서 통학과 통근, 귀성과 방문, 여행과 쇼핑 등의 새로운 일상과 여가를 체험했다. 그리고 속도와 시간, 거리와 공간, 질서와 규율, 평등과 개방 등의 새로운 의식과 행동을 체득하였다. 식민지 철도의 업보라고 할 수 있는 차별과 억압도 실컷 맛보았다. 서울시민은 또 편리 편익의 대가로서 교통사고와 인명피해라는 희생을 치렀다. 제3부에는 서울시민이 철도를 비롯한 대중교통을 이용하는 과정에서 친화와 불화를 되풀이하면서 차차 근대문명의 주체로서 성장해가는 모습이 그려진다고 볼 수 있다.

종장은 결론에 해당한다. 여기에서는 본론을 정리하면서 철도를 통해 본 서울의 식민지적 근대를 논할 것이다. 곧 일제 강점기 동북아시아 철도네트워크에서 서울이 차지하는 위상, 철도가 추동한 시민생활의 변화와 주체형성의 의미를 짚어보게 된다.

하나 양해를 구하겠다. 이 책에서 불가피하게 고유명사를 사용해야 할 경우에는 경성이라는 단어를 사용하겠지만, 자연스럽게 뜻이 통할 경우에는 서울이라는 단어를 자주 사용하겠다. 일제나 일본, 조선이나 한국, 경성부민이나 서울시민도 이런 취지에서 적절히 구별하여 사용하겠다.

또 하나, 이 책은 전문 연구서로는 드물게 다채로운 지도, 사진, 그림 등을 많이 삽입했다. 그러다보니 책이 너무 두꺼워져 이것들을 연표 등과 함께 별책으로 묶었다. 독자들이 조금이라도 더 편리하게 활용할 수 있도록 배려했다고 받아주면 고맙겠다.

지금은 열기가 좀 식었지만, 10여 년 전 남북한은 허리가 잘린 철도를 서로 연결하고 흥분에 휩싸인 적이 있었다. 남북 분단 50여년 만에 경의선과 동해선이 다시 결합하여 화물열차를 운행한 것이다. 현재 두 노선은 다시 단절되었지만, 남북한의 철도연결은 언젠가는 이루어질 역사의 필연이다. 실제로 지금 관련 당사국들은 남북한 철도와 중국철도, 러시아철도(시베리아철도), 몽골철도를 연결하는 국제프로젝트를 기획하고 있다. 일제 강점기의 한국철도가 일본열도↔한반도↔만주↔유라시아대륙를 연결하는 동아시아의 간선 철도였다는 사실을 상기하면 이것은 조금도 이상한 일이 아니다.

그러므로 '일제하의 철도와 서울 그리고 시민의 삶'을 연구하는 것은 잊어버린 과거 사실을 탐색하는 好古的 작업이 아니라 곧 박두하게 될 미래를 대비하는 지극히 實踐的이고 實用的인 작업이라고 할 수 있다. 서울은 철도를 통해 일본열도↔한반도↔만주↔유라시아대륙이 연결되었을 때 동아시아의 거점도시로서 眞價를 발휘했다. 이 연구가 남북한의 철도연결과 유라시아 국제철도망의 구축을 촉진하고, 서울이 그 중심에 더욱 우뚝 서게 되는데 일조할 수 있기를 간절히 바란다.[6]

---

6) 일제 강점기를 포함하여 한국철도 100여년의 역사를 개관하며 '공생발전의 길'이 될 것을 염원한 저서로는 다음을 들 수 있다. 정태헌, 2017, 『한반도철도의 정치경제학－일제의 침략통로에서 동북아공동체의 평화철도로－』, 도서출판 선인.

제1부

서울 철도네트워크의 형성과 특징

1장 철도네트워크와 서울의 위상

1. 서울 철도망의 확장 추세

일본은 1910년부터 1945년까지 한국을 식민지로서 지배했다. 식민지 지배를 지탱해준 기구는 정치 · 경제 · 사회 · 문화의 각 방면에 걸쳐 수없이 많지만, 그 중에서 철도의 역할은 특별히 중요하다. 일본은 한국을 식민지로 만들기 이전, 곧 청일전쟁과 러일전쟁 사이에 이미 한국을 남북으로 종관하는 간선철도를 부설하고 운영했다. 그리고 식민지화 이후에는 한국의 사방으로 철도망을 확장하여 지배 권력을 구석구석까지 침투시켰다. 그뿐만 아니라 일본은 한국철도의 지정학적 특성을 최대한 활용하여 아시아대륙으로 세력을 확장하는 동맥으로서 활용했다.

그러므로 20세기 전반기 한국철도의 전모를 밝히기 위해서는 한일관계는 물론이고 동북아시아의 국제정세까지 폭넓게 시야에 넣고 다각적으로 논의하지 않으면 안 된다. 이 장에서는 먼저 한국과 동북아시아에서 간선철도망이 형성되는 과정과 일본이 한국을 비롯한 동북아시아를 침략하고 지배하는 계기를 서울의 관점에서 서로 관련시켜 개관하도록 하겠다.

한국이 일본의 식민지지배에서 해방된 1945년 8월 15일 현재 한국철도의 영업선은 6,407 km로서, 국유철도가 5,038 km(79%), 사설철도가 1,368 km(21%)이었다. 이 철도 중 표준궤(궤간 1.435 m) 선로는 5,605 km(88%), 협궤(궤간 1.067 m 등) 선로는 801 Km(12%)이었다.[1] <지도1−1>은 한국의 국유간선철도망과 동북아시아의 주요 교통로가 서로 어떤 관계 속에서 형성되었는가를 표시한 것이고, <지도1−2>는 일제 말기 한국의 철도망을 국철과 사철로 나누어 색깔을 다르게 표시한 것이다(국철은 검은색, 사철은 붉은색). 두 지도를 참조하면서 일제하 한국 철도망의 확장 추이를 살펴보자.

한국과 동북아시아 철도망은 <그림 1−1>에서 보는 것처럼 일본의 한국과 동북아시아 침략 정책의 진전에 따라 시기별로 증가 폭을 달리하면서 형성되었다.

제1기(1899~1906년)는 일본이 한국에서 러시아 세력을 물리치고 독점적 지위를 확보하기 위해 서울을 거점으로 하여 한반도를 동남으로부터 서북으로 종관하는 京釜線(<지도 1−1>의 ①, <지도1−2>의 ①, 구간 : 서울−부산, 거리 : 452 km, 개업 : 1905년, 이하 내역의 순서는 동일함)과 京義線(<지도 1>의 ②, <지도1−2>의 ②, 서울−신의주, 497 km, 1906년)을 부설한 시기였다. 물론 일본이 한국에서 처음 부설한 京仁線(서울−인천, 35 km, 1899년)의 중요성도 빼놓을 수 없다. 경인선은 한국의 수도 서울과 당시 최대 항구였던 인천을 최단거리로 연결하는 노선으로서, 일본이 한국의 입과 코를 장악한다는 의미를 지니고 있었다. 1903년

---

1) 財團法人 鮮交會, 1986, 『朝鮮交通史』, 4~7쪽.

부터 경인선은 경부선에 편입되어 함께 운영되었다.

제1기에 일본정부는 장기적 관점에서 경부선과 경의선을 한국과 대륙을 침략하고 지배하기 위한 간선철도로 만들기 위해 노선과 궤간의 선정까지 세심한 검토와 주의를 아끼지 않았다. 먼저 일본정부는 두 철도 노선을 선정하는데 한국의 정치적 중심지와 경제적 선진지역을 관통하도록 고려했다. 서울이 그 핵심이었다. 그러면서도 가장 빠른 시일 안에 가장 많은 병력과 물자를 滿洲에 집결시킬 수 있도록 하기 위해 일본-한국-만주의 최단거리 코스를 선택하였다. 그리고 궤조와 궤간을 선정하는데도, 두 철도가 한국지배와 대륙침략의 동맥으로서 원활하게 기능할 수 있도록 만들기 위해, 일본 안에서 채택하고 있던 약 23 kg(50파운드) 궤조와 1.067 m 협궤 선로보다 훨씬 우수하면서도 중국의 간선철도와 동일한 약 34 kg(75파운드) 궤조와 1.435 m 표준궤 선로를 채택했다.[2] 일본정부의 이러한 정책은 경부선과 경의선을 통하여 한국을 독점적으로 지배하고 대륙으로 세력을 확대하려는 政商資本家와 군부수뇌의 욕구를 통일적으로 반영한 것이었다.

제1기에 일본이 한국에서 추진하였던 철도정책은 한일 간의 민족모순을 격화시키는 주요한 계기가 되었다. 곧, 일본은 경부선과 경의선을 부설하는 과정에서 한국관민이 시도한 鐵道自力建設運動을 압살하고, 농민과 주민으로부터 방대한 양의 토지와 가옥 및 노동을 수탈했다. 이에 맞서 한국인들은 격렬한 항일투쟁과 反鐵道運動을 진개했다.[3]

제2기(1906~1917년)에 일본은 한국에서 지배기반을 구축하기 위해

---

2) 鄭在貞, 1984, 「京釜鐵道의 敷設에 나타난 日本의 韓國侵略政策의 性格」, 『韓國史研究』 44, 한국사연구회, 119~124쪽.

3) 鄭在貞, 1986, 「韓末 京釜 · 京義鐵道敷地의 收用과 沿線住民의 抵抗運動」, 『李元淳敎授華甲記念 史學論叢』, 동편찬위원회, 335~394쪽.

統監府 鐵道管理局(1910년 10월부터 朝鮮總督府 鐵道局으로 개편함)을 설치하여 철도경영의 통일을 기하였다. 일본이 한국을 강점하자마자 조선총독부는 한국의 남서 곡창지대인 전라도 지역과 동북 광산지역인 함경도 지역을 연결하는 새로운 간선철도로서 湖南線(<지도 1−1>의 ③, <지도 1−2>의 ③, 대전−목포, 260 km, 1914년)과 京元線(<지도 1−1>의 ④, <지도 1−2>의 ④, 서울−원산, 224 km, 1914년)을 부설하였다.[4]

그리고 만주에서 확보한 정치 · 경제 권익을 공고하게 만들기 위한 방법의 하나로서 한만철도 연결과 경부선 · 경의선 수송력 강화정책을 추진하였다. 전자는 鴨綠江鐵橋를 가설하고 安奉線(<지도 1−1>의 ⓐ, 安東−蘇家屯, 260 km, 1911년)을 표준궤로 개축하는 일이었다. 후자는 경부선과 경의선을 개량하고 한만국경통과화물에 대해 특별할인운임제도와 관세감면 등을 조치하는 것이었다.[5]

제2기 동안 한국에서는 서울과 대전을 중심축으로 하여 동남에서 서북, 남서에서 동북으로 뻗어간 X자형 철도망과 교통체계가 일단 갖추어지게 되었다.

제3기(1917~1925년)는 일본이 한국과 만주의 일원적 지배를 촉진한다는 의미에서 한국철도를 南滿洲鐵道株式會社(다음부터 만철이라고 줄여 부르는 경우도 있음)에 위탁하여 경영하도록 만든 시기였다. 위탁 경영의 골자는 남만주철도주식회사가 한국철도의 건설 · 개량 · 보존 · 운수 등의 일상 업무를 수행하는 대신에, 조선총독부는 철도의 계획 · 경영 · 투자 · 수익 등에서 실권을 행사한다는 것이다.[6] 일본은 러일전쟁 이래

4) 朝鮮總督府鐵道局, 1940『朝鮮鐵道四十年略史』, 69~90쪽; 236~241쪽.
5) 鄭在貞, 1984, 「京義鐵道의 敷設과 日本의 韓國縱貫鐵道支配政策」, 『韓國放送通信大學論文集』 3, 489~505쪽.
6) 橋谷弘, 1982, 「朝鮮鐵道の滿洲への委託經營をめぐって」, 『朝鮮史研究會論文集』 19, 165~169쪽.

경부선과 경의선의 개량과 수송력증강정책을 추진해왔다. 한만철도의 통일경영은 결국 경부선과 경의선 중시정책이 확대되고 강화된 것으로서, 대륙침략을 적극화하려는 일본 군부와 정치가들의 의지를 반영했다.

그런데 한만철도 일체화는 양측 모두에게 큰 이익이 되지 못했다. 남만주철도주식회사에게는 필요 없는 자금 지출이 늘어났고, 조선총독부에게는 통치에 필요한 철도건설의 부진을 초래하였다. 그리하여 한국철도의 영업 km는 <그림 1-1>에서 보는 바와 같이 전시기에 비해 55% 정도 증가하는 데 그쳤다. 특히 국철의 증가가 부진했다. 제3기에 이루어진 주요 사업은 한반도의 동북지방을 해안선을 따라 종관하여 만주에 접속하는 간선철도로서 咸鏡線(<지도 1-1>의 ⑤, <지도 1-2>의 ⑤, 원산-상삼봉, 667 km, 1928년)이 부분적으로 개통되고, 私鐵이 더러 건설된 정도였다.[7)]

이에 한국에서 생업을 도모하던 일본인과 한국인 사이에서 조선총독부가 철도를 직접 경영해야 한다는 여론이 높아졌다. 게다가 1919년에 발생한 한국인들의 대대적인 반일민족해방운동(3 · 1독립운동)은 일본으로 하여금 지배정책을 수정하지 않으면 안 되게 만들었다.[8)] 일본이 한국인의 숨통을 조금이나마 트여주지 않으면 안 될 상황이 된 셈이다. 그리하여 일본은 한국의 산업개발을 촉진한다는 명분 아래 1925년 4월부터 철도경영을 다시 조선총독부로 환원하였다.[9)]

제4기(1925~1937년)는 일본이 식민지로서 기반이 다져진 한반도에서 수탈을 강화하기 위해 대대적으로 철도망을 확장한 시기였다.

제4기에 부설된 주요 철도들은 대체로, "帝國의 인구 · 식량 및 연료 문제

7) 朝鮮總督府鐵道局, 1940, 앞의 책, 93~95쪽.
8) 賀田直治, 1927,『朝鮮産業政策硏究要綱』, 138~139쪽.
9) 朝鮮總督府鐵道局, 1940, 앞의 책, 98쪽.

를 해결하고 輸入貿易을 전환시키기 위함"[10]이라는 목적에 따라, 곡물 · 삼림 · 광물 등의 자원을 개발하고 만주와 편리하게 연결되도록 구상되었다. 그 철도들 중 대표적인 노선은 圖們線(<지도 1-1>의 ⑥, <지도 1-2>의 ⑭ · ⑮, '北鮮鐵道'라고 불릴 때가 많음, 상삼봉-웅기, 180 km, 1933년), 全羅線(<지도 1-1>의 ⑦, <지도 1-2>의 ⑦, 이리-여수, 199 km, 1936년), 惠山線(<지도 1-1>의 ⑧, <지도 1-2>의 ⑬, 길주-혜산진, 142 km, 1937년), 滿浦線(<지도 1-1>의 ⑨, <지도 1-2>의 ⑫, 순천-만포, 300 km, 1939년) 등의 國鐵이었다.[11] 이 시기에 만주국이 성립되자 일확천금의 기회를 잡으려고 일본인 자본이 대거 한국에 몰려왔다. 그들은 국철의 지선으로서 사철을 왕성하게 부설하였다.

제4기에 한국철도의 영업선은 연평균 202 km나 증가하였다. 특히 국철의 경우 <그림 1-1>에서 보듯이 가파른 확대를 보였다. 이 철도들은 식량과 원료를 일본으로 반출하고 일본의 상품과 사람을 한국으로 반입하는 데 유용한 역할을 하였다. 일본은 식민지로서 독자성과 안정성이 확보된 한국에서 철도를 통해 조직적이고 체계적인 수탈을 해나갈 수 있었다.

제5기(1937~1945년)의 한국철도는 중일전쟁의 확대에 상응하여 군대와 물자를 전장으로 수송하는 역할을 많이 했다. 그렇기 때문에 일본과 만주를 최단거리로 잇는 한반도종관철도가 다시 중시되었다. 대표적인 예로서, 경부선을 보조하면서도 함포의 사정거리에서 벗어나 있는 京慶線(<지도 1-1>의 ⑪, <지도 1-2>의 ⑨, '중앙선'이라고도 불렸다. 서울 청량리-경주, 383 km, 1942년)이 새롭게 부설되었다. 경경선의 부설은 소백산맥과 태백산맥의 준령을 뚫어야만 하는 난공사였다. 일본은 전시체제하의 물자궁핍에도 불구하고 경경선의 부설에 재료와 인력을 우선적

10) 朝鮮總督府鐵道局, 1930,『朝鮮鐵道論纂』, 269~277쪽.
11) 朝鮮總督府鐵道局, 1940, 앞의 책, 252~269쪽.

으로 배분하였다. 그리고 이른바 국책사업이란 명목으로 돌관공사를 계속하여 5년 4개월 만에 경경선을 개통하였다. 이와 함께 일본은 기존의 한반도종관선인 경부선 · 경의선 · 경원선 · 함경선의 복선화도 추진하였다.12)

제5기에 한국철도는 <그림 1-1>에서 보는 바와 같이 연평균 157km씩 증가하였다. 일본이 1937년에 도발한 중일전쟁이 태평양전쟁으로까지 걷잡을 수 없이 확대되자 한국 철도는 군사적 색채를 한층 더 강하게 띠었다. 이에 따라 국철의 영업선은 가파르게 증가한 반면 사철의 그것은 답보상태였다. 국철 중에서 일본과 만주를 최단거리로 잇는 새로운 간선철도로서 圖們線과 만철의 吉會線(<지도 1-1>의 ⓒ, 吉林-會寧, 300km, 1933년)이 각광을 받았다. 도문선과 길회선은 원래 1900년대 초부터 중일 양국이 부설을 추진하였지만, 두 철도가 모두 개통되어 동일선상에서 접속한 것은 일본이 1932년 만주국을 수립한 직후였다.

일본은 도문선과 길회선이 충분히 기능하도록 만들기 위해 1933년부터 두 철도의 일부 및 終端港('北鮮三港'=淸津 · 雄基 · 羅津)을 남만주철도주식회사에 위탁하여 통일적으로 경영하였다.13) 그리하여 1930년대 중반부터 이른바 '北鮮루트'(<지도 1-1>의 ⓕ · ⓒ · ⑤ · ⑥, ⓖ · ⑤ · ⑥)가 만주산 大豆와 자원을 일본으로 반출하는 대신, 일본의 군인과 移民 및 군수물자를 동북만주로 수송하는 데 중요한 역할을 수행하였다. 이는 곧 '北鮮루트'가 종래의 奉釜루트 (<지도 1-1>의 ⓐ · ② · ①) 및 大連루트(<지도 1-1>의 ⓑ)와 더불어 일본-한국-만주를 연결하는 3대 간선으로 부상했음을 의미했다. 나진과 新京 사이에는 직통급행열차 아사히(旭)가 운행되었다.14)

---

12) 朝鮮總督府鐵道局, 1938, 『朝鮮鐵道狀況』 29, 20쪽; 朝鮮總督府鐵道局, 1940, 앞의 책, 275~278쪽; 289~294쪽.

13) 鈴木武雄, 1938, 「北鮮ルート 論, 大陸ルート 論」, 『朝鮮經濟の硏究』 3, 15쪽 ; 朝鮮總督府鐵道局, 1940, 앞의 책, 110~114쪽.

이상에서 살펴본 것처럼, 한국의 간선철도는 한국내부의 사회적 · 경제적 요구를 반영하여 건설된 것도 있지만, 일본의 식민지지배정책과 대륙침략정책을 실현시키기 위한 수단으로써 부설된 것이 많았다. 그렇기 때문에 간선철도는 대부분 일본-한국-만주를 시간적 · 공간적으로 최대한 밀착시키기 위해 남북종관의 방향을 채택하였다. 또 철도노선도 대개 海港을 기점으로 하여 정치와 경제의 중심지, 곡창지대와 광산 지역을 관통하도록 선정하였다. 그리하여 남북종관형과 항만기점형의 간선철도(<지도 1-1>의 ①~⑪)가 모든 국철의 80%(國私鐵道 전체 중에서는 63%)를 차지하였다. 이것은 한국철도의 지정학적 운명과 식민지적 특성을 잘 보여주는 지표라고 할 수 있다. 물론, 한국의 지형 자체가 남북으로 뻗은 반도로서 일본과 대륙을 연결하는 교량의 역할을 하는 데 적합하고, 대륙국가 이외의 다른 나라 철도도 대부분 해항과 내륙도시를 연결하는 경향이 강하다는 점을 아울러 고려할 필요는 있다. 그렇다 하더라도 일제가 한반도를 횡관하는 간선철도를 하나로 건설하지 않았다는 점은 한국철도의 외래적 성격을 명백히 상징하는 것임에 틀림없다.

2. 동북아시아 철도망 속의 서울

일본은 대한제국을 병탄한 직후 압록강철교를 가설했다(1911.11.1, <사진 1-1>참조). 한국철도와 만주철도를 연결함으로써 만주에서 확보한 기득권을 공고히 하려는 정책의 일환이었다. 일본은 압록강철교를 통해 경의선과 접속하는 安奉線(<지도 1-1>의 ⓐ)을 표준궤로 개축하

14) 鄭在貞, 2015, 「일제하 '北鮮鐵道'의 경영과 日朝滿 新幹線의 형성」, 『歷史教育論集』 54, 역사교육학회.

여 열차가 동일 궤도상에서 왕래할 수 있도록 만들었다. 그리고 한국과 만주 국경을 통과하는 화물에 대해 특별할인운임제도와 관세감면조치를 마련했다.

안봉선은 원래 일본군부가 러일전쟁에 활용하기 위해 협궤로 부설했다(1905.12). 일본은 러일전쟁에서 승리한 후 청의 반발을 물리치고 압록강철교 완성에 맞춰서 안봉선을 표준궤로 바꾸는 공사를 강행하였다. 그리하여 1910년대 초에 이미 부산에서 출발하는 국제열차가 서울을 거쳐 한반도를 종관하여 안봉선을 지나 만주 · 중국은 물론이고, 시베리아철도와 접속하여 유럽까지 가는 장대한 유라시아 철도수송로가 출현했다.[15]

안봉선과 접속하여 大連과 長春(1932년 만주국 수립 후의 新京)으로 연결되는 남만주철도 본선(連京線, <지도 1-1>의 ⓑ, 대련-신경, 701 km, 1907년, 1932년)은 만주철도에서 가장 중요한 노선이었다. 만주 서남지역을 종관하는 이 철도는 원래 러시아가 1896년에 청을 압박하여 부설권을 획득한 東淸鐵道(만주 동북부지역을 횡단하는 시베리아철도의 단축선, <지도 1-1>의 ⓗ)의 지선으로 부설되었다(1898년 착공, 1901년 준공). 러시아가 동청철도 지선을 건설한 것은 독일이 1898년 3월 산동반도 膠州灣을 조차하고 식민도시 青島를 건설하는 데 맞서기 위한 조처였다.

일본은 러일전쟁에서 승리한 대가로 동청철도 지선 중에서 대련-장춘 구간을 讓受하고, 이를 남만주철도주식회사에 넘겨 경영하도록 하였다. 만철은 이 철도를 표준궤에다 복선으로 개축하였다. 나아가 만철은 공식적으로 대련중심주의를 표방하고, 여객과 화물이 이 노선에 집중하도록 운임과 시설 등에서 두터운 지원을 아끼지 않았다. 그리하여 만철이 수송하는 물자와 인간 중에서 70% 가까이가 연경선을 통하여 이동한 적도 있

15) 鄭在貞, 1984, 앞의 논문, 489~505쪽.

었다.[16] 연경선 위에는 만주국의 수도 新京, 만주 최대의 도시 奉天, 아시아 최신의 항구 대련이 있었다. 게다가 서울이나 북경과 직통하는 여러 철도 노선이 연경선과 접속했기 때문에 이 노선은 동북아시아 철도교통의 핵심축이라고 해도 과언이 아니었다.

京濱線(<지도 1－1>의 ⓔ, 新京－哈爾濱, 242 km, 1903년, 1935년)은 연경선을 북쪽으로 연장하여 哈爾濱(하얼삔)에 도달하는 노선이다. 경빈선은 연경선을 보완할 뿐만 아니라, 哈爾濱에서 만주를 서북에서 동남 지역으로 횡단하는 시베리아철도의 단축선과 접속함으로써 일본의 세력을 만주의 전역으로 확산시키는 데 중요한 역할을 했다. 경빈선은 원래 러시아가 경영했는데, 1935년 3월 만주국이 이 노선을 매수한 후 만철에 경영을 이관하였다. 만철은 수개월의 준비 끝에 이 구간을 광궤(1.524 m)에서 표준궤로 일거에 교체하고, 대련에서 출발하는 특별급행열차 '아시아'호를 哈爾濱까지 달리게 만들었다(1935.9.1.).

松花江邊에 위치한 哈爾濱은 러시아가 시베리아철도를 건설하면서 개발했다. 哈爾濱은 만주 북부 최대도시이자 50여개 이상의 소수민족이 거주하는 국제도시였다. 부산을 출발하여 서울을 지나 평양－봉천－신경을 경유하는 직통 급행열차가 哈爾濱까지 운행된 것은 이곳이 그만큼 중요했기 때문이다.[17]

哈爾濱에서 블라디보스토크에 이르는 시베리아철도의 단축선은 경우

---

16) 高成鳳, 2006,『植民地の鐵道』, 日本經濟評論社, 98~107쪽. 만철은 만주의 철도와 부속시설 및 광산 등을 경영한 국책회사이었을 뿐만 아니라, 연선의 행정 전반을 대행한 疑似國家였다. 만철은 1906년 11월 26일에 정식으로 발족했는데(칙령공포 6월 7일), 초대 총재 後藤新平은, "戰後 만주경영 유일의 要訣은 陽으로 철도경영의 가면을 쓰고, 影으로 百般의 施設을 실행하는 것"이라는 말로, 만철이 국가업무를 대행하겠다는 뜻을 명백히 밝혔다.

17) 南滿洲鐵道株式會社, 1938,『南滿洲鐵道株式會社第三次十年史』, 816~817쪽. (이하에서는『三次十年史』로 칭함).

에 따라 東淸鐵道, 中東鐵道, 北滿鐵道로 불렸다. 러시아는 원래 흑룡강(우스리강) 북쪽 연안을 따라 자국 영토 안에 시베리아철도 본선을 부설하려고 계획했다. 그렇지만 이 노선은 너무 길고 험하였다. 그리하여 러시아는 청에 압력을 가해 시베리아철도 본선의 단축노선으로서 동청철도의 부설권을 미리 확보하였다(1896년). 그리고 1898년에 부설공사에 착수하여 1901년에 濱綏線(<지도 1－1>의 ⓗ, 哈爾濱－綏芬河, 546 km, 1901년, 1935년)을 완공하였다. 그 후 이 철도는 러시아에서 소련으로 관할이 바뀌면서도 만철의 連京線, 그리고 이것으로 표상되는 일본세력에 대항하는 노선으로서 정치 · 경제 양면에서 중요한 역할을 수행하였다. 그런데 소련이 1935년 3월 新京 이북의 동청철도를 모두 만주국에 매각함으로써 이 노선도 만주국에 이관되었다. 만주국은 곧 이 철도 경영을 만철에 위탁하였다.[18]

만주 동북 지역을 서북에서 동남으로 비스듬히 관통하는 빈수선을 주목하는 이유는 그 노선 위에 있는 牧丹江이라는 도시와 그곳에서 분기하여 북상하는 圖佳線(<지도 1－1>의 ⑧, 圖們－佳木斯, 580 km, 1935년, 1937년) 때문이다. 도가선의 부설과 운영은 만주국 3대 국책 중 하나였던 北邊振興計劃의 핵심이었다. 만주국은 소련과 대치하는 변경지대에 인간 방패를 쌓겠다는 일본군부의 의도를 받아들여 빈수선과 도가선의 육성에 심혈을 기울였다.

목단강은 원래 寒村에 불과했다. 그런데 빈수선과 도가선이 목단강을 교차 통과함으로써 1940년에는 인구 12만 명의 도시로 급성장했다. 전형적인 철도 도시인 셈이다. 이곳에서 집적된 인간과 물자는 도가선을 거쳐, 도문선(<지도 1－1>의 ⑥, <지도 1－2>의 ⑭ · ⑮), 함경선(<지도

---

18) 『三次十年史』, 818~819쪽 ; 高成鳳, 2006, 앞의 책, 98쪽, 114~116쪽.

1－1>의 ⑤, <지도 1－2>의 ⑤) 등의 '북선철도'를 통해 '북선3항'(청진 · 나진 · 웅기)을 경유하여 일본으로 반출되었다.[19] 물론 그 반대 방향으로도 인간과 물자는 반입되었다. 나중에는 서울에서 목단강까지, 나진에서 가목사까지 직통 급행열차가 운행되었다. 그만큼 빈수선과 도가선은 중요했다. 두 철도를 통하여 한반도와 만주의 동북부와 동남부 지역은 하나의 교통권으로 묶이게 되었다.

다음에는 이 도가선과 한반도 동북부 지역의 연결에 대해 살펴보자. 일본은 만주국을 세워 사실상 만주 전 지역에서 식민통치를 개시했다(1932.3.1). 그리고 일본과 만주의 중앙 지역 및 동북부 지역을 잇는 최단거리의 간선루트로서 '북선철도'(함경선 · 도문선)와 '북선3항'을 수축하였다. 이른바 '북선루트'를 정비한 것이다.[20] 한반도의 동북부 끄트머리를 휘도는 두만강 유역 부근에 위치한 이 철도와 항구는 만주 동북부를 남북으로 종단하는 도가선(<지도 1－1>의 ⑧) 뿐만 아니라 동서로 횡단하는 吉會線(<지도 1－1>의 ⓒ, 吉林－會寧, 300 km, 1933년)과 吉長線(<지도 1－1>의 ⓕ, 吉林－長春, 128 km, 1912년)에 접속하여 만주의 중앙 지역과도 직통으로 연결되었다. 길회선과 길장선은 하나의 노선으로 합쳐서 京圖線(<지도 1－1>의 ⓒ · ⓕ, 新京－圖們, 528 km, 1933년)이 되었다.[21]

吉長線(<지도 1－1>의 ⓕ)은 1910년 4월에 착공하여 1912년 10월에 준공했다. 중화민국 측이 이 철도를 경영했지만 부진하여 1917년 10월 만철에 경영을 위탁했다. 길장선을 동쪽으로 확장하는 것은 중국과 일본의 오랜 외교현안이었다. 吉會線 문제가 그것이다. 일본은 결국 중국 측에 차관을 제공하는 조건으로 먼저 吉敦線(<지도 1－1>의 ⓒ, 吉林－敦化,

19) 高成鳳, 2006, 앞의 책, 134쪽.
20) '북선루트'에 대해서는 우선 鄭在貞, 2015, 앞의 논문을 참조할 것.
21) 『三次十年史』, 824~826쪽.

211 km, 1928년)을 부설했다. 그리고 만주국 성립 직후 1년여의 공사 끝에 敦化에서 朝陽川을 거쳐 圖們에 이르는 敦圖線(<지도 1-1>의 ⓒ, 敦化-圖們, 191 km, 1933년)을 개통했다. 이 노선을 택한 이유는 나진이 '북선철도'의 종단항으로 선정됨으로써, 길회선의 종점이 회령이 아닌 도문으로 변경되었기 때문이다. 이리하여 京圖線이 출현한 것이다. 경도선 완공과 때를 맞춰 도문의 두만강 대안 남양과 접속하는 圖們橋가 가설되었다 (<사진1-2> 참조). 경도선이 완성된 1933년 10월 15일 청진과 신경 사이에 직통 급행열차가 운전을 개시했다. 한반도 동북부지역과 만주 중앙 및 동남부 지역을 직접 연락하는 제2 동맥이 형성된 것이다.[22]

한편, 만철이 원래 계획했던 길회선의 종점 회령까지도 철도가 부설되었다. 조양천에서 龍井을 거쳐 開山屯까지 뻗은 朝開線(<지도 1-1>의 ⓒ, 61 km, 1934년)이 그것이다. 이 철도는 두만강 대안의 상삼봉과 연결되었다. 조개선과 함경선을 연결하는 두만강의 철교는 1927년에 이미 가설되었는데, 조개선의 개통을 앞두고 上三峰橋라고 개칭되었다(1933년, <사진 1-3>참조). 청진을 '북선루트'의 종단항으로 삼을 경우에는 길회선 쪽이 경도선보다 약간 거리를 단축할 수 있다. 그렇지만 청진이 나진에 밀림으로써 경도선이 우위를 점하게 되었다. 이에 '북선철도'는 남양을 분기점으로 하여 청진에 이르는 노선을 南廻線, 나진에 이르는 노선을 北廻線이라고 부르기도 했다.[23]

일본은 만주 중앙부 및 한반도 동북부의 철도가 동해를 건너 일본과 원활히 교통할 수 있도록 '北鮮三港'을 대규모로 축성하였다. 그리고 1933년부터 '북선철도'와 그 終端港인 '북선3항'을 남만주철도주식회사에 위탁하여 통일적으로 경영하도록 만들었다. 웅기와 나진 사이에도 철도를

22) 『三次十年史』, 824~826쪽.
23) 『三次十年史』, 827~828쪽.

부설했다(雄羅線, 18 km, 1935년). 나진이 개항장으로 지정된 1935년 11월 1일 나진과 만주국 수도인 新京 사이에 직통급행 국제열차 '아사히'가 운행을 개시했다.[24] 서울에서 청진 · 나진 사이에도 직통급행열차가 운행되었다.

이상의 경위를 거쳐, 1930년대 중반에 완성된 '北鮮루트'(<지도 1-1>의 ⓕ · ⓒ · ⑤ · ⑥ 동서횡단 루트와 ⓖ · ⑤ · ⑥ 남북종단 루트)는 만주산 대두와 자원을 일본으로 반출하는 대신, 일본의 인간과 물자를 만주 중앙부와 동북부로 반입하는 데 중요한 역할을 수행하게 되었다. 이는 곧 '북선루트'가 종래의 한반도종관루트 곧 '奉天-부산루트'(<지도 1-1>의 ⓐ · ② · ① · ⓚ · ⓙ), 황해루트 곧 '봉천-大連루트'(<지도 1-1>의 ⓑ · ① · ⓙ)와 더불어 일본-한국-만주를 연결하는 3대 捷徑의 지위를 획득했다는 것을 의미했다.[25]

한편 한반도 북부 중앙지역과 만주 남부 중앙지역을 일직선으로 연결하는 국제철도 노선도 출현했다. 한반도에서 만포선(<지도 1-1>의 ⑨, <지도 1-2>의 ⑫)의 개통에 앞서 만주에서 梅輯線(<지도 1-1>의 ⓓ, 梅河口-輯安, 245 km, 1937년)이 부설되었다. 압록강을 사이에 두고 두 철도의 종점인 만포진과 집안을 연결하는 만포교가 가설된 것은 1939년 9월 28일이었다. 이날 만포에서는 두 철도의 접속을 축하하는 全通式이 성대하게 거행되었다 (<사진 1-4> 참조). 이로써 한반도와 만주를 직접 연결하는 제4의 국제철도 노선이 또 하나 탄생하였다.[26]

그런데 서울과 직통으로 연결되는 만주와 중국의 철도 중에서 빼놓을

---

24) 鈴木武雄, 1938, 앞의 논문, 15쪽 ; 朝鮮總督府鐵道局, 1940, 앞의 책, 110~114쪽. 만철에 위탁된 '북선철도'의 남회선 구간은 輸城驛 이북이었다.
25) 鈴木武雄, 1938, 앞의 논문, 323~331쪽.
26) 『三次十年史』, 1495~1497쪽; 高成鳳, 2006, 앞의 책, 63~64쪽.

수 없는 노선이 있다. 만주의 남서에 위치하여 奉天을 통해 중국의 수도 北京까지 왕복할 수 있는 京奉線(<지도 1-1>의 ⓘ, 北京-奉天, 842 km, 1888년, 1912년)이 그 철도이다. 경봉선 중에서 만주 관할 아래 있던 철도는 奉山線(<지도 1-1>의 ⓘ, 奉天-山海關, 420 km, 1906년, 1933년)이었다. 봉산선의 종점 산해관에서 서쪽으로 283 km쯤 가면 天津이 있고, 거기에서 다시 140 km쯤 서북쪽으로 나아가면 北京이 있다. 일본이 중국과 전면 전쟁을 벌인 후 1938년 10월 1일부터 京奉線-안봉선-경의선-경부선을 따라 직통 급행열차가 운행을 개시했다. 경성에서도 이 열차를 타면 당연히 갈아타지 않고도 한 번에 북경을 왕래할 수 있었다.[27]

일본이 오랜 세월에 걸쳐 주도면밀한 계획 아래 한반도와 만주의 철도를 동일궤도상에 연결시킨 것은 궁극적으로는 일본과 연락을 원활하게 만들기 위함이었다. 그런데 만주-한반도-일본열도를 연결하는 항로와 항구가 제대로 갖춰 있지 않으면 국제철도망이 아무리 발달했다하더라도 소기의 목적을 달성할 수 없는 노릇이었다.

일본은 우선 한반도와 일본열도를 연결하는 항로로서 關釜航路(<지도 1-1>의 ⓚ, 下關-釜山, 240 km, 1905년)를 개설했다. 이 항로는 원래 일본의 사설철도인 山陽鐵道株式會社의 山陽汽船이 운항을 개시한 항로로서, 철도국유법에 따라 山陽鐵道(<지도 1-1>의 ⓙ, 神戶-下關, 667 km, 1901년)가 국유화되자(1906년) 이 항로도 국유철도가 운영하게 되었다. 이후 관부항로는 일본이 제2차 세계대전에서 패할 때까지 일본열도-한반도-만주-유라시아대륙을 연결하는 국제항로의 역할을 수행했다(<사진 1-5> 참조). 이 밖에 博多-부산(215 km), 大阪-濟州를 연결하는 항로가 있었지만, 관부항로의 세력에는 훨씬 미치지 못하였다. 따라서 관부

27) 『三次十年史』, 809~810쪽.

항로는 일본열도와 한반도를 연결하는 독점 노선이라고 말해도 과언이 아니었다. 산양철도는 神戸에서 東海道線(新橋－神戸, 606 km, 1872년, 1889년)과 접속하여 동경까지 직통하였다.[28]

이상에서 살펴본 것처럼, 일제 말기에 이를수록 한반도를 종관하는 경부선, 경의선, 경원선, 함경선, 만포선, '북선철도' 등은 만주의 安奉線, 京圖線, 圖佳線, 梅輯線 등과 一體性을 강화해갔다. 그리고 서쪽으로는 京奉線을 통해 北京으로, 북쪽으로는 哈爾濱을 통해 시베리아철도로, 동쪽으로는 關釜航路를 통해 東京으로 외연을 넓혀나갔다. 그 결과 유라시아대륙 전체를 철도의 세력 범위로 포섭하는 국제철도망이 형성되었다. 한반도의 철도는 동북아시아 철도교통의 基軸이었고, 그 중심에 위치한 서울은 바로 동북아시아 철도네트워크의 結節地點이었다.

<지도 1－2>는 <지도 1－1>에는 나타나지 않은 국유철도의 지선이나 사설철도까지 모두 표시하고 있다. 이 지도를 보면 알 수 있듯이 한반도에는 서울 · 평양 · 대전 · 이리 · 대구 · 길주 · 청진 · 송정리 · 김천 등 몇 군데 철도의 결절지가 있다. 그렇지만 서울의 지위에는 전혀 미치지 못했다. 서울은 한국 철도망의 핵심일 뿐만 아니라 동북아시아 철도망의 주요 결절지점이었다. 다음 장에서는 <지도 1－1>과 <지도 1－2>를 참고하면서 서울을 거점으로 삼고 있는 각 철도노선의 형성과정과 운영실태 등을 좀 더 자세하게 살펴보겠다.

---

28) 日本國有鐵道廣島鐵道管理局, 1979, 『關釜連絡船史』 참조.

2장 경인선(서울－인천, 1897~1900년)

1. 경인선의 중요성과 일본의 부설권 요구

1) 경인선의 중요성

경인선은 한국에서 맨 처음 부설된 철도이다. 경인선은 선박을 통해 이루어지던 서울과 인천의 江運을 일거에 철도라는 첨단의 陸運으로 바꿔놓았다. 교통에서 혁명이 일어난 것이다. 그래서 한국은 일본이 부설했음에도 불구하고 제물포에서 노량진까지 경인선이 가영업을 시작한 날(1899. 9.18)을 철도의 날로 기념해왔다.

그런데 경인선은 일본이 외국에서 최초로 건설한 철도이기도 하다. 그 후 일본은 경인선을 발판으로 삼아 경부선 · 경의선 등을 잇달아 손아귀에 넣고 한반도에서 세력을 확장했다. 따라서 경인선은 일본이 한국에 근대 문물을 도입한 문명의 利器인 동시에 침략과 지배를 선도한 문명의 凶器의 성격을 아울러 지녔다.

한국의 철도사 또는 근대사에서 이렇게 중요한 자리를 차지하고 있는 경인선은 약 35 km에 불과한 짧은 철도였다. 그렇지만 <지도 1-2>와 <지도 2-1>에서 보듯이, 경인선은 한반도 정치 · 경제 · 사회 · 문화의 중심지인 서울과 최대 무역항인 인천을 직통으로 연결한다는 점에서 대단히 상징적이고 획기적인 성격을 띠고 있었다. 또 경인선이 서울을 지나 동해안으로 연장되면 한반도를 가장 짧은 거리로 횡단하는 동맥이 될 가능성도 가졌다. 그렇기 때문에 경인선을 누가 어떻게 부설하는가는 19세기 말 한국의 주요 국제문제이자 열강의 이권쟁탈 대상이었다.

결말부터 말하면 경인선은 일본의 자본과 기술에 의해 부설되었다. 그리하여 경인선은 일본이 한국을 침략하고 지배할 때 수도 서울을 겨냥하는 칼날(匕首)과 같은 역할을 했다. 서울의 목구멍을 장악하는 것은 곧 한국의 몸통을 좌지우지하는 것을 의미했다. 경인선을 차지한 일본은 1899년부터 1945년까지 한반도에서 6천 4백여 km의 철도를 건설했다. 일본 세력을 한반도 구석구석까지 침투시킨 이 철도망은 사실 경인선에서 비롯된 것이었다.[1)]

일본은 한강철교를 가설하고 1900년 7월 8일 경인선을 서대문역까지 연장하였다. 경인철도합자회사와 경부철도주식회사 사장을 겸하고 있던 澁澤榮一은 1900년 11월 12일 정오 남대문정차장 구내에서 열린 경인선 개업식에서 다음과 같은 式辭를 했다. 이 개업식은 경인선의 명실상부한 全通을 기념하는 행사였다.

> 무릇 교통기관이 邦國에 須要한 것은 일부러 말할 필요도 없다. 그 중에서도 철도와 같은 것은 교통운수 至利至便함으로써 황야를 개척

---

1) 정재정, 2001, 「일본의 對韓 침략정책과 경인철도 부설권의 획득」, 『역사교육』77집, 역사교육연구회. 2장은 이 논문을 많이 참조했다.

> 하고, 물산을 증식하고, 工藝를 일으키고, 상업을 통하게 하고, 국가를 富强增進하게 한다. 하물며 大韓國과 같이 대륙의 일단을 점하여 해양에 돌출하고, 土壤이 膏腴하고, 水陸의 天産이 풍부한 疆域에서야. 본 철도는 연장이 겨우 수십 마일에 불과하여 감히 교통기관으로서 誇張할 수 없지만, 다행히 대한국에서 이 斯業의 嚆矢라는 영광을 짊어졌다. 장래 철도의 부설은 해마다 진척하여 동서를 서로 연결하고 남북을 서로 관통하여 邊隅遐陬에 보급하고, 안으로는 富源을 개척하고 밖으로는 우리 일본을 비롯하여 各國과의 통상을 성하게 할 것은 깊이 믿어 의심치 않는 바이다. 과연 그렇다면 이 小鐵道 부설도 결코 蕞爾한 小功에 그치지 않고 바라건대 대한국의 奎運을 증진하는 선도자가 될 것이다. 이것이 본사의 微意인 바이다.[2]

澁澤은 式辭에서 경인선이 선도자로서 수행해야 할 역사적 사명으로 문명개화 · 산업개발 · 국토개척을 들었다. 그렇지만 경인선은 한국의 의지와 노력, 자본과 기술로 부설된 것이 아니었다. 일본의 그것들로써 부설되었다. 따라서 澁澤의 式辭는 개업식에 참석한 한국의 고관대작과 일반대중을 달래기 위한 甘言利說에 불과했다. 일본이 경인선 개통에 거는 기대는 다른 데 있었다.

澁澤은 일본인만 있는 자리에서 솔직한 심경을 披露했다. 곧 경인선 개업식을 성대하게 거행한 목적은 앞으로 건설하게 될 경부선을 성원하고 주식 모집을 돕기 위해서였다.[3] 일본에서 500여 개 회사를 창립하여 일본 자본주의의 기틀을 닦은 인물로서 추앙을 받고 있는 澁澤다운 발상이었다. 『仁川府史』도 경인선의 의미를, "前途難澁한 경부철도를 완성시키는 수단으로서 먼저 경인철도를 착수하고, 그것으로써 한국에서 일본의 국방 및 경제적 경영의 기초를 공고하게 만드는 國策에 순응하"[4]기 위한

2) 『龍門雜誌』 제151호, 1900.12, 43~45쪽.
3) 澁澤榮一, 1927, 『青淵回顧錄』 上卷, 741쪽.

것이라고 규정했다.

이처럼 경인선은 일본이 한국에서 군사적 · 경제적 기반을 구축하는 교두보의 사명을 띠고 있었다. 실제로 일본은 경인선과 경부선을 발판으로 하여 경의선으로 침략야욕을 확장해나갔다.

> 京釜 · 京仁 兩鐵道가 일본인의 所有 · 運轉에 관계되는 이상 京義鐵道가 우리의 손으로 敷設 · 運轉되어져야 하는 것은 철도행정의 통일에 비추어 볼 때도 필요한 일이다. 하물며 우리는 한국내에 절대의 商工業 利權을 가지고 있기 때문에, 이 권리의 保護 · 擴張과 관련하여 경의철도가 우리의 손에 의해 完成 · 運轉될 것을 필요로 한다.[5]

이상에서 살펴본 것처럼 경인선은 일본이 한국을 침략하고 지배하는 데 지렛대의 역할을 했다. 경인선을 시발로 하여 일본은 반세기 동안 한국뿐만 아니라 만주와 중국에서 방대한 철도망을 구축하고 운영하며 억압과 수탈을 자행했던 것이다.

2) 일본의 부설권 요구

경인선의 위상과 역할이 위와 같을진대 일본이 경인선 부설권을 차지하기 위해 먼저 행동에 나선 것은 당연한 일이었다. 일본은 甲申政變이 실패한(1884.12) 후 한국에서 약화된 세력을 만회하기 위하여 淸과 一戰을

---

4) 仁川府, 1933, 『仁川府史』, 833쪽. 경인철도의 선구적 성격에 대해 朝鮮總督府鐵道局, 1915, 『朝鮮鐵道史』는 이렇게 평가하고 있다. "무릇 조합 성립의 動機인, 당시 경부철도계획의 前途 아직 예측할 수 없는 것이 있어서, 먼저 경인철도에 착수하고, 이로써 반도에서 我經濟的 경영의 기초를 굳히려고 했던 것이다."(40~3쪽). 아래에서는 이 책을 『朝鮮鐵道史』(1915)로 약칭하겠다.

5) 『舊韓國外交文書』 제6권, 日案6 7260문서 1903.2.27. ; 『日本外交文書』 제35권, 650문서 1903.2.21.

불사한다는 각오로 10여 년 동안 군비확충에 박차를 가했다. 때마침 淸이 동학농민군의 제압을 명분으로 한국에 3,000여 명의 군대를 충청도와 경기도 접경 해안지역에 파견하자, 일본은 곧바로 6,000여 명의 군대를 京仁地域에 파견하여 포진시켰다(1894.6).

일본은 며칠 후 야간을 틈 타 경복궁에 침입하여 한국정부의 주요 관료를 친일적 인사로 교체하는 정변을 일으켰다(1894.7.23). 이 정변은 청일전쟁에서 기선을 제압하기 위해 한국의 주권을 노골적으로 침해한 사건으로서 조선침략전쟁이라고 부르는 연구도 있다.[6] 그사이 주한 일본공사 大鳥圭介는 1894년 6월 老人亭會議에서 서울과 주요 항구를 잇는 철도부설권을 달라고 요구했다.[7] 한국에서 이권을 차지하기 위해 암약하고 있던 政商 자본가 竹內綱 등도 외무대신 陸奥宗光의 밀명에 따라 경인선과 경부선 부설을 독자적으로 기획했다.[8]

일본정부는 한국의 친일정부를 군사적으로 强迫하여 朝日暫定合同條款(1894.8.20)과 朝日攻守同盟(1894.8.26)을 체결하였다.[9] 조일잠정합동조관의 제2항에는 다음과 같은 내용이 들어 있었다.

> 내정개혁의 節目 中 京釜兩地 및 京仁兩地 間에 건설할 鐵道一事는 조선정부의 재정이 아직도 여유가 없음을 고려하여, 일본정부 혹은 일본의 어느 회사와 약정한 다음 時機를 보아 起工하기를 원하는 바이지만, 조선정부가 目下 委曲情節이 있어서 照辦하기 어려우므로 모름지기 良法을 案出하여 가급적 빨리 訂約 起工할 수 있기를 요함.[10]

---

6) 나카츠카 아키라 · 박맹수 역, 2002, 『1894년, 경복궁을 점령하라!』, 푸른역사 ; 이노우에, 와다 하루끼저 · 이경희 역, 2011, 『러일전쟁과 대한제국』, 제이앤씨.
7) 『統理交涉通商事務衙門日記』 開國503年(1894)6月 初9日條 ; 6月10日條.
8) 竹內綱, 1921, 『京釜鐵道經營回顧錄』, 序言 및 1~2쪽.
9) 日本 外務省, 『日本外交文書』 제27권(二), 629, 636 문서.
10) 『高宗實錄』 권32, 31년 7월 20일 ; 國會圖書館 立法調査局, 1964, 『舊韓末條約彙纂

요컨대 한국정부가 경인선과 경부선을 부설하기에는 재정형편이 좋지 않으므로 일본정부 또는 일본회사와 계약을 체결하여 기공하기 바란다는 내용이었다. 일본은 이로써 오래전부터 노려왔던 경인선과 경부선 부설권을 일단 손에 넣었다고 여겼다.

그렇지만 조일잠정합동조관은 한국정부가 경인선과 경부선 부설에 관한 협약의 우선권을 일본정부나 일본회사에 부여한다는 것을 잠정적으로 확인한 것에 지나지 않았다. 그러므로 일본이 한국에서 철도부설을 실행에 옮기기 위해서는 별도 조처가 필요했다.

2. 한일의 부설권 다툼과 미국의 개입

1) 한일의 부설권 다툼

한국이 일본에 경인선 부설권을 잠정적으로 許給한 조일잠정합동조관 체결로부터 일본이 경인선 가영업을 시작하는 1899년 9월 18일까지 4년여 동안 한국 · 미국 · 일본은 경인선의 부설권과 운영권 등을 둘러싸고 갈등과 대립을 빚었다. 특히 일본은 잠정적으로 확보한 경인선 부설권을 확정적인 것으로 만들기 위하여 수차례에 걸쳐 細目協定 체결을 한국정부에 요구했다.

駐韓 일본공사 井上馨은 경인선과 경부선 부설권을 완전한 것으로 만들기 위해 갖은 계략을 동원했다. 그는 明治政府에서 외무대신과 내무대신 등의 요직을 두루 역임한 실력자로서, 청일전쟁 후 일본에 저항하는

(1876~1945)』 上卷, 47~51쪽 ; 日本 外務省, 『日本外交文書』 제27권(二), 629, 636 문서.

한국을 일본의 保護國으로 만들기 위해 자원하여 부임했다. 그러므로 그는 일본의 한국침략정책을 현장에서 실행한 장본인이라고 볼 수 있다.[11]

井上은 1894년 11월 前任 공사 大鳥圭介가 기초한 경인선과 경부선에 관한 約定案槪要를 일본정부에 제출하고, 이 약정안대로 한국정부와 교섭해도 좋은가에 대해 재가를 요청했다. 이 약정안은 나중에 한국정부와 일본정부의 교섭과정에서 수정되고 보완되었기 때문에 그대로 실현되지는 않았지만, 일본이 경인선과 경부선 부설권을 끝내 장악하는 바탕이 되었기 때문에 중요한 의미를 지녔다.

大鳥가 기초하고 井上이 보완한 약정안개요의 골자는 다음과 같았다.

> ① 경인선과 경부선을 일본정부나 일본회사가 건설한다.
> ② 철도용지의 매입에 필요한 모든 비용은 일본 측이 한국정부에 부채로 제공한다.
> ③ 한국정부나 한국회사가 이 부채를 모두 상환할 때까지 경인선과 경부선의 경영에 관한 모든 권한은 일본정부나 일본회사가 무기한으로 장악한다.[12]

그런데 당시 한국에서는 철도부설권 허급을 국토 할양처럼 위험한 사안으로 생각하는 분위기가 널리 퍼졌다. 그리하여 井上 일본공사는 본국 정부에 대해 이 약정안의 각 조항을 설명하면서 한국정부에 차관의 굴레를 씌울 것을 건의했다. 곧 일본이 철도부설권을 획득하기 위해서는 경인

11) 井上馨의 활동과 보호국화 정책에 관해서는 정재정, 1989, 「井上馨－明治政府에서의 역할과 朝鮮侵略의 實踐」, 『國史館論叢』1, 國史編纂委員會, 141~148쪽을 참조할 것.

12) 國史編纂委員會, 1990, 『駐韓日本公使館記錄』5, 166~167쪽 1문서 1894.10.12(이하에서는 이 책을 『記錄』으로 약칭하겠다.) ; 李炫熙, 1973, 「19世紀末 日帝의 韓國鐵道 敷設權 爭取問題」, 『建大史學』3, 建國大學校 史學科.

선과 경부선 부설이 "한국정부의 사업"이라고 둘러댈 필요가 있었다.[13] 井上의 간교한 지략은 나중에 일본이 한국정부를 상대로 철도부설권을 허급하라고 요구하는 데 자주 활용되었다. 이에 附和雷同하여 경인선과 경부선 부설이 한국과 일본의 공동사업인 것처럼 착각하는 한국 官民도 다수 등장했다.

그 무렵 일본정부는 주한 일본공사관과는 별도로 조일잠정합동조관을 확정조약으로 만들기 위해 비밀조약 체결을 계획하고 있었다. 韓日條約草案이라는 이 조약문에 포함되어 있는 철도에 관한 주요 내용은 다음과 같았다.

> ① 경인선과 경부선을 일본 자본으로 건설하고,
> ② 한국정부가 모든 건설비를 상환할 때까지 일본이 운수영업에 관한 일체 권리를 장악하되,
> ③ 全線路 개통 후 50년을 경과할 때까지 한국정부는 건설 諸費用을 상환하지 못한다.[14]

이 草案의 골자는 일본이 경인선과 경부선을 자신의 자본으로 부설하여 최소한 50년 동안은 배타적으로 지배하겠다는 것이었다.

일본정부와 주한 일본공사관에서 계획하고 있던 세목협정안은 결국 하나로 조정되어 한국정부에 전달되었다. 1895년 1월 15일에 제출된 京釜·京仁鐵道細目協定交涉案은 井上 公使의 約定案概要를 기본으로 하여 일본정부의 韓日條約草案을 절충한 것이었다. 그 핵심은, ① 철도의 형식적인 소유권은 한국정부에 속하되, ② 모든 건설비용을 상환할 때까지 최소한

---

13) 각주 12)와 같음.
14) 『陸奧宗光文書』 所收의 「日韓條約草案」, 日本國會圖書館 憲政資料室 所藏 ; 『記錄』 5, 171~172쪽 5문서 1895.1.21

50년간은 일본이 운수영업에 대한 권리를 장악한다는 것이었다.15) 이 세목협정안에도 철도이권 양도에 반대하는 한국정부와 한국민중의 저항을 무마하고, 한반도 철도이권을 노리는 열강의 눈을 속이고자 하는 의도가 배어 있었다. 곧 겉으로는 한국정부가 경인선과 경부선을 소유한 것처럼 위장하고 실제로는 일본이 최소한 50년 동안 관리 운영한다는 것이다.

일본정부가 요구한 세목협정안은 한국정부와 한국민중의 저항 그리고 열강의 공동간섭으로 인해 처음부터 벽에 부딪혔다. 당시 경부선이 부설될 예정지라는 경기도 · 충청도 · 경상도 등지에서는 동학농민군이 항일투쟁을 벌이고 있었다. 실제로 1894년 11월에 실시된 제2차 경부선 예정지 답사는 沿線住民들의 격렬한 저항으로 구체적인 조사가 불가능할 정도였다.16)

1895년에 이르러 국제정세가 일본에 불리하게 돌아갔다. 청에 과다한 전쟁배상과 영토할양을 요구한 일본은 1895년 4월 러시아 · 독일 · 프랑스에게 공동압박을 받는 처지에 놓였다. 이른바 三國干涉으로서, 할양받기로 한 요동반도를 청에게 환부하라는 압력이었다. 각국에 비해 아직 국력이 약하다고 판단한 일본은 이에 따를 수밖에 없었다. 삼국간섭은 곧바로 한국의 국제관계에도 영향을 미쳤다. 영국 · 미국 · 러시아 · 독일 등 4국 공사는 1895년 5월 4일 철도이권을 일본에만 독점적으로 양도하지 말 것을 요구하는 공동 항의서를 한국정부에 제출했다.17)

이런 국제정세 속에서, 한국정부는 철도부설권 양도가 삼남지방의 항일 의병투쟁을 격화시킬 수 있다는 점을 이유로 내세워 일본의 세목협정 체결 요구를 거절했다.18) 또 경인선과 경부선 부설을 언급한 잠정합동조

15) 朝鮮總督府鐵道局, 1929, 『朝鮮鐵道史』, 5쪽. 아래에서는 이 책을 『朝鮮鐵道史』(1929)로 약칭하겠다. ; 朝鮮總督府鐵道局, 1937, 『朝鮮鐵道史』 第1卷, 36~37쪽. 아래에서는 이 책을 『朝鮮鐵道史』(1937)로 약칭하겠다.

16) 『朝鮮鐵道史』(1937), 255~256쪽.

17) 『舊韓國外交文書』 제11권, 美案 2 1364문서.

관은 문자 그대로 잠정적 약속에 불과하기 때문에 이것을 근거로 하여 일본이 철도부설권을 요구하는 것 자체가 잘못이라는 뜻을 밝혔다.[19]

2) 미국인 모스의 부설권 획득

한국정부는 동아시아의 국제정세 변화에 기민하게 대응했다. 곧 러시아 세력을 끌어들여 일본 세력을 견제하겠다고 나섰다. 일본은 한국에서 우세한 지위를 상실할지 모른다는 초조감에 휩싸여 1895년 10월 8일 明成皇后를 살해하는 만행을 저질렀다. 러시아 세력을 끌어들인 장본인으로서 명성황후를 지목한 것이다. 일본의 야만적 망동은 한국민중의 격렬한 항일 의병투쟁을 불러일으켰다. 일본의 무도한 행위에 생명의 위협을 느낀 高宗은 1896년 2월 주한 러시아공사관으로 피신했다. 이른바 아관파천이다. 이로써 한국에서 일본 영향력은 더욱 약화되고 러시아 영향력은 좀 더 강화되었다.

아관파천 중에 한국정부는 1896년 3월 29일 경인선 부설권을 미국인 제임스 알 모스(J. R. Morse)에게 허급했다. 모스는 이전부터 미국 공사 알렌(Alen)을 통하여 한국의 간선철도 부설권을 획득하기 위해 노력해 왔다. 그러던 중, 일본군이 명성황후를 弑害한 것을 계기로 반일의병이 봉기하고, 또 열강의 압력으로 조일잠정합동조관이 有名無實해진 틈을 타서, 우선 경인선 부설권을 손에 넣었다. 한국정부는 또 1896년 7월 경의선 부설권을 프랑스의 피르릴르 회사에게 양도했다. 러시아가 뒤에서 그 일을 도왔다. 당시 러시아와 프랑스는 비밀동맹을 맺어 우호관계를 유지하고 있었다.

---

18)『舊韓國外交文書』 제3권, 日案 3 4189문서.
19)『舊韓國外交文書』 제3권, 4246문서.

한국의 外部大臣 李完用, 農商工部大臣 趙秉稷과 미국인 제임스 알 모스가 맺은 京仁鐵道特許條款의 주요 내용은 다음과 같았다.

① 한국정부는 철도연선에서 철도의 건설과 운전에 필요한 용지에 대해 交通權을 설정하고, 이 권리는 한국정부가 이 철도 및 재산을 취득할 때까지 미국인 회사에 貸與하며, 회사는 그 報酬로서 한국정부의 우편물 및 우편인과 군인 및 군수품의 無料輸送을 승낙할 것(제3조).

② 이 철도의 공사용 및 운전용 재료로서 외국에서 수입을 要하는 것은 無稅로 수입할 수 있고, 이 철도의 재산 및 收入에 대해서는 세금을 부과하지 않는다(제5조).

③ 이 사업의 경영을 위하여 모스 또는 그 대리인은 회사를 조직하고 필요한 자본금을 모집하는 권한을 소유하며, 이 회사는 계약을 체결하여 선로의 건설 · 소유 · 보존 및 운전에 요하는 모든 재산을 소유 · 양도 처분할 수 있다(제7조).

④ 건설공사는 이 계약의 공포일로부터 12개월 이내에 착공할 것이며, 그 기한 내에 기공하지 못하면 무효로 한다. 단 전쟁이나 기타 부득이한 사유로 기공이 불가능하면 허가를 猶豫하든가 기간을 연장할 수 있고, 전쟁이나 기타 부득이한 사유가 없는 한 공사 개시일로부터 3개년 이내에 준공할 것(제9조).

⑤ 이 철도 완공 후 15년을 경과하면 한국정부는 이 철도 및 그 재산을 당시 時價로 매수할 수 있으며, 15년이 경과하여도 한국정부가 매수할 수 없을 경우에는 다시 이 회사에 10년간 면허를 許與한다.[20]

경인철도계약의 골자는 일본이 마련한 세목협정안과 거의 비슷했다. 물론 다른 점도 있었다. 건설, 소유, 운영, 양도, 매매 등에 관해 구체적으

20) 國會圖書館 立法調査局, 1965『舊韓末條約彙纂(1876~1945)』下卷, 450~455쪽 ; 『日本外交文書』 제29권 345문서 附屬書 三.

로 적시하여 상세하게 규정했을 뿐만 아니라, 한국정부가 매수할 수 있는 기한을 완공 후 15년으로 짧게 설정했다. 일본이 50년을 주장한 것에 비하면 훨씬 유연했다.

일본은 경인선 부설권을 모스에게 허급한 한국정부 처사가 조일잠정합동조관에 저촉된다고 항의했다.[21] 그렇지만 한국정부는 일본에 대해 약간 유감의 뜻을 표했을 뿐, 일본에 경인선 부설권을 양도할 의사는 조금도 없었다.[22] 三南地方에서는 철도부설권이 일본에 넘어간다는 소문이 퍼져 反日感情이 고조되고 있었다. 고종은 이런 분위기를 적절히 이용하여 1896년 11월부터 1년 동안 어떤 외국인에게도 철도부설권을 讓與하지 않겠다는 칙령을 반포했다.[23] 열강의 철도부설권 요구를 정면에서 차단한 고종의 칙령은 경부선 부설권을 확정하려는 일본의 외교교섭을 벽에 부딪치게 만들었다. 한국정부는 서울－公州, 서울－木浦 철도부설권을 요구하는 프랑스, 서울－元山 철도부설권을 요구하는 러시아의 요구도 모두 거절했다.[24]

한국정부가 미국인 모스에게 경인선 부설권을 許給한 배경으로 다음의 두 가지를 드는 견해도 있다.

> ① 한국인들은 미국이 일본이나 러시아와 달리 군사력을 배경으로 하여 利權을 취하지 않고 자유주의경제에 따라 기업투자를 한다

---

21) 『日本外交文書』 제29권, 342, 343, 344문서.
22) 『日本外交文書』 제29권, 347, 348문서.
23) 『高宗實錄』 권34, 33년 11월 15일 ; 위의 책 341문서 附屬書一 詔勅案寫 ; 『記錄』9, 70~71쪽, 15문서 1896.11.4 ; 『日本外交文書』 제29권, 335, 337문서. 철도부설권의 양여를 불허한 표면적인 이유는 한국정부의 재정이 넉넉치 못하여, 외국인에게 철도부설권을 양도하더라도 경인철도와 경의철도의 조약에서 규정한 것과 같이 민간인으로부터 선로와 건물 용지를 구입하여 무상으로 제공할 수 없다는 것이었다.
24) 『日本外交文書』 제29권, 328~333문서.

는 인상을 가지고 있다.

② 모스가 1896년 한국정부에 20만 달러의 임시차관을 제공하여 어느 정도 신뢰를 획득하고 있었다.[25]

3. 일본 자본가의 결집과 정부의 지원

1) 京仁鐵道引受組合의 결성

일본이 경인선에 대한 기득권을 미국에 빼앗기자 일본정부와 가까운 자본가들은 조일잠정합동조관으로 확보했다고 여긴 경부선 부설권조차 상실해버릴까 우려했다. 서울에서 철도이권 확보를 위해 활약하던 大三輪長兵衛 등은 귀국하여 竹內綱·尾崎三良 등의 政商 자본가와 상의하며 경부선 부설권만은 꼭 손에 넣기 위해 발 벗고 나섰다.[26] 그들은 먼저 伊藤博文 首相을 비롯한 일본정부 관계자들에게 경부철도주식회사 설립 특허를 청원했다. 竹內綱 등은 경부선 부설에 필요한 막대한 자본을 다음과 같은 방법으로 모으고자 했다.

① 경제계의 유력자를 권유하여 相當한 발기인을 모집한다.
② 한국정부로부터 특별허가를 얻어 동지를 규합한다.
③ 전국에 걸쳐 국민의 애국심에 호소하여 주식을 모집한다.[27]

竹內綱 등은 곧 150명의 주요 자본가들을 모아 경부철도주식회사 발기위원회를 만들었다.[28] 발기위원들은 경부철도합동조약(1898.9.8)이 체결

25) 石井常雄, 1954, 「'京仁鐵道敷設史' に關する一覺書」, 『商學論叢』4, 224쪽.
26) 『日本外交文書』 제29권, 342, 350문서.
27) 竹內綱, 1921, 앞의 책, 7~8쪽.

되기까지 2년여 동안 경부선 부설권을 확보하기 위해 한일 양국 정부를 상대로 끈질기게 교섭활동을 벌였다. 그 과정에서 그들은 미국에 간 모스가 뜻대로 자금을 조달하지 못하고 있다는 것을 알아차렸다. 그들은 기회를 보아 경부선 부설의 부속사업으로서 경인선 부설을 함께 추진하기로 뜻을 모았다. 경인선 부설권 확보가 경부선 부설권을 장악하는 데 발판이 될 수 있다고 여겼기 때문이다.

경부철도발기위원들은 1896년 10월 하와이 주차 미국공사 알렌이 일본에 왔을 때 益田孝를 중재자로 하여 경인선을 매수하고 싶다는 뜻을 모스에게 전해달라고 부탁했다. 그리고 1897년 1월 大川平三郎을 통해 경부철도발기위원장 澁澤榮一에게 경인선 부설권 특허를 讓受할 것을 진언했다. 小村 외무차관도 경부철도발기위원 尾崎三良을 불러 모스로부터 경인선의 권리를 매수할 의사가 있는지를 타진했다. 경부철도발기위원들은 경부선에만 매달려 세월을 축내기보다는 오히려 경인선을 먼저 매수하고, 그 연장선상에서 경부선 부설권을 차지하는 게 得策이라고 생각했다. 그들은 小村 외무차관의 소개로 만난 데니슨과 알렌을 통해 모스와 경인선 양수 교섭을 추진했다.[29]

모스는 미국에서 경부철도발기위원들에게 다음과 같은 조건을 제시했다.

① 일본인이 무조건 株金의 반액을 인수하면, 미국인이 경인선을 主宰하는 것 이외에 아무런 대가도 요구하지 않는다.
② 일본인이 株金의 전부를 인수하면 3년 동안 표면적으로 경인선을 미국인의 사업으로 하고, 모스에게는 운동비 30만 원을 증여한다.
③ 일본인이 경인선을 사실상 소유하더라도, 곧바로 미국인의 명의를 배제하고 일본인에게 양도하는 것은 단호히 거절한다.[30]

28) 竹內綱, 1921, 위의 책, 31쪽.
29) 『朝鮮鐵道史』(1929), 207~208쪽.

그 후 모스는 일본에 와서 경부철도발기위원 등과 만나 다음과 같은 방향으로 의견을 조율했다.

① 경인선에 관한 모든 것은 모스의 계획에 따르고, 완성되자마자 일본인에게 양도할 것. 일본인은 공사 감독의 지위를 차지하고, 기공은 1897년 4월 1일, 준공은 1898년 3월 31일로 할 것.
② 경인선은 광궤 단선으로 하고, 미화 97만 5천 불 곧 약 2백만 원을 모스에게 총 대금으로서 제공할 것.
③ 모스가 경인선을 완공한 후 일본에 양도할 때는 全權을 일본에 넘기고 미국인 이름을 명실공히 제거할 것.[31]

1897년 5월 4일 澁澤榮一과 제임스 알 모스 등 17명은 경인철도인수조합(나중에 京仁鐵道合資會社가 됨)을 조직하고 그 규약을 마련했다. 이 조합은 모스로부터 경인선의 부설과 운영에 관한 특허를 인수하여 일본의 商事 또는 會社에 양도하는 것을 사명으로 내세웠다. 경인선 인수를 위해 규약에서 정한 최대 출자금액은 200만 원이었다. 澁澤榮一을 조합 위원장으로 선출하고, 澁澤 저택에 조합 사무실을 설치했다.[32]

2) 京仁鐵道讓受契約의 체결

제임스 알 모스와 澁澤榮一 · 益田孝 · 瓜生震은 1897년 5월 8일 京仁鐵道讓受契約을 체결했다. 이 계약의 주요 내용은 다음과 같았다.

① 특허인은 이미 임명한 技師가 제작한 측량설계목록 및 명세서에 따

30) 『東京經濟雜誌』 35-881, 1897.6.19, 1151~1153쪽.
31) 『東京經濟雜誌』 35-881, 1897.6.19., 1151~1153쪽.
32) 龍門社 編, 1900, 『青淵先生六十年史』 第二卷, 337~350쪽.

라 본 계약서의 日附로부터 1개년 이내에 서울—제물포 사이 철도를 모두 良好 · 완전하게 축조 · 부설 · 완성 · 裝備하고, 적당 · 정확하게 운전 · 작용할 수 있는 상태로 만들 것(1조).

② 특허인은 조합이 雇入한 기사를 활용하여 이 철도의 旣定 선로를 검사하고, 또 그 築造 공사를 감독하게 할 것(2조).

③ 특허인은 조합으로부터 청구가 있을 때는 前記 측량설계목록 및 명세서의 증감 변경을 행할 것(3조).

④ 조합은 이 계약서 체결 후 특허인에게 합중국 금화 5만 불을 공탁할 것(6조).

⑤ 조합은 특허와 철도 구매 대금으로서 공탁금 외에 합중국 금화 95만 불을 특허인에게 지불할 것(7조).[33]

이 계약은 한마디로 특허인 모스가 한국정부로부터 인정받은 경인선에 관한 일체의 권리 · 특권 · 免稅 · 재산을 이 철도와 함께 경인철도인수조합에 매각 양도한다는 것이었다. 모스는 원래 경인선을 미화 75만 불을 들여 건설할 예정이었다. 모스가 이것을 경인철도인수조합에 97만 5천 불에 양도하면 모스의 이익은 대개 20만 불(40만 원) 정도일 것이라는 소문이 돌았다.[34]

모스는 大隈에게 철도 및 부속 재료 · 물건 등을 저당으로 하여 미화 50만 불을 貸與해 줄 것을 요구했다.[35] 모스는 이 자금으로 경인선 사업을 완성하고, 계약에 따라 경인철도인수조합에 이것을 인도하겠다는 것이었다. 일본정부는 이 금액을 橫濱正金銀行이 대여하도록 결정했다. 그리하여 이 은행과 모스 사이에 100만 원 차관계약이 성립됐다.[36]

---

33) 『朝鮮鐵道史』(1915), 30~39쪽.
34) 『朝鮮鐵道史』(1915), 30~39쪽.
35) 『日本外交文書』 제30권, 198, 199문서.
36) 『日本外交文書』 제30권, 200, 201문서 ; 『朝鮮總鐵道史』, (1915), 40~43쪽.

3) 일본정부의 자금지원

경인철도인수조합은 1897년 10월 21일 위원 3명의 連署로써 외무 · 大藏 두 대신에게 정식 청원서를 제출했다. 이 청원서의 골자는 다음과 같았다.

> ① 공사 완성 때까지 주식회사가 설립되지 않을 경우에 無利殖 · 無期限으로 자본의 반액 즉 100만 원을 貸下해 줄 것.
> ② 후일 회사가 설립되면 상기 금액에 해당하는 주식대금으로써 이것을 반납할 것 등이었다.[37)]

경인철도인수조합의 청원서를 접수한 일본정부는 1897년 10월 28일 각의에서 다음과 같은 결정을 했다.

> 경인선은 해외에서 하는 기업이고, 조선의 현상에 비추어 나중에 어쩌면 橫濱正金銀行이 不測의 손해를 입을 우려가 전혀 없다고는 보장할 수 없다. 따라서 同行은 특별한 보호 없이 도저히 이 사업에 응하기 어렵다는 뜻을 표명했다. 장래 대여금 중 同行에 손해가 돌아가는 일이 생길 경우에는 정부가 同行에 손해를 변상한다는 것을 보증한다.[38)]

이와 아울러 일본정부는 경인철도인수조합에 대해 다음과 같은 '指令案'을 제시했다.

> ① 정부의 대여금은 100만 원을 한도로 한다.
> ② 철도운수의 이익이 1년에 5만 원에 이르지 않을 경우는 무이자로 하고, 5만 원을 초과할 경우에는 초과액을 이자로서 정부에 납부한다. 다만 이율은 5%로 한다.

---

37)『日本外交文書』제30권, 200, 201문서.
38) 明治財政史編纂會 編, 1926,『明治財政史』제2권, 609~615쪽.

③ 철도재산 전부를 저당으로 하고, 정부의 허가 없이 다른 곳에 이중으로 저당하지 않는다.
④ 조합은 정부의 허가 없이 따로 차입금을 하지 않는다.
⑤ 조합은 빨리 회사를 설립하여 원금을 반납한다. 그 기간은 대부일로부터 5년 이내로 한다.[39]

일본정부는 경인선의 중요성을 감안하여 경인철도인수조합에 두텁게 재정을 지원했다. 반면에 이 철도를 第三國에 양도할 수 없도록 하는 예방조치를 마련하고 실천했다. 실제로 1898년 3월 5일, 프랑스의 신디케이트 대표 그리예가 澁澤 등에게 300백만 원에 경인선을 인수하겠다고 제의한 적이 있었다. 일본정부는 경인선을 확보한 이상 국가의 체면을 생각해서라도 이것을 잃어서는 안 된다는 방침을 분명히 밝히고 이 제안을 거절했다.[40]

그런데 1898년에 들어서 경인선 공사의 설계를 둘러싸고 모스와 경인철도인수조합 사이에 異見이 속출했다. 그리하여 조합은 자신의 손으로 경인선을 부설하는 편이 좋겠다는 방침을 정했다. 조합은 1898년 10월 31일 국가적 사업을 포기할 수 없다는 명분을 내세워 일본정부에 대해 모스에게 경인선 완공 후에 지불할 180만 원을 貸下해 달라는 청원서를 제출했다. 일본정부는 100만 원은 이미 1897년 10월 28일에 대하를 허가한 바 있었기 때문에 나머지 80만 원의 대하가 문제였다. 일본정부는 조합으로 하여금 100만 원을 일단 반납시키게 한 후, 다시 180만 원을 일반회계에 計上하여 이 회사에게 지원하는 방법을 모색했다.[41]

1898년 12월 23일 일본정부의 외무 · 대장 · 체신의 3大臣은 連署로 경

39) 明治財政史編纂會 編, 1926, 위의 책, 609~615쪽.
40) 『朝鮮鐵道史』(1915), 44~46쪽.
41) 明治財政史編纂會 編, 1926, 앞의 책, 619~625쪽.

인철도인수조합에 180만 원을 대부하는 안건을 각의에 제출했다. 그 조건으로서 체신성은 조합에 대한 감독권을 장악하고, 조합은 철도에 관한 일체 사항을 체신성과 상의하도록 했다. 이런 과정을 거쳐 1899년 1월 14일 경인철도인수조합에 180만 원을 대부하라는 명령서가 각의를 통과했다. 이 명령서의 주요 내용은 다음과 같았다.

> ① 철도운수의 이익금이 1개년 조합원 출자액의 5%에 달하지 않을 때는 대부금 이자는 무이자로 하고, 5%를 초과하는 분은 정부에 이자로서 납부할 것, 단 이율은 연 5%로 하고 그 이상은 조합의 소유로 할 것.
> ② 대부금에 대해서는 철도 전부의 재산을 저당으로 하고, 정부의 허가 없이 따로 이중으로 저당하지 말 것.
> ③ 조합은 빨리 회사를 조직하여 원금을 반납할 것이며, 대부일로부터 5년 이내에 반납을 완료할 것.
> ④ 정부는 채권을 안전하게 하기 위해 조합이 시행하는 철도 공사 및 영업의 실황을 臨檢하고 필요한 시설을 명령할 수 있을 것.[42]

일본정부의 대부금 180만 원은 1898년의 추가예산으로서 제13회 제국의회에 제출되었다. 衆議院은 비밀회의를 거쳐 1899년 1월 19일 이 안을 통과시켰다. 貴族院도 동년 1월 21일 이를 통과시킴으로써 일본정부는 경인철도인수조합에 강력하게 재정을 지원할 수 있게 되었다.[43]

1899년 1월 31일, 澁澤 등 경인철도인수조합 관계자와 모스는 橫濱正金銀行에서 만나 철도양수대금의 지불과 함께 정식으로 철도양도증서를 수령했다. 이로써 경인선은 완전히 조합의 손에 들어가게 되었다. 동년 3월 29일 양자 사이의 精算은 모두 완료되었다. 조합이 모스에게 지불한 금

42) 明治財政史編纂會 編, 1926, 위의 책, 619~625쪽.
43) 明治財政史編纂會 編, 1926, 위의 책, 619~625쪽.

액의 합계는 170만 2천 4백 52원 75전이었다. 5월 10일에 모스는 경인철도 인수조합에서 탈퇴함으로써 경인선은 명실공히 일본 수중에 들어갔다.[44)]

경인철도인수조합은 한국정부의 승인을 받아 1899년 5월 15일 定款을 제정하고, 조직을 경인철도합자회사로 바꾸었다. 그리고 종래 조합 위원 澁澤榮一을 取締役社長, 益田孝 및 瓜生震을 取締役으로 선임했다. 곧이어 5월 17일 회사설립 등기를 마침으로써 정식으로 경인철도합자회사가 출현했다. 자본금은 72만 5천 원이었다. 종래의 조합원 15명은 이 회사 사원으로 신분이 바뀌고, 조합의 권리 · 의무도 모두 이 회사에 인계되었다.[45)]

4. 경인선의 건설과 용지 분쟁

1) 선로의 부설

한국정부와 모스가 체결한 경인철도특허조관 제9조에는 특허를 받은 날로부터 12개월 내에 기공하고, 그 후 3년 안에 준공하며, 이를 위반할 때는 특허 효력이 상실된다고 규정되어 있었다.[46)] 또 한국정부가 1896년 7월 17일 勅令 제31호로서 반포한 國內鐵道規則 제3조는 국내 각 철도의 폭을 1.435m(4피트 8인치 반)로 할 것을 명시했다.[47)]

모스는 인천에 거주하는 미국인 타우센드와 조합을 결성하고 콜브란을 技師長으로 삼아 선로의 측량을 마쳤다. 그리고 京仁 양쪽에서 공사에 착수하여 全線 延長 34 km를 부설하는 데 1년, 한강 교량을 가설하는 데

44) 『朝鮮鐵道史』(1915), 47~49쪽.
45) 『朝鮮鐵道史』(1915), 위의 책, 49~51쪽.
46) 『朝鮮鐵道史』(1915), 11~20쪽.
47) 竹內綱, 1921, 앞의 책, 15~17쪽.

2년이 소요된다는 계획을 확정했다. 모스는 1897년 3월 22일 京仁街道의 牛角峴에서 350여 명의 人夫를 동원하여 기공식을 거행하였다.[48] 연말에는 서울 방면에서도 선로 공사를 착수하고 한강교량의 가설에도 나섰다. 경인선 공사가 진척될수록 경인지역에 거주하는 일본인들의 초조감은 깊어졌다. 그러나 모스의 분주한 활약에도 불구하고 미국에서 자본조달이 지지부진하여 경인선의 완공은 기대하기 어려운 게 현실이었다.

모스는 경인철도인수조합에 경인선 사업을 인계할 때까지 공사를 끝내지 못하고 있었다. 그리하여 조합이 1899년 1월 1일부터 직접 공사에 나섰지만 嚴冬雪寒으로 곧 중지할 수밖에 없었다. 조합은 동년 4월 23일 인천에서 재차 기공식을 열고 서울에 이르는 전 구간을 4개 공구로 나누어 공사를 진행했다. 그 결과 동년 9월 13일 인천－노량진 35 km를 완공하였다. 경인선 부설 중에 조합에서 회사로 바뀐 경인철도합자회사는 1899년 9월 18일 노량진역에서 개통식을 거행하고 假營業을 시작했다(<사진 2－1>과 <사진 2－2> 참조). 이와 함께 한국정부의 농상공부는 철도운송약관인 '경인간 철도규칙'을 발포했다.[49] '경인간 철도규칙'의 내용은 12장에서 자세히 설명하겠다.

2) 한강철교의 가설

경인철도합자회사는 영업 개시와 더불어 노량진에서 서울에 이르는 9.6 km의 공사를 추진했다. 이를 위해서는 600 m가 넘는 철교를 가설해야만 했다. 철교가 없는 상황에서는 노량진에서 내린 승객은 배를 타고 용산 도선장까지 건너와 모래사장을 걸어서 용산으로 들어왔다. 경인철

48) 仁川府, 1933, 앞의 책, 825~826쪽.
49) 『독립신문』, 1899. 9. 16.

도합자회사는 모래사장에 약 1.6 km의 人車鐵道를 깔아 승객을 수송했다. 역방향의 승객도 마찬가지 경로를 이용했다.

경인철도합자회사의 한강철교 가설은 매우 어려운 공사였다. 모스도 기사 스톤의 설계에 따라 한강철교를 시공했지만 자금난에 봉착한데다가 경인선을 매도할 의사를 가지고 있어서 공사상황은 매우 조잡했다. 모스가 경인선의 부설권을 일본의 경인철도인수조합에 매각한 당시 철도공사의 진척 상황은 노선의 土工工事가 반 정도, 한강의 교량공사가 橋臺 2개와 橋脚 3개를 세운 정도였다.

경인철도합자회사는 1899년 4월 하순부터 본격적인 공사에 들어갔다. 먼저 모스가 부설한 선로를 개량하고 모든 교각을 철거했다. 그렇지만 근년에 보기 드문 혹한으로 몇 차례 공사가 중단된 데다가, 홍수로 유실되는 위험을 극복해야만 했다. 한강철교는 技師長 內田六雄의 설계에 따라 시공했는데, 대체로 길이 620 m, 높이 11.1 m, 너비 5.1 m였다. 9개의 교각을 세우고, 상판 좌측에 1.2 m의 인도를 설치했다. 인도는 나중에 한국정부와 상의하여 철거했다. 공사비는 40만 원이었다. 한강철교는 1900년 7월 8일 준공되었다(<사진 2-3>참조). 이에 맞춰 경인선 영업구간도 서대문역까지 연장되었다.

3) 철도용지를 둘러싼 분쟁

한국정부는 경인선 부설에 필요한 토지를 제공해야만 했다. 모스와 맺은 特許 約定書 제3조는 아래와 같이 규정되어 있었다.

> 조선정부는 이 철도의 부설 및 사용을 위해 상당한 幅員으로써 이 철도 全線路에 필요한 토지의 通路使用權 및 停車場 · 工場副線(汽車進入 변경 등에 필요한) 敷地에 필요한 토지를 具備할 것. 그리고 이

會社(제임스 알 모스 및 그 讓受人)에서 이 通路를 소유하는 동안 또 조선정부에서 下記하는 바에 따라 이 鐵道 및 그 재산을 구매함으로써 所得할 때까지는 右 通路 使用權을 이 會社에 貸渡할 것.50)

제3조의 취지에 따르면 한국정부가 경인선의 부설과 운영에 필요한 토지를 無償으로 회사에 빌려준다는 것이었다. 그런데 경인선 용지 속에는 민간인 소유지도 많이 포함되어 있었다. 민간인 소유지를 한국정부가 매수하여 제공하는 과정에서 용지 수용과 대금 지불 등을 둘러싼 마찰과 대립이 끊이지 않았다.

한국정부의 京仁鐵道監督 李采淵이 조사한 바에 따르면, 鷺梁江頭에서 濟物浦까지 鐵道에 犯入된 전답의 가격은 3만 3,934원 24전, 서울 남대문 밖 정차장의 지가는 4,029원 36전, 인천부두 정차장의 외국인 사유 지가는 8,390원 70전으로서, 합계 4만 6,354원 26전이었다.51) 그밖에 경인선에 범입되어 훼철된 민가가 서울 부근에 257호 3만 8,198원, 인천 · 부평 · 시흥 · 양천 · 과천 등 5군에 43호 5,375원이었다. 이것까지 모두 합치면 8만 9,927원 26전이었다.52)

그런데 민간인 소유의 토지와 가옥에 대한 보상은 경인선부설이 완공되어 운수영업을 개시한 후까지도 이루어지지 않았다. 그리하여 인천, 부평, 양천, 과천, 시흥 등지의 군민들은 땅값과 집값을 지불하라고 農商工部에 계속 청원하였다.53) 그럼에도 불구하고 한국정부는 재정이 궁핍하

50) 朝鮮總督府鐵道局, 1940, 『朝鮮鐵道四十年略史』, 710쪽.
51) 龍門社 편, 1900, 앞의 책, 330~335쪽.
52) 『皇城新聞』 1900. 2. 21. 잡보, 「鐵道地段의 價額」. 또 이들 田畓 每斗落에 대한 보상가는 上等은 28元, 中等은 16元, 下等은 6元이었다(위의 신문, 1900. 1. 17. 잡보, 「鐵道地段의 定價」).
53) 『皇城新聞』 1900. 7. 18. 잡보, 「鐵道犯入家金」. 이 가옥들에 대한 보상기준은 瓦家는 每間 上等에 22~20元, 中等은 16元, 下等은 14元이고, 草家는 每間 上等에 10

다는 이유를 내세워 그 지불을 수년 동안 연기하였다. 이에 대해 땅과 집의 소유자들은 매년 거세게 항의하였다.

한국정부는 어쩔 수 없이 경인선이 개통된 지 7년여가 지난 1907년 11월 15일에야 경인철도용지배상금을 다음과 같은 내역으로 지급하겠다고 나섰다. 시흥군내 토지소유자에게는 11월 20일 영등포에서, 부평군내 토지소유자에게는 11월 21~22일 소사에서, 인천부내 토지소유자에게는 11월 23~24일 杻峴에서 각각 지불한다. 人塚 및 家屋의 移轉費는 每塚에 2원 50전, 每間에 20원씩이었다.[54)]

경인선의 용지분쟁에서 특히 심각했던 것은 남대문역의 경우였다. 수용면적이 방대했을 뿐만 아니라 저항운동도 치열했다. 이에 대해서는 경부선을 다루는 장에서 자세히 살펴보겠다.

5. 경인선의 개통과 합병

1) 개통식과 개업식의 거행

경인철도합자회사는 1900년 7월 8일 한강철교 가설과 서대문역까지 선로부설을 준공하고 현재 서울역 자리에 있던 작은 정차장 남대문역에서 성대한 개통식을 거행했다. 일본특명전권공사 林勸助와 대한철도원총재 閔炳奭이 축사를 했다. 내외귀빈은 특별열차를 타고 한강철교를 왕래했다. 이로써 경인선은 완전히 개통되었다.

1911년 7월 조선총독부 철도국은 제2의 한강철교 가설공사를 시작하여

元, 中等 9元, 下等 5元으로 결정하였다.

54) 『皇城新聞』 1907. 12. 5. 잡보, 「家塚代金」; 『大韓매일신보』 1907.11.17., <公告>.

1912년 9월 완공했다. 한강철교에 접속하는 앞뒤 선로도 복선으로 증축했다. 이때부터 1900년에 준공된 철교는 경부선의 하행선으로 활용되었다.

경인선의 모든 구간을 시공한 것은 일본의 토목건축업자 鹿島組였다. 건설기간은 인천－노량진 선로공사 6개월, 한강 교량공사 1년 3개월, 한강－서대문 선로공사 1개월이었다. 약 43 km에 이르는 경인선의 연장공사가 완공됨으로써 종래 육로로 12시간, 수로로 8시간 걸리던 서울－인천 사이 교통이 1시간대 단축되었다. 서울의 교통사상 혁명이 일어난 셈이었다. 한강을 건너 서울 도심지에 가까운 서대문 근처까지 경인선이 연장된 당시의 정차장은 서대문역(경성역), 남대문역, 용산역, 노량진역, 영등포역, 오류동역, 소사역, 부평역, 우각동역, 유현역, 인천역 등 11개였다(<사진 2－4> 참조).[55]

경인철도합자회사는 1900년 11월 12일 정오 남대문정차장 구내에서 경인선의 全通을 기념하는 개업식을 거행했다. 한국인으로서는 淸安君 李載純을 비롯하여 고관대작 70여 명, 歐美人으로서는 주한 러시아 공사 파브로프 등 십 수 명, 청국인으로는 주한 공사 徐壽朋 등 수 명, 일본인으로서는 주한 공사 林權助 등 5백여 명이 참석했다. 경인철도합자회사 사장 澁澤의 式辭는 한국어 · 영어로 통역되고, 閔丙奭의 祝辭는 일본어로 통역되었다. 林公使가 한국황제를 위한 만세삼창, 朴齊純 외부대신이 일본천황을 위한 만세삼창, 澁澤사장은 來賓의 건강을 위해 만세삼창, 미국공사 알렌은 경인철도회사의 隆昌을 위해 만세삼창을 각각 先唱했다. 만세 소리가 진동하는 성대한 개업식이 끝난 후 참석자들은 식사 · 여흥 · 관람 등을 마치고 오후 4시경 해산했다.[56]

---

55) 서울특별시 시사편찬위원회, 2013, 『국역 경성부사』 1권, 685~690쪽 ; 『국역 경성부사』 2권, 282~284쪽.

56) 「澁澤榮一日記」, 1900.11.12.(『澁澤榮一傳記資料』 제16권, 559~560쪽). 『龍門雜誌』

일제 침략을 선도하는 경인선치고는 너무나 화려한 개업식이었다. 일제가 개통식과는 별도로 개업식까지 성대하게 거행한 까닭은 한국인의 기세를 꺾고 열강에 위세를 뽐내기 위함이었다.

2) 개업직후의 운수개황

경인선이 처음 개통된 당시 인천과 노량진 사이에 설치한 철도역은 인천, 杻峴, 牛角洞, 부평, 素砂, 梧柳洞, 鷺梁津 등 7개소였다. 열차는 인천역과 노량진역 쌍방에서 오전 오후 모두 2회씩 출발하여 이 구간 약 35 km(22마일)을 1시간 40분에 주파했다.

1899년 12월 말일에 이르는 105일 간 경인선의 1일 평균 여객 수는 366명으로, 한국인이 60%, 일본인이 20%, 중국인이 20% 정도였다. 화물의 수송 톤수는 1일 평균 11.8톤으로, 60% 이상이 중국인의 화물이었다. 화물은 주로 金巾, 絲, 銅貨, 鮮魚, 酒, 野菜, 牛皮, 昆布 등이었다. 경인선의 1일 1.6 km(1마일) 평균 수입은 7원 39전이었다. 경인선 개통 당시에는 노량진과 서울 사이에 교량이 없는 등 교통이 불편하여 한강의 舟運은 아직 활기를 띠고 있었다.

1900년 7월 8일 한강철교가 가설됨으로써 철도노선이 노량진역에서 서대문역까지 확장되자 경인선은 명실공히 서울과 인천을 연결하는 대동맥으로 부상했다. 당시 경인선의 서울 방면 발착지점은 돈의문 밖에 위치한 서대문역(경성역)이었다(사진 <2-5> 참조). 열차회수가 증가하고 여객과 화물의 운임이 개정되어 철도수송도 급증했다. 이에 따라 경인선의 영업성적도 양호해져 1일 1.6 km(1마일) 평균수입은 일약 16원으로 증가했다. 한강철교 가설 이전보다 2배 이상 늘어난 셈이다.

151, 1900.12, 43~45쪽.

1901년에 들어서 운수상태는 더욱 호황을 보였다, 특히 한강의 결빙 중에 철도에 화물을 탁송하는 경우가 많았다. 荷主가 철도의 利便을 알게 되자 解氷 이후에도 粗大한 화물을 제외한 화물들은 모두 철도를 이용하게 되었다. 그리하여 철도의 1일 약 1.6 km(1마일) 평균수입은 20원 51전으로 상승했다. 1902년은 1일 1.6 km(1마일) 평균수입이 21원 77전이었다. 그리고 경부철도주식회사에 합병되기 전인 1903년 상반기 경인철도의 1일 1.6 km(1마일) 평균수입은 24원 91전으로 향상되었다.

경인철도합자회사의 불입금액과 일본정부의 貸下金 180만 원에 대한 영업이익금의 대체적인 비율은 1900년 2%, 1901년 4%, 1902년 4.8%로 증가했다. 그리고 1903년 경부철도에 합병하기 전의 그것은 5.5%로 좋아졌다. 이때 경인철도의 영업지출은 수입금액의 반액으로써 충분했다.

3) 경인선과 경부선의 합병

경인선은 경부선을 장악하기 위한 마중물에 해당하기 때문에 양자는 主從關係에 있다고 볼 수도 있다. 바꾸어 말하면 경인선은 언젠가 경부선의 경영에 흡수될 운명에 있었다. 그럼에도 불구하고 경부선 부설공사가 시작되기까지 양자 사이에 통일경영 문제는 본격적으로 제기되지 않았다.

그런데 1901년 8월 21일 영등포에서 경부선 기공식이 거행되고, 공사가 진척됨에 따라 재료를 수송하기 위해 영등포정차장과 인근 선로를 경인선과 함께 사용하는 일이 발생하자 두 철도의 간부들은 양자의 통일경영을 논의하기 시작했다. 두 진영은 합병에 대해 협의를 진행한 끝에 1902년 12월 30일 경인 · 경부철도 合併假契約을 체결했다. 이 계약의 주요 내용은 다음과 같았다.

① 경인철도합자회사는 1902년 12월 31일자로, 현금을 제외한 일체의 재산 및 영업권의 가격에 7만 8,750원을 더한 금액으로써 경인선을 경부철도주식회사에 양도한다.
② 경부철도주식회사는 경인철도합자회사가 國庫에서 차용한 180만 원에 대한 일체의 의무를 계승하고, 잔액은 현금으로써 경인철도합자회사에 지불한다.
③ 1903년 1월 1일 이후 경인철도의 영업 및 자산의 관리는 경인철도합자회사의 名義로 행하지만, 損益 기타 재산상의 이동은 모두 경부철도주식회사에 귀속하도록 한다.
④ 이 계약은 일본정부 및 한국정부의 인가와 주주총회 또는 사원총회의 결의를 거쳐 효력을 발생한다.[57]

합병가계약의 체결에도 불구하고 경인철도합자회사와 경부철도주식회사의 합병은 쉽게 이루어지지 않았다. 돈 문제가 복잡하게 얽혀 있었기 때문이다. 1903년 2월 24일 열린 경인철도합자회사의 사원총회는 경부철도주식회사와 합병을 연기시켰다.

그런데 여기에서도 일본정부의 두터운 보호조치가 취해졌다. 일본정부는 1902년 7월 3일 명령을 내려, 경인철도합자회사에게 180만 원의 貸下金은 앞으로 無利子로 하고, 그것도 1904년 이후 20년 동안 年賦 상환하도록 했다. 이렇게 되면 경인철도합자회사는 앞으로 1할 5푼 또는 2할의 배당을 할 수 있게 될 것이 틀림없었다. 이것은 경부철도주식회사로서도 불리한 일은 아니었다. 경인선과 경부선은 영등포정차장에서 서울까지 약 9.7 km(6마일)의 선로를 함께 사용함으로써 서로 이익을 공유하고 있었다. 따라서 합병을 더 이상 미룰 필요가 없었다.[58]

1903년 7월 30일 경인철도합자회사는 사원총회를 열어 현금을 제외한

57) 『朝鮮鐵道史』(1915), 112~114쪽.
58) 『東京經濟雜誌』, 47－1172, 1903.2.28, 343~344쪽.

연도 말 현재의 재산 및 영업권을 2백 44만 1,580원 76전에 경부철도주식회사에 매각하기로 결정했다.[59] 경부철도주식회사와 경인철도합자회사는 1903년 9월 23일 連名으로 일본정부에 합병인가를 신청하여 동년 10월 30일 허가를 받았다. 경부철도주식회사는 동년 11월 1일 부로 경인철도합자회사의 종사원을 인수했다. 그리고 경인철도는 경부철도주식회사 경인선으로 개칭했다.

일본정부는 1903년 10월 30일 경부철도주식회사에 속하게 된 경인선의 經理에 대해, 경인선 소속의 興業費 및 영업수지의 회계는 경부선과 구별하여 특별회계로 운영하라는 명령을 내렸다.[60] 일본정부는 경인철도합자회사와 경부철도주식회사의 합병을 한국정부에 통고하고, 1904년 1월 8일 일단 승낙을 받았다.[61]

경인선은 약 42 km(26마일)에 불과한 철도이지만 한국철도에서 차지하는 비중은 지대했다. 그 의미는 다음과 같다.

첫째, 경인선은 일본이 해외에서 부설한 최초의 철도였다. 당시 일본의 산업자본은 해외에 막대한 돈을 들여 철도를 건설할 만큼 성숙되지 못하였다. 따라서 경인선 부설에 대해 일본정부는 강력한 정치적 · 재정적 지원을 베풀었다. 따라서 경인선 부설은 일본이 조숙한 제국주의국가로 轉化해가는 과정을 상징적으로 보여준 사안이었다고 할 수 있다.

둘째, 일본의 경인선 부설은 경부선을 장악하기 위한 일환으로서 추진되었다. 곧 경인선은 일본이 한국에서 철도망을 확대해나가는 데 있어서 교두보의 역할을 한 것이다. 실제로 일본은 경인선의 장악에 심혈을 기울임으로써 한국철도 전체를 장악할 수 있는 발판을 마련했다.

59) 『朝鮮鐵道史』(1915), 114~116쪽.
60) 『朝鮮鐵道史』(1915), 116~118쪽.
61) 『日本外交文書』 제37권 1책, 509문서.

셋째, <지도 1-2>에서 보듯이, 인천은 서울의 咽喉에 해당하는 곳이다. 일본이 경인선을 장악했다는 것은 곧 수도 서울을 일본의 세력권에 편입시켰다는 것을 의미했다. 러일전쟁(1904~05년), 한국군대 해산(1907년), '한국병합'(1910년) 당시 일본군이 경인지역에 포진하여 한국정부를 무력화시킬 수 있었던 것은 바로 경인선을 통한 군사수송 덕택이었다.

넷째, 경인선은 한국의 경제적 선진지역인 경인지방을 일본의 경제권에 포섭하는 역할을 수행했다. 경인선은 서울일원의 전통적 수송경로인 한강의 수운을 쇠퇴시키고, 인천과 서울을 일본인 거리로 재편했다. 나중에 출현한 경인공업지대도 경인선을 기축으로 해서 형성되었다.

1936년 당시 경인선 노선은 경성-용산(3.2 km)-노량진(5.9 km)-영등포(9.2 km)-오류동(15.6 km)-소사(21.4 km)-부평(26.7 km)-주안(32.3 km)-상인천(37.0 km)-인천(38.9 km)이었다. 철도노선과 철도역의 배치는 <지도 2-1>과 같다. 경성역에서 첫차가 06:50, 막차가 23:25에 출발하여 각각 1시간 후인 07:50 및 00:25에 인천역에 도착하였다. 왕복 행 모두 2 · 3등 열차로 편성되었으며, 하루 15회 운행하였다. 인천역발 경성역 행 첫차는 06:00이고 막차는 23: 05였다. 도착 시간은 각각 06:55, 00:00이었다. 55분 소요되었다.[62)]

62) 김종혁, 2017, 『일제시기 한국 철도망의 확산과 지역구조의 변동』, 도서출판 선인, 139쪽.

3장 경부선(서울－부산, 1901~1905년)

1. 일본의 노림수와 부설권 장악

1) 경부선의 군사적 · 경제적 가치

서울에서 부산까지 한반도 남부를 서북에서 동남으로 종관하는 450여 km의 경부선(<지도 1－1>의 ①, <지도1－2>의 ①, <지도 3－1>)은 산업자본의 확립 단계에 있던 일본이 외국에서 정치 · 군사 · 경제의 역량을 모두 경주하여 부설한 장대한 철도였다. 따라서 일본이 경부선을 구상하고 그 부설권을 장악해가는 과정에는 일본이 철도를 통해 한국을 침략하고 지배하려는 정책의지가 고스란히 반영되었다. 반면에 경부선은 대한제국이 제국주의 열강의 세력다툼 속에서 부설권을 지켜내고 자주독립과 식산흥업을 이룩해낼 수 있는가 없는가를 가늠하는 리트머스시험지와 같은 존재였다. 그렇기 때문에 경부선 문제는 청일전쟁에서 러일전쟁에 이르는 10여 년 동안 한국과 일본을 갈등과 대립 속으로 몰아넣은 핵심 외교현안이 될 수밖에 없었다.[1]

일본에서 경부선을 부설하자는 의견이 제기된 것은 1880년대였지만, 구체성을 띠고 준비 작업에 들어간 것은 1890년대에 들어서부터였다. 예를 들면 일본군 참모차장 川上操六은 1892년에 다음과 같이 주장하였다.

> 一朝에 사건이 발생했을 때, 군대 군수품 등을 船運으로 운송하는 것은 해상권의 관계상 우선 곤란하다고 보지 않으면 안 된다. 그래서 어떻게 하든지 그것을 부산에 상륙시켜 경성 방면으로 수송하지 않으면 안 되는데, 그렇게 하기 위해서는 반드시 일본의 손으로 경부간에 철도를 부설하지 않으면 안 된다.[2]

川上은 이 주장과 함께 일본 外務省을 통하여, 부산주재 총영사 室田義文에게 경부선 노선예정지에 대한 조사를 명령하였다. 이 명령에 따라 참모본부 위원과 鐵道局 技師 등은 1892년 경부선 노선예정지를 비밀리에 답사하고 측량했다.

그런데 일본의 경부선 노선 조사는 동북아시아에서 제국주의 열강이 벌이는 철도경쟁과 절묘하게 시점을 같이 하고 있었다. 1891년에 러시아는 우랄산맥 근처 첼리아빈스크에서 한국의 동해 북쪽 블라디보스토크에 이르는 시베리아철도를 기공했다.[3] 영국은 이에 맞서 중국의 北京에서 新民屯을 거쳐 奉天에 이르는 京奉鐵道를 착공했다. 두 나라는 철도를 매개로 하여 동북아시아의 한복판에 파고들기 시작한 것이다.[4] 일본의 군

---

1) 이 장의 기술은 정재정, 1984, 「경부철도의 부설에 나타난 일제의 한국침략정책의 성격」, 『한국사연구』 44, 한국사연구회를 많이 참조했다.

2) 朝鮮總督府鐵道局, 1929, 『朝鮮鐵道史』, (1929), 96쪽. 이하에서는 『朝鮮鐵道史』(1929)로 약칭하겠다.

3) 木村和夫, 1982, 「シベリア鐵道建設の歷史と意識」(上)(下), 『軍事史學』 17.

4) 井上勇一, 1981, 「英露鐵道協定と京奉鐵道借款問題 – 日英同盟成立への一考察」, 『法學硏究』 53–3.

부와 정계는 이와 같은 국제정세를 간파하고 경부선을 먼저 장악함으로써 일본의 세력범위를 한반도까지 확대시키고자 하였다. 따라서 경부선 문제는 일찍부터 제국주의 열강의 세력 각축에 촉발되어 그 싹이 돋아났다고 볼 수 있다.

일본의 경부선 부설은 청일전쟁을 계기로 하여 對韓外交의 최우선 과제로 부상했다. 日本公使 大鳥圭介는 1894년 6월 老人亭會議에서 서울과 주요 항구를 잇는 철도부설권을 許給하라고 요구하였다.[5] 이와는 별도로 한국사정에 밝은 竹內綱 등의 관료자본가들도 외무대신 陸奧宗光의 밀명에 따라 경인선과 경부선 부설을 독자적으로 구상했다.[6] 일본 측의 이러한 시도는 한국정부의 거절로 실현되지 못하였다.[7]

한국 측의 대응이 만만치 않자, 일본은 청일전쟁을 도발하기 직전인 1894년 7월 23일 군대를 동원하여 경복궁을 점령하고, 한국정부 요원들을 친일적 인사들로 교체하는 정변을 일으켰다. 그리고 일본군이 서울 일대를 제압한 상황에서 한국정부를 강박하여 1894년 8월 20일 조일잠정합동조관을 체결하였다. 이 조약의 골자는 한국정부가 경부선과 경인선의 부설권을 일본에게 잠정적으로 양도한다는 것이었다.[8] 이로써 일본은 오래전부터 노려왔던 경부선 부설권을 일단 손에 넣게 되었다.

청일전쟁 때 일본군대를 이끌고 한국에 상륙하여 작전을 전개한 야전사령관들은 경부선 부설을 한층 더 적극적으로 주장했다. 그들은 한국의 열악한 도로 사정으로 인해 병참수송과 부대이동에서 심각한 불편을 겪

5) 『統理交涉通商事務衙門日記』, 開國503年(1894)6月 初9日條 ; 6月10日條.
6) 竹內綱, 1921, 『京釜鐵道經營回顧錄』, 序言 및 1~2쪽.
7) 『高宗實錄』, 1894, 6, 13.
8) 『高宗實錄』 권32, 31년 7월 20일 ; 國會圖書館 立法調査局, 1964, 『舊韓末條約彙纂(1876~1945)』 上卷, 47~51쪽 ; 『日本外交文書』 제27권(二), 629, 636문서. 조일잠정합동조관에 대한 자세한 설명은 이 책의 2장을 참조할 것.

은 경험을 바탕으로 하여, 한국에 파견된 일본군 사령관 山縣有朋에게 戰時를 틈타 한국의 화폐발행권과 경부선 부설권을 영구히 장악할 것을 건의하였다.[9] 山縣은 이들의 의견을 받아들여 1894년 9월 首相 伊藤博文에게 韓國에서 긴급히 철도를 부설하자고 제안하고, 그것을 좀 더 정리하여 같은 해 11월에 朝鮮政策上奏로 만들었다. 이 상주문에서 山縣은 아래와 같은 주장을 피력하였다.

> 釜山-義州間의 道路(=鐵道, 引用者註, 이하 동일)는 東亞大陸으로 통하는 大道로서, 장래 支那를 횡단하여 곧바로 인도에 도달하는 도로(철도)가 될 것은 조금도 의심할 여지가 없을 뿐만 아니라, 우리나라가 覇를 동양에 떨치고 오랫동안 列國間에 雄視하기를 바란다면, 이 길을 인도에 통하는 大道로 만들지 않으면 안 된다.[10]

여기에서 보듯이, 山縣을 중심으로 한 일본군부는 한반도를 남북으로 종관하여 만주에 연결되는 경부선과 경의선을 동아시아의 간선으로 만들어 일본세력을 떨치는 군사적 도구로 삼겠다는 의지를 표명했다. 일본군부의 이러한 주장은 이후 일본이 한국철도정책을 추진하는 데 한 축이 되었다.

한편 일본의 정계와 관계의 원로 大隈重信은 한국철도의 군사적 중요성을 전적으로 인정하면서도 경제적 중요성도 이에 못지않다는 점을 강조했다. 大隈는 한국정부의 저항에 부딪쳐 일본의 경부선 부설권 획득이

---

9) 山縣有朋記念事業會, 1933, 『公爵山縣有朋傳』 下, 150~151쪽. 청일전쟁 중 釜山-義州에 이르는 장대한 兵站路에서 일본의 兵站을 수송한 것은 沿線의 한국 농민들이었다. 그들은 酷署나 酷寒 속에서 생명을 상실하면서까지 강제 노역에 동원되었다. 일본군이 자행한 한국 농민의 동원에 대해서는, 朴宗根, 1982, 『日清戰爭と朝鮮』 青木書店과 정재정, 1991, 「大韓帝國期 鐵道建設勞動者의 動員과 沿線住民의 저항운동」, 『韓國史研究』 73, 한국사연구회를 참조할 것.

10) 山縣有朋記念事業會, 1933, 위의 책, 256쪽.

용이하지 않자, 우회적 방법으로 한국에 은행을 설립하여 차관의 굴레를 씌움으로써 간선철도를 모두 장악하자고 주장하였다. 그것의 골자는 다음과 같았다.

> 철도의 계획은 부산에서 서울에 이르고 계속하여 평양 · 의주에 다다르며, 한편으로는 부산에서 원산을 거쳐 함경도를 통하여 러시아 국경까지 노선을 연장하고 싶다. 후일 시베리아철도가 완성되는 때, 조선에서 우리나라의 山陽 · 東海道에 연락하여 세계의 公道로 한다면, 그 수입은 적지 않을 것이다. … 만약 조선이 의심하거나 방해를 한다면, 대원군 및 국왕을 폐하고 義和宮을 추대하여 그때그때 간섭하는 것이 좋을 것이다. 경우에 따라서는 澁澤君에게 主宰시키고, 은행 쪽은 적당한 인물에게 지배시키면 좋겠다.[11]

大隈는 경부선뿐만 아니라 경의선 · 경원선 · 함경선까지 부설하자는 것이었다. 그리고 이 철도들을 러시아의 시베리아철도, 일본의 山陽鐵道 · 東海鐵道와 연결시켜 세계의 간선으로 만듦으로써 경제적 이익을 확보하자고 제안했다. 大隈는 또 한국이 일본의 프로젝트에 의심을 품거나 방해한다면 한국의 정권을 교체해서라도 목적을 달성해야 한다고 역설했다. 여기에서 거명된 澁澤은 실제로 경인철도합자회사와 경부철도주식회사의 사장으로서 경인선과 경부선 부설을 앞장서서 추진했다.

1880년대부터 일본에서 부상한 경부선 부설 구상은 점차 고양되어, 청일전쟁을 계기로 병참간선으로서의 역할을 강조하는 방향으로 정립되었다. 그리고 청일전쟁 이후 한반도를 둘러싸고 열강의 이권다툼이 격화되자 일본의 경부선 부설 구상에는 영업수익을 확보하자는 주장이 가미되었다. 곧 군사논리와 경제논리가 하나로 통합된 것이다.

---

11) 大隈侯史編纂委員會, 1926,『大隈侯八五年史』2, 198쪽.

한국과 깊은 利害關係를 맺고 있던 竹內網 · 尾崎三良 · 大三輪長兵衛 등의 관료자본가들은 1896년 경인선과 경의선 부설권이 미국과 프랑스에 넘어가자 민간 주도의 경부선 부설을 모색했다.[12)] 그들은 일본이 경부선을 장악해야만 하는 군사적 · 경제적 의의를 다음과 같이 피력하였다.

> 有事時 國防上 반도 중부 이남의 교통기관을 우리의 국권 아래 두는 것이 절대로 필요하다는 것은 識者가 인정하는 바이지만, 一朝에 경부철도가 외국의 손에 들어간다면, 日朝 무역상에 불리할 뿐만 아니라, 우리의 국가 존립상에 미치는 위협도 大事일 것이다.[13)]

러일전쟁 도발을 목전에 두고 일본의 군부 · 관료 · 정치가 · 정상자본가들은 한 층 더 노골적으로 경부선을 군사적 침략과 경제적 지배를 함께 구현할 수 있는 수단으로 삼아야 한다고 주장했다. 당시의 언론은 그런 야망을 다음과 같이 보도했다.

> (경부선은) 조선에 있어서 일본인의 유일한 脈管이다. 死活의 기관이다. 兵略에 있어서도, 경제에 있어서도 일본은 우선 이것을 통하여 조선에 占據하고, 住居하고, 기타 지위 이익을 强固하게 하지 않으면 안된다.[14)]

12) 『韓國京城日本人商業會議所年報』 1907~1909年度, 248~250쪽. 민간인이라고 하더라도 그들은 일본의 퇴직관료로서, 한국에 비상사태가 있을 때마다 일본정부의 밀사로 파견되어 비밀공작을 행하였다. 그리고 그들 중에는 전환국 顧問을 지낸 大三輪처럼 한국정부에 고용된 사람들도 있었다. 그들은 말로는 知韓家 · 親韓家라고 떠벌이면서, 실제로는 일본의 한국침략을 선도한 첨병들이었다. 그들의 암약으로 경부철도가 부설된 것도 의미 심장한 일이다. 이와 같은 人物群에 대한 기초적 연구는 ① 李鉉淙, 1972, 「舊韓末外國人雇聘考」, 『韓國史硏究』8, 韓國史硏究會, ② 李元淳, 1990, 「韓末 日本人 雇聘問題 硏究 -한말 외국인 고빙문제 연구 서설-」, 『韓國文化』 11, 서울대학교 한국문화연구소를 참조할 것.

13) 『朝鮮鐵道史』(1929), 9쪽.

일본이 경부선에 거는 기대는 이제 군사적 침략이 主가 되고 경제적 수탈이 從이 된다는 논리를 넘어서서, 일본의 군사적 침략과 경제적 수탈을 동시에 수행해야 한다는 논리로 통일되었다. 곧 군사성과 경제성이 하나로 통합된 것이다. 일본은 한국철도의 이러한 성격을 '國防共衛 經濟共通'이라고 정의했다. 대다수의 일본인들은 일본에게 이처럼 死活的 의미를 지닌 한국철도를 장악하는 것은 곧 일본의 主權線과 利益線을 지키는 것과 마찬가지라고 받아들였다.[15]

2) 일본의 부설권 장악

일본은 경부선 부설권을 잠정적인 것(조일잠정합동조관, 1894.8.20)에서 확정적인 것(京釜鐵道合同, 1898.9.8)으로 만들기까지 4년여 동안 한국에 대해 갖은 술수를 동원하여 회유와 협박을 구사했다. 일본정부는 수 차례에 걸쳐 細目協定 체결을 요구했지만, 한국정부는 여러 이유를 들어 번번이 이것을 거절했다. 한국정부는 일본 세력을 견제하기 위해 1896년 미국과 프랑스에 각각 경인선과 경의선 부설권을 양도했다. 그러고는 외국에 더 이상 철도부설권을 허급하지 않는다는 칙령을 발표했다. 일반대중들도 저항했다. 의병이 봉기하여 일본에 철도부설권을 허급하지 말라고 요구했다. 일본인을 직접 공격하는 사건도 발생했다.

철도부설권을 둘러싸고 한국과 일본이 벌인 공방에 대해서는 2장 경인선 부분에서 이미 자세히 살펴봤으므로 다시 부연하지는 않겠다. 여기에서는 한국과 일본이 경부선 부설권 양도에 합의하는 과정에 초점을 맞춰 이야기를 풀어나가겠다.

---

14) 『萬朝報』 1903. 5. 27 (『新聞集成明治編年史』 제12권 1935), 65쪽.
15) 山縣有朋記念事業會, 1933, 앞의 책, 242쪽 ; 伊藤博文編, 『秘書類纂 兵政關係資料』, 145~146쪽.

한국정부의 강력한 거부에 직면하여 경부선 부설권 문제가 지지부진하자 일본정부는 1896년 10월 의병이 진정될 때까지 경부선 부설권을 타국에 양도하지 않을 것을 보장하는 비밀조약을 체결하자고 한국정부에 요구하였다.[16] 한국정부는 이 제안도 완강히 거절하였다. 일본은 결국 지금 상황에서는 무력시위나 회유 · 협박으로도 경부선 부설권을 장악할 수 없다는 사실을 인식하였다.[17] 그리하여 일본정부는 경부선 부설권을 획득하기 위한 우회적 방법으로서 다른 열강 특히 러시아와의 대립을 극복하는 방향으로 외교정책을 수정하였다.

먼저 일본은 명성황후 시해와 그로 인한 아관파천 등으로 한국에서 실추한 세력을 회복하기 위해 1896년 5월 러시아와 小村 · 워베르회담, 같은 해 6월 山縣 · 로바노프협상을 개최하였다. 그렇지만 한국에서 일단 약화된 일본의 세력은 좀처럼 만회하기 어려웠다.[18] 일본은 또 하나의 우회수단으로서 미국인 모스가 추진하고 있던 경인선 부설 사업에 공동으로 참여하는 방안을 모색하였다. 곧 경인선을 발판으로 삼아 경부선을 공략하려는 것이었다.[19] 일본의 이러한 우회 전략은 나중에 큰 성과를 거두었다. 일본의 政商資本家들이 설립한 경인철도합자회사는 미국인 모스로부터 경인선 부설권 등의 권리를 매수했다. 그리고 경인철도합자회사에 참여한 자본가들이 주축이 되어 경인선 사업의 연장으로서 경부철도주식회사를 창립하였다.[20]

高宗이 1896년 11월에 철도부설권을 외국인에게 허용하지 않겠다는

16) 竹內綱, 1921, 앞의 책, 10~11쪽.
17) 『日本外交文書』 제29권, 344문서.
18) 日本外務省版, 1953, 『小村外交史』 上, 92쪽.
19) 『日本外交文書』 제29권, 345문서.
20) 石井常雄, 1954 「「京仁鐵道」建設史に關する一覺書」, 『商學論叢』 4 · 5 · 6 ; 中村政則, 1972, 「日本帝國主義成立史論」, 『思想』 574, 岩波書店.

양도금지 칙령은 1년 동안 커다란 효력을 발휘하였다. 그런데 1898년에 들어서서 한반도 주변의 국제정세가 변하자 경부선 부설권은 다시 한국과 일본의 주요 외교문제로 등장하였다.

러시아는 1891년에 시베리아철도를 기공하면서 그것의 終端港으로 동해안의 원산을 상정하고, 원산과 블라디보스토크를 잇는 함경선과 경원선의 부설을 구상했다.[21] 그리고 러시아와 동맹을 맺은 프랑스를 후원하여 경의선과 京木線(서울－목포)의 부설권을 확보하도록 지원하였다.[22] 러시아의 이러한 움직임은 러시아가 한반도의 간선철도를 시베리아철도의 支線으로 삼고 싶다는 것을 암시했다.

일본과 러시아가 한반도에서 우월한 지위를 확보하려고 각축을 벌이는 사이 독일은 1897년 11월 중국의 膠州灣을 점령했다. 러시아는 이에 맞서 청과 파블로프조약을 체결하고 그 對岸인 遼東半島를 조차하였다. 그리고 시베리아철도의 중국영내 단축선인 東淸鐵道로부터 旅順·大連에 이르는 南滿洲鐵道 敷設權을 획득하였다. 이와 같은 사태는 한반도의 주변 정세를 미묘하게 변화시켰다. 특히 철도문제에 있어서는 러시아가 시베리아철도의 종착역을 한반도로부터 요동반도로 이전하는 듯한 인상을 주었다.

일본정부는 이런 상황변화를 이용하여 1898년 1월 29일 경부선 부설권의 양도를 공식적으로 한국정부에 요구해 왔다. 그리고 이를 지원하기 위하여 군함 2척을 인천항에 입항시키겠다고 예고하면서 위협하였다. 日本公使 加藤增雄은 2월 1일 高宗을 다시 알현하고 일본에 망명해 있는 한국인들의 위협으로부터 고종의 안전을 절대 보장해 주겠다고 약속하면서 경부선 부설권 양도를 재차 촉구하였다. 고종과 외부대신 趙秉式은 일본

21) 『日本外交文書』 제25권, 178문서.
22) 『日本外交文書』 제29권, 351문서.

의 요구를 받아들일 뜻도 없지 않았다. 그러나 경부선 부설권 양도가 일본에 너무 큰 利權이 되는 것이라고 러시아가 반대하자, 외부대신을 李道宰로 교체시킴으로써 일본과 교섭을 그만두게 했다.[23)]

일본은 러시아에 한국과 만주의 상호 이권을 존중하는 방식(만한교환론)으로 문제를 해결하자고 제시하였다. 일본과 러시아는 몇 차례 교섭 끝에 1898년 4월 西·로젠議定書를 체결하였다. 한국에서 일본의 상업상·공업상의 우위를 러시아가 인정하고 앞으로 일본세력의 발전을 방해하지 않는 대신 만주에서 러시아의 그것을 일본이 인정한다는 내용이었다.[24)] 이로써 일본이 경부선 부설권을 장악하는데 유리한 국제정세가 조성된 셈이었다.

한국정부는 그 후에도 對日 교섭담당자를 빈번히 교체하는 방법으로 경부선에 대한 협상을 지연시켰다. 그리고 細目協定의 체결에는 여전히 반대하였다. 특히 고종이 이를 거부하였다. 농상공부대신 李道宰가 고종에게 국제정세의 형편상 철도부설권과 광산개발권을 외국인에게 넘겨주는 것이 불가피한 실정이라고 상주하였지만, 고종은 나라의 근본 문제를 생각할 때 이것은 결코 받아들일 수 없노라고 일축하였다.[25)]

일본의 加藤增雄 公使는 경부선 부설권을 장악하기 위해 강경책을 구사했다. 그는 먼저 한국을 교섭에 끌어들이기 위해 한국해역에 군함을 파견해 줄 것을 일본정부에 요청하였다. 그리고 한국정부에 대해서는 경부선 부설권 문제가 조기에 타결되지 않을 경우에는, "帝國政府의 이름으로, 이미 잠정합동조약의 권리에 따라, 선택하는 바의 적당한 시기와 방법에 따라 철도부설에 착수 할 것"[26)]이라고 협박하였다.

---

23) 이상의 내용은 愼鏞廈, 1976, 『獨立協會硏究』, 一潮閣, 282쪽을 참조.
24) 國會圖書館 立法調査局, 1965, 『舊韓末條約彙纂(1876~1945)』 中卷, 187~188쪽.
25) 『高宗實錄』 권37, 35년 8월 3일.
26) 『舊韓國外交文書』 4, 日案 4 4470문서.

加藤 公使의 압박과 보조를 맞춰 일본정부는 청을 방문하고 있던 伊藤博文 전 수상을 한국에 파견하여 고종황제를 알현하도록 했다. 伊藤은 高宗에게 약화된 한일관계를 개선하고 벽에 부딪친 경부선 부설권 문제를 신속하게 해결해줄 것을 요청하였다.[27] 伊藤의 訪韓을 계기로 한일의 교섭은 급진전을 보게 되었다. 그 결과 양국은 1898년 9월 8일 全文 15개조로 이루어진 京釜鐵道合同을 체결하였다.

이 조약은 일본 측이 제시한 13개조의 原案에다, 교섭과정에서 한국정부가 제안한 몇 가지 의견이 첨가되어 수정 · 보완된 것이었다. 따라서 조약의 내용은 겉으로 보면 경부선에 대한 한국과 일본의 의견이 종합적으로 반영되어 있다고 볼 수도 있다.[28]

먼저 일본 측 의중을 반영한 조항은 다음과 같다.

① 철도용지는 한국이 일본에 무상으로 제공할 것(제3조),
② 철도용품과 영업이익에는 한국정부가 과세하지 말 것(제5조),
③ 완공 후 15년간 경부선의 영업권을 일본이 專有하고 한국이 이를 매수할 수 없을 경우에는 10년씩 연장할 것(제12조)

한국 측 의견을 첨가한 조항은 다음과 같다.

① 경부철도상의 江橋는 사람과 선박의 통행이 가능하도록 인도를 병설하고 高架 또는 開閉式으로 할 것(제2조),
② 선로의 軌間은 표준궤로 하고, 철도부설 과정에서 분묘를 파괴하지 말 것이며, 한국의 군용품 · 병정 · 우편물 등의 운송은 無

27) 阿比留銈作, 1928, 「京釜鐵道對韓國當初ノ經緯」, 『澁澤榮一傳記資料』 제16권(1957), 380~381쪽.
28) 竹內綱, 1921, 앞의 책, 15~17쪽 ; 『日本外交文書』 제31권(一) 95~98문서 ; 國史編纂委員會, 1993, 『駐韓日本公使館記錄』 9, 90~98쪽 31문서, 1898.9.20.

賃으로 할 것(제3조),

③ 외국인이 정차장에 거주하는 것을 불허할 것(제4조),

④ 철도건설 노동자는 한국인을 9할 이상 고용할 것(제6조),

⑤ 철도부설공사는 3년 이내에 착공하여 10년 이내에 완공하되 그렇게 못할 경우에 본 조약은 무효로 할 것(제10조),

⑥ 한국인 회사 또는 개인은 언제든지 경부철도주식회사의 주주가 될 수 있을 것(제14조),

⑦ 이 철도는 여하한 경우에도 제3국인에게 양도하지 말 것(제15조).

경부철도합동의 핵심적인 내용은 일본이 철도부설권과 그 영업권을 專有하고, 한국정부가 철도용지를 무상으로 제공할 것을 규정한 것이었다. 전형적인 불평등 조약이었다. 그런데 지엽적인 부분에서는 한국 측의 의견도 조금씩 반영되어 있었다. 그렇기 때문에 당시 한국의 관민 중에는 경부선 부설이 한국과 일본의 공동사업이라고 여기는 사람도 없지 않았다.[29] 일본은 경부선 부설과정에서 일어날 수밖에 없는 한국의 반발을 무마시키기 위해 주변적인 사항에 대해서는 한국 측의 요구를 부분적 · 일시적으로 받아들였다. 경부선 부설이 마치 한국과 일본의 공동사업인 듯한 인상을 풍긴 것이다. 그렇지만 경부선의 부설과 운영에 관련된 모든 분야에서 일본이 독점적 · 배타적 권리를 행사할 수 있도록 규정한 것은 틀림없었다.

경부철도합동이 체결된 이후 일본은 한국 측의 의견이 반영된 주변적 조항조차도 개정 또는 폐지하려고 획책하였다. 그러나 한국정부의 완강한 거절로 일본의 공작은 실패로 끝났다. 이에 林勸助 公使는 조약의 내용을 무시하고라도 하루 빨리 철도부설공사에 착수할 것을 본국정부에 건의했다. 그는 “원래 當國(한국)의 일은 반드시 條款의 明文에 檢束되지 않

29) 『朝鮮鐵道史』(1929), 52~56쪽.

는 일이 왕왕 있는 상태이므로, 사실 지장이 없다고 보이는 일은 착착 사업을 진행하여 가는 것이 得策이라고 생각한다"고 호언장담했다.[30)]

林의 건의는 일본이 조약 자체를 지키지 않겠다는 의도를 보여준 셈이었다. 실제로 일본은 경부선 부설과정에서 한국 측의 의견이 반영된 조항은 대부분 무시하고 일본 측의 이익을 보장한 조항만을 자의적으로 준수하였다. 그리고 러일전쟁 후에는 이 조약조차 휴지로 만들어버렸다. 곧 일본정부는 한국정부의 의사는 전혀 묻지도 않고 조약체결의 상대였던 경부철도주식회사를 해산하고, 경부선조차도 일본의 국유철도로 매수하여 統監府 鐵道管理局에 귀속시켜버렸던 것이다. 따라서 경부철도합동에서 규정한 한국의 매수권리 등은 아무런 의미를 갖지 못하게 되었다. 이것 하나만 보더라도 일본의 경부선 부설권 장악은 强盜와 같은 침략행위였다고 보아도 틀린 것은 아니다.

2. 철도 노선과 궤간의 선정

1) 군사 · 경제 일체의 노선 확보

일본의 한국철도정책은 '國防共衛 經濟共通'[31)]이라는 표어에 압축되어 있다. 이 문구는 얼핏 철도를 매개로하여 한국과 일본이 군사적 · 경제적으로 공존공영을 이룩하자는 내용을 담고 있는 것으로 보인다. 그러나 그 본질은 일본이 한국철도를 장악함으로써 군사적 · 경제적 침략을 한꺼번에 달성하자는 것에 지나지 않았다. 이와 같은 일본의 침략정책이 가장

30) 『日本外交文書』 제33권, 142문서 ; 『澁澤榮一傳記資料』 제16권(1957), 448~449쪽.
31) 竹內綱, 1921, 앞의 책, 6쪽.

선명하게 드러난 것이 바로 경부선의 노선 선정이었다. 철도노선은 그것의 독점성과 고정성으로 인해 부설 주체는 어떤 지역을 어떤 이유로 경유하게 되는가를 매우 신중하게 고려하기 때문이다.

일본은 경부선 노선을 선정하기 위해 5회에 걸쳐 대대적인 답사를 실시하였다. <지도 1－2>와 <지도 3－1>을 참조하면서 경부노선 선정과정을 살펴보자.

제1차 답사는 일본군 참모차장 川上操六의 요청에 따라 1892년 8월에 釜山駐在 室田義文 領事의 주관 아래 진행되었다. 일본은 한국의 반발을 무마하기 위해 이것이 철도노선의 답사가 아니라 상업상의 조사이자, 미국의 스미소니언박물관에 기증하기로 약정한 鳥類標本을 채집하는 작업이라는 속임수를 썼다. 제1차 답사에서는 종래 京釜 사이에 발달되어 있던 세 개 교통로 중에서, 연선의 조건(인구의 稠稀, 田野의 廣狹, 物貨의 多少, 交通의 繁閑)을 비교 검토하여 서울(남대문)－龍仁－竹山－淸州－文義－尙州－大邱－密陽－釜山의 노선을 택하였다.[32] 그리고 이 노선에 36개 정차장 설치를 구상했다. 일본은 이 노선이 한국 남부의 경제와 정치의 선진지역을 관통하기 때문에, “군사 · 경제에 모두 필수적인 最要器”[33]가 될 것으로 보았다.

제2차 답사는 청일전쟁 중인 1894년 11월 일본 육군대신 西鄕從道의 특명에 따라 군부가 실시하였다. 이 때 조사한 노선은 서울－淸州－永同－秋風嶺－金山－仁同－大邱－密陽－三浪津－釜山으로 이어지는 총연장 약 444 km(276마일)이었다.[34] 제2차 답사의 큰 특징은 노선의 중간 지점에서 秋風嶺을 횡단하는 지리적 好適地를 발견하여 永同을 경유하도록 선

32)『日本外交文書』제29권, 325문서 附記.
33)『日本外交文書』제29권, 325문서 附記.
34) 朝鮮總督府鐵道局, 1937,『朝鮮鐵道史』, 255~256쪽.

정한 점이었다. 일본 군부는 서울과 부산을 최단거리로 연결하는 이 노선이 병참을 신속하게 수송하는 데 적합하다고 보았다.

제3차 답사는 경부철도주식회사의 주도하에 1899년 3월에 실시되었다. 이것은 경부철도합동이 체결된 이후 한국정부의 공식 허가를 받고 행해진 첫 답사였다. 이번에 일본의 답사요원들은 연선지방 관민으로부터 각종 자료를 얻고 숙식 등의 도움을 받았다. 제3차 답사에서는 자본가들의 의향을 반영하여 될 수 있는 대로 상공업이 번창한 지방을 통과하도록 고려하였다.[35] 서울－鷺梁津－進威－屯浦－全義－公州－論山－恩津－錦山－永同－金山－大邱－玄風－昌寧－靈山－密陽－三浪津－龜浦－釜山鎭에 이르는 총연장 약 473 km(294마일)이었다.[36] 이 노선을 선정할 때 상품유통이 가장 활발한 경기도 · 충청도 · 경상도의 평야지대를 통과하고, 일본으로 농산물을 반출하기 쉬운 지역에 支線을 부설하는 것까지 고려했다. 40여 개로 상정한 정차장 후보지에는 유통경제의 중심인 장시가 30여 개나 포함되어 있었다.[37] 가히 인구에서 한국의 10분의 7, 産物에서 7분의 5 이상을 포함하는 지역이었다.[38]

제3차 답사에는 한국의 경제적 선진지역을 장악하려는 일본 자본가들의 의지가 강하게 반영되어 있었지만, 정치적 의미도 적지 않게 포함하고 있었다. 예를 들면 노선의 전반부가 경기도 · 충청도의 西路 곧 全羅街道를 지나고 후반부가 제2차 답사선에 접속하도록 한 것은 한국정부가 1898년부터 계획하고 있던 서울－木浦의 철도부설을 방해하고, 나아가 서울－釜山의 직통철도 부설권을 요구하던 열강의 움직임에 쐐기를 박으

35) 『朝鮮鐵道史』(1929), 63쪽.
36) 『朝鮮鐵道史』(1929), 63쪽.
37) 秋南生, 1900, 「京釜鐵道」, 『太陽』 5－25, 201쪽.
38) 京釜鐵道發起人總會, 1900, 『東京經濟雜誌』 41－1016, 251~252쪽.

려는 것이었다.[39] 원래 경부철도합동 제9조는 경부선 支線의 부설권을 외국인에게 양도할 수 없도록 규정했다. 일본은 이 규정을 최대한 유리하게 활용할 속셈으로 한국 남부의 모든 철도는 경부선의 지선에 해당하도록 노선을 선정했다. 이렇게 하면 일본은 경부선 하나만 장악해도 한국 남부의 모든 지역을 자신의 세력 아래 둘 수 있다. 실제로 오늘날 경부선이 경기도의 서부를 종관하는 전라가도를 남하하다가 충청도의 동남부에서 경상도로 우회함으로써 서울과 대전 사이는 경상도와 전라도의 교통이 겹쳐 항상 병목현상을 빚고 있다. 일본의 자국 편의주의 노선선정이 빚어낸 후유증이라고 할 수 있다.

제4차 답사는 山縣 首相과 桂太郞 陸軍大臣의 지원을 받아 1900년 3월에 日本軍과 경부철도주식회사가 합동으로 실시하였다. 이때는 경제적 이점을 중시하면서도 군사적 요구를 다시 고려했다. 곧 경부선은 단순한 식민지 철도가 아니라 중국대륙과 구주대륙에 연결되는 아시아의 간선이라는 관점에서, 북부선에서는 全義－懷德－永同의 직행선을 택하고, 남부선에서는 大邱－淸道－密陽－三浪津－草梁－釜山津의 평지선을 취하였다.[40] 서울－釜山을 최단거리로 연결하면서 最小勾配로 소백산맥을 관통하도록 배려했다. 실제로 북부선을 직행선으로 채택할 경우에는 단번에 약 32~48 km(20~30마일)의 거리를 단축시킬 수 있었다.

제4차 답사에서 선정한 북부의 직행노선은 경부철도주식회사와 일본정부 사이에 큰 논란을 불러일으켰다. 그리하여 철도공사가 착공되기 직전까지 이 노선의 채택 여부에 대해 최종 결정을 보지 못하였다. 그런데 러일전쟁을 앞두고 일본에서 경부선을 일본정부가 직접 관리하라는 여론이 높아지자, 일본 체신성은 철도의 직영에 대비하기 위해 1903년 3월부

39) 『朝鮮鐵道史』(1929), 104쪽.
40) 『朝鮮鐵道史』(1929), 104~106쪽.

터 경부선과 경의선의 연선 지역과 공사 상황을 정밀하게 조사하였다. 당시 경의선은 한국정부가 건설하고 있었다.

제5차 답사는 러일전쟁을 도발하기 직전에 이루어졌다. 북부선을 직행선으로 할 것인가, 우회선으로 할 것인가가 주요한 과제이었다. 경부선과 경의선을 병참간선으로 활용하기 위해서는 부산–서울–만주의 열차 운행시간을 단축해야만 한다. 또 군사비 지출을 고려하면 공사비도 절약해야 한다. 일본정부는 결국 군사적 측면을 최대한 배려하여 북부에서 全義–永同–懷德을 잇는 직행선을 채택하였다.[41] <지도 1–2의 ①>과 <지도 3–1>의 경부선은 수 차례의 개량공사를 거친 것이지만 이때 설정한 노선과 대체로 일치한다.

일본이 경부선 노선을 선정하는 데 가장 신경을 쓴 것은 한국에서 정치·군사·사회·경제의 지배권을 경부선 하나를 장악함으로써 한꺼번에 달성하려는 데 있었다. 그렇기 때문에 한국의 독자적·주체적 시각에서 보면, 경부선은 서울과 각 지방 사이의 교통을 원활히 하고 지역의 균등발전을 꾀하는 데는 태생적으로 결함이 많은 기형적 노선이라고 할 수 있다.

2) 대륙지향의 표준궤 선택

경부선의 노선 선정과 더불어 일본의 한국철도정책을 간파할 수 있는 또 하나의 징표는 軌間과 軌條의 선택이었다. 선로의 넓이와 레일의 무게는 그 위를 달리는 열차의 중량과 용량을 규정하는 핵심 요소이다. 한마디로 궤간과 궤조의 선택이 그 철도의 수송능력에 지대한 영향을 미친다고 할 수 있다.

---

41) 西大助, 1903, 「京仁·京釜鐵道視察復命書」, 『目賀田文書』, 第10册 日本 國會圖書館 憲政資料室 所藏.

열차운행은 도로를 달리는 자동차와 달라서, 철도노선의 폭이 결정되면 그 넓이에 맞게 제조된 열차만이 그 위를 달릴 수 있다. 열차가 궤간이 다른 선로를 갈아타기 위해서는 선로나 차륜의 넓이를 서로 맞게 조정하지 않으면 안 된다. 보편적으로 보아 궤간이 넓고 궤조가 무거울수록 장대한 열차가 달릴 수 있으므로 수송능력이 그만큼 탁월하다고 할 수 있다. 따라서 궤간과 궤조는 단순히 경제적 이점만이 아니라 정치적 · 군사적 효용까지 더 고려하여 선정되었다. 예를 들면 러시아와 스페인은 프랑스나 독일 등의 침략을 미연에 방지하겠다는 의지에서 국내 철도의 궤간을 일부러 유럽 각국과 다른 것으로 선정하였다.[42)]

위와 같은 사정에 비추어볼 때, 한국철도처럼 열강의 이권쟁탈 대상이 되고 만주 · 중국 · 러시아와 연결될 운명에 놓인 경우에는 軌間과 軌條의 선택이 철도정책의 핵심이 될 수밖에 없었다. 그런데 영국이 부설하고 있던 중국의 京奉鐵道는 표준궤(1.435 m)에 약 36 kg(80파운드) 궤조이고, 러시아가 부설하고 있던 시베리아철도와 東淸鐵道는 廣軌(1.524 m)에 약 27 kg(60파운드) 궤조였다. 반면에 일본의 국내 철도는 狹軌(1.097 m)에 약 23 kg(50파운드) 궤조였다.[43)]

그렇다면 경부선은 어떤 궤간과 궤조를 채택하였는가? 이것을 알기 위해서는 한국철도에 얽힌 국제관계를 먼저 살펴봐야 한다. 한국정부는 1896년 7월 15일 철도의 건설과 운영을 규정한 '國內鐵道規則'(칙령 제31호)을 반포했다. 여기서 한국정부는 외국의 예를 참고하여 한국에서 부설되는 모든 철도는 표준궤를 채택하도록 명기하였다.[44)] 당시 철도 선진국

---

42) 原田勝正, 1998,『鐵道と近代化』, 吉川弘文館, 15~22쪽.

43)『朝鮮鐵道史』(1929), 110쪽.

44)『高宗實錄』권34, 33년 7월 15일. '국내철도규칙'의 골자는 다음과 같다. 제1조 국내 인민의 왕래와 물품 출입의 편리를 위해 각 지방에 철도를 설치한다. 제2조 각 지방 철도의 규격을 일정하게 하여 기차가 서로 지장 없이 통행하게 한다. 제3조

영국은 물론 중국의 주요 간선철도도 모두 표준궤였다. 따라서 중국과 연결될 운명에 있는 한국철도가 표준궤를 택한 것은 당연하였다.

그런데 시베리아철도를 광궤로 건설하고 있던 러시아는 한국정부에 압력을 가해 1896년 11월 15일 철도규칙을 개정하여 한국철도가 광궤를 채택하도록 만들었다. 러시아의 남하를 우려하고 있던 미국과 일본은 이에 강력히 반발했다. 그리하여 한국정부는 다시 표준궤를 채택한다고 선언했다.[45] 그리고 경부철도합동에서도 이 점을 명시했다.

한편, 경부선의 부설공사를 앞두고 일본에서 이 철도의 궤간 선정이 새삼스럽게 정치문제로 부상하였다.[46] 일본국내의 철도건설을 총괄하고 있던 철도작업국은 경부선의 자본이 부족하고 여객 · 화물도 빈약하다는 이유를 내세워 1m 궤간에 약 27 kg(60파운드) 궤조를 주장하였다. 군사적 효용가치를 가장 중시한 일본군 참모본부는 러일전쟁에 대비하여 경부선을 최대한 빨리 건설하기 위해 일본국내의 궤조와 차륜을 轉用할 수 있는 협궤 궤간과 약 23 kg(50파운드) 궤조를 강하게 내세웠다. 일본과 러시아의 전쟁이 일촉즉발 상황이었으므로 군부의 주장이 채택될 가능성이 높았다.

이때 경부철도주식회사의 澁澤 사장 등은 경부선이 국제간선임을 내세워 표준궤 채택을 강력히 주장하였다. 곧 "장래 支那 · 歐羅巴大陸의 철도와 연결하여 세계교통의 간선이 되어야 할 사명을 가진 본 철도를 단순한 식민지철도로 보아서는 안 되고, 萬難을 무릅쓰고라도 표준궤를 채용하

각지 철도의 넓이를 외국의 규정에 따라 영척 4척 8촌 반으로 확정한다. 제4조 官立 철도의 객화 운임은 농상공부 대신이 정한다. 제5조 한국인이나 외국인이 철도를 설치할 때는 이 규칙을 준행하고 운임도 농상공부와 협의하여 정한다. 제6조 철도세칙은 농상공부 대신이 추후 정한다.

45) 竹內綱, 1921, 앞의 책, 15~17쪽.

46) 『東京經濟雜誌』 40−989, 1899. 7, 258쪽.

지 않으면 안 된다"[47]는 것이다. 澁澤 등의 주장은 이 철도를 통해 대륙으로 세력을 뻗치려는 일본의 군부와 정계를 움직였다. 그리하여 경부선은 미국의 카네기 철강회사에서 궤조를 수입해야 하는 부담을 감수하면서까지 중국철도와 동일한 넓이의 표준궤에다 34kg(75파운드) 중량의 궤조를 채택하였다.

경부선이 표준궤를 채택하자, 나중에 이와 접속하여 일본의 군용철도로 부설하게 된 경의선도 자동적으로 표준궤를 채택했다. 나아가서 일제강점기에 부설된 한국의 주요 철도들도 이를 따랐다. 그리하여 한국철도는 자연스럽게 만주·중국 철도와 직접 연결되어 일본의 대륙침략을 방조하는 脈管으로서 기능하였다. 반면에 한국철도는 광궤인 시베리아철도와 동일선상에서 연결되지 못하여 러시아 세력의 침투를 방지하는 역할도 했다.

3. 경부철도주식회사의 설립과 자본 조달

1) 경부철도주식회사의 설립

경부선의 노선과 궤간 선정이 일본의 한국철도정책을 군사적·경제적으로 통합시켰다면, 경부철도주식회사의 설립과 자본 모집은 일본의 국가권력·자본가·일반국민을 하나로 결집시켰다. 일본의 政商資本家들이 집결한 경부철도주식회사는 위로는 天皇家로부터 아래로는 시골 촌장에 이르기까지 광범하게 일본국민을 大小株主로 포섭하였다. 일본정부는 이들에게 투자이익을 보장해주기 위하여 필요한 지원을 아끼지 않았다.

47) 『朝鮮鐵道史』(1929), 110쪽.

경부철도주식회사와 일본정부가 내세운 논리는, 경부선은 단순히 민간회사가 외국에서 상업적 목적만을 위해 건설하는 철도가 아니라 일본의 한국지배와 대륙진출을 선도하는 동맥이기 때문에, 경부선에 투자하는 것은 곧 애국행위라는 것이다.

경부철도주식회사의 설립 움직임은 경부선 부설권을 획득하려는 일본정부의 노력이 벽에 부딪친 1896년경부터 나타났다. 그 전부터 한국과 깊은 利害關係를 맺고 있던 竹內綱 · 尾崎三良 · 大三輪長兵衛 등의 관료자본가들은 경인선과 경의선 부설권이 미국인과 프랑스인에게 양도되자, 민간 차원에서 경부선을 부설하겠다고 나섰다.[48] 그들은 경부선이 외국의 손에 들어가면 일본의 경제적 손실은 말할 것도 없고 일본의 존립에도 심각한 위협이 된다고 주장하며 경부철도주식회사의 설립을 특허해줄 것을 伊藤博文 首相을 비롯한 일본정부 관계자들에게 청원하였다. 경부선부설에 필요한 막대한 자본은 국민의 애국심에 호소하여 모집할 작정이었다.[49]

竹內綱 등은 곧 150명의 일급 자본가들로써 경부철도주식회사 발기위원회를 발족시켰다. 발기위원들은 京仁鐵道引受組合도 만들어서 미국인 모스로부터 경인선 부설권을 매수하였다. 경인선 부설권의 확보는 경부선 부설권을 장악하기 위한 발판이었다. 그러나 한반도의 세력다툼에서 러시아와 타협을 모색하고 있던 伊藤이나 井上은 일본이 국내에서 필요한 철도조차 건설할 수 없는 궁핍한 때에 경부선을 부설하려는 것은 러시아를 향해 전쟁을 도발하는 것으로서, 무모하기 이를 데 없는 미친 짓이라고 우려했다.[50]

이런 상황에서 澁澤 등의 발기위원들은 1899년 11월 한국철도 부설에

48)『韓國京城日本人商業會議所年報』1907~1909年度, 248~250쪽.
49) 竹內綱, 1921, 앞의 책, 7~8쪽.
50) 竹內綱,「築京釜鐵道記」,『澁澤榮一傳記資料』제16권(1957), 383쪽.

처음부터 적극적이었던 山縣 수상에게 경부철도주식회사의 설립에 대한 특별 지원을 요청하였다. 골자는 일본정부가 회사 자본금 2,500萬圓에 대하여 연 6%의 이자를 15년간 붙여달라는 것이었다.[51] 山縣과 大隈 등은 전폭적인 지지를 약속했다. 大隈는 기회 있을 때마다 貴族院과 衆議院 의원 및 대자본가들에게 경부철도주식회사를 적극적으로 지원하라고 역설하였다. 그는 경부선이 일본인의 이주를 촉진하고 식량을 수입하며 상품을 수출하는 동맥이 될 것이라고 선전했다.[52]

일본의 귀족원과 중의원은 그들의 요청을 받아들여 1900년 2월 '韓國京釜鐵道速成에 관한 建議案'을 통과시켰다. 속성의 이유는 다음과 같았다.

> 該鐵道線은 실로 한국에서 大幹線의 과반을 점하고, 他日 東淸鐵道 내지 西比利亞鐵道와 연락하여 세계의 우편선로의 要部로 될 것이다. 특히 該鐵道는 한국에 있어 물산이 가장 풍부한 삼남지방을 관통하고, 그 首部인 京城과 최대 무역항인 釜山港을 접속시키는 것이기 때문에 한국의 利源을 개척하고 風氣를 계발하여 彼我兩國의 무역상 이익을 증진하는 데 있어서 하루라도 소홀히 할 수 없는 경영이다.[53]

일본의 중의원과 귀족원은 같은 해 2월 21일 '帝國臣民의 外國에서의 鐵道敷設에 관한 法律案'을 제정하였다. 그 요지는 경부철도주식회사를 일본국내의 商法規定에서 제외하고, 자본금 4분의 1 拂入과 주식의 제1회 拂入만으로 회사를 설립할 수 있게 만든 것이다. 게다가 불입금의 10배에 달하는 사채모집을 인정하였다.[54]

경부철도주식회사에 대한 일본정부의 보호와 지원은 주식과 사채에

---

51) 竹內綱, 1921, 앞의 책, 24~25쪽.
52) 「京釜鐵道の招待會」, 1900. 2. 28, 『中外商業新報』 5421.
53) 日本國, 『官報』號外 1900. 2. 7, 『澁澤榮一傳記資料』, 제16권(1957), 396쪽.
54) 日本國, 『官報』 1900. 2. 22 ; 9. 15, 『澁澤榮一傳記資料』 제16권(1957), 398~401쪽.

대한 利子補給의 보증으로 한층 더 확고해졌다. 발기위원들이 '경부철도 주식회사 창립에 관하여 주식불입금 및 사채에 대한 이자보급의 청원'을 제출하자, 일본정부는 大藏省 · 外務省 · 遞信省 · 陸軍省으로 구성된 경부철도위원회를 조직하여 이를 심의하였다. 그리고 1900년 9월 27일 경부철도주식회사에 대한 특별보조명령을 내렸다.[55] 주요 내용은 정부가 회사주식 불입금액과 사채에 대해 15년간 연 6%의 이자 보급을 보증하고, 회사의 인사와 철도의 운영을 엄격히 감독한다는 것이었다. 특별보조명령에 따른 이자보급지출예산안이 1901년 3월 의회를 통과하자 같은 해 6월 澁澤을 취체역 사장으로 하는 경부철도주식회사가 정식으로 설립되었다.[56] 이로써 경부선 부설은 일본의 국가적 사업이 되고, 국민은 정부를 믿고 기꺼이 투자하게 되었다.

2) 애국심에 호소한 주식모집

일본정부의 전폭적인 지원을 받은 경부철도주식회사는 간부들이 앞장서서 자본금모집에 열을 올렸다. 이 회사의 理事 大三輪長兵衛는 "경부철도 노선상에는 場市가 30여개가 있다. 이들 장시는 대개 5일장이므로 경부철도상에는 매일 최소한 6개소의 장시가 열리게 되어, 장시에 모이는 사람만을 여객으로 흡수하더라도 연간 여객수입은 50萬圓 이상이 될 것임으로 철도영업의 전망이 내단히 밝다."[57]고 선전했다.

理事 尾崎三良는 좀 더 구체적인 수치를 들면서 경부선을 아래와 같이 홍보했다.

---

55) 竹内綱, 1921, 앞의 책, 42~48쪽.
56) 『東京經濟雜誌』 44-1088, 1901. 7, 40쪽.
57) 「大三輪長兵衛君の京釜鐵道談」, 1900. 2, 『東京經濟雜誌』 41-1018, 341~344쪽.

경부철도는 한국에서 米輸送이 가장 많은 경상도의 大邱-釜山 지역을 통과한다. 현재 大邱-釜山間의 米 1石의 운임은 2圓(대구에서의 미 1석의 산지가격은 6원)이지만, 철도를 이용하면 그 4분의 1인 50錢이 될 것이다. 운임의 저하는 시장가격의 하락을 가져올 뿐만 아니라, 일본에의 수출을 증가시켜서 1년의 수출미가 백만 석을 돌파할 것이다. 그렇다면 大邱-釜山間의 미곡운임만도 50萬圓이 될 것이다.[58]

일본정부는 경부선 노선의 제5차 답사를 근거로 하여 영업전망을 제시하였다. 이에 따르면 경부선은 운수영업이 개시된 후 14 · 15년이 경과한 시점부터 연 6~7%의 순수익을 올릴 수 있다.[59] 이런 주장은 공교롭게도 일본정부가 경부철도주식회사에게 15년 동안 연 6%의 이자를 보급하겠다는 조처와 일치했다.

경부철도주식회사의 간부들은 국가권력과 경제단체 및 언론매체를 동원하여 전국에서 자본조달 캠페인을 벌였다. 각 지역의 상업회의소에도 편지를 보내 중소상공업자들이 주주로 참가할 것을 권유하였다. 또 내무대신을 통하여 各府縣知事에게 주식을 할당하고, 이것을 관할구역 내에서 소화하도록 독려했다.[60] 회사 간부들은 전국각지를 누비면서 국민의 애국심에 호소하여 주식을 모집하였다. 理事 尾崎는 中國 · 四國 · 山陽 · 山陰 지방을, 理事 日下義雄은 東北 · 近畿 · 東海道 지방을, 사장 澁澤과 理事 前島密은 東京 · 關東 地方을, 사무원 馬渡는 東北 · 北海道 지방을 순회하면서 관민 구별 없이 경부철도 주식모집에 참여할 것을 호소하였다.[61] 일본과 한국의 황실, 일본 군부와 정계의 실세, 華族과 귀족원의원,

58) 尾崎三良, 1901. 10, 「京釜鐵道の前途」, 『東洋經濟新報』 210, 9~10쪽.
59) 西大助, 앞의 복명서. 이 복명서에는 선로부근의 인구가 39만 7,650명(관련 지방 인구는 90만 9,190명), 철도를 통한 1일 화물운반 예상중량이 洛東江 유역 出:21,900톤, 入:20,800톤, 錦江유역 出:5,300톤, 入: 9,400톤으로 되어 있었다.
60) 日下義雄傳記編纂所, 1928, 『日下義雄傳』, 263~264쪽.

다액납세자 등에게도 대주주가 되도록 권유하였다.[62] 그리하여 경부철도주식회사는 위로는 천황가로부터 아래로는 시골의 住職 · 村長에 이르기까지 광범한 계층을 주주로서 포섭할 수 있었다.

경부철도주식회사는 애국공채를 파는 것과 같은 방법으로 자본을 모집하여 2,500萬圓이라는 방대한 자본을 조달하였다. 일본정부와 경부철도주식회사는 한때 미국이나 벨기에와 외채도입을 교섭한 적이 있었다. 그러나 이러한 차관도입계획은 한국정부와 일본국민의 반대에 부딪혀 포기하였다. 한국정부는 외국자본이 도입되어 경부선이 다시 국제분쟁이 되는 것을 꺼렸다. 반면에 일본국민은 국가로부터 이자보급을 받는 경부선에 외국자본이 참가하면 모처럼 끓어오른 애국심에 찬물을 끼얹게 된다고 걱정했다.[63]

경부철도주식회사의 중역 大江卓은 경부선 부설의 근본정신이, "결코 한국에 교통 기관을 완비시킨다고 하는 소위 세계주의의 관념에서 나온 것이 아니라, 我國民의 손으로 그 布設을 완성하여 我國이 영원히 그 실권을 보유하려고 하는 국가주의적 관념에 기초"[64]하고 있다는 사실을 새삼스럽게 강조했다. 그는 국가적 사명을 띠고 있는 경부선부설에 외채를 도

---

61) 竹內綱, 1921, 앞의 책, 16쪽.

62) 「澁澤榮一日記」, 1901. 1. 31－3. 9, 『澁澤榮一傳記資料』 제16권(1957), 434쪽 ; 山縣有朋記念事業會, 1933, 앞의 책, 394쪽. 일본황실은 액면 50圓의 경부철도 주식 5,000주를 소유하여 최대 주주가 되었고, 한국황실은 2,000주를 소유하여 그 다음을 차지하였다.

63) 「澁澤榮一日記」, 1902. 4. 2~9, 『澁澤榮一傳記資料』 제16권(1957), 455~456쪽 ; 竹內綱, 1921, 앞의 책, 30쪽. 또 경부철도주식회사의 외채도입 교섭과정과 그 좌절에 대해서는 다음과 같은 논문이 있다. 森山茂德, 1981, 「朝鮮における日本とベルギシンディケート－その經濟的共同行動の挫折」, 『近代日本と東アシア』, 近代日本研究會, 『日本外交文書』 제33권 144문서.

64) 「大江卓より創立委員長苑の書信」, 1900. 3. 24, 『澁澤榮一傳記資料』 제16권(1957), 408~410쪽.

입하다가는 수에즈운하의 운명처럼 대자본 투자국에게 소유권을 빼앗겨 버릴 우려가 있다고 주의를 환기했다. 결국 경부선에 대한 이러한 국가주의적 관념이 자본축적이 충분하지 않은 일본으로 하여금 2,500万圓이라는 거대 자본을 외국에 투자하도록 만들었다고 할 수 있다. 이것을 바꾸어 보면, 일본국민이 경부선을 매개로하여 한국침략에 모두 떨쳐나섰다는 것을 의미했다.

4. 건설공사와 공사 청부

1) 건설공사의 개황

경부철도주식회사는 1900년을 전후하여 몇 차례 세밀하게 선로예정지를 답사했다. 그리고 현지조사 자료를 기초로 하여 건설공사계획안을 마련했다. 그 내역의 골자는 다음과 같았다. 노선 연장 약 462 km(287마일), 정거장 설치 40개소, 最急勾配(철도 선로 따위를 건설할 때에 규정되어 있는 수평을 기준으로 한 최대의 경사도) 60분의 1, 토공공사 381만 5천 평, 터널 연장 약 12.5 km(4만 788피트), 교량연장 약 6.5 km(2만 1.199피트), 총 공사비 2,500만 원(1.6 km(1마일)당 평균 공사비 8만 6,938원) 등.[65]

경부철도주식회사는 우여곡절을 거친 끝에 북부선 공사는 1901년 8월 20일 영등포에서, 남부선 공사는 9월 1일 草梁에서 각각 기공식을 거행하였다.[66] 경부선의 건설공사에는 한국과 일본의 토목건축회사가 청부업

65) 竹內綱, 1921, 「京釜鐵道株式會社創立ニ關スル說明書」, 『京釜鐵道經營回顧錄』, 17~19쪽.

자로서 대거 참가했다. 건설공사는 자본조달과 토지수용 및 노동자 모집 등에서 난항을 겪었음에도 불구하고 그런대로 순항하여 1903년 12월까지 남북의 공사구간을 합하여 150여 km를 건설할 수 있었다.

그런데 러시아와 전쟁을 벌일 작정인 일본은 만주를 결전장으로 상정했다. 이에 대비하기 위해서는 한반도를 최대한 빨리 종관하여 만주에 접속하는 철도망 구축이 급선무였다. 경부선 · 경의선 등이야말로 러시아의 함포사격으로부터 안전한 不沈의 兵站幹線이었다.

일본정부는 완만하게 진행되고 있던 경부선 건설공사를 조기에 완공하기 위하여 비상조치를 단행했다. 1903년 12월 28일 칙령 제291호와 292호를 반포하고 경부선의 속성건설을 명령한 것이다. 勅令 제291호는 경부철도주식회사의 자금난을 완화시켜 주기 위해 일본정부가 社債 1천만 원에 대해 元利金 支拂을 보증하고, 속성공사에 필요한 특별비용 220만 원을 별도로 지급한다는 것이었다.[67]

勅令 제292호는 경부철도주식회사의 인사조직과 감독체계를 대폭 개편하여 일본정부가 직접 장악한다는 내용이었다. 곧 회사에 總裁 1인, 理事 7인 이내, 監査役 4인 이내를 두고, 총재는 勅裁를 거쳐 정부가 임명하며, 이사는 100주 이상을 소유한 주주 중에서 주주총회가 선임한다. 임원진은 재임 중에 다른 직무 또는 상업에 종사할 수 없고, 일본정부는 경부철도주식회사에 監理官을 설치하여 모든 업무와 자산 등 일체에 대한 감시 · 검사의 권한을 행사한다.[68]

---

66) 竹內綱, 「永登浦起工式」 · 「草梁起工式」, 앞의 책, 56~57쪽 ; 『皇城新聞』 1901.8.21. 雜報, 「京釜鐵道起工式」.

67) 『官報』 號外 1903.12.28 ; 『澁澤榮一傳記資料』 제16권(1957), 473쪽. 제2조에 규정된 내용에 의하면 채권의 이자는 年 6% 이하이고, 원금은 3개년 거치 5년 이내에 상환하도록 되어 있었다.

68) 『澁澤榮一傳記資料』 제16권(1957), 474쪽. 제4조에 의하면 총재와 이사의 임기는

일본정부는 두 칙령의 반포와 함께 경부철도주식회사에 대하여 1904년 12월 31일까지 초량－영등포 사이의 全線路를 개통시킬 것을 명령하였다. 그리고 경부선이 러일전쟁에서 지니고 있는 사활적 의미를 거듭 환기시켰다. 일본의 여론도 “京釜鐵道의 成否는 전투함 一隻을 구입하는 것보다도, 一師團을 증설하는 것보다도 더욱 더 중요”하다며 일본정부를 채찍질했다.[69] 이에 따라 경부철도주식회사는 경부선 건설에 동원된 한국인에게 살인적 노동을 강요했다(<사진 3－1> 참조).

경부선의 속성건설 명령을 계기로 경부철도주식회사는 이제 半官半民의 국책회사로 개편되었다. 아울러 경부선 부설공사도 일본의 국가권력이 직접 시행하는 꼴이 되었다. 이러한 사태는 국가의 두터운 보호 아래 국민의 애국사업으로 탄생된 경부철도주식회사가 겪을 수밖에 없었던 필연적 운명이었다.

그런데 여기에서 꼭 짚고 넘어가야 할 것이 있다. 일본정부는 경부철도주식회사를 半官半民의 형태로 개편하고, 경부선 부설에 대해 속성명령을 내리면서도 一言半句 한국정부의 양해를 얻지 않았다는 사실이다. 이것은 경부선의 권리에 변동을 초래하는 것으로서, 일본정부가 응당 한국정부와 협의하여 경부철도합동을 개정하든가, 새로운 조약을 체결해야만 하는 사안이었다. 이때부터 일본정부는 벌써 한국정부의 의사를 완전히 무시하고 철도주권을 철저히 유린하는 행동을 恣行한 것이다. 일본정부의 이러한 妄動은 다음에 살펴보는 경의선 부설과정에서 더욱 선명하게 드러난다.

3년, 감사역의 임기는 2년으로 되어 있었다.

69) 「軍備補充及京釜鐵道速成の緊急勅令」, 『東京經濟雜誌』 49－1216, 1904.1.9., 5~7쪽.

2) 한일 토건회사의 활동

경부철도주식회사는 건설의 기획과 시행을 관장했지만, 실제로 공사를 담당한 것은 청부를 맡은 토목건축회사(줄여서 흔히 토건회사라고 부른다)였다. 따라서 경부선 건설과 같은 대형 프로젝트는 한국과 일본의 토건업계에도 중대한 영향을 미쳤다. 1960년대의 경부고속도로나 소양강댐 건설공사를 상기하면 그 의미를 짐작할 수 있을 것이다.

경부철도주식회사는 공사초기에 한국 토건회사를 참여시켰다. 경부철도주식회사가 한국 토건회사를 청부회사로 선정한 것은 경부철도합동(1898.9.8)의 체결 직후부터 한국 토건회사가 수주활동을 적극적으로 벌인데다가, 청부가격을 가능한 한 절감하여 자본부족을 보전하려는 회사의 속셈과 맞아떨어졌기 때문이다. 또 그 이면에는 한국 토건회사의 주요 임원진을 구성하고 있던 대한제국정부와 황실의 고관대작들에게 공사 청부라는 이권을 분급함으로써 한국의 격앙된 排日敵對感情을 완화시키고, 철도부설과정에서 필연적으로 야기될 갖가지 難問題(이를테면 철도용지의 수용, 철도재료의 획득, 철도노동자의 동원 등)를 그들의 협조를 통하여 해결하려는 일본의 苦肉之計가 숨어 있었다.

경부선의 일반공사기간(1901.9~1903.12)에 대한국내철도용달회사, 대한경부철도역부회사, 대한운수회사, 철도목석등물용달회사, 홍업회사, 경성토목회사, 경부철도특허회사 등의 한국 토건회사는 경부선건설에 목석 등의 재료를 공급하고 토공공사를 실행했다. 북부의 영등포-진위, 남부의 초량-밀양 공사구간에서는 괄목할 만한 실적을 올렸다. 이들은 자본을 확충하기 위하여 매달 20원의 주식(股金)을 모집하고,[70] 진위 · 공주 · 금산 · 시흥 등지에 지사를 설치하여 경부선 연선에 업무를 확대하였

70) 『皇城新聞』 1900.4.23 ; 5.21. 광고.

다. 일본 토건회사는 처음에 한국 토건회사와 공동명의로 공사를 수주하거나, 혹은 청부금액의 6%를 한국 회사에 납부하고 하청회사가 되는 등의 형식으로 공사에 참가하였다.[71]

그런데 경부선 건설공사가 본격적으로 진행됨에 따라 한국 토건회사들은 공사수주에서 차차 배제되었다. 특히 속성공사기간(1904.1~1905.1)에는 일본의 국가권력이 경부선의 조기 완공을 빙자하여 일본 토건회사를 유치하고 지원하자 한국 토건회사는 공사수주에서 완전히 제외되었다. 경부철도주식회사가 기술과 자본의 우위를 구실로 내세워 일본 토건회사들에만 공사를 청부했기 때문이다. 또 전쟁을 구실로 삼아 철도건설에 필요한 토지, 노동, 자재 등은 폭력을 동원하여 조달할 속셈이었으므로 한국 정부의 환심을 사거나 한국 토건회사를 배려할 필요가 없어졌다.

경부철도 제4착수 구간인 부강-영동(74.5 km, 1904.4~1904.11), 성현-영동(124.6 km, 1904.3~1904.10)과 제5착수 구간인 영등포-남대문(8.5 km, 1905.3~1906.1), 부산-초량(1.6 km, 1905.12) 사이의 200여 km에 달하는 속성공사 구간에서는 大倉組 · 杉井組 · 稻葉組 · 吉田組 · 間組 · 菅原工務所 · 荒井組 · 大鳥要三 · 志岐組 · 太田組 · 阿川組 · 前田組 · 鹿島組 · 韓日工業組 · 藤田安之進 · 大林組 · 佐藤組 · 星野組 · 共立組 · 早川組 등 20여 개의 일본 토건회사 또는 업자가 활동했다. 이 회사들은 경부철도주식회사가 永同을 분계점으로 하여 남북에 각각 설치한 대구 건설사무소와 조치원 건설사무소의 지휘 감독을 받으며 할당된 구간의 공사를 해나갔다. 이런 사태를 맞아 발아기에 있던 한국 토건업은 일본 토건업에 밀려 발전의 길을 차단당하게 되었다.[72]

---

71) 『皇城新聞』 1900.11.5. 雜報「鐵道支社設置」; 1901.4.7. ; 6.23 ; 7.11. 광고.

72) 정재정, 1999, 『일제침략과 한국철도(1892~1945)』, 서울대학교 출판부, 제4장을 참조할 것.

경부선은 1905년 1월 1일부터 영등포–초량 구간의 운수영업을 개시했다. 영등포–서대문 구간은 경인선을 활용했다. 그리하여 부산–서울 구간의 운수영업이 일단 틀을 갖췄다.

경부철도주식회사는 1905년 5월 25일 남대문정차장 구내광장에서 성대한 개통식을 거행했다(<사진 3–2> 참조). 한국에서 義陽宮 李載覺을 비롯한 각부 대신, 일본에서 伏見若宮 博恭을 비롯한 大浦 체신대신, 長谷川好道 육군대장, 林 공사, 주한 각국 공사 등 1천여 명이 참석했다.

경부철도주식회사는 1905년 3월부터 남대문역–영등포역 사이의 복선 공사, 부산역–초량역 사이의 선로 공사에 착수했다. 그러나 폭풍우 등을 만나 공사가 지지부진하여 부산역–초량역 사이는 1908년 4월 개통했다. 영등포역–남대문역 사이는 1912년 9월 제2 한강철교가 준공됨으로써 복선 운행을 개시했다.[73]

1941년 당시 경부선은 경성에서 부산까지 450.5 km에 57개 역을 가지고 있었다. <지도 3–1>은 당시 경부선의 노선과 역을 표시한 것이다. 경성역에서 08:23에 출발한 완행열차는 53개 역에 정차하면서 부산역에 20:20에 도착, 12시간이 소요되었다. 15:50에 출발한 급행열차는 대전역(18:03)과 대구역(21:03)만 정차하고, 23:05에 부산역에 도착했다. 대륙과 연결되는 차편이나 야간열차는 대부분 침대칸과 식당칸을 갖췄다. 경성에서는 목포 행, 여수 행, 대구 행, 대전 행, 천안 행, 수원, 행 등이 호남선과 전라선 등과 연계하여 운행되었다.[74] 국제열차의 운행에 대해서는 10장에서 자세히 살펴보겠다.

73) 財團法人 鮮交會,1986,『韓鮮交通史』, 43쪽.
74) 김종혁, 2017,『일제시기 한국철도망의 확산과 지역구조의 변동』, 도서출판 선인, 143쪽.

5. 토지와 노동력의 수탈 그리고 저항과 탄압

1) 토지의 수용과 저항

(1) 철도 연선의 개황

일본의 경부철도주식회사 · 참모본부 · 외무성은, "철도용지는 한국정부로부터 빌려 받도록 되어 있으므로, 될 수 있는 한 넓은 지역을 얻어내고, 정차장내에는 창고와 商館을 설치하여 상업을 융성시킬 것"[75]이라는 방침을 확정했다. 한국이 철도용지를 무상으로 제공한다는 경부철도합동의 규정을 최대한 활용할 속셈이었다. 일본은 경부선의 각 정차장 부지를 20만 평씩이나 확보할 작정이었다. 그 진의는 다음과 같았다.

> 만일 일본농민으로 하여금 이 땅에 이주케 하여 그 평야를 개척하고 관개의 이익을 꾀하여 경작케 하면 그 산출력을 증가시킬 것은 말할 필요도 없을 것이니 다행히 경부철도의 정차장 부지로 각 이십만 평을 빌려 받기로 할 터인즉 그 일부를 할애하여 우리 농민의 이주지에 충당하여 한 촌락을 만들고 농작에 종사케 하면 그 생산력을 증가할 뿐 아니라 철도에도 아주 편익함이 있을 것이다.[76]

한국정부는 일본의 이러한 요구에 강력히 저항했다. 한국정부와 일본측은 수차례 교섭한 끝에 경부선 건설공사가 시작된 지 1년여 만인 1902년 7월 11일, 경부선 부지의 수용 규모에 대해 다음과 같이 합의했다. 주요 정차장 부지 면적은 남대문역 171,302 ㎡(51,819평), 영등포역 135,537 ㎡(41,000평), 초량역 165,289 ㎡(50,000평), 부산진역 99,173 ㎡(30,000

75)「京釜鐵道の計劃」, 1899.7.29.『東京經濟雜誌』40−989, 258쪽.
76)『皇城新聞』1900.10.26. 잡보「京釜鐵道와 農民移住」.

평), 기타 군소 정차장 부지 면적은 약 99,173 ㎡(30,000평) 이었다. 또 선로 용지는 단선을 상정하여 폭 18m로 정했다(<지도 3−2> 참조).[77] 합의에 이르는 경위는 나중에 자세히 살펴보겠다.

한국정부와 경부철도주식회사는 1902년 7월 11일, 철도용지 수용비와 가옥 이전비를 모두 276,000여 원으로 산정했다. 이 금액은 경부철도합동에 따라 한국정부가 지출해야만 했다. 그런데 한국정부가 재정이 궁핍하여 경부철도주식회사에 연 6%의 이자를 지불하며 이 금액을 立替하여 지불하기로 합의했다.[78] 결국 한국정부는 일본에서 돈을 빌려 땅을 매입하고, 일본에 공짜로 제공할 수밖에 없는 딱한 처지에 놓였다.

한국정부가 지주에게 철도용지 보상비를 지급한 것은 1907년 9월 3일부터 10월 6일까지의 한 달간이었다. 서울과 가까운 정차장에서 지급한 정황을 살펴보면 다음과 같다. 시흥 9월 3일 6,538원 4전(평당 보상가 4.7전), 군포장 9월 4일 과천 2,533원 53전(3.7전), 광주 1,696원 35전(7.4전), 수원 9월 5~6일 7,973원 88전(4.1전), 진위 11,626원 90전(8.3전), 양성 9월 9일 3,386원 3전(7.9전). 경부선 용지대금으로 지급한 돈은 모두 20만 8천여 원이었다.[79] 남대문역 등의 토지수용 문제에 대해서는 서울역을 다루는 다음 항에서 언급하겠다.

그런데 한국정부가 1901년부터 1904년 사이에 산정한 철도용지의 3.3㎡(1평당) 수용예정가액은 시흥 · 과천 · 군포 · 광주 · 수원 · 진위 · 양성이 논 상품 30전, 중품 21전, 하품 12전, 밭 상품 12전, 중품 8전, 하품 4전이었다.[80] 이런 사정을 감안하여 한국정부가 경부선 부지의 수용에 지불

---

77) 『朝鮮鐵道史』(1929), 665~673쪽.
78) 『朝鮮鐵道史』(1929), 665~671쪽.
79) 『대한매일신보』 1907.8.29. 「광고」; 정재정, 1999, 앞의 책, 278~279쪽.
80) 『京釜鐵道用地金額及結數成册』(奎) 19365, 1~11.

하려고 계획한 보상가액은 모두 45만 6천여 원이었다. 그렇지만 한국정부가 일본에서 돈을 빌려 실제로 지급한 보상가액은 20만 8천여 원이었다. 추정가액의 반에도 못 미쳤다. 그나마도 철도용지로 수용한 지 3~6년 만에 지급했기 때문에, 지가상승 등을 고려하면 보상비는 더욱더 저렴하게 되었다.

이처럼 저렴한 보상비마저도 토지의 실제 소유자에게 온전하게 지급된 것은 아니었다. 일본은 보상비 지불을 일본이 한국에서 발행한 제일은행권의 보급 기회로 이용했다. 그 과정에서 보상비의 10분의 2를 수수료로 공제하였다.[81] 나머지 액수조차도 지방의 군수나 면장이 지불하는 과정에서 착복하는 경우도 많았다. 따라서 보상비가 실제로 지주의 손에 들어간 것은 몇 푼에 불과했다.[82]

그밖에도 일본은 철도공사에 사용하기 위해 용암포 · 금성 · 곡산 · 박천 · 시흥 · 안주 등에서 수십만 주의 송림을 벌채했다. 그 과정에서 산주와 일본인 사이에 마찰이 끊임없이 발생했다.[83] 평택 · 천안 · 연기 · 청주 · 옥천 · 창원 등지에 주둔하고 있던 일본군은 지방관에게 관내의 호구 · 미곡 · 우마의 수량을 조사하여 보고하라고 강요했다. 일본은 이를 근거로 하여 지방관에게 경부철도주식회사와 토건회사 소속원 및 일본인 노동자에게 숙사와 식료품을 제공할 것을 요구했다.[84] 과천 군포장에서는 일본인이 소나무 숲을 매입하여 벌목한 후 인근 마을의 한국인을 시켜 군포장

---

81) 『朝鮮新報』 1907.10.23. 「鐵道用地代金の支拂」 ; 『대한매일신보』 1907.9.11. 잡보 「秋士話心」.

82) 『大韓매일신보』 1907.9.4. 광고 「地價不受領」. 『果川 京釜鐵道用地金額及結數成冊』, 서울대학교奎章閣圖書番號 19365 ; 『果川郡鐵道犯入田畓成冊』, 서울대학교 규장각도서번호 16357.

83) 『皇城新聞』 1904.6.16 ; 7.19 ; 『대한매일신보』 1905.9.21. ; 1906.11.8. ; 1907.1.18. ; 5.22 ; 『交涉局日記』 1905.1.3.

84) 『交涉局日記』, 1904.4.20 ; 7.18 ; 8.25 ; 『皇城新聞』 1904.11.19.

정차장까지 운반하게 하고, 운임 2천여 원을 지급하지 않아 당사자가 서울의 법원에 재판을 청구하는 일도 발생했다.85)

(2) 서울역의 경우

<부지의 수용>

일본의 철도용지 수용에서 특히 엄중한 사안은 서울역 부지의 수용과 서울시민의 저항이다. 1900년을 전후하여 서울역의 부지수용을 둘러싸고 발생한 한국과 일본의 갈등과 대립은 철도부설의 식민지적 특성과 반제국주의 투쟁을 극명하게 보여주었다.

1900년 7월 8일 경인선이 한강을 건너 남대문역까지 확장되자 일본은 남대문 정차장의 부지를 더 넓게 차지하려고 궁리했다. 당시 경인선 각 정차장의 부지는 20평 정도에 불과하고 건물도 오두막처럼 빈약했다. 이에 경인철도합자회사의 간부들(대부분이 경부철도주식회사의 중역을 겸함)은 한국정부에 남대문 정차장의 부지로서 11만평을 요구하기 시작했다. 아래에서는 그 귀추를 살펴보기로 한다.

한국과 일본은 1898년 9월 8일 경부철도합동을 체결했다. 한국정부가 경부철도주식회사에 경부선의 부설권을 허급한다는 것을 골자로 한 이 조약의 제3조에는 다음과 같은 내용이 들어있었다.

> 그 선로의 地段 및 정차장, 창고, 공작창, 轉轍器, 側軌 등에 중당할 地段은 한국정부가 제공함으로써 그 철도의 부설을 편리하게 한다. 해당 회사가 그 철도를 관리하는 연한 내와 한국정부가 그 철도를 매수할 때까지는 위 地段을 이 회사에 專屬시킬 것을 허락한다. …… 한국정부가 이 철도를 매수할 때에는 위 전속의 지단은 한국정부에 반납

85) 『皇城新聞』 1906.1.10.

해야 한다. 선로에 만약 분묘가 있을 때에는 우회하여 그 분묘를 범하지 말아야 한다.[86]

이 조항의 핵심은 한마디로 말하여 경부철도에 필요한 토지를 한국정부가 경부철도주식회사에 무상으로 제공한다는 것이다. 따라서 철도에 犯人되는 토지 속에 私有地가 들어있다면 한국정부가 이를 매수해서라도 일본 측에 제공해야만 했다.

일본 측은 이 규정을 악용하여 최대한 넓은 면적을 달라고 한국정부에 요구하였다.[87] 그들은 이렇게 얻은 토지에 일본인의 창고와 商館을 지어서 일본인의 상업 지구를 건설할 작정이었다.[88] 경부철도주식회사의 상무위원 竹內綱과 大江卓은 1900년 4월 한국정부에 대해 경부선 정차장 부지로서 서울의 남대문역(앞으로는 경우에 따라 서울역으로 표기함) 약 36만 1천 ㎡(11만 평), 영등포역 약 19만 8천 ㎡(6만 평), 부산의 초량역 약 52만 8천 ㎡(16만 평, 그 중 8만평은 해면매립 예정), 부산진역 약 69만 3천 ㎡(21만 평)을 요구했다.[89] 그리고 내륙지방의 군소 정차장 부지로서 1개소 평균 66만 ㎡(20만 평)을 요구했다. 그밖에도 일본 측은 경부선 전선에 걸쳐 복선건설에 필요한 폭 36 m의 선로용지를 내놓으라고 압박했다.[90]

경부선으로 범입될 가능성이 있는 토지 중에는 민유지도 상당히 많이 포함되어 있었다. 그런데 한국정부의 재정이 핍박하여 이것까지 모두 매수하여 일본 측에 무상으로 제공하기에는 어려움이 많았다. 한국정부가

86) 國會圖書館 立法調査局, 1965,『舊韓末條約彙纂(1876~1945)』下卷, 441~449쪽.
87) 경부철도용지의 수용과정과 이에 대한 한국인들의 저항운동에 관한 전반적인 연구는 鄭在貞, 1986,「韓末 京釜 · 京義鐵道敷地의 收用과 沿線住民의 抵抗運動」,『李元淳敎授華甲記念史學論叢』을 참조할 것.
88)「京釜鐵道の計劃」, 1899,『東京經濟雜誌』40~989, 258쪽.
89)『朝鮮鐵道史』(1929), 662쪽.
90)「京釜鐵道와 農民移住」,『皇城新聞』1900년 10월 26일.

1901년부터 1904년 사이에 조사한 수용예정지의 3.3 ㎡(1 평) 당 보상가액은 경상남북도 지역(東萊, 梁山, 密陽, 淸道, 慶山, 大邱, 漆谷, 仁同, 開寧, 金山)이 논 상품 40전, 중품 30전, 하품 17전, 밭 상품 16전, 중품 12전, 하품 8전, 충청남북도 지역(黃澗, 永同, 燕岐, 淸州, 全義, 天安, 稷山)은 논 상품 35전, 중품 25전, 하품 15전, 밭 상품 14전, 중품 10전, 하품 6전, 경기도 지역(始萊, 果川, 廣州, 水原, 振威, 陽城)은 논 상품 30전, 중품 21전, 하품 12전, 밭 상품 12전, 중품 8전, 하품 4전이었다.[91] 도회지라고 할 수 있는 서울과 부산 지역의 토지가격은 좀 더 높았다. 특히 남대문 밖과 용산, 초량, 부산진 등은 외국인 거류지가 인접해 있어서, 3.3 ㎡(1 평) 당 70전 또는 1원 20전을 호가했다.[92]

한국정부는 일본 측 요구가 터무니없는데다가 토지 보상가격이 만만치 않음을 간파하고 경부선 부지 축소를 일본 측에 요구했다. 서울역 부지만 하더라도, 일본 측이 요구하는 범위는 남북으로 남대문에서 청파동(나중에 일본이 靑葉町으로 개칭)의 모서리까지, 동서는 南廟(나중에 일본이 이 지역을 吉野町－지금의 남영동, 후암동 일원－으로 개칭하고 虎屋旅館을 지음) 앞에서부터 孝昌園의 서쪽 끝까지이었다.[93] 오늘날 서울역 근처 모두가 포함된 지역이었다. 한국 측과 일본 측은 1900년 4월 9일 남대문의 누상에서 담판을 벌였다. 한국 측 참가자는 漢城判尹 李采淵과 수행원들, 일본 측은 경부철도주식회사 상무위원 竹內綱과 大江卓 등이었다.[94]

한성판윤 이채연, 특히 鐵道院 監督 朴鏞和는 일본 측의 요구를 정면에서 반박했다. 그는 이렇게 말했다.

---

91)「京釜鐵道南部十二郡犯入用地田畓坪數價額結數總計抄錄」1904 (奎) 19479.
92)『朝鮮鐵道史』(1929), 651～652쪽.
93) 岡田貢, 1941,「南大門驛敷地問題の懷古」『朝鮮鐵道協會會誌』2월호, 18～19쪽.
94) 岡田貢, 1941, 위의 책, 18～19쪽.

나는 한국공사관 서기로서 東京에 在勤하기를 수년, 동경의 新橋, 上野 兩停車場을 熟知하고 있는데, 모두 3만평 이내로 社宅, 旅館 등은 하나도 없었다. 어찌된 일인가?[95]

곧 일본 측이 서울역 부지로 11만평을 요구하는 것은 일본 국내의 사례에 비추어도 아주 부당하다는 것을 지적한 것이다.

한국 측은 두 가지 이유를 더 내세웠다. 하나는 서울역 앞의 도로가 水原의 華山에 있는 英祖와 正祖 王陵의 참배로와 겹친다는 것이다. 영조와 정조는 모두 조선을 중흥시킨 영명한 왕이었기 때문에 민중으로부터 존경을 받고 있었다. 그리하여 역대의 왕들도 일 년에 한 번씩 두 능을 참배하는 것을 중요한 행사로 삼았다. 이 참배로가 일본이 요구하는 吉野町의 입구에서 南廟 앞을 통과하여 三坂通(일본이 붙인 이름, 지금의 후암동)을 지나 수원으로 뻗어 있었으므로, 여기에 철도를 부설한다는 것은 不敬의 極致라는 것이다.

다른 하나의 이유는 吉野町에서 岡岐町(지금의 갈월동) 일대에 공동묘지가 많기 때문이다. 한국인들은 분묘를 대단히 중시하였으므로 묘지를 이전한다거나, 그 앞으로 철도가 지나는 것을 받아들일 수 없다. 그것은 조상숭배신앙을 훼손하는 대사건이다. 더구나 그곳에는 중국의 關羽를 떠받드는 南廟도 있다. 關羽는 임진왜란 때 일본군을 꾸짖어 물리친 軍神으로 여겨져 당시 한국인들이 추앙하였다. 그러므로 이곳에 철도를 놓게 되면 한국인들의 반발을 초래할 것이 불을 보듯이 뻔했다.[96]

사실 남대문 밖에는 수백 기의 민간인 분묘가 있었고, 수천 채의 민간인 가옥이 있었다. '경부철도합동'에서는 철도노선을 선정할 때 분묘를 피

95) 竹内網, 1921, 앞의 책, 65~67쪽.
96) 岡田貢, 1941, 앞의 책, 20~21쪽.

하도록 규정하고 있었다. 한국정부는 이런 조항을 내세워 서울역의 부지를 축소하거나, 용산 지역으로 이전할 것을 일본 측에 요구했다. 한국 측의 주장은 논리적으로나 실제적으로 매우 타당한 것이었다.

일본 측은 한국 측을 甘言利說로 설득하였다. 서울역은 유럽과 연결되는 동아교통로의 핵심적 위치에 해당하므로 11만 평은 결코 넓은 게 아니다. 일본의 동경역이나 上野驛이 3만 평인 것은 그 역을 건설할 때 장래일을 생각하지 않았기 때문이다. 서울역의 경우에는 장래를 고려하여 처음부터 광대하게 터를 잡는 것이 좋다는 주장이었다.[97]

당시 한국의 관민 사이에서는 경부선 용지를 일본 회사에 무상으로 제공하는 것은 국가 최대의 불이익이라는 여론이 비등했다. 이에 정부도 일본 측의 요구를 그대로 받아들일 처지가 못 되었다. 더구나 남대문 밖과 초량, 부산진 등지에서는 일본인을 비롯한 외국인들이 지가상승을 노리고 토지를 맹렬하게 매입하여 문제를 더욱 복잡하게 만들었다. 서울과 부산의 정차장 예정지 부근에 토지를 소유하고 있는 외국인은 일본인 50여 명, 독일인과 프랑스인 각각 1명이었다. 이들은 한국정부가 마음대로 토지를 매수할 수도 없는 상대였다.[98]

일본정부와 경부철도주식회사는 대한제국의 鐵道院 감독으로 고빙되어 있던 大三輪長兵衛와 水輪院 監督 大江卓 및 竹內綱, 尾崎三良 등의 회사간부를 동원하여 서울과 동경에서 李載純, 閔丙奭, 沈相薰, 李址容, 朴齊純, 閔泳喆, 朴鏞和, 李夏榮 등 한국정부의 고관대직들과 수시로 접촉하면서 회유, 매수, 협박을 되풀이하였다. 일본 측은 이들에게 大小宴會를 빈번하게 베풀고, 민씨 척족이자 大韓國內鐵道用達會社의 사장인 閔泳喆을 경부철도주식회사의 取締役에 임명하였다. 그리고 대한제국의 皇室에

97) 岡田貢, 1941, 위의 책, 22~23쪽.
98) 『朝鮮鐵道史』(1929), 663쪽, 669~670쪽.

는 5만 원, 궁중과 정부의 고관대작들에게는 각각 2만 원에 상당하는 뇌물을 제공했다. 그들 중 한국의 토건회사에 관계하고 있는 경우에는 경부철도의 공사청부권을 나눠줬다.[99)]

일본 측의 수단과 방법을 가리지 않은 끈질긴 공세에 밀려 경부선 부지 문제는 1902년 7월 11일 일단 결착을 보았다. 鐵道院 總裁 權在衡과 일본 公使 林勸助는 '南大門外京釜鐵道停車場敷地協定書'를 체결하고, 서울역 일대의 철도 부지를 51,819평으로 확정했다. <지도 3－2>는 협정서의 내역을 간명하게 표시한 것이다. 이에 따르면, 서울역 정차장 부지는 29,872평, 가옥 이전 대상 지역은 8,767평, 대체 도로 부지는 3,412평, 대체 하천 부지는 968평, 경인철도 부지는 8,800평 등이었다. <지도 3－2>에서 굵게 빗금 친 부분이 철도 부지였다. 이로써 종래 남대문에서 한강에 이르는 삼남대로의 노선도 구간에 따라 조금씩 바뀌었다. 협정에서는 또 한국정부의 재정궁핍을 고려하여, 토지의 매수비용과 가옥·분묘의 이전비용을 경부철도주식회사에서 입체하여 지출하도록 합의했다. 다른 역의 정차장부지와 선로용지 면적은 앞에서 살펴본 바와 같다.

<주민과 소유주의 저항>

한국정부와 주한 일본공사 사이에 서울역 부지 수용문제가 합의되었지만, 실제로 이곳에 살던 주민이나 토지소유자들이 이를 받아들인 것은 결코 아니었다. 한일 간의 교섭이 진행 중이던 1901년 5월 15일, 한성부가 남대문 밖 지역에 경부철도 정차장 부지라는 팻말을 세우자, 그곳 洞民 5백여 명은 순사를 포위 공격하고 격문을 찢어버렸다. 그리고 한성부에 몰려가 정차장 부지를 靑坡 부근으로 옮기라고 요구했다. 그들의 주장은 남

99) 尾崎三良, 1976, 「尾崎三良自敍略傳」下, 80, 122, 164쪽.

대문 밖에 정차장을 설치하면, 수백년 이래 이곳에 살아온 수천 명의 인구가 생업을 잃고 흩어지기 때문이라는 것이다.[100] 한성부는 주모자를 체포하여 구류에 처하는 등 여러모로 손을 썼으나 허사였다.

한일 간에 경부선 정차장 부지 협정이 맺어지고 정차장 설치공사가 시작되자 남대문 밖 민중의 저항은 더욱 거세어졌다. 경부철도주식회사는 1903년 7월 30일 役夫를 이끌고 와서 定界 밖의 토지에서 소나무를 베고, 분묘를 1천여 개나 파헤쳤다. 이에 그곳의 주민들은 분기하였다.[101] 경부철도주식회사로부터 정차장공사를 청부한 森下工業事務所는 자발적으로 분묘를 移葬하면 상당한 금액의 移葬費를 지급하겠지만, 이에 응하지 않는 墳墓에 대해서는 해당 洞所任과 상의하여 禮를 갖추어 移葬하겠노라고 공고했다.[102] 이장비는 每塚에 3元씩 출급한다고 했다. 부유한 사람은 보상가에 돈을 보태어 그런대로 이장을 할 수 있지만, 가난한 사람은 보상가만으로는 도저히 그렇게 할 수 없다는 여론이 비등하였다.[103]

경부철도주식회사는 서울역에 犯入되는 지역의 가옥에 대해서 보상가액을 지급한다고 발표했다. 물론 이 돈은 한국정부가 경부철도주식회사에서 빌려서 주는 것이었다. 이때의 조사에 따르면 毁破家屋이 瓦家, 草家를 합해 모두 2,346間(1間은 약 3.3 ㎡, 곧 1평에 해당한다)이었다. 보상가액은 瓦家 948間 중에 一等이 64間 半으로 市家 50間에 每間當 140元, 閭家 14間 半에 每間當 130元, 二等이 594間 半으로 市家 454間은 每間當 100元, 閭家 140間 半은 每間當 80元, 三等이 181間으로 市家 50間은 每間當 80元, 閭家 123間은 每間當 60元, 新造 101間 半은 每間當 40元, 空廊 1間 半은 40元이었다. 草家는 1,398間인데, 二等 497間에 市家 262間

100) 「嗚呼晩矣」, 『皇城新聞』 1901.5.17.
101) 「外侮日甚」, 『皇城新聞』 1903.7.31.
102) 「묘지이전비 지급」, 『皇城新聞』.
103) 「貧難移葬」, 『皇城新聞』 1903.8.5.

은 每間當 50元, 閭家 235間은 每間當 40元, 三等 721間 半에 市家 149間 半은 每間當 34元, 閭家 572間은 每間當 32元, 新造 47間은 每間當 10元, 空廊 132間 半은 每間當 8元이었다. 이들을 모두 합하면 12만 8,937元이었다.[104] 그밖에 서울역에 犯入된 민유지 3만 9,366 ㎡(11,929평)에 대한 보상가액은 2만 4천 원이었다.[105]

경부철도주식회사와 한국정부가 제시한 토지, 가옥, 분묘에 대한 보상가액은 時價보다 터무니없이 저렴하였기 때문에 끊임없이 民擾를 야기했다. 더구나 철도부지의 수용을 빙자하여 발호한 한일의 토지브로커와 지방관의 사기 횡령은 관련 민중의 분노를 한층 더 자극하였다. 鐵道犯入地에 대한 보상비문제를 둘러싸고 연선주민의 인심은 전점 흉흉해졌다.

한국정부는 통감부의 주선 아래 그 동안 유예되었던 경부철도부지수용보상가액을 1907년 9월 3일부터 10월 6일까지 각 정차장 소재지별로 지급하기로 결정했다.[106] 이때 지급될 보상가액은 모두 20만 8천여 원이었다. 이것은 한국정부가 원래 지급하려고 상정하였던 보상가액 45만 6천여 원의 절반에도 못 미치는 액수였다. 이것을 犯入土地 평수로 나누면 평(3.3 ㎡)당 보상가액은 7.6錢 꼴이었다. 地域과 地目 및 地品에 따라 차이는 있었지만, 당시 경부선 연선의 평당 토지가격이 대체로 논 18~36錢, 밭 12~18錢이었던 것에 비하면, 보상가액은 時價의 1/2~1/5에 불과했다.[107] 더구나 외국인과 한국인을 비교하면, 한국인의 보상가액은 외국인의 1/10 정도밖에 되지 않았다. 예를 들면, 남대문 일대의 한국인 소유지에 대한 보상가액이 평당 2원이었던 것에 비해, 언더우드가 西氷庫－

---

104) 「家屋價貸給」, 『皇城新聞』 1903.8.15.
105) 「地價△推」, 『皇城新聞』 1904.6.3. 잡보 △은 判讀할 수 없었다.
106) 「광고」, 『大韓매일신보』 1907.8.29.
107) 三城文一郎 · 有動良夫, 1905, 『韓國土地農産調査報告－慶尙道 · 全羅道編』, 342~346쪽 ; 1905, 『京畿道 · 忠淸道編』, 412쪽.

往十里 사이에 가지고 있던 512평에 대한 보상비는 9,000원으로서 평당 18원 꼴이었다.108)

그런데 이렇게 저렴한 보상비마저도 온전하게 토지나 가옥의 실소유자에게 지급된 것도 아니었다. 보상비의 지급이 토지를 수용한지 3~6년 만에 이루어진데다가, 일본 측은 보상비 지불을 新貨幣인 제일은행권의 普及 기회로 활용하면서, 보상비에서 10분의 2를 화폐교환 수수료라는 명목으로 공제했다.109) 그밖에도 지방관들이 보상비를 착복하는 경우도 있었다.110) 게다가 지역에 따라서는 수용당한 토지에 대해 여전히 結稅를 징수하는 곳도 있었다.111)

결국, 일본은 한 푼도 들이지 않고 철도용지를 無償으로 획득하였다. 오히려 한국정부에 차관을 주어 利子를 챙기고 정치적 영향력도 강화하였다. 일본이 한국정부에 빌려준 토지 보상비 총액은 27만 6천여 원이었다. 이것은 경부철도 건설비 총액의 0.9%에 지나지 않았다. 당시 일본국내의 철도건설비 중에서 敷地收用費가 차지하는 비중이 13%였음을 고려하면, 한국에서 철도용지의 수용이 얼마나 값싸게 이루어졌는지 알 수 있다. 수용이라기보다는 강탈에 가까웠다.

무상에 가까운 철도용지의 수용에 힘입어 일본은 1.6 km(1마일) 평균 10만 6천원이라는 저렴한 비용으로 신속하게 경부선을 건설할 수 있었다. 당시 세계에서 철도 1마일 당 평균 건설비는 16만원이었다. 그러므로 경부선의 부설은 일세가 자본의 열세를 한국에서의 노동과 토지의 수탈로써 메꾸어 이루어진 것이라고 할 수 있다. 철도연선의 주민들이 이에 대해 격렬히 저항한 것은 당연한 일이었다.

108) 『朝鮮鐵道史』(1929), 600쪽.
109) 「鐵道用地代金の支佛」, 『朝鮮新聞』 1907.10.23.
110) 「地價不受領」, 『大韓매일신보』 1907년.9.4.
111) 市川正明編, 1978, 「韓國施政ニ關スル協議會 第11回」, 『韓國併合史料』 1, 370쪽.

1908년 2월 27일『대한매일신보』는 '백악산인'이라는 作者가 쓴「屏門酬酌」라는 '계몽가사'를 게재했는데, 당시 한국이 일본과 열강에 휘둘리어 국권과 이권을 침탈당하는 실상을 풍자했다. 특히 일본이 한국인의 땅을 빼앗거나 헐값으로 수용하여 경부선과 경의선을 부설한 사실을 아래와 같이 기막히게 잘 묘사했다.

> 京釜線 京義線에 鐵道役事 宏壯ᄒᆞ다
> 鑿山通道 千餘里에 地段價 뉘 밧엇노
> 軍用票 製造費ᄂᆞᆫ 五百兩이라지
> 五百兩 資本에 鐵道 노앗네
> 나 원 기막혀[112)]

일본군은 러일전쟁 때 이른바 군표를 발행하여 물자구입이나 임금지불 등에 사용했다.「屏門酬酌」의 위 연은 일본이 군표 제조비용 500량만 들여서 경부선과 경의선을 거의 공짜로 부설했다고 신랄하게 비판했다.

2) 노동자의 동원과 항거

경부선의 건설과정에서 연선주민을 괴롭힌 또 하나의 재앙은 노동자의 동원이었다. 경부선의 일반공사 때는 공사가 완만하게 진행된 데다가 한국 토건회사도 공사에 참여하였기 때문에 노동자의 고용도 정상적인 방법에 따라 이루어졌다. 한국 토건회사도 공사에 필요한 기계와 공사를 감독 · 지휘하는 기사를 갖추고 있던 것으로 보인다. 한국 노동자의 작업 성적도 기대 이상으로 양호하여 공사기간을 단축할 정도였다. 당시 일본의 영사관보고서에는 다음과 같은 구절이 있다.

---

112)『대한매일신보』1908.2.27.「屏門酬酌」.

(爾來) 밤낮으로 工夫를 독려하여 영등포로부터 명학동 정차장 예정지에 이르는 11哩 48鎖 사이에 軌條를 포설하는데, 준공은 다음 12일(1902년 12월 : 인용자)로 하였다.……당일은 궤조 布設의 실황을 내빈의 관람에 제공했는데, 이에 종사했던 인부는 모두 韓人이었지만, 그들이 공사에 숙련한 것은 내빈으로 하여금 놀라움을 금치 못하게 했다. 특히 그들은 이 공사에 대하여 마치 아동이 유희를 하는 것과 같이 즐겁게 일을 하기 때문에 거의 권태로움을 느끼지 못하였다. 실로 다른 나라에서는 찾아보기 어려울 정도로 좋은 인부들이라고 할 수 있다.[113]

그런데 경부선공사가 내륙으로 진척되고 또 속성공사 체제로 전환되자 사정은 달라졌다. 일본군이 직접 나서거나 그들의 지원을 받는 토건회사 소속원이 철도 연선지역의 지방관을 압박하여 노동자를 조달하는 식으로 바뀌었다. 그리하여 연선주민과 일본인의 갈등과 대립이 첨예하게 되었다. 서울과 가까운 군포와 시흥 일대의 사례를 몇 가지 열거하면 아래와 같다.

진위군에서는 1904년 8월 일본인이 마을을 돌아다니며 매호마다 1인씩 철도 역부를 뽑아달라고 강권했다. 吏房은 이들의 세력을 등에 업고 중간에서 임금을 갈취했다. 이에 분노한 군민이 봉기하여 鄕廳과 吏胥輩의 가옥 7호를 부쉈다.[114] 용인군에서도 이와 비슷한 연유로 인해, 1904년 8월 군민 5천여 명이 봉기했다. 군수는 일본인의 도움을 받아 간신히 피신했다.[115]

1904년 9월 15일 시흥군에서는 깜짝 놀랄 정도로 큰 민란이 발생했다.[116] 시흥군 일대에서는 1901년 9월 경부선공사가 시작된 이래 저임금

113) 「京釜鐵道京城方面工事近況」, 在京城帝國領事館報告書, 1902.12.16. 『通商彙纂』 250.
114) 『대한매일신보』 1904.8.15.
115) 『대한매일신보』 1904.8.25.

에 반대하는 노동자의 저항이 빈발했다.117) 그런 상황에서 1904년 7월부터 경기도 관찰부가 시흥군에 대해 軍用役夫 80명을 모집해 보내라는 훈령을 내리자 민심은 더욱 흉흉해졌다. 7월 9일 시흥군민 수천 명은 군청의 뜰에 모여 관찰부의 명령을 철회해 달라고 호소했다. 이때도 군민이 봉기할 기세였으나, 군아는 다른 읍의 예에 따라 시행하겠노라고 설득하여 해산시켰다.

그 후 시흥군수 박우양은 경기도 관찰부에 요청하여 역부수를 30명으로 줄였다. 그리고 각 동 집강을 초치하여 각 동마다 1명씩 차출하라고 지시했다. 역부의 出役에 따른 雇價나 관련 비용은 마을 사람이 공동으로 부담하도록 했다. 그 액수는 많으면 3천 수백 냥이었고, 적으면 1천 5백여 냥이었다. 농민들은 큰 부담에 격노했다. 불에 기름을 붓는 격으로, 당시 시흥군 일원에는 군수가 노동자를 모집하면서 수십만 냥을 收賂했다거나, 일본인으로부터 紙貨 幾百元을 받았다는 소문이 무성했다. 首書記 등이 역부 1인마다 출급된 식비 13냥 5전을 착복했다는 소문도 돌았다. 관아에 대한 군민의 불신과 원성은 절정에 이르러 마침내 민중봉기로 폭발했다.

시흥민란에는 43개 동에서 1만여 명이 참가했다. 오늘날의 군포시 일부와 광명시 · 안양시, 그리고 서울특별시의 영등포구 · 금천구 · 구로구 · 관악구 일대의 주민이 구성원이었다. 이들은 군아에 가서 군수의 입회하에 관리와 언쟁을 벌였다. 그때 군아에는 군수의 요청을 받고 달려온 일

---

116) 『始興稷山按覈使奏本』(奎 17147) ; 金正明編, 1967, 『日韓外交資料集成』 제5권 電信 제75호 1904.9.16., 288~289쪽 ; 『대한매일신보』 1904.9.16 ; 9.17 ; 9.19 ; 9.20 ; 10.3 ; 『皇城新聞』 1904.9.16 ; 9.23 ; 『時事新報』 1904.9.18 ; 『交涉局日記』, 1904. 9.30. 시흥지역의 민란에 대한 자세한 내용은 정재정, 1999, 앞의 책 354~358쪽을 참조할 것.

117) 『皇城新聞』 1901.9.9.

본인 석공 10여 명이 대기하고 있었다. 언쟁 중에 일본인이 갑자기 장검과 철봉을 휘두르며 衆民을 공격하여 몇 사람이 두개골과 어깨가 파열되는 중상을 입고 사망했다. 이에 분개한 민중은 투석으로 맞서며 군수 박우양과 그 아들을 타살하고, 官舍와 胥吏들의 家舍什物을 파괴했다. 또 도망가는 일본인을 추격하여 두 명을 살해하였다. 그들은 연일 집회를 열고 43개 동리 執綱의 연서로 군수의 죄상 10여 개조를 열거한 訴狀을 만들어 관찰부에 제출했다.

한국정부는 사건의 소식을 듣고 곧 순검을 파견함과 동시에, 按覈使를 임명하여 자초지종을 조사케 했다. 일본 공사관은 동대문에 주둔하고 있던 수비대 중에서 1개 소대를 급파하여 각 동리 집강과 주동자를 체포해 헌병주재소에 수감했다. 또 주동자를 색출하여 재판에 회부했다. 度支部에서는 사망한 일본인 2명과 부상한 4명에게 3,232원의 배상금을 지급했다. 시흥민란은 무리하게 노동자를 동원한 일본인과 이에 가탁하여 임금을 착복한 지방관에 대한 저항운동이었다.

경부선 공사에 동원된 한국인 노동자들을 더욱 괴롭힌 것은 생명을 앗아가는 노동의 강도와 일본인의 폭력이었다(<사진 3－1> 참조). 경부선 연선을 답사한 일본의 한 고등학생은 그 상황을 다음과 같이 아주 간명하게 기록하고 있다.

> 京釜線의 工事에는 邦人(일본인－인용자)工夫 외에 다수의 韓人이 사역하였다. 그런데 이들 韓人 勞動者들은 우세한 邦人 工夫 指導下에 극히 위험한 일에 종사하고 있었기 때문에 생명을 희생당하는 자가 감히 없었다고는 할 수 없다. 원래 직무를 위하여 아까운 생명을 잃어버리는 것은 가상한 일이지만, 그 대부분은 日本 工夫가 휘두른 불법적인 棍棒에 얻어맞아서 허무하게 이슬로 사라져 갔다는 사실을 듣고는, 아무리 時局의 窮迫함이 我工夫로 하여금 熱氣亂心하도록 만들어

버린 데서 기인한 당연한 결과라고 하더라도 역시 弱肉强食의 무시무시한 한 예라는 것을 간과할 수 없다.[118]

노동자의 강제 동원과 폭력을 자행한 사역은 노동자와 연선주민의 항일투쟁을 불러일으켰다. 1904년 9월 10일, 병점역에서 30리 떨어진 生長洞에서는 의병 700명이 집합하여 오산역과 진위역을 습격하였다.[119] 안양역 부근에서는 의병 100여 명이 습격해 올 것이라는 소문이 나돌아, 군포장과 안양역에 거주하던 일본인이 영등포로 대피하는 소동이 벌어졌다.[120] 수원에서는 달리는 열차에 투석하여 유리창을 파손하였다.[121] 영등포 정차장 부근에서는, 1904년 7월 29일, 褓負商으로 보이는 사람들이 선로 위에 煉瓦를 올려놓아 서울발 마지막 열차와 충돌케 했다.[122]

1905년 11월 22일, 이른바 乙巳條約을 강제로 체결하기 위해 特派大使로 파견되어 서울에 머물고 있던 伊藤博文이 경부선 열차를 타고 교외에 나갔다. 그는 돌아오는 열차에 앉았다가 관악산 남쪽 안양역 근처에서 한국인이 던진 돌에 유리창이 깨지는 바람에 얼굴에 상처를 입었다.[123]

1907년 8월 15일 밤 12시경, 검은 옷을 입은 한국인 수십 명이 수원 정차장에 십 수 발을 放砲하다가 수비대의 반격을 받고 퇴각하였다.[124] 安山郡 納多地方에서는 의병과 일병이 교전했는데, 의병 6명과 소 한 마리

---

118) 笹山眞一, 1906, 「日本工夫の暴虐」, 『韓國鐵道現況調査報告書』.
119) 『대한매일신보』 1907.9.10.
120) 『대한매일신보』 1907.9.14.
121) 『대한매일신보』 1907.8.30.
122) 『時事新報』 1904.7.30.
123) 『時事新報』 1905.11.24. 지금 경부선 안양역 근처 작은 언덕에는 伊藤博文에게 부상을 입힌 元泰祐 의사의 동상이 서 있다. 안양 출신의 원태우 의사는 일본군에 체포되어 고문을 받고 투옥되었다. 이 동상은 1993년 지역 주민들이 그의 의거를 기리기 위해 뜻을 모아 세웠다.(朝日新聞取材班, 2008, 『歴史は生きている』, 76~82쪽).
124) 『대한매일신보』 1907.8.16.

가 즉사했다.[125] 이처럼 경부선 연선은 反帝國主義 · 反買辦主義 투쟁이 불을 뿜는 열전지역으로 변해갔다.

3) 군률의 시행과 희생

철도연선 주민의 항거에 직면한 일본은 1904년 7월 2일, '군용전선 및 군용철도 보호에 관한 군율'을 발포했다. 이 군율은 처음에 서울–인천, 서울–부산, 서울–원산, 서울–평양의 전신선로와 군용철도를 대상으로 삼았지만, 며칠 지나지 않아 시행구역을 한국 전역으로 확대하였다. 군율의 내용은 다음과 같았다.

> ① 군용전선 및 군용철도에 가해한 자는 사형.
> ② 사정을 알고도 감춘 자는 사형.
> ③ 가해자를 拿捕한 자에게는 금 20원을 상여함.
> ④ 가해자를 밀고하여 나포케 한 자에게는 금 10원을 상여함.
> ⑤ 촌내에 가설한 군용전선 및 군용철도선의 보호는 그 촌민이 책임지되, 촌장을 수좌로 정하고 위원을 두어 매일 약간 명씩 교대로 보호할 것.
> ⑥ 촌내에서 군용전선 및 군용철도선이 끊기고, 가해자를 나포하지 못한 경우에는 당일 보호위원을 笞罪 또는 拘留에 처함.
> ⑦ 한 촌내에서 2차 가해자가 있을 때는 한국정부에 통보하여 엄벌함.
> ⑧ 선박의 조종을 침해하고 기타 전선을 誤斷하는 자는 구류에 처하고 笞罪를 부가하며, 또 事狀에 따라 그 선박을 몰수할 것, 또 지방정황에 따라 한국관리에게 엄벌을 요구하되, 이 경우에는 병참사령관이 감시할 것, 구류기간의 衾枕 및 飯食은 본인이 자변할 것 등이었다.[126]

---

125) 『皇城新聞』 1907.10.15. '납다지방'은 현재 군포시 속달동에 속한 마을인데, 납다골 또는 납덕골로 불린다. 반월저수지에서 전통사찰인 수리사 방향으로 가는 도중의 수리사 입구인데, 음식점이 다수 들어서 있다.

군포지역도 일본의 군율 아래 들어가 연선주민들은 갖은 고초를 겪었다. 군포지역을 포함한 과천의 7개동 주민들은 1905년 11월 군포역장이 철도수호를 구실로 부역을 강요하고 금전을 침탈한다고 경기관찰부에 陳情했다. 이들은 철도를 수호해야 한다는 일본군사령부의 명령을 빙자하여 군포역장이 백성을 학대하는 것은 부당하다고 주장했다.[127]

일본군율의 시행으로 철도연선에서는 다수의 희생자가 발생했다.1904년 7월~1906년 10월까지 2년 남짓한 기간에 이 군율에 따라 처벌된 한국인은 사형 35명, 감금 및 구류 46명, 추방 2명, 태형 100명, 과료 74명 등 모두 257명에 달하였다.[128]

일본은 또 작전의 필요상 치안을 유지해야 한다는 구실을 내세워, 1904년 7월 20일, 서울 일원에 군사경찰로 하여금 요지를 경비하도록 했다.[129] 그리고 같은 해 10월 9일부터 함경도에 군정을 실시했다. 이것은 일본군이 원산 이북으로 진격함에 따라 점령지 부근의 지방관을 일본 駐箚軍司令官이 직접 統括하기 위한 조치였다. 이와 함께 발표된 '군정시행에 관한 내훈'은 모두 13개 조항으로 되어 있었다. 그 요지는 해당 지역의 사법 · 행정 · 군사 · 경제의 모든 권한은 일본군 사령관이 틀어쥐게 되어 있었다. 일본군 사령관은 한국인 지방관에 대해서까지, 그들이 일본군에 대해 불이익한 행동을 하거나 부적임이라고 인정될 때는 임지로부터 퇴거를 명하고, 또 지방관이 비어 있을 때는 일본군 사령관이 적임자를 임명하며, 한국정부가 임명한 지방관이라도 일본군 사령관의 승인장을 휴

126) 『舊韓國外交文書』, 제7권 8178문서 1904.7.5 ; 8195문서 1904.7.11 ; 『日韓外交資料集成』 제5권, 499문서, 410~411쪽 ; 『朝鮮駐箚軍歷史』(金正明編, 1967, 『日韓外交史料集成』 別冊 소수), 177~178쪽.

127) 『대한매일신보』 1905.11.21.

128) 『朝鮮駐箚軍歷史』, 210쪽.

129) 『朝鮮駐箚軍歷史』, 311~313쪽.

대하지 않는 자는 취임 및 직무집행을 거절할 수 있었다.[130]

일본의 군율과 군정 시행은 한국의 주권을 완전히 유린한 것이었다. 그러나 대항능력을 상실한 한국정부로서는 이 조치에 순응할 것을 연선 각 군에 훈령할 수밖에 없었다. 각 군수는 일본군의 눈에서 벗어나지 않기 위해서라도 巡校와 洞長을 동원해서 날짜별로 境內의 철도와 전선을 검찰하도록 했다.[131] 그러나 앞에서 설명한 것처럼, 연선 주민들과 의병의 철도공격 및 전선의 절단은 날로 더 성해져 갔다.

일본군은 한국인의 기세를 꺾기 위해, 1905년 1월 12일, 서울 일원의 경찰업무를 한국경찰로부터 일본주차군으로 바꾸는 조치를 단행했다. 이때 공포된 '군사경찰시행에 관한 내훈' · '군령' · '군령시행에 관한 내훈'은 군용전신 · 전화기관 또는 철도 · 차량 · 선박 등을 破毁 · 盜取 · 運用妨害한 자는 情狀에 따라 사형 · 감금 · 추방 · 過料 · 笞刑에 처하도록 규정했다.[132] 군사경찰제의 시행으로 이제 집회 · 결사를 비롯하여 사소한 일반 범죄까지도 모두 일본군율에 의해 다스려지게 되었다.[133] 서울 일원은 완전히 일본군의 지배 아래 들어갔다. 경부선을 위시한 철도부설이 실제로 일제의 침략을 선도하는 계기가 되었다고 할 수 있다.

---

130)『日韓外交資料集成』 제5권, 380문서, 1904.10.18. 301~304쪽.
131)『慶尙南北道來去案』, 慶尙北道觀察使張承遠報告, 1904.12.12.
132)『日韓外交資料集成』 제5권, 456문서 1905.1.12. 367~372쪽.
133)『時事新報』 1905.1.9 ; 1.12.

4장 경의선(서울－신의주, 1904~1906년)

1. 경의선의 지정학적 위치와 열강의 각축

1) 경의선의 교량적 성격

경의선(<지도1－1>의 ②, <지도 1－2>의 ②), <지도 4－1>은 남으로 경부선과 접속하고, 북으로 압록강을 건너 중국의 안봉선(安東－奉天)과 연결됨으로써 한반도 서북부 지역의 종관간선을 형성한다. 종래 중국을 왕래하였던 조선의 使行路와 대체로 일치한다. 따라서 경의선은 경부선과 함께 한반도를 고리로 하여 일본과 아시아대륙을 최단거리로 연결시켜 주는 교량의 성격을 지닌 동맥이라고 할 수 있다.[1)]

먼저 지도를 참조하면서 경의선의 중추적 가치를 조금 더 살펴보자. <지도 서－1>은 이른바 대동아공영권의 주요 교통로를 표시한 것이다. 한반도가 그 중심에 놓여있고, 경의선은 한반도와 만주 그리고 중국 본토로 뻗어가는 길목에 해당한다. <지도 1－1>은 그 점을 더욱 선명하게 보

1) 이 장의 기술은 정재정, 1984, 「경의철도의 부설과 일본의 한국종관철도 지배정책」, 『한국방송통신대학논문집』3, 동대학을 많이 참조했다.

여준다. 경부선의 연장선에 놓인 경의선은 안봉선(a)과 접속하여 만주의 가장 중요한 철도인 만철본선(b)과 연결된다. 그리고 봉천을 거쳐 북경으로 나아간다(ⓘ). <지도 1-2>에서 보듯이, 경의선은 국내에서도 중추의 역할을 했다. 경의선은 북한지역의 정치 · 경제 · 문화 중심지역을 종단할 뿐만 아니라, 평남선(②), 평원선(⑪), 만포선(⑫), 황해도(⑩) 등을 지선으로 거느렸다. 남한지역의 경부선 못지않은 위상을 누리고 있는 것이다.

일본정부는 자국의 팽창정책과 결부시켜 경의선의 중요성을 정확하게 파악했다. 그리고 1902년 10월 2일 閣議에서 경의선을 스스로 부설하겠다는 방침을 결정했다.

> 京義鐵道를 우리 손으로 부설하여 이것을 경부선에 연락시킬 때는 韓國貫通의 幹線鐵道는 모두 帝國의 소유로 돌아와, 한국 전체를 우리의 세력범위로 歸一시키는 효력을 거둘 수 있다. 그리고 결국 이 철도를 만주로 연장하여 露國의 東淸鐵道 및 淸國의 牛莊鐵道와 通聯하기에 이르면 아세아대륙 철도간선의 한 要部를 형성할 것이므로, 제국의 政略上 또 商略上 극히 긴요하고 유익한 企圖에 속한다는 것은 설명할 필요조차 없다.[2)]

이처럼 일본정부는 경의선이 경부선과 함께 政略上 · 商略上 극히 긴요한 간선철도라는 것을 확실히 자각했다. 그리고 한국 전체를 수중에 넣기 위해서는 경의선을 반드시 자신의 손으로 부설하겠다는 결의를 다졌다. 지정학에서 보더라도 경의선은 일본의 수중에 들어가지 않더라도 한반도와 만주, 나아가서 해양과 대륙을 연결시켜주는 교량의 역할을 수행할 운명을 지녔다고 할 수 있다.

---

2) 「淸韓事業經營費要求請議」, 1902.10.2.(日本 外務省, 1965, 『日本外交年表竝主要文書』上, 原書房, 207쪽).

2) 프랑스의 부설권 장악

경의선은 각국의 세력이 교차하는 지정학적 특성 때문에 청일전쟁 이후 끊임없이 열강이 노리는 이권의 표적이 되었다. 특히 러시아와 프랑스가 눈독을 들였다. 두 나라가 경의선 부설에 착목한 것은 청일전쟁을 전후하여 한반도를 중심으로 전개된 열강의 세력다툼이 커다란 요인으로 작용했다.

청일전쟁에서 승리한 일본은 청에 遼東半島의 할양을 요구했다. 만주와 山東半島 등에서 자신의 이권이 침해당할 것을 우려한 러시아 · 프랑스 · 독일 등은 1895년 4월 소위 '三國干涉'을 단행하여 일본의 요동반도 진출을 좌절시켰다. 또 일본이 1895년 8월 20일 한국정부와 조일잠정합동조관을 강제로 체결하여 경인선과 경부선 부설권을 일시적으로나마 확보하자, 영국 · 미국 · 러시아 · 독일 등 4국 공사는 함께 1896년 5월 한국정부에 대하여 철도이권을 일본에게만 독점적으로 양도하지 말 것을 요구하는 항의각서를 제출하였다.[3]

위와 같은 일련의 사태는 서양 열강이 한반도에서 일본세력이 팽창하는 것을 싫어하고 있었다는 것을 의미했다. 그 중에서 적극적인 행동으로 나선 나라가 러시아였다. 러시아는 고종이 러시아 공사관으로 피신한 기회를 이용하여 자국과 동맹을 맺고 있던 프랑스에 경의선 부설권을 허여해 주도록 압력을 가하였다.[4] 러시아의 지원을 받은 프랑스정부는 마침 중국에서 철도부설권을 획득하고 있던 피브릴르(Fives-Lille)회사[5]가 경의

---

3) 『舊韓國外交文書』 제11권, 美案2 1364문서.
4) 『日本外交文書』 제29권, 351문서 1896.10.20.
5) 주식회사 피브릴르는 1865년에 성립된 이래 100여년간 프랑스 국내외에서 건축 · 금속 · 기계 설비 · 기관차 · 전차 등을 생산해왔다. 제1차 세계대전을 전후해서는 기관총 · 포탄 · 비행기 등 각종 전쟁 물자를 생산하였다. 그리고 오늘날에는 대단위 산업프랜트 시설 공장 및 세계 제일의 설탕 공장을 소유하고 있다(Grand

선 부설권을 획득하도록 주선하였다. 러시아와 프랑스는 경의선을 시베리아철도와 연결할 속셈을 가지고 있었다. 이때 러시아는 프랑스에서 차관을 도입하여 시베리아철도를 부설하는 중이었다. 이에 피브릴르회사가 두 나라의 의중을 실행에 옮길 수 있는 代打로 떠올랐다.[6]

한반도를 둘러싼 열강의 이해관계가 착종하는 가운데, 주한 프랑스 서리공사 르페브르(G. Lefèvre)는 한국정부에 서울–의주와 서울–공주 철도부설권 및 운수영업권을 프랑스 商會에 허급할 것을 요청하였다. 그는 한국정부가 1896년 3월 서울–인천 철도부설권과 운수영업권을 미국인 모스(J. Morse)에게 許與한 것을 참고할 만한 예로 들었다.[7] 마침 고종은 프랑스의 동맹국 러시아의 공사관에 피신 중이었다. 한국정부는 프랑스 공사와 몇 차례 교섭 끝에 서울–공주 철도부설권을 准與하는 것은 불가하나, 서울–의주 철도부설권을 許與하는 것은 가능하다고 통고하였다.[8]

한국정부와 프랑스공사는 1896년 7월 정식으로 京義鐵道契約을 체결하였다.[9] 京仁鐵道契約의 예에 따라 전문 13개 조로 이루어진 이 계약의 내용은 다음과 같았다.

> ① 경의선 부설권을 프랑스의 피브릴르회사에 准許할 것(제1조).
> ② 경의선 부설에 필요한 모든 地段은 한국정부가 무상으로 제공할 것(제3조).

Dictionnaire Encyclopedique Larousse 4 1983 p.4297). 19세기 말 피브릴르회사는 중국에서 費務林公司란 이름으로 활동하였다. 경의철도계약을 체결하기 한 달 전인 1896년 6월 5일 廣西地方의 龍州–鎭南關 간의 철도부설권을 획득하였다 (密汝成 編, 『中國近代鐵道史資料』 第2册, 中華書局, 474~484쪽).

6) 『日本外交文書』 제29권, 325문서 1896.5.26.
7) 『舊韓國外交文書』 제19권, 法案1 697문서 1896. 4. 24.
8) 위의 책, 698문서 1896.4.25.
9) 위의 책, 716문서 1896.6.1 ; 717문서 1896.7.3 ; 『高宗實錄』 권34, 34년 7월 3일.

③ 경의선의 부설과 경영에 필요한 물자 또는 토지에 대해서는 海關稅와 地稅를 면제할 것(제5조).

④ 경의선은 계약일로부터 3년 이내에 기공하여 기공 후 9년 이내에 준공하고, 그렇지 못할 경우에 본 계약은 자동적으로 폐지될 것(제9조).

⑤ 경의선의 준공 후 15년이 경과하면 한국정부가 時價로 매수할 수 있으며, 그렇지 못할 경우에는 10년을 기한으로 매번 연장할 것(제11조)[10].

위의 조약 역시 대단히 불평등한 내용을 담고 있었다. 피브릴르회사는 경의선 부설권을 획득한 후 두세 차례 철도노선을 답사하였다. 그러나 계약만료 기간인 3년이 거의 다 지나도록 철도부설공사를 시작하지 못하였다.[11] 프랑스의 대표적 종합설비회사였던 피브릴르회사가 경의선 부설공사에 착수하지 못한 것은 자본조달이 어려웠기 때문이다. 또 한반도를 둘러싼 동북아시아의 국제정세가 급격히 변화하고 있는 것을 감지하고 불안을 느낀 점도 한 요인이었다.

독일은 1897년 11월 山東半島 근처의 膠州灣을 점령했다. 러시아는 이에 대항하기 위하여 1898년 청국과 파블로프조약을 체결하여 산동반도의 對岸인 旅順과 大連을 조차하였다. 이와 함께 러시아는 東清鐵道(滿洲里－하얼삔)와 하얼삔으로부터 旅順·大連에 이르는 南滿洲支線鐵道의 부설권을 획득하였다.[12] 이것은 러시아가 시베리아철도의 不凍港口 종착

10) 國會圖書館 立法調査局, 1965, 「京義鐵道契約」, 『舊韓末條約彙纂(1876～1945)』 下卷, 459～464쪽. 프랑스는 처음에 경의철도를 99년간 소유할 의향이었으나, 한국정부의 저항에 부딪쳐 경인철도와 같이 15년으로 바뀌었다(『舊韓國外交文書』 제19권, 法案 1 279문서).

11) 日本 外務省, 『日本外交文書』 제31권, 94문서 1898.3.2 ; 『독립신문』 1899.1.24 잡보 「텰로쳑량」.

12) 井上勇一, 1982, 「京義鐵道の敷設をめぐる國際關係－日露戰爭開戰原因として

역을 한반도에서 요동반도 남단으로 옮긴다는 것을 의미했다. 이로써 러시아가 한반도에서 철도를 부설해야 할 필요성과 긴급성은 현저하게 감소하였다.[13] 이런 마당에 피브릴르회사가 영업전망이 불투명한 경의선 부설을 포기하려고 한 것은 납득할 만 했다.

피브릴르회사는 이왕에 손에 넣은 경의선 부설권을 타국에 매각할 움직임을 보였다. 경인선 부설권을 일본에 매각하여 막대한 이익을 얻은 미국인 모스의 예를 따르고 싶었다.[14] 프랑스와의 친선관계로 본다면 러시아가 제일의 매각 대상국이었다. 그렇지만 러시아는 시베리아 철도건설 자본조차 프랑스에서 빌리고 있고, 청에서 확보한 東淸鐵道와 南滿洲支線鐵道 건설에 우선권을 두고 있었다.[15] 이에 피브릴르회사는 이미 경부선 부설권을 획득하여 러시아와 대결 형세를 보이고 있던 일본에 경의선 부설권 매각을 시도하였다.[16]

일본정부는 주한 프랑스공사로부터 경의선 부설권 매수를 제의받고 한반도종관철도를 장악할 수 있는 절호의 기회를 맞았다고 여겼다. 그렇지 않아도 일본정부는 경의선 부설권이 피브릴르회사에 허급되었을 때, 이것이 경부선에 대한 일본의 기득권을 침해하는 것이라고 한국정부에 수차례 항의한 바 있었다.[17]

그러나 일본은 프랑스가 내세운 조건이 너무 불리하다고 여기고 매수

の鐵道問題」, 『國際政治』 71, 日本國際政治學會, 173~174쪽.

13) 『Korea Repository』, Vol. v, No 7, 272~273쪽, July, 1898.

14) 모스는 京仁鐵道契約을 위반하고, 1897년 5월 8일 경인철도 부설권을 일본의 京仁鐵道合資會社에 美貨 97만 5천불에 매각하여 20만불 이상의 순이익을 남겼다(「駐韓美國公使の告示及び京仁鐵道讓受の議」, 1897.6.19, 『東京經濟雜誌』 35-881, 1151~1153쪽).

15) 井上勇一, 1982, 앞의 논문, 176쪽.

16) 「京義鐵道の將來」, 1902.5.10, 『東京經濟雜誌』 45-1135, 33쪽.

17) 「京義鐵道の將來」, 1902.5.10, 『東京經濟雜誌』 45-1135, 33쪽.

제안을 일단 거절하였다.[18] 당시 일본의 속사정으로는 간신히 수중에 넣은 경부선의 건설자금을 조달하는 데 아등바등하고 있었다. 그렇다고 하여 경의선에 대한 일본의 야욕이 사라진 것은 아니었다. 일단 경부선이라는 급한 불을 끄고 경의선은 나중에 손을 댈 속셈이었다.[19]

2. 한국의 자력건설운동과 일본의 부설권 탈취

1) 한국의 자력건설운동

한국정부는 피브릴르회사가 경의선 부설권을 매각하려는 것에 반대의 뜻을 표명하였다. 그리고 경의선 기공의 약정기한을 연장해 달라는 프랑스와 일본의 요청을 거절하고, 3년 계약기간이 지나면 경의선 부설권을 돌려받겠다는 의사를 명백히 밝혔다.[20] 이렇게 되자 프랑스 측은 경의선 노선을 측량할 때 피브릴르회사가 지출한 비용을 회수할 수 있는 방법을 모색했다. 그 방안의 하나로서 프랑스는 한국정부가 경의선을 직접 건설할 경우에 철도건설에 필요한 鐵造物料를 프랑스 기계제조창 특히 피브릴르회사로부터 구입하고, 아울러 프랑스인 철도기사를 감독으로 고용해 줄 것을 요구하였다.[21] 한국정부는 경의선 부설권 회수를 제일의 목표로

18) 프랑스측이 요구한 매수조건은 대체로, ① 경의철도의 부설공사는 일본의 지휘하에 프랑스 회사가 시공한다, ② 철도부설에 필요한 재료는 원가에 15%를 가산한 가격으로 프랑스로부터 구입한다, ③ 공사비의 5%를 프랑스 회사에 수수료로 지불한다 등이었다(朝鮮總督府鐵道局, 1937, 『朝鮮鐵道史』, 103~104쪽.

19) 정재정, 1984, 「京釜鐵道의 敷設에 나타난 日本의 한국침략정책의 성격」, 『韓國史研究』44, 한국사연구회, 125~127쪽.

20) 『舊韓國外交文書』 제19권, 法案1 1109문서 1899.6.24.

21) 『舊韓國外交文書』 제19권, 法案1 1109문서 1899.6.24.

삼고 있었기 때문에 프랑스 측의 요구조건을 일단 수락하였다.[22] 그리하여 1899년 6월 23일 경의선 부설권은 일단 한국정부로 돌아왔다.

한국정부가 경의선 부설권을 회수하자, 그 전부터 이 문제를 주시하고 있던 몇몇 유지가 경의선을 스스로 건설하겠다는 의향을 밝히고 행동에 나섰다. 朴琪淙[23]은 이미 釜山－下端浦, 서울－元山 철도건설을 추진하고 있었는데, 1899년 7월 6일 大韓鐵道會社를 발기하고, 경의선 부설권을 이 회사에 인허해 줄 것을 농상공부에 청원하였다.[24] 朴琪淙 등 10여 명이 제출한 大韓鐵道會社의 청원서는, 정부가 서울－의주 철도부설권을 인허해 준다면 회사는 5년 이내에 경의선을 기공하고, 기공 후 15년 이내에 그것을 완공하겠다는 것이 골자였다.

마침 1897년에 새로 출범한 대한제국정부는 근대산업의 진흥정책으로서 철도의 자력건설을 추진하고 있었다.[25] 또 독립협회 등은 철도 · 전선 · 광산 · 삼림 등의 이권을 외국에 양도하지 말 것을 요구하는 利權守護運動을 벌였다.[26] 개화파 지식인들은 전국의 상공업을 興隆시키고 경제를

---

22) 위의 책, 1110문서 1899.6.26. 한국정부의 약속은 철도부설권을 돌려받은 후에는, "査日後 我政府敷設京義鐵道之時 我國製造物料及技師人等 足以自用 無所籍於外國"이라 하여 自國調達의 방침으로 바뀌었다. 이에 대해서 프랑스 측이 완강하게 항의하였음은 물론이다(위의 책 1124문서 1899.7.15; 1125문서 1899.7.18.) 그후 민간회사인 大韓鐵道會社가 경의철도 부설권을 가지고 있었을 때는 프랑스의 압력으로부터 벗어날 수 있었다. 그러나 정부기관인 西北鐵道局이 철도공사를 맡았을 때에는 프랑스의 요구소선을 들어주지 않으면 안되었다. 서양인의 한국 雇聘問題 전반에 대해서는 李元淳, 1989, 「韓末 雇聘歐美人 綜鑑－外國人雇聘問題研究 序說」, 『韓國文化』 10, 서울대 한국문화연구소를 참조할 것.

23) 朴琪淙의 생애와 그의 철도건설운동에 대해서는 ① 朴元杓, 1967, 『鄕土釜山』, 太和出版社, ② 趙璣濬, 1971, 「韓國鐵道業의 先驅者 朴琪淙」, 『日帝下의 民族生活史』, 高大 亞細亞問題硏究所를 참조할 것.

24) 朴琪淙, 1972, 「都總」, 『韓末外交秘錄』, 成進文化社, 230～231쪽.

25) 姜萬吉, 1973, 「大韓帝國期의 商工業問題」 『亞細亞硏究』 50.

26) 愼鏞廈, 1981, 『獨立協會硏究』, 一潮閣, 277～302쪽; 325～336쪽.

통일시키기 위해 도로 · 철도 · 기선 등의 교통기관을 자력으로 개설할 것을 요구했다.[27] 몰락한 하층민이 주축이 된 活貧黨조차 국민의 혈맥과 같은 철도부설권과 국민의 생존기반인 토지를 절대로 외국인에게 양도하지 말 것을 요구하였다.[28] 이런 분위기 속에서 한국정부는 경의선 부설권을 절대로 외국에 매도하지 않는다는 것을 조건으로 대한철도회사의 청원을 받아들였다.[29]

당시 京鄕各地에서는 殖産興業과 利權守護 움직임이 고조되었다. 개화파 관료와 민간 자본가들은 철도건설을 시도했다. 1898년부터 1904년 사이에 전국에서는 15개 이상의 철도관련회사가 설립되었다.[30] 다만 이때 설립된 회사들은 대부분 경인선과 경부선 부설공사를 청부하거나 두 철도공사에 木石 등의 材料와 役夫를 공급하는 일을 했다. 개중에는 기술과 자본이 취약하여 일본회사에 의존하는 경우도 있었다. 釜下鐵道會社, 大韓國內鐵道用達會社, 湖南鐵道株式會社 등도 정부로부터 철도부설권을 얻었음에도 불구하고 자금의 궁핍으로 인해 겨우 철도노선을 답사하는 단계에 머물렀다.

대한철도회사 역시 경의선 부설권을 확보했지만 자본조달이 여의치 못하여 좀처럼 건설공사에 착수할 수 없었다. 어느 회사든지 설립초기에는 발기위원들이 私財를 털어 회사운영에 필요한 경비를 마련하는 것이 常例였다. 그런데 박기종은 이미 부산-하단포의 철도건설에 실패하여 3万 5千餘 원의 부채를 짊어지고 있었다. 이런 연유도 있어서 대한철도회사는 설립 초기부터 자금난에 직면하였다.[31] 그렇다고 해서 회사가 민간자본을

27) 愼鏞廈, 1981, 위의 책, 229~240쪽.
28) 信夫淳平, 1901, 『韓半島』, 75~79쪽.
29) 朝鮮總督府鐵道局, 1929, 『朝鮮鐵道史』, 251쪽.
30) 정재정, 1985, 「京釜 · 京義鐵道의 부설과 韓 · 日 土建會社의 請負工事活動」『歷史教育』 37 · 38, 240~242쪽.

광범하게 조달할 수 있는 능력도 없었고, 정부 또한 관료자본이나 국가자본을 동원하여 회사를 지원 · 육성할 만한 역량을 갖고 있지 못하였다.[32]

대한철도회사가 경의선 건설에 적극성을 보이지 않은 또 다른 이유는 회사의 주요 간부들이 이미 대한국내철도용달회사를 발기하여(1899.3) 서울－元山－慶興을 잇는 경원선 · 함경선 부설권을 확보하고(1899.6), 1899년 7월부터 서울－楊州 사이 路線實測을 실시하는 등 경원선 건설 쪽에 우선권을 두었기 때문이었다. 이에 회사의 핵심 멤버였던 朴琪淙은 외국자본의 도입을 검토하였다. 그러나 열강의 이권침탈에 민감한 반응을 보이고 있던 여론 때문에, 철도부설권 자체를 빼앗겨버릴 위험성을 안고 있는 외국자본의 도입은 실행에 옮기지 못하였다.[33]

대한철도회사의 경의선 건설이 지지부진한 가운데, 열강의 철도이권 요구도 끊이지 않았다. 이미 경원선 부설권을 요구했던 독일의 世昌洋行(Meyer & co)은 鎭南浦－平壤－元山 철도부설권을 요구했다. 이에 대해 한국정부는 "自行敷設 不應讓與別人"이라는 태도로 대처했다. 그리고 이

31) 『日本外交文書』 제34권, 467문서 1901.11.1.

32) 大韓鐵道會社 설립자와 거의 같은 인물들이 설립한 大韓國內鐵道用達會社는 경원철도의 건설을 위해 一股 20원의 股金을 모집하였는데, 1899년 11월까지 120명으로부터 2,400원을 모집하는데 그쳤다(朴琪淙, 1972, 앞의 책, 300쪽). 대한국내철도용달회사의 朴琪淙은 고급관료들이 의무적으로 철도건설에 참여하도록 만들기 위하여 內外職의 奏任官은 매월의 급료 중에서 10분의 2를, 判任官은 그것의 10분의 1을 경원철도의 건설자금으로 투자하도록 청원하였다. 이 청원서에는 內職은 度支府가, 外職은 觀察府가 투자액을 수집하여 매월 대한국내철도용달회사로 송부하도록 되어 있었다. 그리고 월급의 공제기한은 5년이고, 철도가 준공된 후에 영업 이익으로부터 납입 금액에 따라 이자를 지급하도록 규정하였다. 이와 같은 朴琪淙의 청원은 정부로부터 거절당하였다(朴琪淙, 위의 책, 222쪽, 228~230쪽). 또한 朴琪淙은 경원철도의 건설을 위해 宮內府에 內下金 200만원을 주식투자와 같은 형식으로 下付해 줄 것을 청원하였다. 정부는 재정난을 이유로 내세워 이것마저 거절하였다(朴琪淙, 1972, 위의 책, 227~228쪽, 275쪽).

33) 朴琪淙, 1972, 앞의 책, 220쪽.

런 의지를 좀 더 적극적으로 보이기 위해 1900년 9월 宮內府의 內藏院에 西北鐵道局을 설치하였다. 이와 함께 경의선에 관한 일체의 사무도 여기서 관장하도록 했다.[34] 서북철도국 총재 李容翊은 海關收入을 담보로 하여 철도부설자금을 제공해 주겠다는 프랑스 측의 제의를 거절하고, 피브릴르회사에서 기술만을 지원받아 1년에 1마일이라도 자력으로 경의선을 건설하겠다는 의지를 천명하였다. 그리고 1901년 7월까지 서울—개성 노선측량을 완료하였다.[35]

서북철도국은 우선 정부예산 300만 원을 들여 서울—개성 철도를 협궤로 건설할 방침을 세웠다. 그리고 1902년 3월 典圜局에서 30만 원의 자금과 매달 20만 원의 공사비를 지원받아 철도건설공사에 착수하였다.[36] 서북철도국은 각국의 주한 외교관을 초청한 가운데 기공식을 성대하게 거행함으로써 경의선을 자력으로 건설하겠다는 의지를 내외에 과시하였다. 그리고 경의선 건설에 차관을 제공하겠다는 일본 측의 제의도 거절했다.[37]

2) 차관을 미끼로 한 일본세력의 침투

西北鐵道局의 경의선 자력건설은 1900년 義和團 사건 이후 동북아시아에서 세력확장을 꾀하고 있던 일본에 충격을 주었다. 일본의 小村 外相

---

34) 『舊韓國外交文書』 제16권, 德案 2, 2114문서 1899.8.23. ; 2271문서 1900.9.10. ; 『高宗實錄』 권40, 37년 9월 3일 ; 『韓國近代法令資料集』 3, 140쪽.

35) 『日本外交文書』 제33권, 147문서 1900.11.6 ; 『日本外交文書』 제34권, 470문서 1901.10.23.

36) 『日本外交文書』 제35권, 251문서 1902.3.20 ; 國史編纂委員會, 1996, 『駐韓日本公使館記錄』15, 117~118쪽, 9문서 1902.3.22(이하에서는 이 책을 『記錄』으로 약칭하겠다). 土工工事에는 프랑스의 피브릴르회사로부터 르페브르 기사 등 4명을 기술감독으로 고빙하였다. 그리고 인근지역에서 매일 200여명의 役夫를 고용하면서 한국산의 재료와 기구를 이용하여 작업하였다(『皇城新聞』 1902.3.15. 雜報).

37) 『日本外交文書』 제35권, 262문서 1902.5.13.

은 1901년 10월 4일 주한공사 林勸助에게 경의선은 경부선과 접속하여 아시아대륙의 간선철도가 되어야 하므로, 일본이 그것을 장악할 수 있는 수단과 방법을 강구해 보고하라고 훈령하였다.38) 이에 따라 林 公使가 르페브르 기사 등과 접촉하면서 만들어낸 경의선 부설권의 획득방법은, 경의선을 저당으로 하여 서울-개성 철도건설비(약 300만 원)를 일본이 한국정부에 貸付하고, 그것의 준공기간을 단기로 제한하며, 준공 후 정해진 기간에 대부한 자본을 변제하지 못할 때 이 철도의 영업권과 관리권 및 布設權을 일본이 장악한다는 내용이었다.39) 한국정부에 차관의 굴레를 씌워 경의선 부설권을 빼앗자는 취지였다.

일본정부는 林 公使의 제안에 따라 한국이 경의선 부설자금을 조달하는데 곤란을 겪고 있는 틈을 이용하여 이 철도와 해관수입을 담보로 차관을 제공하고, 나아가 다른 차관을 더 알선함으로써 경의선 부설권을 손에 넣는 방법을 강구하기로 했다. 차관액 300만 원 중에서 200만 원은 한국의 해관은행으로서 막대한 이익을 거둬온 일본 제일은행이 대부하고, 나머지 100만 원은 일본정부가 보조하는 안이었다.40)

차관을 미끼로 경의선 부설권을 장악하려는 일본정부의 계획은, 외국에 더 이상 경제이권을 양도하지 않겠다는 한국정부의 반대에 부딪쳐 별 진전을 보지 못하였다.41) 이 무렵 일본이 만주로 세력을 뻗치려는 움직임을 보이자 러시아는 기득권을 수호하고 일본의 진출경로를 차단하기 위해 한국정부에 다시 경의선 부설권을 요구했다.42) 이에 맞서 일본은 경의

---

38)『日本外交文書』제34권, 469문서 1901.10.4.
39)『日本外交文書』제34권, 470문서 1901.10.23.
40)『日本外交文書』제35권, 268문서 1902.10.20.
41)『日本外交文書』제36권, 641문서 1903.1.29.
42)『舊韓國外交文書』제18권, 俄案 2 2002문서 1903.2.15 ; 同 제6권, 日案 6 7260문서 1903.2.27 ;『日本外交文書』제36권, 642, 643, 544, 645, 646, 650문서 1903.2.17~2.21.

선에 대한 우선권을 더욱 강하게 주장했다. 곧 러시아가 이미 한국에서 일본의 상공업 권리의 우위를 인정한데다가, 경부선과 경인선을 일본이 부설하고 운영하는 이상 그와 접속하는 경의선도 그렇게 하는 것은 당연한 일이라는 것이다.[43]

일본은 경의선 부설권을 장악하는 비상수단으로서 公然과 隱然의 두 가지 방법을 구사했다. 공연한 방법은 이용익을 정계와 재계에서 완전히 배척하는 것이고, 은연한 방법은 서북철도국을 폐지시켜 경의선 부설사업을 한국인 회사에 맡긴 후, 이 회사로 하여금 일본과 사채계약을 맺도록 하여 부설권을 확보한다는 것이었다.[44] 이때 일본이 경의선 부설권을 차지하기 위해 지렛대로 이용하려고 상정한 회사는 大韓鐵道會社였다. 일본은 한국정부가 서북철도국을 세워 경의선을 官業으로 건설하고 있지만, 수년 전에 대한철도회사에 경의선 부설권을 내준 적이 있다는 사실을 주목하였다.[45]

일본은 먼저 서북철도국을 무력화시키는 공작에 착수했다. 閔泳喆 · 李址容 등 대한제국 황실과 통하는 실력자를 대한철도회사 사장에 옹립하고, 그들이 서북철도국 총재를 겸임하도록 함으로써 서북철도국을 단순한 감독관청으로 만들고, 일본상인과 대한철도회사가 차관계약을 맺도록 하여 경의선 부설권을 장악한다. 이 구상에 따라 일본은 뇌물공세 등을 펴서 完順君 李載完을 대한철도회사의 주요 자리에 앉히고, 그와 박기종으로 하여금 대한철도회사가 경의선 부설공사를 전담하는 방법을 모색하도록 하였다.[46]

---

43) 『舊韓國外交文書』 제6권, 日案 6 7260문서 1903.2.27 ; 『日本外交文書』 제35권, 650문서 1903.2.21.

44) 『舊韓國外交文書』 제6권, 日案 6 7260문서 1903.2.27

45) 『舊韓國外交文書』 제6권, 日案 6 7233문서; 7260문서; 『日本外交文書』 제36권, 649문서 1903.2.20.

그러나 1903년 3월 13일 李容翊이 다시 서북철도국 총재에 취임하여 중단되었던 서울-개성 철도공사를 재개하자 일본의 계획은 일단 벽에 부딪혔다. 일본은 프랑스인 르페브르와 타협하여 한국과의 관계를 끊게 하고, 대한철도회사를 마음대로 조종할 수 있는 체제로 만들기 위해 진력하였다.[47)]

일본의 차관공세에 말려든 대한철도회사의 朴琪淙 · 鄭顯哲 · 洪肯燮 등은 1903년 5월 3일 서북철도국 총재 李容翊에게 경의선 부설공사 일체를 이 회사에 전임시켜 줄 것을 요구하는 청원서를 제출하였다.[48)] 얼마 후 대한철도회사의 조직과 자본조달 및 철도공사의 실시방법 등을 규정한 전문 22개조의 大韓鐵道會社章程도 성안하여 제출하였다. 이 장정의 주요 내용은 다음과 같았다.

① 서북철도국의 명령을 받아 대한철도회사가 부설공사를 담임할 것(제2조).
② 매주 50원의 주식을 2,500만 원의 한도로 모집하고(제3,4,6조), 株金이 부족할 경우에는 사채를 모집하여 보충할 것(제7조).
③ 철도용지로 수용되는 地段에 대해서는 철도국이나 회사로부터 보상금을 지급하며(제11조).
④ 각종 소용물품은 국산품을 사용하고(제12조).
⑤ 技師와 技手는 우리나라의 철도학교 졸업자를 고용할 것(제13조).[49)]

---

46) 『日本外交文書』 제36권, 657문서 1903.3.28.
47) 『日本外交文書』 제36권, 657, 659문서, 1903.4.1 ; 『記錄』 15, 155~156쪽. 41문서 1903.3.10. 불과 몇 개월 사이에 대한철도회사의 사장이 李載完 · 李圭桓 · 鄭顯哲 등으로 자주 바뀐 것은 일본에 의해 이들이 조종되어진 듯한 인상이 짙다.
48) 『日本外交文書』 제36권, 660문서 1903.7.9.
49) 『日本外交文書』 제36권, 655문서 1903.7.20 ; 『記錄』 15, 170~172쪽. 55문서 1903.7.20.

이 장정을 일견하면 프랑스와 체결하였던 경의철도계약보다 자주적인 것처럼 보였지만, 결정적인 함정은 일본이 노리고 있는 社債募集 조항이었다.

대한철도회사의 朴琪淙 등은 청원서와 장정을 제출한 후 일본으로부터 40만 원의 운동자금을 지원받았다. 그들은 이 자금과 회사의 인맥을 동원하여 황실과 정부 요로와 은밀히 교섭하였다. 그들은 황실에 매년 5만 원의 보조비를 상납하는 조건으로 경의선 부설공사를 대한철도회사에 허급한다는 啓字詔勅을 내려 줄 것을 요청하였다. 또 서북철도국에는 李容翊과 친분이 두터운 李寅榮을 내세워 京義鐵道工事專擔契約을 체결하자고 요구하였다.[50]

일본이 막후에서 지원한 박기종 등의 교섭활동은 효과를 나타내, 1903년 7월 13일 서울-평양의 철도건설을 대한철도회사에 맡긴다는 칙령이 내렸다.[51] 그리고 같은 해 8월 19일 서북철도국은 대한철도회사와 大韓鐵道會社全擔協定을 맺었다. 이 협정의 골자는 아래와 같았다.

> ① 서울-개성 철도부설권은 대한철도회사가 전임하고,
> ② 모든 공사대금은 준공 후에 서북철도국이 給與하되, 그것을 전부 급여할 때까지는 철도 운영권은 대한철도회사가 소유하며,
> ③ 평양-의주 철도에 대해서는 차후에 다시 협정한다.[52]

이로써 서북철도국은 명목상의 감독관청으로 전락하고, 서울-평양 철도부설권은 대한철도회사가 장악하게 되었다. 그리고 서북철도국이 담당

---

50)『日本外交文書』제36권, 661문서 1903.7.14.
51)『日本外交文書』제36권, 664문서 1903.7.20 ;『記錄』15, 179~180쪽. 61문서 1903.8.24.
52)『日本外交文書』제36권, 668문서 1903.8.24.

하던 서울-개성 철도공사도 대한철도회사가 계승하게 되었다. 일본이 경의선 부설권을 탈취하기 위해 획책해온 은연한 방법의 제1단계가 성공한 셈이었다.

일본은 곧 경의선을 장악하기 위한 은연한 방법의 2단계를 실현시켰다. 1903년 9월 8일 제일은행 인천지점의 綱戶得哉를 자본주로 내세워 대한철도회사의 鄭顯哲 사장과 京義鐵道借款契約을 체결한 것이다. 전문 13개조인 이 계약의 주요 내용은 다음과 같았다.

> ① 서울-의주 철도부설에 필요한 일체 자금은 자본주로부터 借用할 것(제1조).
> ② 借用金額 및 附帶利息을 청산할 때까지 철도의 건설 및 운전에 관한 일체 工務를 자본주가 전임할 것(제2조).
> ③ 차용금의 이자는 연리 6%로 하고 償却의 방법은 철도 개통 후 매년 순이익 중에서 10분의 8을 자본주에게 支辨할 것(제3조).
> ④ 철도건설에 필요한 부지의 매수 및 가옥의 이전 등 일체 일은 자본주의 계획대로 실행할 것이며 철도의 건설과 운전에 필요한 모든 재료에 대해서는 수입세를 면제할 것(제5조).
> ⑤ 철도 건설자금은 우선 2,500만원으로 하고 所用에 따라 증액할 것(제7조).
> ⑥ 자본주는 30개월 이내에 서울-개성 사이 철도를 준공할 것.[53]

경의철도차관계약은 문자 그대로 대한철도회사에 차관의 굴레를 씌워 일본이 철도부설권을 장악하려는 것이었다. 대한철도회사는 단지 일본의 이익을 관철하기 위해 서북철도국이나 한국정부를 상대로 교섭을 대행하

53) 『日本外交文書』 제36권, 683문서 1903.9.1 ; 「京義鐵道契約書」 및 「附隨約款」, 『目賀田家文書』 十册, 所收 日本 國會圖書館 憲政資料室 所藏 ; 『記錄』 15, 184~188쪽; 70문서 1903.9.2.

는 창구에 불과하였다. 더구나 같은 날 체결된 附隨約款은 다음과 같은 조건을 규정하였다.

> ① 대한철도회사가 서북철도국이 이미 건설 중이던 서울-개성 土工工事를 모두 讓受하고,
> ② 대한철도회사가 그 이전에 특허를 받은 서울-元山 철도부설권에 대해서도 일본 자본주와 社債契約을 체결할 것 등.[54]

위와 같은 과정을 거쳐 경의선 뿐만 아니라 경원선 부설권까지도 일본에 빼앗겨버릴 위기에 처하게 되었다.

3) 일본군부의 부설권 탈취

일본이 경의선 부설권을 장악한 것은 일본세력이 한반도 서북부지역까지 확대된다는 것을 의미하였다. 그 너머는 만주였다. 일본의 야망은 어느새 만주를 향해 불타고 있었다. 그러나 만주에서는 러시아가 이미 강고하게 기반을 구축하고 있었다. 러시아는 일본세력이 평양 이북으로 확장되는 것조차 반대하고 있었다. 이에 일본정부는 1903년 6월 각의에서 아래와 같은 對露協商 방침을 결정했다.

> 경부 · 경의철도를 滿洲鐵道 및 關外鐵道와 연결시키는 것이 일본의 방위와 경제활동에 있어서 가장 중요한 일이다. 일본이 만주에서 러시아 철도이권의 특수성을 인정하는 대신에, 러시아는 한국에서의 일본의 우세한 이권을 승인한다. 일본이 한반도의 철도를 만주 남부로 확장하여 東淸鐵道와 山海關의 牛莊鐵道에 접속시키는 것을 러시아가 방해하지 말도록 요구한다.[55]

---

54) 『日本外交文書』 제36권, 683문서 1903.9.10.

일본의 對露協商 방침은 駐露 栗野 공사를 통하여 러시아에 전달되었다. 러시아가 이에 응할 까닭이 없었다. 오히려 러시아는 한국정부에 경의선 부설권을 양도해 줄 것을 재차 요청하였다. 한반도 서북부로 일본세력이 확장하는 것을 저지하겠다는 의사를 명백히 밝힌 셈이다.[56] 러시아는 다음과 같이 좀 더 구체적인 협상안을 일본에 제시하였다.

① 러시아가 한반도에서 일본의 우세한 이익을 인정하는 대신에 일본은 한국영토의 일부라도 군략상 목적으로 사용하지 말 것.
② 북위 39도 이북에 있는 한국의 영토를 중립지대로 간주하여 양국이 모두 군대를 끌어들이지 말 것.
③ 만주 및 그 연안은 전혀 일본의 이익범위 밖에 있다는 사실을 일본이 인정할 것.[57]

여기에서 러시아가 말하는 북위 39도 이북이란 평양 이북, 곧 일본이 장악하고 싶어 하는 경의선의 북부지역이었다. 일본이 대한철도회사와 경의철도차관계약을 맺어 확보한 경의선 부설권은 서울–평양뿐이었고, 실제로 대한철도회사가 부설공사를 할 수 있는 구간은 서울–개성이었다. 따라서 북위 39도 이북을 중립지역으로 하자는 러시아의 제안은 경의선의 북쪽 종점을 평양으로 묶어두려는 것을 의미했다. 러시아는 일본세력의 북상을 평양에서 저지할 작정이었다. 만주에 대해서는 일본이 손도 못 대게 할 태세였다.

일본과 러시아의 치열한 물밑교섭을 간파한 일본 자본가들이 총대를

---

55) 「滿韓ニ關スル日露協商ノ件」, 1903.6.23, 『日本外交年表竝主要文書』, 210~212쪽.
56) 『日本外交文書』 제36권, 662문서 1903.7.18 ; 『記錄』 16, 141~143쪽; 32문서 1903.2.27.
57) 「栗野公使提示ノ我日露交涉基礎案及露公使對案」, 1903.9.12 ; 10.3 『日本外交年表竝主要文書』.

메고 나섰다. 경부철도주식회사의 발기인으로서 일본이 경부선 부설권을 차지하는 데 큰 공로를 세운 竹內綱은 1903년 9월 자본금 2천만 원의 營義鐵道株式會社創立趣意書를 일본정부에 제출하였다. 골자는 경의선의 종점인 의주로부터 만주의 安東 · 大弧山을 거쳐 大石橋(이곳에서 러시아가 건설한 東淸鐵道의 남만주지선철도와 교차한다)를 지나 遼河流域의 營口(이곳에서 영국이 건설한 京奉鐵道의 지선인 牛莊線과 교차한다)에 이르는 336 km(210마일)의 철도를 건설한다는 것이었다.[58] 일본정부는 민간의 이런 움직임을 러시아에 대한 반감을 고취하는 여론몰이에 활용했다.

일본정부는 러시아에 수차례에 걸쳐 다음과 같은 사항을 요구했다.

① 북위 39도선 이북지역의 중립화안을 철회할 것.
② 경의선을 만주로 확장하는 것을 방해하지 말 것.
③ 만주에서 일본인의 상업상의 자유를 인정할 것 등.[59]

반면에 러시아는 일본에 대하여 다음과 같은 주장을 되풀이했다.

① 한반도를 軍略上으로 이용하지 말 것.
② 북위 39도선 이북을 중립지대로 공인할 것.
③ 만주는 일본의 이익범위 밖에 있다는 사실을 인정할 것 등.[60]

양측 주장의 핵심은 경의선과 그 연장선상에 있는 만주철도를 누가 장악하느냐에 있었다.

---

58) 竹內綱, 1920, 「京義 · 營義鐵道會社創立趣意書」, 『京釜鐵道經營回顧錄』, 竹內家所藏, 107~109쪽.
59) 「日露交涉最終提案に關する閣議決定」, 1904.1.12. 위의 책.
60) 「日露交涉最終提案に關する閣議決定」, 1904.1.12. 위의 책.

일본과 러시아의 6개월에 걸친 협상은 결국 결렬되었다. 양국은 전쟁으로 치달았다. 일본정부는 전쟁도발을 앞두고 1903년 12월 28일 경부선의 速成勅令을 내렸다. 1904년 말까지 경부선을 완공하라는 것이다. 그리고 이틀 후인 30일 각의에서, 한국을 일본의 세력 아래 두는 것은 당연하지만, 名義를 바르게 하는 것이 得策이므로, 청일전쟁 때와 같이 攻守同盟 혹은 보호협약을 체결하는 게 좋다는 對韓政策을 결정했다.[61] 한일의정서의 체결을 암시한 것이다.

일본정부는 러시아에 대한 선전포고를 나흘 앞둔 1904년 2월 6일 군대와 군수품을 수송한다는 명목으로 경의선을 일본군용철도로 부설하겠다는 방침을 결정하였다.[62] 또 같은 달 21일 일본군의 兵站總監 휘하에 臨時軍用鐵道監部를 편성하고, 이 부대로 하여금 경의선을 직접 부설하도록 명령하였다.[63] 나아가 이틀 후 군대를 동원하여 局外中立을 선언한 한국정부를 위협하여 1904년 2월 23일 韓日議定書를 체결하였다. 이 의정서의 제4조에는 다음과 같은 내용이 들어있었다.

> 제3국의 침해에 의해 혹은 내란 때문에 대한제국 황실의 안녕 또는 영토의 보전에 위험이 있을 경우에는 대일본제국정부는 신속하게 臨機必要의 조치를 취할 것, 그리고 大韓帝國政府는 위의 대일본제국정부의 행동을 용이하게 하기 위하여 충분한 편의를 제공할 것, 대일본제국정부는 前項의 목적을 달성하기 위하여 군략상 필요한 지점을 臨機收用할 수 있을 것.[64]

---

61) 「對露交渉決裂の際日本の採るべき對淸韓方針」, 『日本外交年表竝主要文書』, 219쪽.
62) 『朝鮮鐵道史』, 1929, 271쪽.
63) 『朝鮮鐵道史』, 1937, 547쪽.
64) 國會圖書館 立法調査局, 1964, 『舊韓末條約彙纂(1876~1945)』 上卷, 65~69쪽, 「韓日議定書」; 『日本外交年表竝主要文書』, 223~224쪽, 「日韓議定書」. 러일전쟁기 한국정부의 중립화 정책에 대해서는 梶村秀樹, 1980, 「朝鮮からみた日露戰爭」 (一) (二), 『史潮』 7 · 8, 日本歷史學會를 참조.

이 의정서가 맺어지는 과정과 내용은 청일전쟁 당시의 조일잠정합동과 비슷했다. 일본정부는 이 의정서를 빙자하여 이미 각의에서 결정한 경의선 군용화 방침을 뒤늦게나마 한국정부에 다음과 같이 통보했다.

> 日露宣戰의 결과 我大軍이 貴國 北境을 거쳐 北進함에 當하여, 그 군대 및 군수품 등의 大輸送을 요하기 때문에 京義間에 군사철도를 건설하여 아군의 행동을 민활하게 할 것.[65]

일본정부의 일방적 결정과 통고는 한국의 주권을 철저히 짓밟은 침략행위라고 할 수밖에 없다.

그런데 경의선을 군용철도로 부설하기 위해서는 일본이 그 전에 대한철도회사와 체결한 경의철도차관계약을 파기할 필요가 있었다. 일본정부는 1904년 3월 12일 대한철도회사의 鄭顯哲 사장에게 아래와 같은 公翰을 보냈다.

> 경의철도는 帝國軍隊가 부설하지 않으면 안 되는 불가항력이 생겼기 때문에 京城 · 義州間에 私設鐵道를 부설하는 것은 불가능한 일.[66]

이로써 대한철도회사와 일본 사이에 맺어졌던 경의철도차관계약은 하루아침에 휴지가 되었다. 일본정부는 여기서 그치지 않고 서북철도국이 소유하고 있던 서울−개성 노선 實測圖마저 곧바로 빼앗았다.[67]

일본정부는 형식적이나마 경의선의 부설과 운영에 대해 감독권을 가

---

65) 『舊韓國外交文書』 제6권, 日案6 7849문서 1904.2.25.
66) 『記錄』 23, 199쪽, 문서 1904.3.4, 200쪽, 211문서 1904.3.5 ; 『日本外交文書』 제37권, 511문서 1904.3.4.
67) 『舊韓國外交文書』 제6권, 日案 6 7886, 7920문서 1904.3.20.

지고 있던 서북철도국조차 폐지시키려고 획책하였다. 주한 林 공사는 임시군용철도감부가 경의선 건설공사를 시작하자마자 서북철도국이 예산만 낭비하는 冗官에 불과하다는 이유를 내세워, 外部大臣 李夏榮에게 이것의 폐지를 요구하였다.[68] 일본의 이러한 요구는 그 후에도 끈질기게 계속되었다. 일본의 강압에 견디다 못한 한국정부는 결국 1904년 8월 서북철도국을 폐지하고 그 임무를 鐵道院에 통합시켰다.[69]

일본군부의 경의선 부설은 한국의 철도자력건설운동을 압살했을 뿐만 아니라, 일본의 무력지배를 전국으로 확산시켰다. 반면에 일본에 대한 한국인의 항쟁을 격화시키는 기폭제가 되기도 하였다.

3. 일본의 군용철도부설과 공사 청부

1) 일본군의 공사 작전

경부선이 일반공사의 단계를 거쳐 속성공사로 돌입해 갔던 것에 비하여, 경의선은 처음부터 일본군대가 직접 돌관공사에 나섰다. 러일전쟁을 수행하기 위한 돌격작전의 일환이었다. 일본정부는 러시아에 선전을 포고하기 직전인 1904년 2월 9일에 참모본부 · 외무 · 육군 · 체신 등 各省의 總意로서 일본군 산하의 鐵道大隊와 工兵 5개 대대를 주력부대로 하는 臨時軍用鐵道監部를 설치하기로 결의했다. 그리고 같은 해 3월부터 이들을 한국에 상륙시켜 경의선 부설공사에 착수하도록 하였다.[70]

---

68) 『舊韓國外交文書』 제7권, 日案 7 8072문서 1904.5.24.
69) 『皇城新聞』 1904.8.12. 雜報, 「西鐵合附」.
70) 『朝鮮駐箚軍歷史』, (金正明 편, 『日韓外交資料集成別册』), 244쪽. 臨時軍用鐵道監部는 처음에 兵站總監의 예하에 속했다가, 1904년 3월 14일에 한국주차군사령관

임시군용철도감부의 渡韓에 앞서 兒玉 兵站總監은 山根 鐵道監에게 다음과 같은 취지의 훈령했다.

> 군사상의 요구 때문에 완전한 철도의 구축을 기다릴 수 없다. 일단 위험 없이 필요한 물자를 수송할 수 있을 정도의 철도를 신속히 부설해야 한다. 임진강 교량 등은 훗날로 미루고 人馬 등의 渡江은 船橋를 이용해야 한다. 나중에 보수공사를 속행하여 운수영업에 적합한 철도를 완비해야 할 것이다.[71]

만주에서 러시아와 일전을 겨뤄야 하므로 경의선은 급한 대로 군수물자를 운반할 수 있을 정도만이라도 신속히 건설하라는 명령이었다.

일본의 여론은 더욱 격렬했다. 경의선의 속성이 전략상 결코 태만할 수 없는 것이라면, 경부선의 속성에 필요한 비용과 노력을 모두 경의선 공사로 옮기고, 전속력으로 비상하게 공정을 서둘러 결빙기 전에 공사를 끝내야 한다는 논조였다.[72]

임시군용철도감부는 電光石火처럼 경의선 부설공사를 추진했다. 경부선과 같이 정밀하고 신중하게 노선이나 궤간을 선정할 여유가 없었다. 임시군용철도감부에 소속된 30여명의 실측반원은 주로 5만분의 1 지도를 활용하여 노선을 선정했다. 이른바 圖上로케이션이었다.[73] 용산–개성 노선은 대한철도회사로부터 빼앗은 실측도를 참고하여 그대로 채택하였

의 관할하로 들어갔고, 同年 8월 9일부터는 다시 병참총감의 예하로 복귀하였다. 또 同年 8월 22일부터 그 밑에 馬山浦鐵道建築班이 설치되어 삼랑진–마산 사이에 군용철도를 부설하기도 하였다.

71) 「京義鐵道敷設に關する訓令」, 日本 外務省 外交史料館所藏 文書, 1904.2.26. 『朝鮮鐵道史』, 1937, 354~355쪽 ; 『記錄』 23, 23, 28쪽, 87 문서.

72) 「寧ろ京義線の速成を謀る可し」, 『時事新報』 사설 1904.4.9.

73) 『朝鮮鐵道史』, 1937, 355~358쪽.

다.[74] 나머지 구간도 대부분 그전부터 사용하고 있던 京義街道를 따랐다. 그리하여 경의선 부설작전을 시작한 후 3개월 만에 약 500 km(311마일)에 이르는 경의선의 모든 노선을 선정할 수 있었다(<지도 4−1> 참조).[75]

임시군용철도감부는 실측반원에게 기술상의 규정과 주의를 다음과 같이 환기시켰다. 선로의 最急勾配는 1 %(100분의 1), 최대 곡선반경은 약 402m(20鎖)를 한도로 하되, 급속개통을 요하는 현실적 여건을 감안하여 勾配를 2.5 %(40분의 1) 또는 3.3 %(30분의 1), 곡선반경을 약 201m(10鎖)까지 완화하도록 한다. 일본군은 전쟁 중에 임시변통으로 경의선에 일단 열차가 굴러갈 정도의 공사를 하고 전쟁 후에 개량공사를 실시하여 보완하겠다는 방침이었다.[76]

속성을 위주로 한 경의선 공사는 임시군용철도감부가 총괄적인 감독을 맡고 철도대대가 선로의 측량, 궤조의 부설, 교량의 가설을 담당하며, 공병대대가 노반공사를 전담하는 방식으로 추진되었다.[77] 첫 구간인 龍山−開城 철도공사는 일본군이 시공했는데, 그 내역은 다음과 같았다. 鐵道大隊(용산−新場里), 工兵 第4大隊(新場里−鶴峴), 第1師團 工兵隊(鶴峴−臨津江), 工兵 第6大隊(臨津江−土城), 第3師團 工兵隊(土城−碧瀾渡) 등.[78] 이때 동원된 일본군인 및 민간고용인은 3천 6백 명을 상회하였다. 물론 공사를 현장에서 실행한 사람들은 대부분 한국인 노동자들이었다.[79](<사진 4−1> 참조).

그런데 전체 48개 공구 약 500 km(311마일)에 달하는 경의선 공사를

---

74) 『舊韓國外交文書』 제5권, 日案 6, 7886문서 ; 7920문서, 1904.3.20.
75) 『朝鮮鐵道史』, 1937, 358~361쪽.
76) 『朝鮮鐵道史』, 1937, 358~361쪽.
77) 『朝鮮鐵道史』, 1937, 355쪽.
78) 『朝鮮鐵道史』, 1937, 547~551쪽.
79) 『朝鮮鐵道史』, 1937, 364~365쪽; 547~551쪽. 임시군용철도감부가 1906년 8월에 한국의 통감부에 인계되기 직전의 常用 日本人數는 2,353인, 韓國人數는 246인이었다.

모두 일본군대가 직접 부설한다는 것은 처음부터 무리한 일이었다. 일본군은 강제력을 행사하여 한국인 노동자를 賦役의 형태로 대거 철도공사에 동원하였다. 그렇지만 감독자 수가 많이 부족하고 철도재료의 공급도 자주 지연되어 철도공사는 목표대로 진척되지 못하였다. 그리하여 임시군용철도감부는 곧 경의선 건설공사를 일본 토건회사에 청부할 수밖에 없게 되었다.[80)]

일본군의 돌관공사 강행으로 경의선의 모든 구간은, 清川江 · 大寧江 등의 철교를 제외하고, 1905년 4월 말까지 일단 개통을 보게 되었다. 그렇지만 경의선은 40분의 1 이하의 勾配와 8鎖 이하의 곡선반경을 많이 채용하고 목조교량을 곳곳에 가설하여 겨우 22톤 차량 3대가 통과할 정도의 부실공사였다.[81)] 그렇다 하더라도 500여 킬로미터에 달하는 방대한 철도망을 1년여의 공사기간에 완공하였다는 것은 분명히 기적에 가까운 일이었다.

일본정부가 경의선 부설공사에 지출한 금액은 1천 17만 원으로서, 1.6 lm(1마일) 평균 3만 1천여 원이었다. 공병대대에서 지출한 피복 · 식량 · 사무용품비 25만 원과 육군성에서 지출한 철도재료비 8백 18만 원 및 수송비 140만 원을 가산한다 하더라도 총 건설비는 2천여 만원에 불과하였다. 군대의 지출을 포함하더라도 경의선의 건설비는 1.6 lm 평균 6만 1천여 원에 지나지 않았다.[82)]

일본의 경의선건설이 임금과 물가가 폭등하고 재료와 인력의 공급이 충분하지 못한 전쟁기간 동안에, 그것도 경부선 건설보다도 저렴한 가격

---

80) 『朝鮮鐵道史』, 1937, 370~371쪽 ; 『記錄』 23, 268~269쪽, 394문서, 1904.6.4.
81) 管野忠五郎編, 1967, 『日本鐵道請負業史』(明治篇), 鐵道建設協會, 448쪽.
82) 『朝鮮鐵道史』, 1937, 389쪽 ; 朝鮮總督府鐵道局, 『朝鮮鐵道四十年略史』, 59쪽. 아래에서는 이 책을 『四十年略史』로 약칭하겠다.

으로, 더 짧은 기간에 완공되었다는 사실은 한국에서 노동력과 물자의 수탈이 얼마나 가혹했는가를 오히려 명백하게 말해주는 것이다. 실제로 일본은 경의선 연선에 철저한 군사지배체제를 구축하고 철도용지와 건설재료를 약탈하였다. 연선주민을 강제로 동원하여 무자비하게 使役했음은 말할 필요도 없다. 그러므로 경의선의 돌관공사는 한국인에 대한 무단적 탄압과 살인적 수탈을 통해서만 가능했다고 할 수 있다.

2) 일본 토건회사의 독점

임시군용철도감부는 경의선 건설공사가 시작된 지 얼마 지나지 않아 용산－개성－碧蘭渡의 제1착수 구역을 10개 공구로, 개성－평양의 제2착수 구역을 20개 공구로, 평양－신의주의 제3착수 구역을 18개 공구로 나누어, 각각 일본 토건회사에 공사를 청부하였다.[83] 임시군용철도감부가 경의선의 직영 건설방침을 바꾸어 청부공사체제로 전환한 까닭은 鐵道監이 1904년 6월 8일 일본정부에 건의한 다음의 글에 잘 나타나 있다.

> 現今 內地(일본－인용자) 토목업자가 當地에 雲集하여 다투어 業(철도건설공사－인용자)에 종사하려 한다. 이것은 두 번 다시 얻기 어려운 好機이다. 공사감독 등은 현재 파견한 측량원에 약간을 증가시키면 가능할 것이다. 이렇게 하면 인천 이북의 각 항구가 氷結하기 전에 토공을 끝내는 일은 어렵지 않을 것이고, 재료의 운수와 工夫의 배치가 희망대로 진척된다면 結氷前에 大架橋를 제외한 全線의 개통이 반드시 불가능한 것만은 아니다.[84]

83) 『四十年略史』, 375～377쪽.
84) 『四十年略史』, 56쪽.

일본군의 방침대로 겨울이 다가오기 전에 경의선 부설을 완공하기 위해서는 철도공사에 참여하고자 혈안이 되어 있는 일본 토건회사들을 적극적으로 활용하는 게 得策이라는 것이다. 일본정부의 재가를 받은 임시군용철도감부는 일부 직영공구를 제외하고 대부분의 공사를 청부로 돌렸다. 일본 토건회사들이 앞다투어 경의선 공사에 참여한 것은 물론이다.

때마침 일본 국내는 경제계의 전반적 불황으로 인해 철도건설이 거의 중단된 상태였다. 더구나 러시아와의 전쟁에 총력을 기울이기 위하여 소규모의 토목공사도 연기되거나 취소되었다. 그리하여 일본 토건회사들은 일감을 얻지 못해 대부분 빈사상태에 놓였다. 이런 상황에서 임시군용철도감부가 일본 토건회사들에게 공사를 청부하고, 게다가 그들의 전면적 참여를 유도하기 위하여 공사구간을 될 수 있는 한 세분화하여 공개경쟁입찰에 부치자, 일본 토건회사들은 공사규모의 대소를 불문하고 속속 경의선 공사현장으로 몰려왔다.[85]절

임시군용철도감부는 龍山 · 南川店 · 兼二浦에 건축반을, 安州 · 車輦館에 감독소를 두고 공사를 지휘 · 감독했다. 그리고 제1착수 구간 서울－開城(75.6 km, 1904.3~1905.12), 제2착수 구간 開城－平壤(160.9 km, 1904.4~1905.4), 제3착수 구간 平壤－義州(225.3 km. 1904.5.~1905.4)를 48개 공구로 세분하여 청부하였다. 각 구간의 공사에는 제1사단 공병대, 공병 5개대대, 철도대대 등의 일본군 부대와 大倉組 · 間組 · 吉田組 · 久米組 · 鹿島組 · 志岐組 · 杉井組 · 阿川組 · 岩岐組 · 江森盛孝 · 森淸右衛門 · 植田組 · 大林組 · 松本勝太郎 · 盛陽社 · 菅原工務所 · 北陸土木會社 등의 일본 토건회사가 참여하였다.[86]

85) 菅野忠五郎編, 1967, 앞의 책, 432~433쪽.
86) 『朝鮮鐵道史』, 1929, 278~279쪽, 지도를 참조할 것.

경부선과 경의선 속성공사에 참가한 30여개의 토건회사는 일본의 주요 청부업자를 망라한 것이었다. 토건업계의 불황에 대처하기 위한 방편으로 일본 국내에서 조직된 日本土木組合의 회원회사가 모두 한국에 진출함으로써 이 조직이 자동적으로 해체되고, 이와 비슷한 성격을 띠고 창립된 土木俱樂部는 그 조직 자체가 부산으로 옮겨 왔다. 이러한 사실은 일본의 토건업계가 송두리째 한국에 진출했음을 웅변한다.[87]

전시 속성공사체제하에서 노선 측량, 철도용지 수용, 선로 건설 등이 동시에 이루어지던 경의선 공사에서는 토건회사들이 도면 한 장을 훑어보고 견적을 내어 입찰에 응하였다. 그리하여 이익은커녕 손해를 보면서 낙찰하는 경우가 비일비재하였다. 더구나 공사구간마저 세분화되어 있어서 토건회사들은 단구간의 공사를 분산적 또는 간헐적으로 청부하는 경우가 많았다. 토건회사들은 손해를 만회하기 위해 노동자의 사역을 강화하고 임금을 수탈했다. 또 청부를 담합했다. 개중에는 이런 정도가 심하여 군법회의에 회부되어 처벌을 받은 경우도 있었다. 이처럼 무리한 청부공사는 자본이 허약한 토건회사들에게 타격을 주어 경의선 속성건설 자체에 차질을 가져올 지경이었다.

그럼에도 불구하고 경부선과 경의선 부설공사는 일본 토건업이 비약적인 발전을 이룩할 수 있는 결정적 계기가 되었음에는 틀림없다. 나중에 統監府 鐵道管理局은 경의선의 개축공사를 전면적으로 실시하면서 전쟁 중에 이들이 입은 손실을 모두 補塡해 주었다.

---

87) 社團法人 土木工業協會·電力建設業協會, 1971, 『日本土木建設業史』, 93쪽; 129쪽.

4. 토지와 노동력의 강탈 그리고 항쟁과 보복

1) 토지의 탈취와 저항운동

(1) 철도 연선의 개황

경의선은 처음부터 일본의 군용철도로서 전쟁기간 중에 부설되었기 때문에 부지수용의 규모와 방법이 경부선보다도 훨씬 더 악랄했다. 일본 정부는 처음부터 경의선 부지를 최대한 확보하려고 애썼다.

일본군 병참총감 兒玉 중장은 러일전쟁의 시작과 더불어 1904년 2월 임시군용철도감 山根 소장에게, 소유주가 누구든 간에 경의선의 복선 건설을 상정하여 선로 · 정차장 · 창고 용지는 물론이고, 군수품을 쌓아놓거나 싣고 내리는데 불편이 없도록 충분히 점유하라고 훈령했다.[88] 일본은 군사적 견지에서 경의선이 경부선과 함께 안봉선(안동−봉천, <지도 1−1>의 ⓐ)을 거쳐 중국대륙의 여러 철도 및 러시아의 시베리아철도와 연락하여 세계교통의 간선이 되어야 하기 때문에, 사정이 허락하는 한 넓은 부지를 확보해야 한다는 명분을 내세웠다.

일본의 육군대신은 러일전쟁이 한창인 1904년 8월 한국에 파견한 군용지수용 전문위원에게 훈령을 내려 정차장에 근접한 곳에 광대한 군용지를 확보하라고 지시했다.[89] 일본의 한국철도정책은 이른바 '國防共衛經濟共通'이라는 슬로건에 압축되어 있었는데, 철도용지와 그에 인접한 군용지를 광대하게 확보하는 것이야말로 그 정책을 실행하는 첫 걸음인 셈이었다.[90]

---

88) 日本 外務省 外交史料館所藏 文書, 1−7−3−35, 「京釜鐵道敷設ニ關スル訓令」, 1904. 2.26, (小村 外相→林 駐韓公使).
89) 『朝鮮駐箚軍歷史』(金正明편, 『日韓外交資料集成』 별책 소수), 251~252쪽.
90) 『朝鮮駐箚軍歷史』, 4쪽.

일본군은 우선 경의선 · 마산선 · 경원선의 철도부지로서 1,795만 평을 한국정부에 요구했다. 선로 부지는 당연히 복선용이었고, 각 정거장 부지는 길이 800 m, 폭 300 m로서 23만 7,798 m²(7만 2,060평) 이상이었다.[91] 특히 정치 · 군사의 요충지인 용산역은 약 149만 9천 m²(45만 4,201평), 평양역은 약 239만 4천 m²(72만 5,588평), 신의주역은 약 343만 4천 m²(104만 712평)이나 되었다. 일본군은 이 철도들이 군용이라는 명목을 내세워 상상을 초월하는 광대한 부지를 내놓으라고 한국정부를 압박했다.[92]

한국과 일본의 관계당국은 경의선 부지를 둘러싸고 수차례 교섭을 되풀이했다. 그 경과에 대해서는 용산역 일대의 군용지를 다루는 다음 항에서 자세히 살펴보기로 하고, 여기에서는 경의선 전체의 개요만을 언급하겠다.

한국과 일본이 1904년 8월 무렵 일단 합의한 경의선 선로 부지는 약 2,651만 2천 m²(803만 4천여 평), 정차장 부지는 약 1,607만 6천 m²(487만 1,406평), 기타 용지는 약 549만 8천 m²(166만 6천여 평)이었다. 이때 용산역의 면적은 약 166만 6천 m²(50만 4,935평)로서 애초 요구보다 꽤 늘어났고, 평양역은 약 116만 2천 m²(35만 2,268평), 신의주역은 약 930만 6천 m²(62만 1,879평)로서 상당히 줄어들었다. 반면에 각 정차장의 평균 면적이 크게 늘어나 약 34만 9천 m²(10만 5,892평)나 되었다. 정차장에 인접한 군용지는 엄청나게 불어났다. 예를 들면 용산 약 990만 m²(300만 평), 평양 약 1,313만 4천 m²(398만 평), 義州 약 930만 6천 m²(282만 평) 등이었다.[93] 1904년 8월, 내부대신 李址容과 일본주차군사령관 長谷川好道는 군용지로 수용되는 토지에 대해 20만 원의 보상금을 지급하자는 각서를 체결했다.[94]

---

91) 『朝鮮鐵道史』, 1929, 288쪽; 654~656쪽.
92) 『朝鮮鐵道史』, 1929, 288쪽; 654~656쪽.
93) 『朝鮮駐箚軍歷史』, 251~252쪽.
94) 日本外務省, 『日本外交文書』 제38권 (一), 522문서 「南大門外軍用地收用ノ件」,

일본은 군용지 수용가에 준하여 철도용지도 헐값에 매수하려고 획책했다. 경부선처럼 한국정부가 철도용지를 무상으로 일본에 제공하도록 하는 것이 아니라, 일본 스스로 몇 푼이라도 소유자에게 보상비를 지불하겠다는 것이다. 후환을 없애기 위한 속셈이었다. 일본은 경의선 예정지 약 1천 5백만여 평 중에서 한국정부가 무상으로 제공할 수 있는 관유지 375만 평을 제외하고, 사유지 1천 1백 25만 평에 대해 모두 359,000원을 지불할 작정이라고 한국정부에 통고했다. 실제로 임시군용철도감부는 그 중에서 189,000원을 러일전쟁 중에 수시로 소유주에게 지급했다. 그리고 러일전쟁이 끝난 후 일본이 한국에 설치한 통감부는 한국정부에 나머지 부지 수용대금 17만 원을 교부할 뜻을 밝혔다. 그렇지만 한국정부는 이처럼 약소한 금액으로는 연선주민을 달랠 수 없다고 버텼다. 대표적인 친일 매국노 李完用조차도 統監 伊藤博文에게 일본군이 직접 지불하라고 떠밀었다. 이 보상비는 시가의 10분의 1에도 미치지 못하였기 때문이다.[95]

일본군이 자행한 경의선 부지수용은 폭력적 탈점 바로 그것이었다. 일본군은 곡물이 생장하고 있는 전답을 맘대로 빼앗고 사람이 거주하는 가

1905.9.20. (林 公使→桂 外相)위와 같음. 일본측이 한국정부가 지출해야 할 군용지 보상비를 대신 교부하면서 내세운 표면적 이유는, "한국정부의 재정현상을 고려하고 또 한국민의 곤란을 가급적 감소시키기 위하여 한국정부가 該地所를 수용하는 비용을 보족하기 위함"이라는 것이었다. 그렇지만 이 논리는 일본주차군 사령관이 "한국민은 27 · 8년 戰役(청일전쟁－인용자)의 예로부터 한국에 있는 일본의 諸設備는 일시에 그치어 전쟁이 종결되면 일본군은 모두 귀환하고 제시설은 모두 폐기되며 토지는 환원된다고 생각하게 되었다. 이것은 우리의 對韓政策上 득책이 될 수 없다. 때문에 영구적 시설에 착수하여 한인의 迷夢을 타파해야 한다"(『朝鮮駐箚軍歷史』, 253쪽)고 말한 것처럼, 경의철도부지의 경우와 같이 보상이라는 미명 아래 방대한 군용지를 항구적으로 탈점하려는 간교한 술책에 불과한 것이었다.

95) 日本外務省, 『日本外交文書』 제38권 (一), 522문서 「南大門外軍用地收用ノ件」, 1905. 9.20.

옥을 멋대로 훼철했다. 값싼 대금마저 제때 지불하지 않은 경우가 허다했다. 그리하여 경의선 연선 대부분에서는 일본군과 소유주, 소유주와 지방관 사이의 충돌이 그치지 않았다. 개중에는 민란과 같은 성격을 띤 곳도 적지 않았다. 그 중에서 주민이 많고 수용지가 넓은 平壤外城 5방(外川坊 · 平川坊 · 內川坊 · 龍山坊 · 古順和坊)의 경우가 특히 심했다. 지금부터 평양의 사례를 좀 더 자세히 살펴보자.

일본군은 평양외성 5방에서 수차례에 걸쳐 100만 평 이상을 철도부지와 군용지로 빼앗았다. 주민들은 總代를 內部에 파견하여, 전쟁이 끝나면 토지는 소유주에게 환급하고, 곡물 피해는 가격에 맞춰 보상하겠다는 약속을 일본군이 이행하도록 주선하라고 촉구하였다.96) 그렇지만 일본군은 약속을 지키지 않았다. 오히려 러일전쟁이 끝나자 만주에서 한국으로 귀환한 일본군이 주둔하여 삶의 터전마저 잃을 지경이었다.

한국정부는 분쟁을 해결하기 위하여, 1906년 8월부터 10월까지, 平壤軍用地調査委員과 京義鐵道調査委員을 임명하고, 실태를 조사하여 보상비를 지급하겠다는 방침을 천명하였다. 조사위원으로 임명된 漢城府尹 朴義秉은 평양외성 5坊을 둘러보고, 철도부지에 편입된 전답이 2,819,256 ㎡(42,716畝, 854,320평), 군용지에 편입된 전답이 692,934 ㎡(10,449畝, 209,980평), 훼파된 가옥이 390호 등이라고 산정했다. 그리고 땅값으로 평당 7전씩 보상하겠다고 밝혔다. 평양외성 5방 주민은 즉각 반발하였다. 그들은 일본의 앞잡이 관료에 속아 헐값으로 토지를 빼앗길 바에는 차라리 무상으로 국가에 헌납하겠다고 맞섰다.

평양외성 5방 주민의 집단항거에 부딪친 박의병 등의 관료는 보상비를 일단 은행에 예치하고, 郡守와 執綱 및 일본인을 동원하여 住民總代를 회

96) 『대한매일신보』 1906.4.15, 「總代請願」.

유하였다. 나아가 소유주에게 보상비를 수령하도록 협박하였다. 일본 헌병이 그들의 활동을 원호했다. 이 와중에서 박의병 등이 보상비 일부를 횡령하는 사건도 일어났다.[97)]

평양외성 5방 주민 중 일부는 지방관과 일본군의 회유와 협박에 못 이겨 시가의 10분의 1에도 미치지 못하는 보상비를 수령하였다.[98)] 그러나 주민 4~5천 명은 한 무리를 이뤄 평안남도 觀察府로 몰려가 관찰사와 담판을 벌였다.[99)] 그런데 이때 관찰사는 박의병 못지않은 친일관료 朴重陽이었다. 박중양은 이들을 난민으로 규정하여 주민총대를 잡아들이고, 일본과 한국의 순사로 하여금 杖劒으로 衆民을 구타하도록 사주했다. 그리하여 부상자가 다수 발생하였다.[100)]

평양외성 5방 주민의 저항운동은 일본의 토지침탈에 고통을 받던 한국인의 저항의식을 일깨우는 데 크게 기여했다. 전국에서 일본의 토지광점

---

97) 『대한매일신보』 1907.2.20, 잡보 「賣土總代」 ; 1907.3.6, 잡보 「日賣地段」; 1907.3.15, 잡보 「韓土歸日」;1907.3.27, 잡보 「韓土賣日」.

98) 『대한매일신보』 1907.6.16, 잡보 「평양군용지가 出給」.
이 당시 평양외성의 지가는 每坪 2~3圓이었다(『大韓매일신보』 1908.7.16. 잡보 「平民請願」). 맥켄지는 수용지가의 지급에 대해 다음과 같이 기술하고 있다. "일본군 당국에서는 지방의 광대한 요지와 서울 부근의 江岸지대와 평양 주위의 토지와 북으로 향하는 방대한 토지와 철도연변의 대부분을 점유하였다. 이와 같이 하여 수십만 에이커의 땅을 차지하였다. 명목상 한국정부에 상환금이 지불되었지만 그 액수는 실제 가격의 20분의 1을 초과하지 않았다. 대부분의 경우에는 한 푼도 보상을 받지 못하였지만, 어떤 사람들은 실제 가격의 10분의 1 또는 20분의 1을 받았다"(申福龍 역, 앞의 책 p.141).

99) 『대한매일신보』 1907.7.14, 잡보 「平民可哀」.

100) 『대한매일신보』 1907.7.16, 잡보 「是可忍乎」. 이때 被捉된 사람은 13명이었고, 總代 2인은 서울로 압송되었다. 총대들은 內部에서도 여전히 자신들의 주장을 굽히지 않았다. 일본의 군용지 탈점에 맞선 한국인의 저항운동 일반에 대해서는 송지연, 1997, 「러일전쟁 이후 일제의 군용지 수용과 한국인의 저항 : 서울(용산)·평양·의주를 중심으로」, 이화여대 석사논문을 참조할 것.

을 규탄하는 여론이 비등하였다. 일부 유생은 統監 伊藤博文에게 일본군의 만행을 힐난하며 공정한 대책을 세우라고 촉구하는 서한을 보냈다.[101]

한국정부는 1907년 8월 31일 臨時軍用及鐵道用地調査局을 설치하고 보상비 授受問題를 매듭지겠다고 나섰다.[102] 그러나 한국정부의 태도는 소유주의 처지에서 문제를 해결하려는 것이 아니었다. 오히려 일본의 편에 서서 사태를 빨리 마무리 지으려고 서둘렀다. 그런 의도는 조사국장에 또 악명 높은 친일매판관료 박의병을 임명한 데서 단적으로 드러났다. 박의병은 토지수용실태를 형식적으로 조사한 후, 이전처럼 평당 7전을 보상비로 분급할 의향이었다. 지주와 주민은 이에 항거했다. 박중양은 일본군의 협력을 받아 그들을 관아로 잡아들여 곤장 50대씩을 쳤다. 게다가 일부 보상비를 착복했다. 일본정부는 박의병과 박중양 등이 헐값으로 철도용지와 군용지를 수용한 공로를 인정하여 훈장을 수여했다.[103]

평양외성 주민 대표 金禹鏞과 洪鐘觀 등은 內部와 통감부를 찾아가 철도용지의 반환과 적절한 보상비 지급을 줄기차게 요구했다. 울분에 찬 中和郡의 의병은 철도용지를 조사하겠다고 출장 나온 임시군용급철도용지조사국장 박의병을 습격했다. 平山郡에서는 의병 수십 명이 경의선 선로 위에 화약을 몰래 설치하였다. 열차가 폭약을 맞아 일본인 승객이 부상을 입었다.[104] 그러나 일본군의 탄압과 매판관료의 농간으로 대부분의 지주와 주민은 제대로 보상을 받지 못하였다.[105]

---

101) 『대한매일신보』 1907.8.3, 別報 ; 1907.8.10, 別報.
102) 『官報』 제3863호, 「勅令 第19號 臨時軍用及鐵道用地調査局官制」, 1907.9.5.
103) 『대한매일신보』 1908.1.1, 寄書, 「夜叉觀察」.
104) 『대한매일신보』 1907.8.5, 잡보 「鐵路火藥」.
105) 『대한매일신보』 1908.7.16, 잡보 ; 『皇城新聞』 1908.1.10, 잡보 「朴氏幸免」.

(2) 용산역의 경우

<일본 군용지 수용의 참상>

일본은 1904년 2월 10일 러시아에 선전을 포고한 직후부터 한국에서 방대한 토지를 군용이라는 명목으로 빼앗기 시작했다. 일본은 이미 자신의 손으로 운수영업을 하고 있던 경인선을 활용하여 서울 일원에 군대를 대거 침투시켰다. 그리고 1904년 2월 23일 한국정부를 협박하여 '한일의정서'를 체결했다. 일본은 이 조약 제4조를 군용지 수용의 근거로 활용했다. 원문은 앞 절에 게재했으므로 골자 만을 적기하면, 일본이 대한제국 황실의 안녕과 영토를 지켜주고, 대한제국은 일본이 군략상 필요한 땅을 언제든지 마음대로 사용할 수 있도록 제공한다는 것이다.

일본의 원로회의와 각의는 1904년 5월 31일 벌써 러일전쟁의 승리를 예측하고 앞으로 한국에서 추진할 정책 밑그림으로서 '對韓方針'과 '對韓施設綱領'을 결정하였다. '대한방침'은 적당한 시기에 일본이 한국을 '보호국'으로 삼든지 일본에 '병합'하되, 그에 앞서 '한일의정서'에서 확보한 권리를 더욱 발전시켜 정치상 · 군사상 실권을 장악하고, 경제상에서 일본의 이권을 한층 더 도모한다는 내용이었다. '대한시설강령'은 이 같은 목적을 달성하기 위한 한국정책 방안으로서 다음의 여섯 가지를 내세웠다.

① 군사적으로는 일본군의 영구 주둔과 군략상 필요한 지점을 속히 수용할 것.
② 外政을 감독하여 외교권을 장악할 것.
③ 재정을 감독하여 징세법과 화폐제도 개량 등을 일본 고문관의 주도로 시행할 것.
④ 교통기관, 특히 경의선 · 경부선 등의 철도사업을 장악할 것.
⑤ 전신선을 비롯한 통신기관을 장악할 것.
⑥ 拓植을 도모할 것. 특히 일본 농민의 이주를 위해 한국의 토지를

開放하여 일본인의 토지 소유권을 가능케 하고, 鑛業 · 漁業 · 林業 등에서 이권을 확보할 것.[106]

'대한시설강령'에서도 군용지의 수용과 철도사업의 장악 등이 경영방침의 핵심이었음을 알 수 있다. 이에 따라 일본 육군대신 寺內正毅는 1904년 8월 初 陸軍省 軍務局 군사과장 岡市之助를 한국에 파견하여, 영구 군사기지를 조성하기 위한 군용지 조사 책임을 맡겼다. 그때 寺內가 岡市에게 하달한 군용지조사요령에는 다음과 같은 내용이 들어있었다.

① 병영부지는 재래 시가지와 떨어져 군대 생활에 필요한 일본인 부락을 구성하는데 충분한 여지를 포함하고 있을 것. 또 철도부설지에 있는 정차장 근처일 것.
② 총 부지 평수는 힘써서 유리하게 수용할 것.
③ 병영부지 및 연병장은 토공작업을 줄이기 위해 가능한 한 현재의 형태를 이용할 수 있을 것.[107]

일본군이 나중에 용산역 일대를 군용지로 수용하고 군사기지를 구축하는 데 이 군용지조사요령이 중요한 역할을 하므로 확실히 염두에 둘 필요가 있다.

한국주차군 사령관 原口兼濟는 이 요령에 의거하여, 1904년 8월 15일, 용산 약 990만 ㎡(300만 평), 평양 약 1,297만 ㎡(393만 평), 의주 약 924만 ㎡(280만 평) 등 모두 약 3,300만 ㎡(1,000만여 평)을 군용지로 내달라고 한국정부에 요구했다.[108] 그리고 8월 16일부터 남대문 밖에서 한강에 이르는 지역(오늘날 한강로 주변)에 백여 간 마다 5~6개씩 표목을 세우

106) 外務省 편찬, 1965, 『日本外交年表竝主要文書』 上, 原書房, 226쪽.
107) 『朝鮮駐箚軍歷史』, 251~252쪽.
108) 『日本外交文書』 제37권(一), 725문서, 1904.8.19.

고, 토지의 매매와 용도변경을 금지하는 명령을 발포했다.[109)]

한국정부는 일본군의 군용지 수용 방침에 저항했다. 면적이 너무 넓은 데다가 민간 소유의 토지, 가옥, 문묘가 짐작할 수 없을 만큼 많이 포함되어 있기 때문이었다. 주민의 우려와 반발도 심했다. 외부협판 윤치호는 1904년 8월 31일 일본공사 林權助에게 일본군이 마구잡이로 푯말을 세우고 있다고 항의했다.[110)]

일본정부는 1904년 9월과 10월 육군대장 長谷川好道를 한국주차군사령관으로, 主稅局長 目賀田種太郎을 대한제국 탁지부 고문으로 각각 임명했다. 10월 13일 한국에 부임하여 서울의 大觀亭에 똬리를 튼 長谷川은 한국을 지배하기 위해서는 용산 · 평양·의주에 영구 군사시설을 구축해야 한다는 것을 여러 차례 일본정부에 건의했다. 그리고 1905년 1월 4일 군율시행에 관한 훈령을 공포하여 한국인의 철도 방해를 철저히 탄압하고, 용산의 屯芝味 · 이태원 일대에 군용지 수용을 알리는 푯말을 다수 설치했다. 군용지 수용을 지체하면 방해세력이 농간을 벌이고, 지가가 상승하여 불리해질 우려가 있기 때문이었다.[111)]

일본정부는 1905년 4월 8일 각의에서 한국을 보호국으로 만들 방침을 결정했다. 일본 육군성은 6월 13일 용산 · 평양·의주의 군용지 수용 보상가액으로 일본인과 외국인에게 10만 원, 한국인에게 20만 원을 지급할 방침을 세웠다. 일본 육군성의 지령을 받은 長谷川 사령관은 1905년 7월 26일 대한제국 내부대신 李址鎔에게 아래와 같은 군용지 수용 방안을 제시했다.

---

109) 『皇城新聞』, 1904.8.19 ; 8.19.
110) 『記錄』 24권, 조회 제152호, 1904. 8. 31.
111) 『朝鮮駐箚軍歷史』, 253쪽 ; 『대한매일신보』, 1905.2.28 ; 『皇城新聞』, 1905.3.7.

① 수용지역 내에 민유지의 地代나 구축물의 이전에 소용되는 비용은 주차군이 배상함.
② 전항의 배상비로서 3개 지역에 대해 군사령부가 20만 원을 한국의 內部에 교부하겠으니 내부는 이 돈을 소유자에게 지급할 것.
③ 군사령부는 배상금 20 만원을 8월 10일까지 내부에 교부하되, 受授 완료와 동시에 용산, 평양, 의주의 군용지는 군의 소유로 이전되는 것으로 할 것. 단 군사상 필요가 급하지 않을 때에는 구 소유자가 일시 경작하여도 무방함.
④ 한국 내부는 상기 수용지에 대해서 후일 구 소유자가 하등의 이의를 제기하지 않겠다는 보증서를 군사령부에 제출하도록 할 것.[112]

일본군이 제시한 보상비 20만 원을 3,300만 ㎡(1,000만 평)으로 나누면 3.3 ㎡(1 평)당 2전 꼴이었다. 당시 하룻밤 숙박료가 상 2원, 중 1원 50전, 하 1원, 쌀 1되가 20~25전, 담배 100개비 한 통이 4원이었다. 말이 배상이지 거저로 빼앗는 것과 마찬가지였다. 내부대신 이지용은 지방관의 사정을 청취하여 정부의 회의를 거치지 않으면 수락할 수 없다고 주차군사령관 長谷川에게 회답했다. 그리고 한성판윤 박의병에게 量地技師를 대동하고 용산 등지의 민유지, 사유지, 가옥, 분묘 등을 자세히 조사하여 보고하라고 훈령했다.[113]

1905년 8월 9일 한국주차군사령부는 용산 일대의 군용지 수용이 확정되었으니 해당 지역의 가옥과 분묘를 철거하라고 고시했다. 군용지 수용을 둘러싼 한국과 일본의 교섭을 잘 알지 못한 민중의 반발은 거셌다. 당일 용산 지역 서빙고동 외 9개 촌 주민 100여 명은 한국정부 내부 앞에 모여 陳情하고 항의했다. 이튿날도 용산 지역 주민 1,600여 명이 내부 앞에

112) 『日本外交文書』 제38권 (一), 522문서; 『朝鮮鐵道史』, 1929, 625~657쪽.
113) 『朝鮮駐箚軍歷史』, 254~255쪽 ; 『皇城新聞』, 1905.8.1.

모여 원통하게 가옥과 분묘를 잃게 된 사정을 성토하며 한국정부의 선처를 호소했다. 골자는 어쩔 수 없이 군용지로 편입된다면 매수가액을 올려주고, 가옥 등의 철거를 상당 기간 유예해 달라는 것이었다. 내부대신 이지용은 군용지는 러일전쟁 종료 후 반환될 것이고, 요구 사항은 일본군 사령부 및 公使와 교섭하여 반영될 수 있도록 조처할 터인즉 물러가라고 타일렀다. 1,300여 명의 민중은 약속한 사실을 증명서로 만들어 날인해 줄 것을 요구하며 농성을 계속했다. 상황을 정탐하던 일본 헌병 5명이 칼을 뽑아 들고 꾸짖어 물리치려 하자 격분한 민중은 관청 유리창과 일본 헌병에 돌을 던졌다. 이를 기화로 일본 1개 대대가 달려와 민중에 칼을 휘둘러 2명을 살해하고 여러 명에게 중상을 입혔다. 일본군은 용산 주민의 저항이 거세지자 보병 1개 소대를 증파하고, 주모자 10여 명을 체포하여 헌병대로 연행했다. 이 소란 속에서 내부대신 이지용은 후문으로 도망쳤다.[114)]

1905년 8월 12일 한성부는 내부에 용산 지역의 관유지, 민유지, 가옥, 분묘 등을 조사한 결과를 보고하며 보상가액도 제시했다. 이에 따르면, 사유전답이 3,118일경에 155,900원(1일경 당 50원), 가옥 1,176호에 182,980원(기와집 1칸 당 40원, 초가집 1칸 당 20원), 분묘 1,177,308총에 558,654원(이장비 1총 당 50전), 합계 897,534원이었다. 내부대신 이지용과 한성판윤 박의병은 재정고문 目賀田을 찾아가 이 보상가액을 한국 탁지부가 지급해줄 것을 요청했다. 目賀田은 군용지는 일본이 수용했기 때문에 토지비용 지출은 일본공사의 허락을 받아야 한다며 이 제안을 거절했다.[115)]

---

114) 『朝鮮駐箚軍歷史』, 256쪽 ; 『皇城新聞』, 1905.8.11 ; 『대한매일신보』, 1905.8.11.

115) 『대한매일신보』, 1905.8.12 ; 8.14. 日耕은 한 사람의 농부가 소 한 마리로 하루에 갈 수 있는 밭의 넓이다. 면적은 지역에 따라 일정하지 않았지만, 보통 800평에서

한국주차군사령부는 곧바로 8월 15일 군용지 수용대금 20만 원을 한국 내부에 교부하고, 이의를 제기하지 않는다는 각서를 받았다. 그리고 군용지 안의 분묘와 건물을 9월 15일까지 철거하겠다고 한성부에 통고했다. 구체적으로는 용산역에서 서빙고에 이르는 경원철도 부지 안의 분묘 약 300개, 가옥 약 50채, 기타 건조물, 남묘 남쪽 군용도로 안의 가옥 약 50채 및 건조물, 청파, 도동, 갈월리 도로상의 가옥과 건조물이었다. 실제로 일본군은 9월 20일 한국정부가 용산 일대 주민에게 설명할 틈도 주지 않고 군사 작전하듯이 철거를 개시했다. 또 일본의 전횡을 경계하던 내장원경 李容翊에게 민중 선동 혐의를 씌워 정계에서 추방해버렸다.116)

1905년 9월 5일 포츠머스에서 일본과 러시아가 강화조약을 체결하여 전쟁이 끝나자 일본은 오히려 한국을 영구히 지배하기 위해 군사기지 건설에 박차를 가했다. 이에 맞선 용산 주민들의 저항도 계속되었다. 10월 6일 주민 40여 명이 내부에 몰려와 일본군이 가옥을 훼철하여 오도 가도 못하는 신세가 되었으니 대책을 세워달라고 호소했다.117) 주한 임시대리공사 秋原守一은 일본군의 군용지 수용의 문제점과 개선점을 본국에 건의했다. 일본군의 난폭한 군용지 수용이 주민에게 고통을 주어 분쟁을 유발할 우려가 있다는 것이다. 그렇지만 林 공사는 군사력을 동원한 강제 수용을 지속적으로 추진해야 한다는 의견을 피력했다.118)

이런 분란 속에서 1905년 11월 17일 일본은 대한제국을 강박하여 을사늑약을 체결하고 외교권을 박탈했다. 나아가 1906년 2월 1일 한국에 통

2,000평 정도였다.

116) 『日本外交文書』 제38권(一), 514문서, 1905.8.15 ; 『朝鮮駐箚軍歷史』, 254~256쪽. 『대한매일신보』, 1905.9.20.

117) 『皇城新聞』, 1905.10.7.

118) 『日本外交文書』 제38권 (一), 527문서, 1905.11.15.

감부를 설치하고, 3월 2일 伊藤博文을 초대 통감으로 파견했다. 그리고 일본군은 5월 5일 용산 군용지 안의 한국인 가옥, 묘지, 경작물 등을 1906.6.15.~1907.4.30. 사이에 철거하라고 명령했다.[119] 용산 주민의 반발에 직면한 伊藤 통감은 1906년 4월 24일~6월 20일 일본에 출장하여 군부와 토지수용 문제를 협의했다. 그 결과 일본 군부는 한국주차군사령관에게 군에서 직접 사용하지 않는 가옥, 분묘, 지상 건물 등의 철거를 유예하라는 지시를 내렸다.[120] 한국정부도 통감부에 공문을 보내 과다한 군용지의 환부를 요구했다. 언론은 군용지 평당 보상가액이 용산은 30전, 평양은 7전이라고 보도했다.[121]

한국의 민심은 흉흉했다. 반일 의병투쟁도 번져갔다. 한국정부와 한국주차군사령부가 군용지정리위원을 임명하여 실지를 답사하고 자세하게 측량하도록 했다. 그 결과 군용지의 총 면적과 보상가액은 대략 다음과 같이 예상되었다. 용산 300만 평에 310,624원, 평양 393평에 291,092원, 의주 282만 평에 138,129원, 합계 975만 평에 739,845원이었다. 伊藤 통감은 寺內 육군대신에게 군용지 수용 보상비 20만 원에 53만 원을 추가해 달라고 요구했다. 이것도 보상가액이 時價의 10분의 1에 불과한 점을 감안한 것이었다. 그러나 寺內 육군대신은 이미 지출한 20만 원 이상은 더 지급할 수 없다면서 伊藤 통감의 건의를 묵살했다. 반면에 부득이 한 경우에는 필요성이 덜한 토지를 한국정부에 반환하라고 지시했다.[122]

1907년 7월 20일 일본은 헤이그 특사 파견의 책임을 물어 고종 황제를 퇴위시키고 순종 황제를 즉위시켰다. 寺內 육군대신은 伊藤 통감의 추가

---

119) 일본 방위성 소장, 『陸軍省－密大日記－M40－1－8』, 「官房韓国収用地に関する件」.
120) 위의 문서.
121) 『대한매일신보』, 1906.10.30.
122) 『朝鮮駐箚軍歷史』, 258~259쪽.

보상비 지급 요구를 거절하는 대신에, 군용지 중 필요하지 않은 부분을 한국에 반환하겠다는 방침을 정했다. 순종 황제는 군용지 분쟁을 해결하기 위해 '臨時軍用及鐵道用地調査局官制'를 제정 반포했다.[123)]

군용지로 토지와 가옥을 훼철당할 위기에 놓인 용산 둔지미 일대 주민 140여 호 100여 명은 1908년에 들어서도 한국정부의 내부, 군용지 조사국, 한성부를 찾아다니며 딱한 사정을 호소했다. 정부는 학부 소관 땅에 이들의 살 곳을 마련해주었다.[124)]

한국의 흉흉한 민심을 우려한 일본정부는 1908년 4월 6일, 寺內 육군대신이 지시한 대로, 용산·평양·의주에서 수용하기로 계획한 땅 중에서 대략 578만 평을 한국에 돌려주고 397만 평만 수용하기로 방침을 변경했다. 그리고 용산과 평양의 수용지에 한해 15,000원을 추가로 지출하기로 결정하고, 군용지 조사위원장 박의병에게 이를 지급했다.[125)] 이에 따라 각 지역의 최종 수용 면적은 다음과 같이 조정되었다. 용산 군용지 115만 평, 철도용지 51만 평, 반환 134만 평. 평양 군용지 196만 평, 철도용지 38만 평, 반환 159만 평. 의주 군용지 86만 평, 철도용지 13만 평, 반환 183만 평. 합계 군용지 397만 평, 펄도용지 102만 평, 반환 476만 평.[126)]

일본은 결국 한국에서 397만 평을 군용지로 수용하고 215,000원을 보상했다. 박의병은 1909년 4월 10일 한성부에 나가 용산 군용지에 수용된 토지 소유자 30여 명에게 보상비를 지급하고 사업을 종료했다.[127)] 그렇지만 이태원 등에 새로 건축한 일본군 병영에 범입된 가옥 및 토지에 대한 보상비는 그 후에도 지급되지 않아 주민의 원성은 그치지 않았다. 그

---

123) 『순종실록』 1권, 1907.8.31.
124) 『대한매일신보』, 1908.2.6 ; 『皇城新聞』, 1908.5.12.
125) 『朝鮮駐箚軍歷史』, 258~259쪽.
126) 朝鮮駐箚軍經理部編, 1914, 『朝鮮駐箚軍永久兵營官衙及宿舍建築經過概要』, 2~3쪽.
127) 『皇城新聞』, 1909.4.10.

런데도 한국정부는 1909년 8월 6일 '臨時軍用及鐵道用地調査局'을 폐지했다.[128]

이상에서 살펴본 일본의 용산 군용지 수용 실태를 <지도 4-2>를 참조하면서 총괄하면 다음과 같다. 일본은 당초 용산에서 약 990만 ㎡(300만 평)을 군용지로 수용할 방침이었다. <지도 4-2>에 검은 세선으로 둘러싼 지역이다. 북쪽은 갈월리, 전생서를 포함하고, 동쪽은 남산성벽을 따라 남하하여 한강가의 서빙고 이르고, 남쪽은 한강 모래밭과 평행하여 서쪽으로 나아가고, 서쪽은 만초천을 끼고 동진하다가 철도노선을 따라 북쪽으로 올라갔다. 그 속에는 남산에서 뻗어 내린 둔지산 등의 야산이 산재하고 10여 개의 대소 한국인 마을이 분포했다.

제1호는 1906년 6월까지 가옥과 분묘 등을 철거하라는 지역(단 경작물은 6월 30일까지), 제2호는 1906년 8월 31일까지, 제3호는 1907년 4월 30일까지 가옥, 분묘, 경작물 등을 철거하라는 지역이었다. 제4호는 1906년 8월 30일까지 가옥과 분묘 등을 철거하라는 지역이이었다(단 경작물은 6월 30일까지).

그런데 군용지를 수용하는 과정에서 한국정부와 용산주민의 저항에 부딪친 일본은 불요불급한 지역은 일단 수용에서 제외하는 방침으로 선회했다. 그리하여 1908년 4월 단계에 약 380만 ㎡(약 115만 평)가 군용지로 수용되었다. <지도 4-2>에서 붉은색 세선으로 둘러싼 지역이다. 그렇지만 군용지에서 제외된 용산역 부근 약 168만 3천 ㎡(51만 평)가 철도용지로 수용되었으므로 일본이 용산일대에서 차지한 땅은 약 548만 ㎡(약 169만 평)나 되었다. 경의선이 군용철도 부설되었다는 점을 감안하면 철도용지도 군용지나 마찬가지였다.

---

128) 『皇城新聞』, 1909.8.7.

일본은 군용지에서 해제한 갈월동과 남영동 등의 토지는 주로 일본인 조달 상인에게 대부 또는 불하했다. 그리하여 용산역에서 남대문역(서울역)에 이르는 철도연선에는 일본인 거리가 형성되었다. 또 1916년 2월, 남쪽 한강 근처에 있는 대촌, 단내촌, 서빙고 등 한국인 마을 지역 99만 ㎡(30만 평)은 신설되는 일본군 20사단의 군용지로 수용되었다(<지도 4－2>의 표시 지역 참조). 이곳에는 육군묘지와 연병장이 설치되었다.[129] 용산 군사기지에서 제20사단이 업무를 개시한 것은 1919년 4월 1일이었다.

<일본 군사시설의 구축>

일본군이 용산에 군사시설을 구축하는 경위는 일본의 한국침략과정과 표리를 이룬다. 청일전쟁 이후 일본군이 서울에 본격적으로 주둔하게 된 것은 1896년 5월 14일 한국주재 러시아공사 웨베르(Waeber)와 일본공사 小村壽太郞 사이에 교환된 '한국문제에 관한 러일각서'(이른바 웨베르－小村 메모)에서 비롯된다. 일본 거류민을 보호한다는 명목이었다.

'웨베르－小村 메모'의 제4항은 다음과 같은 규정을 담고 있었다.

> 한국인으로부터 만일에라도 습격당하게 될 경우에 경성 및 각 개항장에 있는 일본인 거류지를 보호하기 위하여 경성에 2개 중대, 부산에 1개 중대, 원산에 1개 중대의 일본군을 배치할 수 있다. 다만 1개 중대의 인원은 200명을 초과하지 못한다. 이 병력은 각 거류지의 最近接地에 駐營하여야 하고 또 前記한 습격의 우려가 없게 되면 차례로 이를 철수한다. 또한 러시아 공사관 및 영사관을 보호하기 위하여 러시아 정부 역시 前記 각지에서 일본군의 인원수를 초과하지 않는 수의 衛兵

129) 『매일신보』, 1916.2.10. 또 일본이 용산에서 군용지를 수용하는 대략적인 과정은 정재정, 2002, 「용산에 미군이 주둔해 온 이유는?」, 『한국사 속 진실을 찾아가는 우리 역사 속 왜?』, 218~ 226쪽, 구체적인 상황은 김천수, 2017, 『용산기지 내 사라진 둔지미 옛 마을의 역사를 찾아서』, 용산구청 문화체육과를 참조할 것.

을 배치할 수 있다. … 上記 衛兵은 (한국의) 내지가 완전히 평온을 되찾으면 점차로 이를 철수시켜야 한다.[130)]

'웨베르-小村 메모'는 고종이 러시아 공사관에 피신하고, 전국에서 항일의병이 봉기하고 있는 상황에서 한국 몰래 작성되었다. 일본과 러시아는 당분간 상대방을 자극하지 않기 위해 병력운용에 조심스러운 태도를 보였다.

그렇지만 1900년대 들어 두 나라가 한국에서 優位를 확보하기 위해 첨예하게 대립하자, 일본은 1903년 5월부터 서울에 주둔하는 병력을 증강시켰다. 러시아도 龍巖浦 지역에 군대를 배치했다. 일본과 러시아 사이에 戰雲이 감돌자, 영국, 미국, 프랑스, 이태리 등도 자국 공사관 수비를 명목으로 소수나마 군대를 파견했다. 이를 빌미로 일본은 1903년 11월 서울 남산 북쪽 기슭 南別營 일대(지금의 필동 2가)에 임시로 한국주차군사령부를 설치하고, 1904년 1월 그곳에 병영을 신축하여 도성 안팎에 산재한 수비대를 한 곳에 모았다.

1904년 2월 8일 일본은 러일전쟁을 도발하고 수만의 병력을 서울 일원에 침투시켰다. 일본이 장악한 경인선이 인천에 상륙한 일본군을 실어 날랐다. 일본의 원래 의도대로 철도가 군사기능을 수생한 셈이다. 일본은 남별영 병영만으로는 일본군을 수용할 수 없게 되자, 서울 일원에 소재한 한국군 막사, 각급 학교교사, 병원, 공장 그리고 규모가 큰 민가 등에 분산 배치했다. 그리고 용산역전과 남대문역전에 대규모의 바라크 막사를 급조하여 서울 안팎에 흩어진 잔류 병력을 수용했다. 용산역의 바라크 막사는 1904년 2월 18일 기공하여 3월 20일 준공했는데, 연대본부, 대대본부, 兵舍, 기타 부속시설을 합쳐 모두 9,900 ㎡(3,000평)가량이나 되었다. 이

130) 外務省 편찬, 1998, 『日本外交文書』 제28권 제2책, 778~779쪽.

때부터 용산은 일본의 철도거점과 군사기지로서 더욱 각광을 받게 되었다.[131] <지도 4-1>에는 이때 이후 용산에 분포하게 되는 군사시설을 푸른 글씨로 표기되어 있다. 이것을 참조하며 기술을 읽으면 이해하는 데 도움이 될 것이다.

일본정부는 1904년 3월 10일 한일의정서 제4조에 의거하여 한국주차군사령부를 정식으로 설치했다. 당초에 사령부는 육군소장을 사령관으로 하는 소규모 편제였는데, 소공동의 大觀亭을 청사로 사용하다가 8월 29일 남별영으로 이전했다. 일본은 1904년 9월 4일 한국주차군사령부를 확대하고, 長谷川好道 陸軍大將을 軍司令官으로 임명했다. 그는 1904년 10월 13일 서울에 부임하여 大觀亭을 숙소로 사용했다. 그는 곧 용산·평양·의주에 영구 군사기지를 건설해야 한다는 의견서를 본국에 상신했다.[132] 이에 따라 해당 지역에서 군용지가 수용되는 과정은 앞에서 설명한 바와 같다.

일본군은 1906년 3월 30일 '韓國駐箚軍兵營官衙等建築의 件'을 작성했다. 이에 의거하여 제22회 제국의회는 15,138,836원이라는 방대한 예산을 마련했다. 그리고 寺內 육군대신은 長谷川 한국주차군사령관에게 영구 병영, 청사, 숙사 등의 건축을 명령했다. 군사령부의 위치는 용산으로 확정되고, 보병연대 병영 등의 건설공사는 한국주차군 내 임시건축과가 담당했다. 1906년 7월 이후 군사기지 건설이 대규모로 추진되자 용산에 일본군의 출장소가 설치되었다.[133]

1907년 1월 11일 寺內 육군대신은 한국주차군사령부에게 용산에 사단사령부 1개, 기병 1개 중대, 야전포병 1개 중대, 2등 병원, 창고, 병기지창,

131) 서울특별시사편찬위원회, 2012, 『국역 경성부사』 제1권, 731쪽.
132) 『朝鮮駐箚軍歷史』, 253쪽.
133) 『朝鮮駐箚軍歷史』, 260쪽.

위수감옥, 군악대 등을 건설하도록 명령했다.[134] 일본군은 토공비를 절약하기 위해 둔지산 등의 지세를 될 수 있는 대로 살려두고 평지에 군사시설을 건립했다. 용산역에 가까운 곳에는 군사령부, 사단사령부, 사령관 관저, 총독관저 등을 배치했다. 그리고 만초천 좌우의 개활지에 보병연대, 야포병중대를 두고, 서울역에 가까운 넓은 들에는 연병장을 만들었다. 일본군은 이 시설들을 신축하면서 이태원 마을에 사격장을 설치했다(1907.2~1908.3). 또 1907년 10월 20일 용산역에서 가장 가까운 기지 안에서 한국주차군사령부 청사를 기공하여 1908년 7월 31일 완공했다. 둔지미 정자동 한국인 마을 일대에는 일본군 사단장 관저, 장교 숙사가 들어섰다(1908.10).

일본군은 1908년 10월 1일 한국주차군사령부를 용산 청사로 이전했다. 도성 안에 있던 대부분의 군대와 병영도 뒤를 따랐다. 일본군은 1908년 12월 19일 용산 기지 안에서 각종 군사시설의 합동 낙성식을 거행했다. 1909년 8월 9일 위수감옥이 완공되었다. 일련의 과정을 거쳐 용산은 한국병탄을 앞둔 시점에서 이미 명실공히 한국주둔 일본군의 거점으로 탈바꿈했다. 일본군의 용산출장소는 군사기지 건설의 소임을 마치고 한국주차군 임시건축과에 인계되었다.[135]

일본군은 군사기지의 외곽이나 내부를 관통하는 대로를 건설했다. 현재 서울역전에서 동자동, 갈월동, 남영동을 거쳐 한강으로 연결되는 漢江通은 1906년 6월에, 그 동쪽인 후암동에서 용산고등학교를 끼고 남행하는 三坂通은 1908년 12월에 완성되었다. 일본의 군용지는 2개의 간선도

---

134) 朝鮮駐箚軍經理部編, 1914, 『朝鮮駐箚軍永久兵營官衙及宿舍建築經過概要』, 77~79쪽.

135) 『朝鮮駐箚軍歷史』, 41쪽 ; 261~262쪽. 일본이 용산에 군사기지를 건설하는 대체적인 과정에 대해서는 신주백, 2007.8, 「용산과 일본군 용산기지의 변화(1884~1945)」, 『서울학연구』 제29호, 서울시립대학교 서울학연구소을 참조할 것.

로 사이에 끼어있는 형태였다. 일본은 이 대로를 닦는데 공을 세운 제13 사단 사단장 岡崎生三의 이름을 따서 남대문역(서울역) 근처 두 도로 일대의 지명을 岡崎町이라고 붙였다.[136]

<쫓겨나는 한국인>

일본은 용산에서 당초 군용지로 수용하려던 약 990만 ㎡(300만 평) 중에서 약 380 ㎡(115만 평)을 집행하고, 약 168만 3천 ㎡(51만 평)은 철도용지로 확보하고, 나머지 약 429만 ㎡(130만여 평)은 일본인 상인과 토건업자 등에게 대부 또는 불하했다. <지도 4－2>에서 보는 것처럼, 주로 남영동, 갈월동과 한강통과 철도 노선 사이에 끼어 있는 지역이었다. 이태원과 서빙고 일대는 1916년에 다시 군용지로 수용되었다.

黃玄은 『梅泉野錄』에서 일본군이 용산 일대에서 위압적으로 자행한 군용지 수용 모습을 아래와 같이 묘사했다.

> 왜인들이 숭례문에서 한강에 이르는 구역에 멋대로 點을 쳐서 군용지라고 하여 푯말을 세우고 경계를 정하여 우리나라 사람이 침범하지 못하게 하였다. 이때부터 그들이 하고자 하는 바가 있으면 번번이 군용지라는 명목으로 이를 빼앗아갔다……그들은 병력의 위력에 의지해서 못할 짓이 없는 것 같았다.[137]

앞에서 장황하게 설명한 내용을 간명하게 요약한 문장이다. 그 행간에는 일본의 횡포에 대한 분노와 쫓겨나는 한국인에 대한 연민이 배어 있다고 할 수 있다.

---

136) 정재정, 2018. 봄, 「일제와 서울의 마을 이름 管見－'동해' 표기의 정의롭고 평화로운 실현을 바라며－」, 『한일협력』, 107쪽.

137) 黃玄, 『梅泉野錄』 제4권, 광무8년(甲辰), 「일본의 군용지 탈취」.

러일전쟁을 전후하여 한국에 주재하면서 세계에 한국사정을 발신한 미국의 신문기자 맥켄지(Mckenzie)는 일본이 군용지를 수용하는 과정에서 저지른 만행을 다음과 같이 묘사했다.

> 일본군 당국은 이 나라 안에서 가장 좋은 자리의 대부분을 자기네가 쓰는 것으로 말뚝을 쳐 놓았는데, 여기엔 서울 근방의 강변 토지, 평양 주변의 땅, 한국 북부의 많은 지역, 그리고 철도변의 땅들이 다 들어가 있다. 수 만 에이커의 땅을 이렇게 해서 얻은 것이다. 이런 곳에서 내쫓긴 사람들은 대개의 경우 한 푼도 받지 못한 채 물러났거나, 혹은 공정가격의 10분의 1 혹은 20분의 1 정도의 금액을 받았을 뿐이다. 군대가 점령한 땅은 명목상 전쟁 목적을 위해서라는 것이다. 그러나 몇 달이 못 되어 이 땅 대부분이 일본인 건축업자와 소매상인들에게 전매됨으로써 일본인 거류지가 이 위에 크게 확장해 나갔던 것이다. 그들의 이와 같은 땅 도둑질로 말미암아 여태까지 잘 살던 사람들이 수없이 거지가 되고 말았다.[138]

일본이 군용지라는 명목으로 한국의 요지를 대거 점탈함으로써 한국인은 대대로 살아온 기반을 상실하고 쫓겨났다. 그 땅은 많은 부분은 일본인에게 싼값으로 불하되어 거류지를 확장하는데 활용되었다. 용산이 대표적인 사례였다. 제3국의 신문기자는 군용지 수용의 진짜 모습을 정확하게 파악하고 날카롭게 기술했다. 그는 이것을 강대국이 약소국에 가하는 가장 포학한 형벌이라고 다음과 같이 비난했다.

> 토지는 명목상 전쟁을 위하여 군대가 몰수하였다. 몇 개월 안에 그 토지 대부분은 일본인 건축업자와 상점 주인에게 되 팔렸으며, 일본

---

138) F.A. MacKenzie, 1908, The Tragedyof Korea(申福龍譯, 1974『大韓帝國의 悲劇』탐구신서), 141쪽.

인 거주자의 수는 점차로 증가하였다. 이와 같은 토지수탈은 약소민족에게 자행할 수 있는 가장 범죄적인 포학이었다. 이로 인하여 지난날에는 호강스럽게 살던 많은 사람들이 거지가 되었다.[139]

용산을 비롯한 경의철도 연선 주민은 전답, 가옥, 작물, 분묘 등을 빼앗긴 채 거리를 떠도는 신세로 전락했다. 그들은 일본군과 한국정부에 저항하며 생존의 길을 찾기 위해 몸부림쳤다. 그리고 기구한 운명을 한탄하며 세상을 원망했다.

1904~1910년 사이『대한매일신보』등의 한국 언론은 일본의 철도용지 수탈로 생업을 잃고 방황하는 민중의 비참한 실정을 거의 매일 같이 보도했다. 그리고 일본의 만행만을 규탄하는 것이 아니라, 국가의 위기에도 일신의 안녕만을 도모하는 매판 관료와 양반 유생을 거세게 비난했다. 다음에 소개하는 이른바 '계몽가사'도 그 사례 중의 하나다.「峨洋九疊」은 조선 선조 때(1577년) 栗谷 李珥가 지은 聯詩調「高山九曲歌」의 형식을 빈 가사인데, 그것의 第四曲은 다음과 같은 절절한 상황을 읊고 있다.

地段을 劃定ᄒᆞ니
門前沃土 쓸ᄃᆡ 업다
軍用鐵道 割界聲에
山川草木이 슬퍼ᄒᆞᆫ다
저 農夫가 흠의 놋코
彷徨道路 볼 슈 업다.
시르렁 둥덩실[140]

곧 군용철도 용지를 획정하는 공사 소리에 산천초목이 슬퍼하고, 문전

139) F.A. McKenzie, 1908,『The Tragedy of Korea』, 앞의 책, 141쪽.
140)『대한매일신보』1908.1.11,「峨洋九疊」.

옥답을 뺏긴 농민이 호미를 놓고 길거리를 헤매는 가련한 모습을 차마 볼 수 없다는 것이다.

「精靈不昧」라는 가사는 '을사늑약'(1905.11.17) 때 일본의 국권 침탈에 분개하여 순국한 민영환과 김봉학의 절개를 추앙하고, 일본의 압박에 굴복하여 부귀영화를 탐한 매국노를 규탄했다. 그중에서 다음 연은 군용철도에 땅을 빼앗기고 애통하는 백성의 처량한 모습을 이렇게 노래했다.

> 軍用鐵道 許施ᄒᆞ야 片片江山 割與ᄒᆞ니
> 扶老携幼 져 百姓은 哀呼悲哭 漲天이라
> 荒蕪土地 開墾請願 猶恐不及 웬 일인가
> 뎌 창귀 待令ᄒᆞ여라[141]

또,「斜陽歌笳」이라는 가사는 '정미7조약'(1907.7.24) 이후 대한제국이 매국노의 협조로 일본의 식민지로 전락해가는 상황을 가슴 아프게 풍자했다. 이 가사의 다음 연도 철도용지 등으로 땅을 빼앗기고 떠도는 한국인의 비참한 신세를 절절하게 묘사했다.

> 江山을 割與ᄒᆞ니 우리 同胞 流離ᄒᆞᆫ다
> 升天入地 ᄒᆞ란 말가 居接ᄒᆞᆯ 곳 업셔젓다
> 火輪車 고동쇼릐 山川草木 우ᄂᆞᆫ고나
> 덩덕궁[142]

일본이 국권 침탈의 일환으로 부설한 철도는 결코 한국의 것이 아니었다. 그렇기 때문에「斜陽歌笳」이 읊은 것처럼, 한국인은 기차의 고동소리

141)『대한매일신보』1908.1.16.
142)『대한매일신보』1908.1.22.

를 산천초목의 울음소리로 여겼다. 당시만 해도 철도는 한국인에게 문명의 利器라기보다는 凶器였던 셈이다.

2) 노동력의 수탈과 항일투쟁

경의선 부설공사에는 연인원 수천만 명의 한국인 노동자가 참여했다. 상황이 전시이고 공사장이 전장에 가까운데다가 일본군이 직접 돌관공사를 강행했기 때문에 노동자의 동원과 사역은 전쟁을 방불케 하였다. 각 공사장에서는 일본인 감독자에게 맞아 죽거나 사살되는 한국인이 속출하였고, 철도연선에서는 일본인 노동자와 일본군에 의해 식량과 가축이 약탈되고, 부녀자의 강간과 지방관의 모멸이 다반사로 벌어졌다.

러일전쟁 동안 한국의 전역은 실질적으로 일본군의 지배 아래 놓였다. 이런 상황에서 경의선 노동자들의 동원은 대체로 日本公使館(駐箚軍司令官)→韓國政府(外部 · 內部)→各道 觀察使(漢城府 判尹)→各港口 監理→各郡守→面長 · 里長→巡檢의 계통을 통해서 이루어졌다. 그렇지만 이것은 어디까지나 형식적인 절차를 보여줄 뿐이고, 실제로는 철도공사를 담당한 토건회사가 인근에 주둔한 일본군이나 경찰의 협력 아래 지방관이나 각 동리의 집강 등을 통해 모집하였다. 각 동리별로 부역인원을 할당하여 징집하는 경우가 대부분이었다. 그렇기 때문에 경의선 연선에서는 일본군과 한국인 사이에 殺傷에 이르는 충돌과 대립이 빈발했다.

그중에서 서울 지역에서 발생한 저항과 탄압의 사례를 한두 가지 소개하면 다음과 같다. 영등포 정차장 부근에서 1904년 7월 29일 보부상으로 보이는 사람들이 선로 상에 煉瓦를 올려놓아 서울발 마지막 열차가 충돌하도록 꾸몄다.[143] 양주에서는 김백조가 열차운행을 방해하다가 일본 병

---

143) 『時事新報』 1904.7.30

참 사령부에 체포되어 포살 당하였다.[144] 고양군에서도 1904년 8월 27일 金聖三 · 李春勤 · 安順瑁 등 3명이 경의선 열차운행을 방해했다는 혐의로 일본군에 체포되어 1904년 9월 20일 일본 군법회의에서 사형선고를 받고 이튿날 마포 공덕리 산기슭에서 총살당하였다(<사진 4-2> 참조). 3 의사는 당시 용산에 있던 일본군 보급기지창을 폭파하려다가 여의치 않자 경의선에 폭발물을 매설하여 철도를 폭파시켰다. 일제는 파손된 철도를 복구하는 데 20여 일이나 걸렸다. [145]

황해도의 谷山郡에서 1904년 음력 8월 16일에 철도건설노동자의 강제동원을 둘러싸고 한국인과 일본인 사이에 큰 싸움이 벌어져 쌍방에서 20여 명의 사상자가 발생했다.[146] 곡산민요의 경위를 따져보면 다음과 같았다.

1904년 음력 8월 2일, 平山郡 南川店에서 철도건설공사를 하던 阿川組의 일본인 6명이 회사의 공함을 가지고 谷山郡에 와서 역부 1,000명을 차출해줄 것을 요구했다. 관아에서는 이들에게 간청하여 역부수를 500명으로 줄였다. 곡산군은 이 인원을 각 면에 배정하였다. 그런데 雲中面 草坪里의 崔聖國 · 金士淳 등은 面民 100여명을 이끌고 邑에 들어와, 일본회사의 공함만 있고 한국정부의 訓飭이 없는 명령은 무효이므로 시행할 수 없다고 일본인에게 따졌다. 일본인이 그 異議를 알아듣고 돌아가자, 衆民들도 해산하여 당일은 무사했다.

---

144) 『대한매일신보』 1904.901
145) 『대한매일신보』 1904.9.21
146) 谷山事件의 내용은 주로 『黃海道來去案』, 黃海道觀察使署理信川郡守李容弼報告 1904.8.29. ; 同 黃海道觀察使金鶴洙報告 1904.10.30을 참조하였다. 그리고 불충분한 부분은 아래의 자료들로써 보충하였다. 『交涉局日記』, 1904.9.3 ; 9.30 ; 10.3 ; 『日韓外交資料集成』 5, 電信 제76호 1904.9.20 ; 電信 제78호 1904.9.30, 291~292쪽 ; 『時事新報』 1904.10.2 ; 10.5 ; 10.15 ; 『대한매일신보』 1904.10.3 잡보 「곡산민요」 ; 10.4 잡보 「곡산뎐보」 ; 10.19 잡보 「곡산민요샹보」 ; 10.22 잡보 「곡산민압수」 ; 12.23. 잡보 「곡산민쇼」.

음력 8월 11일, 일본인들이 觀察府 訓令을 가지고 다시 곡산군청에 찾아와 인부 800명을 책임지고 출역시킬 것을 요구했다. 군아에서는 하는 수 없이 면의 대소에 따라 역부수를 배분하였다. 15일 北面은 역부 207명을 먼저 출역시키겠다고 하여 군아에서는 巡校를 파견하여 인솔하도록 했다. 그러나 그날이 마침 秋夕節이라서 衆民은 모두 출역을 응하지 않았다.

음력 8월 16일 아침 군아는 다시 巡校를 파견하여 역부를 領送하려 했다. 그런데 南三面 民人 수백 명이 무리를 지어 나타나 北面人들의 출역을 가로막았다. 주동자는 崔子範 · 金敬魯 등이었다. 이때 阿川組의 일본인과 한국인 通譯 등 10여명도 그들과 조우했다. 南三面 民人들이 출역을 방해한 이유는 일본의 요구대로 출역하다가는 필경 고을 자체가 없어지고 말 것이라는 위기감 때문이었다. 南三面 民人들은 通譯輩의 作奸으로 사태가 이 지경에 이르렀으므로 이번 기회에 그들은 타살해야만 한다고 주장했다. 이 말을 들은 통역배는 일본인들에게 谷山郡民 수천 명이 봉기하여 그대들을 타살하려 한다고 무고했다. 일본인들이 곧 칼을 휘둘러 衆民 14명을 베었다. 山陽里 金基黙은 현장에서 죽고, 나머지는 겨우 목숨을 건졌다. 그러나 모두 살아날 가망이 없어 보였다. 이에 분개한 衆民이 몽둥이를 휘두르고 돌을 던지며 일본인들을 공격하자 그들은 달아나기 시작했다. 그러나 衆民은 그들을 추격하여 일본인 7명과 통역배 1명을 타살하였다.

음력 8월 17일 衆民은 거의 해산하고 50여명만 남았나. 吏校가 주모자 崔子範과 金敬魯를 鄕廳으로 유인하여 체포하였다. 사건 소식을 접한 일본군은 24일 보병 1개 소대와 헌병 3명을 파견하여 衆民을 진압하였다. 이때 체포된 범인 21명은 9월 7일 서울로 압송되었다.

谷山民擾에 대한 평리원 판결은 1905년 9월 4일에 내려졌다. 농민 崔子範(62세) 교수형, 농민 李景元(52세) · 朴元俊(48세) · 張斗衡(35세) ·

김형국(47세) · 金鳳俊(21세) · 金致尙(45세) · 金應煥(35세) · 崔學勤(38세) 종신징역, 농민 崔聖國(46세) · 朴禎善(44세) · 金昌然(46세) · 李基萬(27세) · 李寅協(30세) 笞 80, 使傭 李泰燮(31세) 禁獄 9개월. 이들은 사람을 살해하거나 이를 방조한 혐의로 처벌을 받았다. 그러나 일본인들의 책임은 전혀 묻지 않았다.[147]

문초과정에서 밝혀진 바에 따르면, 곡산사건은 경의선 건설에서 과도한 사역, 저렴한 임금, 농번기의 역부동원 등에 대한 불만이 쌓이고 쌓여 폭발한 것이었다. 곡산군은 철도공사장인 平山郡 南川店에서 200여리나 떨어진 곳이었다. 공사장 인근만으로는 부족하여 좌우 수백 리에 걸쳐 노동자 동원을 자행한 것이다.

谷山民擾 이후 일본군은 살기등등하여 곡산군에 진주하였다. 군민들은 도망가기에 급급하여 十室九空의 상태에 빠졌다. 곡식의 수확은 엄두도 내지 못하였다. 商賈까지도 失業하여 도로에는 人影이 드물 지경이었다.[148] 일본군은 이 사건에 대한 앙갚음으로 곡산군에 대해 역부 6,000명을 자비로 조달할 것을 요구했다.[149] 곡산군의 일진회원 수천 명이 무임으로 부역에 응하겠다고 나섰다.[150] 곡산군은 1904년 11월 800명의 역부를 강제로 모집하여 10일간 부역을 시켰다. 그들이 돌아오자마자 일본군은 또 1,000명을 파송하라고 요구했다.[151] 이런 요구는 1905년에 들어와서도 계속되었다. 곡산군은 1904년부터 1905년까지 1회에 800~1,000명씩 5차례에 걸쳐 역부를 모집하여 보냈다. 그럼에도 불구하고 일본군은

---

147) 총무처 정부기록보존소, 1995, 『國權回復運動判決集』, 309~314쪽.

148) 『交涉局日記』, 1904.11.11 ; 『대한매일신보』 1904.10.17 잡보 「곡산형편」 ; 11.12. 잡보 「곡산민정」.

149) 『대한매일신보』 1904.11.18.

150) 『皇城新聞』 1904.11.16. 잡보 「無雇ㅁ役」.

151) 『黃海道來去案』, 谷山郡守李庚稙報告, 1904.11.12.

또 역부를 매일 200명씩 6개월간 파송하라고 강요하였다.[152] 일본인을 살해한 것에 대한 보복치고는 너무나 가혹한 수탈이었다.

군용철도로서 부설되던 경의선 연선은 대부분 일본군의 지배 아래 있었다. 일본군은 평안남북도 지역을 對露戰爭의 전진기지로 삼고 각처에 병영과 병참사령부를 구축하였다. 이곳에 상륙한 일본군 12사단장 井上中將은 군사시설을 방해하거나 일본군대에 위해를 가하는 자는 국적의 여하를 불문하고 사형에 처하겠다고 협박하였다. 또 지방관이 일본군대에 인부 · 우마를 공급하고, 일반인이 軍用手票를 통용하는데 협조하지 않을 경우에는 자신의 권한으로 黜陟과 任免을 奏聞할 수 있도록 하겠다고 으름장을 놓았다.[153]

이런 상황에서 곡산민요와 같은 사건이 일어나지 않으면 오히려 이상했다. 그러므로 경의선 공사장은 한국인과 일본인이 정면으로 맞붙은 비공식 戰場이자 민족모순의 현장이었다고 할 수 있다.

5. 개량공사와 노동자의 동원

1) 개량공사의 전면적 실시

경의선은 러일전쟁이 예상외로 빨리 끝나자 실제로 병참간선으로는 활용되지 못했다. 더구나 경의선은 속성을 최우선 과제로 삼아 공사를 강행했기 때문에 일단 완공된 후에도 열차가 제대로 통행할 수 없을 정도로 부실했다. 그리하여 일본군은 곧바로 경의선의 개량공사를 추진했다.

---

152) 『交涉局日記』, 1905.1.21 ; 『黃海道來去案』, 谷山郡守李偕承報告, 1905.10.14.
153) 『日韓外交資料集成』 제5권, 電信 제329호 1904.3.28. 132~134쪽.

통감부도 이 방침을 이어받아 6년여에 걸쳐 공사를 계속했다. 일본이 압록강철교의 건설비를 포함하여 1905년부터 1911년까지 경의선 개량공사에 투입한 돈은 2,000만 원에 달했다. 원래 경의선 건설에 쏟은 시간과 자금보다도 개량공사 쪽이 훨씬 길고 많았다. 경의선은 아예 새롭게 건설되었다고 보아도 틀린 것은 아니다.

일본정부는 경의선의 개축공사에 참여하는 일본의 토건회사에 대해 각 공구마다 2개사만 수주하도록 제한하였다. 또 토건회사의 이윤을 충분히 계상한 금액으로 차례차례 공사를 특명하였다. 러일전쟁 중 경의선의 돌관공사에 참여했던 18개의 일본 토건회사는 임시군용철도감부를 상대로 청부금액증액운동을 전개한 바 있다. 그 때 임시군용철도감부는 당장에 이 요구를 수용할 수는 없지만, 앞으로 각 공구 당 토건회사 수를 2개로 제한하고, 또 특명으로써 토건회사들은 지원하겠다고 약속했다. 경의선 개량공사를 실시하면서 일본정부가 그 약속을 지킨 셈이다.[154)]

일본정부가 한국에서 일본 토건회사들을 두텁게 지원함으로써 그들은 재정 궁핍 상황에서 일거에 회생의 길을 걷게 되었다. 그리하여 세계 유수의 건설회사로 성장하는 발판을 마련했다. 예를 들면 大倉組는 경부선과 경의선 건설공사를 수주함으로써 거대한 자본과 기술을 축적하였다. 大倉組는 경부선공사에서 130여만 원, 경의선의 원래공사와 개량공사에서 200여만 원, 정거장내 창고 · 관사의 신축공사에서 22만 원, 枕木納入에서 13만 원, 합계 375만 원을 상회하는 청부실적을 올리었다. 鹿島組도 경인선 · 경부선 · 경의선 부설공사에서 100여만 원을 청부했다.[155)]

---

154) 『請負業史』, 444쪽. 오늘날 일본의 土木工業協會조차도 경부 · 경의철도의 부설공사를 "자본력이 약한 일본의 청부업자에 있어서 생명 줄(망)의 역할을 수행하였다"고 평가하고 있다(『建設業史』, 94쪽).

155) 鹿島建設社史出版委員會, 1971, 『鹿島建設百三十年史』上에 기록되어 있는 청부공사의 내역은 다음과 같다.(이 내용은 원자료인 『鹿島組營業經歷概要』에서 발췌한

1900년대 청부금액이 10만 원이면 대공사였다. 大倉組와 志岐組는 成峴터널공사를 하면서 일본 토건업사상 처음으로 스위치백을 설치했다.[156] 鹿島組는 增若터널공사에서 착암기를 이용한 新工法을 구사했다.[157] 盛陽社가 시공한 청천강교량공사와 間組가 시공한 압록강교량 공사에서는 일본 토건업사상 처음으로 潛函工法이 사용되었다.[158] 이런 일들은 한국인을 비롯한 러시아인과 중국인 등을 마음대로 혹사함으로써 해낼 수 있었다.[159]

일본 토건회사들은 경부선과 경의선 건설공사에서 쌓은 실력을 기반으로 그 후에도 일본세력의 팽창과 행보를 같이하면서 한국과 만주 등에서 항만 · 도로 · 청사 · 은행 · 철도 등의 건설공사에 적극 참여하였다. 따라서 경부선과 경의선 부설공사를 담당한 일본 토건회사들은 제국주의 침략을 현장에서 실천하고 확대해간 첨병이었다고 할 수 있다.

2) 노동자의 조직적 동원

경의선 개량공사를 위한 노동자 동원은 러일전쟁 기간의 속성공사보다 훨씬 조직적인 방식으로 이루어졌다. 그리하여 경의선 연선 각 군에서는 노동자 동원을 둘러싸고 한일 간의 충돌이 일상처럼 발생했다. 철도 연선주민의 민심은 날로 흉흉해지고 저항도 날카로워졌다. 이것을 완화하지 않고서는 이른바 통감정치가 뿌리를 내릴 수 없었다. 그리하여 일본 군사령부 · 토건회사 · 지방관 사이에 役夫動員契約을 맺고, 연선주민의

것이라고 하므로 청부 공사의 모든 내용을 보여주는 것은 아니라고 생각된다).

156) 『朝鮮鐵道史』, 1929, 175~177쪽.

157) 『請負業史』, 434쪽.

158) 『請負業史』, 453쪽 ; 株式會社 間組, 1972, 『八十三年のあゆみ』, 20쪽.

159) 『請負業史』, 453쪽.

말단조직을 이용하여 역부를 동원하는 방식으로 유도해갔다. 서울과 가까운 개성 지역의 예를 살펴보겠다.

1905년 7월 5일 일본군과 개성부윤 및 각 군수는 다음과 같은 내용의 역부동원계약을 맺었다.

> ① 府尹 혹은 郡守는 管內 각 坊 각 部落의 鄕長 · 尊位 등에게 군용철도수리 및 공사에 필요한 인부의 공급에 협조하도록 훈령할 것.
> ② 府尹 · 郡守는 철도 부근의 各坊 · 各部 村落의 戶數와 村長 · 執綱 · 頭民 · 勞動者의 姓名薄을 작성하여 鐵道監部 혹은 사령부로 송부할 것.
> ③ 명부에는 日傭使役으로 糊口居生하는 자를 먼저 쓰고 나머지는 순차로 기입할 것.
> ④ 雇傭를 직업으로 하는 자를 제1반으로 편성하고 기타를 제2반으로 편성하되, 金銀이 있는 자라 하더라도 人夫應役에서 빠뜨리지 말 것.
> ⑤ 인부가 필요한 때는 雨天이나 기타 사고가 있을 때라도 出役하되, 만약 출역을 태만히 하면 府尹 · 郡守는 이를 처벌할 것.
> ⑥ 事變之際에는 제1반 인부뿐만 아니라 제2반 인부도 출역할 의무가 있고, 농사가 多하다는 구실로도 출역을 면치 못할 것.
> ⑦ 통상시에는 제1반의 출력으로 可하지만, 제2반의 출역이 필요할 때는 監部에서 군수에게 통보할 것.
> ⑧ 監部나 兵站司令部의 증명서를 가진 청부인 · 통역 등이 직접 인부를 요구해도 이에 응할 것.
> ⑨ 事變之際의 제2반의 출역은 일본군사령부가 명령함.
> ⑩ 인부의 노동시간은 1일 8~12시간, 1인 작업량은 土砂運搬 40~12立方尺, 1일 임금은 日貨 30~40錢.
> ⑪ 인부 25인에 1명을 小頭로 하고 小頭에게는 日貨 40~50錢을 給함, 인부 100인마다 人夫長을 두고, 百人長에는 日貨 60~100錢을 給함.
> ⑫ 제⑩에 규정한 작업량에 미치지 못한 자에게는 상당한 임금을 감액함.

⑬ 임금지불에 異意가 있을 때는 監部 또는 司令部에 請願할 것.
⑭ 철도 연선에 거주하면서 철도 인부로 出役치 않는 자는 道路修理人夫로 출역케 할 것.[160]

위의 계약은 府尹 · 各郡守 · 鐵道監部建築班長 · 兵站司令官이 입회한 가운데 체결되어 각 부락에 게시되었다.

황해도 新溪郡은 작년 이래 경의선 건설공사에 징발된 인부수가 10만 명이었고, 각 부락에서 식비와 雇費로 염출된 액수가 30~40만량에 이르렀다. 그럼에도 불구하고 신계군에서 경의선 개량공사를 하던 阿川組는 1905년 8월에 매일 270명의 인부를 30일 동안 공급하라고 요구하였다.[161] 다른 군들도 사정은 마찬가지였다. 평안남도의 肅川郡은 安州郡內의 철도공사에 매일 150명의 인부를 2개월이나 공급하였다.[162] 成川郡에서는 매일 50명의 인부가 3개월간 동원되었다.[163]

평안북도에서는 철도역부로서 뿐만 아니라 軍用役夫로서도 동원되었다. 龜城 · 江界 · 龍川 · 朔州 · 郭山 · 鐵山 · 嘉山 · 泰川 · 定州 等郡에서는 수백 명 · 수백 필의 인부와 우마가 2~3개월간씩 동원되었다.[164] 특히 1909~1911년에 추진된 압록강철교 가설공사에는 연인원 定傭職工 3만 8,302명, 日傭職工 47만 1,17명이 동원되었다.[165]

경의선 연선에서 철도공사 노동자의 강제동원은 개량공사가 끝나는

160) 『黃海道來去案』, 黃海道觀察使具永祖報告 1905.8.14 ; 『皇城新聞』 1905.8.10. 잡보 「內部擾況」.
161) 『黃海道來去案』, 新溪郡守成奭永報告 1905.8.17 ; 『대한매일신보』 1905.8.25. 잡보 「海察報告」.
162) 『대한매일신보』 1905.9.6.
163) 『대한매일신보』 1905.11.22. 잡보 「殘民再歛」.
164) 『交涉局日記』, 1905.5.31 ; 6.26 ; 7.10 ; 7.24 ; 『皇城新聞』 1905.7.25. 잡보 「平北情況」.
165) 朝鮮總督府鐵道局, 1912, 『鴨綠江橋梁工事報告』, 249~252쪽.

1911년까지 계속되었다. 이와 아울러 도로개수공사나 군수품운반의 노무자로서도 동원되었다. 그리하여 철도연선의 한국인들은 생업을 잃고 방황하거나 시국을 원망하여 울분에 떨었다. 이것은 한일의 갈등과 대립이 더욱 첨예화 · 내면화되는 것에 다름 아니었다. 1908년 무렵『대한매일신보』에 실린 文在穆의 '계몽가사'「和九曲歌」는 일본에 침탈당하는 한국의 슬픈 현실과 국권 회복의 염원을 노래했는데, 第三曲은 철도연선 주민의 처절한 신세를 다음과 같이 모사했다. 곧 일본의 군용철도 부설에 땅과 노동력을 빼기고 종놈의 처지로 전락한 한국 농민은 糊口之策을 잃고 시국을 원망하며 정처 없이 떠돌아다니며 빌어먹는다는 것이다.

> 農夫가 삽을 메고
> 怨ᄒᆞ나니 時局이라
> 軍用鐵道 赴役ᄒᆞ니
> ᄶᅡᆼ밧치고 죵질이라
> 一年農事 失業ᄒᆞ니
> 遊離丐乞 눈물일세166)

한국인의 피와 땀으로 건설된 경의선에는 1936년 현재 60개의 역이 존재했다. <지도 4-1>은 경의선의 노선과 역을 표시한 것이다. 신의주 발 부산행 열차는 모두 6편이었다. 그 중 만주국 新京에서 08:00에 출발하는 급행열차 '히까리(ひかり)'는 18:46에 신의주에 도착, 18:47에 출발하였다. 중간에 정주(20:39)—맹중리(21:23)—평양(22:23)—신막(00:35)—개성(01:50)을 정차하며 03:03에 경성에 들렀다가, 11:05에 부산에 도착했다. 신의주에서 경성까지 약 500 km를 8시간, 부산까지 약 950 km를 16시간에 주파했다. '히까리'는 침대칸과 식당칸을 구비했고 객차는 1 · 2 · 3등

---

166)『대한매일신보』1908.2.7.

으로 구분되었다. 국제열차의 운행은 10장에서 자세히 살펴보겠다.

신의주에서 09:27에 출발하는 완행열차는 평양에 13:06, 개성에 20:02, 경성에 21:50, 부산에 이튿날 09:10에 도착했다. 꼬박 하루가 걸렸다. 경의선에는 평양 · 토성 · 개성 · 신막 등 각 역에서 경성까지 운행하는 열차를 비롯하여, 개성 · 신막 · 평양 · 경주 · 사리원을 종점으로 하는 부분 구간 운행 열차도 있었다.[167)]

167) 김종혁, 2017, 『일제시기 한국 철도망의 확산과 지역구조의 변동』, 도서출판 선인, 146쪽.

5장 경원선(서울－원산, 1904~1914년)

1. 경원선의 지위와 열강의 속셈

1) 경원선의 지위

경원선(<지도1－1>의 ④, <지도 1－2>의 ④, <지도 5－1>)은 한반도 한복판에 위치한 최대 도시 수도 서울과 한반도 동해안의 한가운데 위치한 천연의 良港 원산을 잇는 간선철도이다. <지도 1－2>의 ④에서 보듯이, 원산의 영향을 크게 받는 범위에는 서울과 원산은 물론, 경기도와 강원도 북부지역 및 함경남도 남부지역이 포함된다. 경원선은 출발점인 용산역에서 경인선, 경부선, 경의선과 접속하고, 서울 동부 청량리역에서 경춘선, 경경선과 접속함으로써 한반도 남부는 물론이고 서북부와도 연결되는 주요 동맥이다. 나아가 경원선은 동해안을 따라 남하하여 부산에 이르는 동해선을 거느림으로써 동서 교통의 간선이 될 수 있었다. 경원선은 또 동해안을 따라 북상하는 함경선과 접속하여 만주 중앙지역과 동북지역 및 연해주 철도와도 연결되는 국제간선철도의 성격을 띠고 있다.

일제는 일찍부터 경원선의 중요성을 간파했다. 이에 일제는 한국정부의 자력건설 움직임을 봉쇄하고 러일전쟁을 호기로 삼아 직접 군용철도로 부설하기 시작했다. 일제가 러일전쟁에서 일찍 승리함에 따라 경원선 부설은 일단 연기되었다. 그러나 일제는 1910년 8월 한국을 강점하자마자 제일 먼저 경원선 건설공사에 착수했다. 한국을 지배하고 대륙을 침략하기 위해서 경원선은 시급히 필요한 사회간접자본이었기 때문이다.

조선총독 寺內正毅는 1912년 10월 21일 철원정차장에서 거행된 연천-철원 구간 개통식 축사에서, 경원선의 사명을 다음과 같이 말했다.

> 본래 경원선은 조선내지의 富源을 개발하는데 도움이 될 뿐만 아니라 가까이 일본해(동해)연안과 황해연안의 물자여객을 연락하고, 나아가 일본과 關東州 및 芝罘 등의 支那(중국)영토를 연계할 것.[1]

곧 경원선은 일본이 한반도를 동서로 횡단하여 동북아시아에 세력을 뻗치는데 필수불가결한 철도라는 것이다.

조선총독부의 기관지인 『매일신보』는 1913년 8월 21일 원산-용지원 구간의 개통에 즈음한 사설에서 경원선의 역할을 다음과 같이 정리했다.

> 대저 경원선은 조선반도를 횡단하여 일본해(동해) 및 황해를 연결함으로써 동양 대륙에서 가장 樞要를 점하는 교통운수기관일 뿐만 아니라, 또 동조선의 富源을 開展하는 최급무라 할지로다.……경원선의 개통은 경성-원산의 관계를 밀접하게 할 뿐 아니라, 이에 의거하여 북일본 및 露領沿岸의 무역상 관계를 가장 밀접하게 할 것이므로 이 노선이 전부 개통되면 전에 없던 부원이 생겨날 줄로 예상한다.[2]

1) 『매일신보』 1912.10.23.
2) 『매일신보』 1913.8.21.

이 사설도 경원선이 한국의 동서 바다를 연결하고 동부지역의 부원을 개발하는데 아주 중요한 교통수단일 뿐만 아니라, 러시아 연해주와 일본 북부지역의 교역을 촉진하는 국제간선이 될 것이라고 기대했다. 실제로 경원선의 종점인 원산은 동해안 굴지의 항구로서 한반도는 물론이고 일본과 러시아 각 항구와 항로로써 연결되어 있다. 또 경원선과 서울에서 접속하는 경인선의 종점인 인천은 서해안 제일 항구이다. 그리고 경부선의 대전에서 분기하는 호남선을 통해 경원선과 간접적으로 연결되는 목포는 서남해 으뜸 항구이다.

이런 점들을 감안하면, 경원선은 서해와 동해를 이어주는 橫斷 간선철도의 성격도 아울러 지니고 있다고 할 수 있다. 경인선이 북한지역에서 평남선(평양－진남포)의 역할을 한다면, 경원선은 평원선(평양－원산)에 필적할 만한 성격을 지니고 있다. 그리하여 경원선 부설이 논의될 때는 항상 평원선과 우선순위를 다퉜다.

그뿐만 아니라 경원선은 자신과 접속하는 중요한 培養線을 두 개나 거느리고 있다. 금강산전기철도와 동해북부선이 그것이다. 전자는 금강산전기철도주식회사(나중에 경성전기주식회사)가 경영한 사설철도로서, 경원선의 철원에서 분기하여 백두대간 태백산맥의 협곡을 뚫고 내금강에 이른다. 후자는 조선총독부가 운영한 국유철도로서, 경원선의 원산에서 동해안을 따라 남하하여 양양에 이른다. 따라서 경원선은 한반도의 관광과 해양 개발에서도 중추 역할을 하리라는 기대를 모았다.

2) 열강의 부설권 요구

20세기를 전후하여 한반도의 철도이권에 관심을 가진 제국주의 열강은 경원선의 탁월한 지정학적 가치를 간파했다. 나아가 경원선의 부설과 운영을 장악하기 위해 대한제국을 압박하고 각축을 벌였다.

프랑스는 1880년대에 이미 동남아시아에 진출하여 세력을 떨쳤는데, 중국 남부에서 철도이권을 차지한 여세를 몰아 한국에서도 간선철도 부설권을 집요하게 요구했다. 경의선(서울—의주), 경원선(서울—원산), 경목선(서울—목포), 경공선(서울—공주) 등이 그것들이다. 당시 프랑스는 러시아와 비밀동맹을 맺고 있었고, 고종은 러시아 공사관에 피신해 있었으므로, 한반도에서 철도이권을 차지하는 데 유리한 상황이었다. 실제로 한국정부는 1896년 7월 3일 프랑스와 경의철도합동을 체결하여 경의선 부설권을 피브릴르회사에 부여했다. 반면에 경원선 등 다른 철도의 부설권은 모두 거절했다.

프랑스에 뒤질세라 러시아와 독일도 경원선 부설권을 요구했다. 그러나 한국정부는 외국인에게 철도부설권을 주는 것이 나라의 주권과 안전을 해칠 수 있다는 점을 자각하고 1897년 이후 외국에 철도이권을 양도하는 것을 금지하는 방향으로 나갔다. 이에 따라 1898년 1월 12일 이미 인가한 권리 이외의 철도와 광산 이권은 절대로 외국인에게 넘기지 않겠다는 방침을 결정했다. 그리하여 러시아와 독일의 야심은 결실을 보지 못했다.

일본은 청일전쟁 직후 재정의 여유가 없는 형편에서, 잠정적으로 손에 넣은 경인선과 경부선 부설권을 확정적인 것으로 만들기 위해 급급한 상황이었다. 다만 경원선을 다른 나라가 장악하면 한국에서 일본 세력을 확장하는 데 큰 장애가 된다고 여기고 외국의 동향을 날카롭게 주시하고 있었다. 그러던 중 1899년 1월 12일 青木 대리공사는 서울에 거주하던 乾長次郎와 吉川佐太郎의 명의로 경원선 부설권을 한국정부에 요구했다. 한국정부는 1899년 6월 19일 외부대신 박제순의 명의로 일본의 요구를 거절하고, 앞으로는 한국정부가 직접 철도경영에 나서겠다고 선언했다.[3)]

2. 한국의 자력건설 시도와 일본의 침탈

1) 한국의 자력건설 시도

철도 자주권의 중요성을 자각하고 열강의 요구를 물리친 한국정부는 철도이권을 외국인에게 불허하는 데 그치지 않고, 경원선 등을 자력으로 건설하겠다고 나섰다. 그리고1899년 6월 17일 경원선과 경홍선(서울－경홍, 나중의 함경선) 부설권을 한국인 실업가이자 중추원 의관인 朴琪淙 등이 설립한 大韓國內鐵道用達會社에 許給하였다.[4] 이 회사는 1899년 7월 농상공부의 허가를 받아 서울의 동소문(惠化門) 밖 三仙洞을 기점으로 하여 元山街道를 따라 議政府를 거쳐 楊州郡 磚隅店에 이르는 40 km의 노선을 실측했다. 측량을 위해 고빙된 일본인 기사 內田錄雄는 같은 달 13일 서울에 들어왔다.[5]

한국정부는 1899년 9월 13일 궁내부 내장원에 서북철도국을 설치하고 경의선과 경원선 부설을 감독하게 하였다. 그리고 같은 해 12월 19일 독일이 요구한 진남포－원산 철도부설권과 자금 공급권도 거부했다.

그런데 대한국내철도용달회사는 자본 모집이 여의치 않아 철도부설 공사를 제대로 추진할 수 없었다. 마침 러시아의 남하에 신경을 곤두세우고 있던 일본은 경원선 부설권을 장악하기 위해 호시탐탐 기회를 엿보고 있었다. 그러던 중 일본은 1903년 9월 대한국내철도용달회사와 京元鐵道借款契約을 맺고, 사채를 제공하는 것을 조건으로 하여 경원선의 부설과 운영에 관한 실권을 장악하였다.[6]

---

3) 서울특별시 시사편찬위원회, 2013, 『국역 경성부사』1권, 680~681쪽.
4) 朴琪淙, 1972, 『韓末外交秘錄』, 成進文化社, 300쪽.
5) 『국역 경성부사』 1권, 680~681쪽.
6) 정재정, 1999, 『일제침략과 한국철도(1892~1945)』, 서울대학교출판부, 140~141쪽.

2) 일본군의 군용철도 부설 강행

경원선의 부설권과 운영권을 손에 넣은 일본은 반년도 채 되기 전에 한반도 지배권을 둘러싸고 러시아와 일전을 벌였다. 그리고 일본은 러시아에 선전을 포고한 직후인 1904년 2월 23일 한국정부를 압박하여 한일의정서를 체결하고, 한반도의 주요 지역을 마음대로 군용지로서 사용할 수 있는 특권을 차지했다.

일본정부는 러일전쟁이 한창이었던 1904년 8월 군사작전상 필요하다는 구실을 내세워 경원선을 군용철도로 부설하겠다는 방침을 독단으로 결정했다. 이것은 1년 전에 일본정부가 대한국내철도용달회사와 경원철도차관계약을 스스로 파기한 것과 마찬가지였다. 그 후 일본정부가 한국정부에 통보한 경원선의 군용철도화 방침은 다음과 같았다.

> 帝國政府는 今次 군사상의 필요에 기초하여 京城으로부터 淮陽을 거쳐 元山에 이르는 사이에 군용철도를 부설하고, 그렇지 않으면 도로의 修築을 행할 것을 결정하고, 이를 貴 政府에 통첩한다. 아울러 금후 필요에 따라 北青 및 鏡城을 거쳐 豆滿江岸에 선로를 연장해야 함으로, 이와 경쟁 혹은 병행하여 철로를 부설하지 않을 것을 미리 保留할 것. 장차 京元間 철도부설에 임하여 필요한 토지 수용 기타에 관해서는 京義間 군용철도와 동일 사례에 따라 귀 정부에서 상당한 편의를 공여할 것을 기대한다.[7]

일본군이 직접 경원선 부설에 나섬으로써 한국의 경원선 부설 시도는 짓밟히게 되었다. 더욱 고약하게 일본군은 대한국내철도용달회사가 부설을 기획하고 있던 경흥선(함경선)까지도 장악하겠다는 뜻을 밝혔다. 게다

7) 「軍事上ノ必要ニ基キ京城元山鐵道敷設ノ件」, 1904.9.2. 『日韓外交資料集成』5, 282~283쪽.

가 한국은 경홍선과 경합 또는 병행하는 철도를 부설하지 말라고 요구했다. 그리고 한 술 더 떠 한국은 일본군이 경원선을 부설하는 것을 돕기 위해 경의선의 사례에 따라 토지와 노동력을 제공하라고 을러댔다. 일본군이 1904년 3월부터 공사를 진행하고 있던 경의선 연선에서는 토지와 노동력의 수탈이 심하여 한국인과 일본인 사이에 심각한 대립과 갈등이 빚어지고 있는 상황이었다.

경원선 부설권을 탈취한 일본은 1904년 9월 臨時軍用鐵道監部로 하여금 元山鐵道建築班을 조직하게 하고, 병참사령관을 반장으로 삼아 남북에서 공사계획에 착수했다. 그리고 남부의 용산–의정부 사이 31 km의 선로 측량은 1904년 11월에, 북부의 元山–龍池院 사이 35 km의 선로측량은 1904년 12월에 완료했다. 임시군용철도감부는 나머지 구간의 측량을 1905년 3월 중순부터 5월 22일까지 마쳤다. 이에 따라 경원선 중간 구간의 노선은 삼방관–평강으로 결정됐다.

일본군은 1904년 11월 원산 쪽의 노반공사에 착수하여 이듬해 4월 25일까지 약 13 km를 준공했다. 그런데, 용산 방면은 서빙고 등에서 외국인이 소유하고 있는 토지의 매수가 지연되고, 겨울에 혹독한 추위를 만나 1905년 봄까지 토공공사를 시작하지 못하였다. 용산 쪽에서는 1905년 8월 노반공사에 착수하여 9월 초순까지 약 6 km를 준공했다. 그러나 곧바로 대홍수를 만나 노반의 상당부분이 유실되는 손상을 입어 1906년 7월에 가서야 공사를 재개할 수 있었다.

1906년 9월 임시군용철도감부의 사무가 통감부 철도관리국으로 이관되었다. 철도관리국은 경원선부설 공사를 계승하여 1906년 10월까지 약 12 km의 노반공사를 완료했다. 그리고 나머지 구간의 공사는 일단 중지했다. 일본이 경원선의 부설을 보류한 가장 큰 이유는 러일전쟁이 예상보

다 일찍 끝나 군용철도를 긴급하게 부설할 필요성이 당장은 사라진데다가 전후의 재정 핍박 때문이었다.8)

3. 경원선의 건설공사와 개통의 추이

1) 건설공사의 경과

러일전쟁이 끝난 이후에도 서울에 거주하는 일본인들은 경원선을 부설하기 위해 伊藤 통감이나 寺內 육군대신, 桂 전 외무대신, 澁澤 경부철도주식회사 사장 등을 찾아다니며 도움을 청했다. 마침 大倉와 淺野 등의 政商 자본가가 평원선의 부설을 발기하고 나섰기 때문에 이들은 경쟁의식을 느끼고 있었다. 통감이나 육군대신은 경원선의 시급한 완성에는 공감했으나, 국가재정상 수지를 맞출 수 없는 사설철도 건설에 이자 등을 보전해주기는 어렵다고 말했다. 다만 서울은 한국의 수도로서 정치의 중심이자 상공업 발달의 요지가 될 것이므로 경원선 건설은 필요하다. 군사상의 수요를 감안하면 국가가 직접 건설하여 운영해야 하는데, 조속히 완공해야 할 것인가는 면밀하게 고려해봐야 한다. 통감부 시기 일본 정부 요인의 견해는 대체로 이와 같은 분위기였다.9)

일본정부는 한국의 국권강탈을 전후하여 함경남북도 지역의 물자를 서울 등의 중심지역으로 반입해야 할 필요성을 절실히 느꼈다. 그리하여 1909년 12월 第26議會의 協贊을 얻어 경원선 부설공사를 다시 시작하기로 작정하였다. 그리고 1910년 4월부터 實測作業에 들어가 용산－의정부－鐵

8) 朝鮮總督府鐵道局, 1914, 『京元線建設概要』, 1～2쪽.
9) 『국역 경성부사』2권, 663～664쪽.

原－平康－三防關－釋王寺－元山에 이르는 223 km의 노선을 선정하였다(<지도 5－1> 참조).

일본이 경원선의 부설을 서둔 목적은 '한국병합'과 동시에 통감에서 총독으로 轉任한 寺內正毅의 다음과 같은 포고문에 잘 나타나 있다.

> 지금 조선의 地勢를 두루 보건대 남쪽 땅은 비옥하여 農桑에 적합하며 북쪽 땅은 대개 광물이 풍부하고 내륙의 하천과 외부의 바다는 또한 어종이 많으니 이익과 혜택을 남기는 수확물이 적지 않은지라 그 개발의 방법이 적합하면 산업의 진작을 기대할지어다. 그런데 산업의 발달은 오로지 운수기관의 완성을 기다려야 할지니, 이는 산업을 일으킬 계제가 될지어다. 이번에 통로를 13道 각지에 열며 철도를 京城－元山 및 三南地方에 신설하여 점차 전국토에 미치게 함에 이와 같이하여 큰 성공을 장래에 기하고 모두 開鑿敷設의 공사로서 민중에게 생업을 부여하면 궁핍을 구제하는 一助가 됨은 의심할 것이 없는 바이라.[10)]

寺內의 위 포고문에서 보듯이, 일본은 한반도에 대한 정치 · 군사 지배는 물론이고 동북부 지역의 물자를 반출하기 위해서 경원선 부설을 서둘렀다. 조선총독부는 당초 경원선을 2개 구역으로 나누어, 용산－세포 사이 149.3 km(8개 공구)은 용산건설사무소가, 세포－원산 사이 73.4 km(7개 공구)은 원산건설사무소가 공사를 주관하고, 양쪽에서 착수하도록 했다. 1910년 4월 용산 방면에서 측량을 개시하고 10월에 공사에 착수했다. 공사에서는 러일전쟁 때 만든 노반, 곧 용산 방면의 6.4 km와 원산 방면 12.8 km를 그대로 활용했다.

경원선 부설 공사에서, 경기도 지역은 대체로 지세가 평탄해 한탄강 교량을 제외하고는 어려움이 없었다(<사진 5－1> 참조). 강원도 쪽 공사는

10) 『純宗實錄』, 13년 8월 29일.

한반도의 등줄기에 해당하는 철령산맥을 만나 힘들었다. 검불랑 근처의 지세가 특히 험준했다. 함경남도 지역은 삼방천 등지의 낭떠러지가 심해 여러 개의 다리와 터널을 건설해야만 했다. 고산 지역에 이르기까지 고도 차이가 360 m나 되고 2.5 %(1/40)의 급커브가 이어졌다. 세포–고산 구간은 아주 힘들었다. 연변평야에 이르면 토공과 교량 공사가 그다지 많지 않았지만, 보조 도로가 험악하여 건축자재 운반에 애를 먹었다. 경원선이 통과하는 지역은 겨울에 추위가 매섭고 여름에 장마가 이어져 시공상에 어려움을 겪었다. 겨울철의 4~5개월 동안은 공사를 중지할 수밖에 없었다.[11)]

일본에 나라를 빼앗긴 신세가 된 경원선 연선 주민들은 철도부설공사에 참여하지 않으려고 저항했다. 관헌이 山林과 논밭을 강제로 매수하는 사태에 대해서도 강하게 반발했다.[12)] 조선총독부는 郡衙의 관리와 洞里의 長을 앞세워 관할구역 주민을 강제로 공사에 동원하였다. 나아가서 인구가 희박한 경원선 연선의 애로를 보완하기 위해 철도부설 경험을 가진 경부선 연선 주민까지도 끌어왔다. 그리하여 일본인 토건업자와 한국인 노동자 사이에 자주 충돌이 발생했다. 한 예로서, 1912년 8월 25일 안변군 衛益面 龍池院 공사장에서 일본인 감독이 한국인 5명을 살상하는 사건이 일어났다. 노임을 둘러싼 갈등이 원인이었다.[13)]

조선총독부의 노동자 동원은 그렇지 않아도 격앙되어 있던 한국인들의 反日意識을 고양시켰다. 그리하여 의병 등이 경원선 부설공사를 방해하는 사건이 발생했다. 의병부대는 일본에게 해산 당한 대한제국 군인이 주축을 이루었다. 三防關과 鐵原뿐만 아니라 특히 산악이 중첩하고 수목이 울창한 洗浦–高山 등지에서 의병부대가 철도공사를 하고 있는 일본

11) 『국역 경성부사』3권, 150~151쪽.
12) 『매일신보』 1912.5.11.
13) 『매일신보』 1912.9.4.

인들을 공격하였다. 철도공사를 맡은 일본인들은 의병의 눈을 속이기 위해 흰옷을 입고 한국인인 것처럼 위장했다. 그리고 무장한 헌병의 호위를 받으면서 노선측량과 부설공사를 진행해나갔다.[14]

경원신 부설공사에는 노동력 부족을 타개하기 위해 중국인 노동자까지 고용했다.[15] 함경남도 安邊郡 訪花面 부근 약 17.7 km의 철도공사에서 1912년 4월 20일에 사역한 인부는 일본인 70명, 한국인 190명, 중국인 25명이었다. 강원도 평강군 洗流里－國師堂 철도공사에는 100명의 중국인 노동자를 고용했다.[16] 검불랑 터널공사에는 일본인 100명, 한국인 500명, 중국인 236명이, 약수 터널공사에는 일본인 100명, 한국인 500명, 중국인 450명을 인부로 사역하였다.[17]

내륙으로 들어갈수록 경원선 부설공사는 험난했다. 도로와 하천이 정비되지 않아 공사에 필요한 재료는 우차나 지게로 운반했다. 용산에서 청량리까지는 전차를 이용할 수 있었지만 나머지 구간은 임시로 도로를 내어 우차를 이용하거나 한국인이 등짐으로 지어 날랐다. 벽돌, 석재, 자갈, 목재 등은 공사장에서 가까운 곳에서 조달했다. 한국인의 반발과 저항은 엄중한 탄압을 받았다. 조선총독부는 이런 과정을 거쳐 1910년 10월부터 1914년 8월까지 224 km에 달하는 경원선 부설공사를 마쳤다. 일본이 경원선의 부설에 투자한 자금은 모두 1,282만 4천 원이었다.[18]

2) 개통의 추이

경원선의 각 구간별 개통 상황을 보면 다음과 같다. 용산－의정부(정차

14) 『京城日報』 1930. 11. 21.
15) 『京元線建設概要』, 7쪽.
16) 『매일신보』 1912.8.27.
17) 『매일신보』 1913.5.3.
18) 朝鮮總督府鐵道局, 1940, 『朝鮮鐵道四十年略史』, 237~238쪽.

장 수 4개, 거리 26.4 km, 개업 연월일 1911.10.15.), 의정부–연천(4개, 26.5km, 1912.7.25.), 연천–철원(2개, 14.9 km, 1912.10.21.), 철원–복계(3개, 16 km, 1913.7.10.), 복계–검불랑(1개, 9.7 km, 1913.9.25.), 검불랑–세포(1개, 7.6 km, 1914.6.21.), 세포–고산(1개, 16.2 km, 1914.8.16.), 고산–용지원(1개, 4.0 km, 1913.10.21.), 용지원–원산(6개, 24.1 km, 1913.8.21.), 합계 23개 역, 222.7 km이다.[19]

1912년 10월 21일 연천–철원 19마일이 개통되어 영업을 개시하자 寺內 총독을 비롯한 주요 관민이 시승했다. 남대문역을 출발한 寺內 총독은 의정부역과 연천역에 하차하여 면장과 보통학교 생도에게 일장 연설을 했다. 그는 11시에 철원정차장에서 열린 개통식에 참석한 후 헌병분견소와 재판소 등을 시찰하고 특별열차로 서울로 돌아갔다. 각 공구별로 거행된 경원선의 순차적 개통식을 지방순시의 일환으로 활용한 셈이다(사진 5–2> 참조).[20]

寺內 총독은 경원선 완전 개통을 앞두고 막바지 공사를 독려하기 위해 연선을 방문했다. 1914년 6월 27일 8시 남대문역 발 임시열차를 타고 三防驛에 하차하여 세포 부근의 공사 등을 시찰하고 저녁 9시 반 착 열차로 귀경했다. 그의 시찰에는 조선군 군사령과 조선총독부 철도국장 등이 수행했다.[21]

데라우치 총독의 사정이 여의치 못한 경우에는 山縣 정무총감이 경원선 개통식에 대신 참석했다. 山縣 정무총감은 1913년 8월 21일에 원산정차장에서 열린 원산–용지원 구간 개통식에 참석했다.[22] 그리고 1914년 9월 16일에 원산정차장에서 열린 경원선 완전 개통식에도 참석했다. 大

19) 『京元線建設概要』, 2~3쪽.
20) 『매일신보』 1912.10.23.
21) 『매일신보』 1914.6.28.
22) 『매일신보』 1913.8.23.

屋 철도국장이 참석한 것은 물론이다.[23]

데라우치 총독은 경원선 완전 개통 직후 연선지역과 원산방면을 시찰했다. 1914년 11월 7일 남대문역 출발의 임시열차를 타고 원산에 가서 일박하고 8일에 귀경하는 일정이었다. 大屋 철도국장, 立花 경무총장, 阿野 武官 등이 수행했다. 경원선을 활용해 민정시찰을 한 셈이다.[24]

4. 경원선의 개량공사와 연계철도망의 형성

1) 개량공사의 추진

일본은 경원선을 운영하면서 수송력을 강화하기 위해 수차례 개량공사를 실시했다. 특히 1930년대 중반 이후, 함경남도와 함경북도 지역에서 추진한 삼림자원과 지하자원의 개발과 수탈, 수자원개발과 중화학공업의 발흥 등은 경원선, 그리고 이와 접속하는 함경선의 역할을 증대시켰다. 그리하여 일본의 제79회 제국의회는 경원선과 함경선을 복선으로 개축하는 예산안을 통과시켰다.[25] 이에 따라 경원선과 함경선은 수송난이 극심한 지역부터 복선으로 만드는 공사를 시행했다. 일제가 패망할 때까지 경원선의 복선화 공사가 모두 끝난 것은 아니지만, 주요 구간의 복선화는 어느 정도 실현되었다. 원산과 본궁에는 거대한 조차장 시설도 신축되었다. 그리고 경원선의 福溪-高山은 1944년 4월 1일 직류 3천 볼트의 電化 구간으로 개량되었다.[26]

---

23) 『매일신보』 1914.9.17.
24) 『매일신보』 1914.11.7.
25) 朝鮮總督府交通局, 1944, 『朝鮮交通狀況』, 40~41쪽.
26) 財團法人 鮮交會, 1986, 『朝鮮交通史 資料編』, 213~214쪽.

1945년 8월 현재 경원선에는 35개의 크고 작은 역이 설치되었다. 개통 당시에는 23개 역이었는데, 철도연선의 사회 경제가 변함에 따라 12개 역이 더 늘어난 것이다. 개통 이후 새로 설치된 역과 개업시기 등을 소개하면, 서빙고(1917.10.1), 한강리(간이역, 1931.6.15, 1944.41 폐지), 수철리(간이역, 1935.1.16, 1944.4.1 폐지), 연촌(1939.6.1), 신탄리(1942.12.1.), 가곡(1938. 6.16), 이목(1937.12.1), 성산(1941.7.1), 삼방협(1931.8.1), 배화(1928.6.1.) 등과 같다.[27] 일제하에서 서울의 인구와 영역이 늘어남에 따라 서빙고, 한강리, 수철리, 연촌 등의 역이 새로 설치된 것이다.

한강을 끼고 달리는 경원선은 연선의 풍광이 아름다웠다(<사진5-3> 참조). 그리고 철령 등의 고산지대에 들어서면 석왕사 등의 고찰이 웅장했다. 게다가 1930년대 이후 경원선 연선에 스키장 등의 스포츠 관광 시설이 들어서자 삼방협 등에 역이 증설되었다. 이리하여 경원선은 일제 강점기 내내 서울의 철도네트워크 중에서 경부선과 경의선에 버금가는 위상을 차지하였다.

1941년 현재 경성역에서 원산역까지 226.9 km에 모두 32개 역이 있었다. <지도 5-1>이 경원선의 노선과 역의 배치를 보여준다. 경원선 열차는 함경선과 연계하여 함흥과 청진까지 운행하였다. 09:35에 경성역을 출발한 313호 함흥 행 열차는 12:58에 철원, 14:59에 세포, 16:48에 원산, 19:58에 함흥에 도착했다. 수철리역을 제외하고 모든 역에 정차한 보통열차는 원산까지 7시간 이상 달렸는데, 삼방과 고산 일대의 험로를 지났기 때문에 속력을 낼 수 없었다.[28] 경원선의 열차운행은 9장에서 좀 더 자세히 살펴보겠다.

---

27) 矢代新一郎, 2009,『日本鐵道旅行地圖帳 歷史編成 朝鮮臺灣』, 新潮社, 2009, 38쪽.
28) 김종혁, 2017,『일제시기 한국 철도망의 확산과 지역구조의 변동』, 도서출판 선인, 153쪽.

2) 연계철도망의 형성

경원선을 비롯하여 한반도의 간선철도망은 일본이 한국과 대륙을 침략하고 지배하는 상황과 밀접히 연동하면서 형성되었다. 경원선 부설을 완공한 조선총독부는 함경선(<지도 1-1>의 ⑤, <지도 1-2>의 ⑤, 원산-상삼봉, 667 km, 1928년)의 부설을 추진했다. 함경선은 경원선의 종점 원산에서 해안선을 따라 북상하여 영흥, 함흥, 북청, 성진, 나남, 경성을 거쳐 청진에 이른다. 그리고 청진에서 함경북도의 내륙지방을 비스듬히 가로질러 북진하며 길주를 거쳐 국경 도시 회령에 다달았다.

함경선 연선에는 탄전과 철광 등 광산지대가 산재해 있기 때문에 지하자원 개발을 위해서는 필수불가결한 노선이다. 세계 4대어장으로 일컬어졌던 함경선 근해 수산자원도 일본이 눈독을 들이는 대상이었다. 그뿐만 아니라, 함경선은 두만강을 건너 길림, 장춘, 도문, 목단강 방면으로 연결되기 때문에 만주의 중심지역과 동북지역으로 진출하기를 열망하고 있던 일제로서는 대단히 소중한 간선철도였다(<지도 1-1>의 ⓒ, ⓖ참조). 함경선은 1914년에 부설공사에 착수하여 15년만인 1928년 9월 전 구간을 개통하였다.[29] 그리하여 경원선의 역할은 한층 더 중요해졌다. 경원선은 함경선과 서울 등을 연결하는 허리에 해당하였기 때문이다.

일본은 식민지로서 독자성이 강화된 한반도에서 조직적이고 체계적인 개발과 수탈을 하기 위해 지속적으로 철도망을 확장해나갔다. 일본은 특히 1937년 7월 중일전쟁을 도발한 이래 만주와 중국에 군대와 물자를 수송하기 위해 한반도 종관철도를 더욱 중시하였다. 그리하여 전쟁으로 인한 물자궁핍에도 불구하고 소백산맥과 태백산맥의 준령을 뚫고 경경선(지도 <1-1>의 ⑪, <지도 1-2>의 ⑨, 중앙선, 경주-청량리, 383 km,

29)『朝鮮鐵道四十年略史』, 93~95쪽.

1942년)이 불과 5년 4개월의 공사 끝에 새로 부설되었다. 경경선은 청량리에서 경원선과 접속하였다. 경경선에 대해서는 제7장에서 상세하게 설명하겠다.

한반도를 동서로 횡단하는 노선도 새로 부설되었다. 평원선(<지도 1-1>의 ⑩, <지도 1-2>의 ⑪, 서포-고원, 213 km, 1941년)이 그것이다. 이 철도는 경원선과 직접 연결되는 유일한 동서횡단 철도로서, 겨울이면 얼어붙는 진남포항이나 동북해안 지역 항구들의 여객과 화물을 원산항이 대신 처리하게 만드는 사명을 띠고 있었다.[30]

경원선에는 간선철도 이외에 몇 개의 국유철도와 사설철도가 배양선으로서 접속했다. 동해선(<지도 1-1>의 ⑫, <지도 1-2>의 ⑧), 금강산전기철도(<지도 1-2>의 ⑧), 경춘선(<지도 1-2>의 ③) 등이 그것들이다. 조선총독부는 1920년대 들어서서 산미증식계획과 더불어 철도망확충사업을 주요 국책으로 추진했는데, 1927년부터 1938년까지 추진한 '조선철도12년 계획'이 그것이었다. 동해선은 이 '12년 계획'에서 선정한 5개 간선의 하나로서, 경원선 안변에서 출발하여 동해안을 남하하여 부산에 이르는 철도였다. 곧 통천, 고성, 양양, 강릉, 영덕 등을 거쳐 포항에 이르는 구간과 부산진에서 시작하여 동래를 거쳐 북진하여 위산에 이르는 구간을 합친 약 551 km의 노선이었다. 다만 동해선이 완성되기 전에 일제가 패망함으로써 동해선은 원래의 사명을 다 하지 못하고 지선의 역할에 그치게 되었다. 동해선 부설사업에는 이미 조선철도주식회사가 운영하고 있던 협궤 경동선을 매수하여 표준궤로 개축한 다음 동해선에 연결시키는 공사도 포함되어 있었다.

30) 朝鮮總督府鐵道局, 1938, 『朝鮮鐵道狀況』 29, 서울, 1938, 20쪽 ; 『朝鮮鐵道四十年略史』, 275~278쪽, 289~294쪽.

동해안은 원래 좋은 항구가 부족한데다가 육상교통마저 불편하여 개발이 늦어졌다. 이에 동해선이 부설되면 강원도와 경상북도의 풍부한 해산물을 반출하고, 통천, 강릉, 근일의 석탄과 광물 그리고 태백산맥의 임산물 등을 개발하여 반출하는 사명을 띠고 있었다. 또 부산과 함경선을 연결하여 동해안 縱貫線을 형성함으로써 한반도 남북의 연결은 물론 만주와 유라시아대륙으로 진출하는 동맥이 될 것을 기대했다.

동해선은 북부, 중부, 남부의 세 구역으로 나누어 공사가 추진되었다. 그 중에서 경원선과 직접 관련이 있는 동해북부선을 살펴보자. 북부선은 1922년에 실측이 시작되었는데, 본격적으로 부설이 추진된 것은 '조선철도12년계획'이 확정된 1927년 이후였다. 일제는 10여년의 공사 끝에 1937년 12월 양양까지 192.6 km를 개통하였다. 그리고 양양–삼척 간 103.9 km와 동막–매원 간 3.7 km를 시공하는 중에 일제가 패망함으로써 공사는 중단되었다(<지도 1–2>의 ⑧참조).

해방 이후 국토와 민족이 남북으로 분단되어 동해선의 전략적 · 경제적 가치가 반감되었다. 그리하여 남북한 모두 더 이상 동해선의 부설공사를 재개하지 않은 채 현재에 이르고 있다. 동해북부선의 연선에는 세계적 명승인 금강산과 풍광명미한 절경 해금강이 있고 어종이 풍부한 어장이 있다. 동해선은 언젠가 다시 각광을 받을 수 있는 간선철도임에는 틀림없다.

한편, 경원선에 접속하는 사설철도서는 金剛山電氣鐵道株式會社가 운영한 금강산전기철도가 있다.[31] 일본의 유력한 자본가들이 설립한 이 회사는 1919년 8월 12일 조선총독부로부터 경원선 철원에서 분기하여 강원도 회양군 안풍면 화천리에 이르는 연장 101.4 km, 궤간 1.435 m의 철

31) 금강산전기철도의 부설과 영업에 관한 자세한 내용은 정안기, 1016.12.9, 「식민지기 '金剛山電氣鐵道(株)'의 경영사 연구」, 한일경상학회 발표 논문을 참조할 것.

도부설 허가를 얻었다. 세계적 명산인 금강산 관광을 촉진하고, 철도연선의 쌀 · 콩 · 조 · 목재 · 땔감 · 광물 등을 개발하여 반출하겠다는 것이 사업의 취지였다.

금강산전기철도주식회사는 북한강 상류에 일본 최초의 유역변경식 수력발전소를 건설하고, 거기서 생산되는 전력을 활용하여 철도를 운영하였다. 나아가 잉여 전력으로 철도연선에서 전등전력사업을 하고, 서울에서 전차사업을 하던 경성전기주식회사에 전기를 판매하였다.

금강산전기철도는 1924년 8월 1일 철원－금화 간 28.8 km를 개업하였다. 그 후 금강산 관광객이 증가함에 따라 추가면허 구간을 내금강까지 확장하며 부설공사를 진척시켰다. 1929년 4월부터 10월에 걸쳐 개최된 조선박람회는 금강산전기철도의 부설공사를 촉진하는 계기가 되었다. 금강산 관광객이 폭주했기 때문이다. 금강산전기철도는 1931년 7월 1일 金剛口에서 內金剛에 이르는 구간의 영업을 시작했다(<사진 5－4> 참조). 이로써 면허 받은 전선 116.6 km를 개업하게 되었다. 면허를 받은 지 12년, 첫 개업을 시작한 지 7년의 세월이 흘렀다. 금강산전기철도주식회사는 1934년 4월 조선운송주식회사가 운영해온 장안사－온정리 구간의 자동차 영업을 매수했다.

1933년 당시 금강산전기철도의 열차운행 속도는 시속 37 km 정도였고, 열차운행 편수는 1일 정기편 7회, 부정기편 5회였다. 열차는 객화 혼합 편성이었다. 금강산의 관광시즌인 5~10월에는 경성역과 내금강역을 왕복하는 야간 직통열차(2 · 3등 침대차)를 운행했다. 1935년의 경우, 21:45에 경성역을 출발하면 이튿날 06:04에 내금강역에 도착했다. 그리하여 서울에서부터 無泊二日의 금강산 관광이 가능해졌다. 조선총독부도 금강산 관광객 유치를 적극 지원하여, 1938년에는 그 수가 2만 4,792명에 달했다.[32] 그럼에도 불구하고 금강산전기철도는 철광석 등의 화물수입이 여객수입을 능가하여 貨主客從의 영업구조를 나타냈다. 부문별로는 전력수입이 철도수입을 상회하였다.

금강산전기철도주식회사는 조선총독부가 주도한 배전합동에 따라 1942년 1월 경성전기주식회사에 합병되었다. 철도 이름도 금강산전철선으로 바뀌었다. 그리고 1944년 10월 창도-내금강 구간 48 km는 不要不急 노선이라 하여 폐지되었다. 물자 총동원 체제에 부응하여 레일 등을 공출하기 위해서였다(<지도 1-2>의 ⑧ 참조).

경춘철도주식회사가 경영한 경춘선은 경성부 祭基町(城東驛)을 기점으로 하여 강원도 도청 소재지 춘천에 이르는 연장 93.5 km의 표준궤노선이었다(<지도 1-2>의 ③ 참조). 경춘선은 강원도 중앙부 일대의 산업개발을 주요 목적으로 삼고 있었다. 경춘선은 원래 경춘전기철도회사가 1920년 10월 18일 부설허가를 받았으나 채산의 전망이 없다는 것을 이유로 1926년에 허가가 취소되었다. 그 후 경춘선 부설은 잊혀져 있었다. 그런데 일제가 1931년 만주사변을 일으키자 일본과 대륙 사이에 끼어있는 한반도는 개발과 수송에서 중대한 사명을 지게 되고, 임무수행의 일환으로서 철도의 건설과 개선 등이 빠르게 진전되었다.

경춘철도주식회사는 이러한 분위기에 편승하여 자본금을 모으고, 1936년 7월 13일 조선총독부로부터 경춘선 부설면허를 얻었다. 한반도의 사설철도는 거의 대부분이 일본의 자본가에 의해 건설되었다. 그렇지만 경춘선은 한반도에 거주하는 일본인과 한국인의 자본에 의해 부설된 조선산 사설철도라고 할 만한 존재이었다. 경춘선은 1939년 7월 25일 운수영업을 개시하였다. 경원선과는 연촌에서 접속하였다. 경춘선에 대해서는 제6장에서 좀 더 자세히 살펴보겠다.

---

32) 金剛山協會, 1940, 『金剛山』, 49쪽.

5. 개통직후의 운수영업과 철도 연선 사회의 동향

1) 여객과 화물의 수송

1920년에 경원선은 전국 철도 여객의 6.5%를 실어 날랐다. 경부선 33.6%, 경의선 20.3%, 호남선 11.9%에 이은 4번째 순위였다. 함경선은 그다음으로 6.1%였다. 경원선의 여객 수송은 위에서 보듯이 절대 인원수에서는 전국의 4위 안에 들 정도로 성황이었다. 이것을 단위 킬로미터 당 몇 명을 수송했는가로 환산하면, 경원선은 1920년대 1 km 당 1만 명 수준을 유지했다.

경원선은 여객보다는 화물의 수송에서 더 중요한 역할을 했다. 한반도 동북부지역과 서울 사이의 물자를 운반하는 데 경원선은 없어서는 안 될 존재였다. 경원선의 화물 수송실적을 개관하면 다음과 같다. 1920년에 경원선은 전국 철도 화물의 7.8%를 실어 날랐다. 경부선 28.4%, 경의선 24.7%에 이은 3번째 순위였다. 함경선은 그다음으로 6.1%였다. 철도망이 확산됨에 따라 화물 수송에서 경부선과 경의선의 비중이 크게 감소하는 반면, 경원선은 오히려 비중을 높여가며 4번째 정도의 순위를 유지했다. 이 수치는 경원선이 한반도 및 만주의 동북지역의 화물을 서울 등지로 반출하는 데 그만큼 중요한 역할을 했다는 것을 의미한다.

경원선의 화물 수송은 위에서 보듯이 절대 톤수에서는 전국의 4위 안에 들 정도로 성황이었다. 이것을 단위 킬로미터 당 수송 톤수로 환산하면, 경원선은 1920년대 1 km 당 2천 5백 톤 수준을 유지했다.[33]

33) 허우긍, 2010, 『일제 강점기의 철도 수송』, 서울대학교 출판문화원, 111쪽.

2) 연선 사회의 변화

경원선은 구간별로 공사가 끝나는 대로 영업을 개시했다. 연천의 역세권에서 철도 개통 이전에는 車灘里에 있는 연천시장이 물자의 집산지였다. 屯田浦에 임진강의 선부장이 있었다. 철도 개통 이전에는 이곳을 통해 서울로 물자(곡류, 석유, 명태, 소금, 잡화 등)를 운송했다. 철도 개통 이후 이 물자들은 철도를 이용하여 수송되었다.[34] 1912년 5월 강원도 평강군 검불랑에서는 철도공사를 계기로 일본인이 몰려들어 가옥의 건축 등이 활발했다.[35] 1912년 11월 경원선 토성역에서 금강산 장안사까지 관광도로 약 33.8 km가 개통되었다. 조선총독부는 연선주민을 부역으로 동원하여 이 도로를 개수하고 차마가 통할 수 있도록 만들었다.[36] 1913년 7월 11일 평강-복계 구간의 철도가 개통되었다. 한국인 관광객 약 700명이 구경나왔다. 평강역 취업자는 204명, 복계역 취업자는 236명이었다.[37] 1913년 8월 원산-용지원 구간은 철도가 개통된지 1주일 만에 2,631명이 승차하여 1,242원의 수입을 올렸다.[38]

용지원-고산 약 6.44 km의 건설은 난공사였다. 1913년 10월 21일 이 구간의 영업을 앞두고 연선은 벌써 술렁였다. 고산역 대합실에서 직선으로 뻗은 新高山町은 종래 7호 정도의 소촌이었는데, 이제 한국인과 일본인 약 100호가 사는 대촌으로 바뀌었다.[39] 경원선 세포정차장 근처 평강평야 수백 정보는 목초지가 좋고 지세도 목장에 적합하였다. 경원선의 개통을 계기로 수원권업모범장은 세포에 출장소를 개설하고 이곳을 목장으

---

34)『朝鮮鐵道驛勢一斑』, 404~409쪽.
35)『매일신보』 1912.5.2.
36)『매일신보』 1913.1.21.
37)『매일신보』 1913.7.22.
38)『매일신보』 1913.9.2.
39)『매일신보』 1913.10.26.

로 개발하였다. 이미 목양 40~50두를 사육하기 시작했다.[40] 원산공립보통학교 남녀학생 158명과 학부형 47명은 1914년 6월 14일 경원선 열차를 타고 안변군 釋王寺에 소풍을 갔다.[41]

경원선의 개통은 인간과 물자 그리고 정보의 유통에 획기적 변화를 가져왔다. 경원선이 전부 개통되자 서울−원산 사이에 직통열차가 왕복운행을 개시했다. 1914년 8월 16일의 열차발착시각을 보면, 남대문역 09:20 출발 원산역 17:33 도착, 원산역 01:05 출발 남대문역 8:28 도착이었다. 편도에 원산행 열차가 8시간 13분, 서울행 열차가 7시간 23분 걸렸다. 서울과 원산이 일일생활권으로 연결된 것이다(<지도 5−1> 참조).[42]

경원선이 없던 1910년 5월 서울과 원산의 우편물 체송시간은 107시간 28분이었다. 1913년 8월 원산−용지원 구간이 준공되어 경원선의 80% 정도가 개통된 즈음 그 시간은 34시간으로 단축되었다.[43] 그리고 경원선이 전부 개통한 후에는 서울−원산의 우편물 체송시간은 10시간 이내로 단축되었다. 철도 이전보다 10분의 1 시간 정도밖에 걸리지 않았다. 경원선이 전부 개통됨으로써 서울−원산 나아가 서해안 방면과 동해안 지역의 인간 왕래, 물자 유통, 정보 통신에 일대 혁신이 일어난 셈이다.[44]

조선총독부는 경원선 개통 당시 지금의 서울 지역에 용산, 왕십리, 청량리, 창동 등 네 개의 역을 설치했다. 각 역은 모두 1911년 10월 15일에 영업을 개시하였다. 왕십리역은 용산 기점인 경원선의 첫 번째 역이었다.

원산항은 1880년 개항되었는데 1884년에는 일반 무역항으로 지정되었다. 원산항은 항내의 수심이 깊고 계류장이 넓은데다가 간만의 차이가

40) 『매일신보』 1914.5.16.
41) 『매일신보』 1914.6.19.
42) 『매일신보』 1914.8.11.
43) 『매일신보』 1913.8.10.
44) 『매일신보』 1914.4.30.

없어서 큰 배가 드나들며 정박할 수 있는 동해안 제일의 良港이었다. 동해안에서 원산항에는 日本郵船, 大阪商船, 朝鮮郵船 등의 정기항로가 개설되었다. 서울과 원산 사이에는 경원선 이외에 서울에서 회령으로 가는 1등도로가 지나갔다. 철도 개통 이전에는 우마나 가마로 서울과 안변, 덕원 등을 왕래했으나 길이 험난하여 원거리 교통은 적막했다.

원산에서 서울에 이르는 해로는 부산을 경유하였다. 그리하여 서울과 원산의 상품유통, 곧 미곡, 해산물, 광산물, 잡화 등의 거래도 부산을 통하여 이루어졌다. 경원선 개통은 이런 商圈에 신기원을 이룩했다. 원산의 중요 수이출품은 대두, 흑연, 미곡, 해산물 등이고, 수이입품은 면포, 錦巾, 紡績絲, 석유, 사탕, 잡화, 맥분 등이었다. 원산 지역과 경인 지방의 이러한 상품거래는 경원선을 통해 직접 이루어졌다. 이에 따라 원산의 거래선도 일본으로까지 확장되었다.[45]경원선 개통으로 원산 역세권에도 큰 변화가 나타났다. 원산역에서 浦下里까지는 철도개통 직후 일대 시가지가 형성되어 토지와 가옥의 매수가 활발했다.[46]

『매일신보』는 경원선 완전 개통이 각 철도의 종단 항구에 미칠 영향에 대해 아래와 같이 예상했다.

> 경원선 개통의 결과로 著大히 영향을 받는 조선의 주요 항은 부산, 원산, 인천, 진남포의 여러 항이라. 그 중에서 부산은 동선 전통의 결과 北鮮地方에 있는 해산물로부터 여러 면에서 악영향이 생기는듯하나 朝鮮全道의 개발로 볼 때는 부산은 조선반도를 대표하여 내지(일본)와 밀접한 관계를 발휘하는 유일한 문호이요, 인천은 對支(중국)貿易의 주요 항으로 하고, 진남포는 만주방면을 掌中의 보물로 하며, 원산은 연해주 해삼위(블라디보스토크)에 대하여, 각각 중요임무를 인

45) 『朝鮮鐵道驛勢一斑』, 435~462쪽
46) 『매일신보』 1913.9.27.

식하여 그 일에 임하는 때는 조선내의 산업발달에 의하여 貿易盛運으로 나아감과 동시에 각 항이 각각 조선에 있는 外的 門戶로 특색을 발휘하게 될 것이라. 경원선의 개통은 실로 조선의 自作自給의 방침을 수행하는데 있어 이들 각 항의 專責務를 확정케 하는 유력한 원동력이 되리라.[47]

또 경원선의 개통 이후 일본인의 쇄도에 대해 다음과 같이 보도했다.

경원선이 개통된 이후로 아직 개발되지 않은 富庫가 많은 것을 알고 내지(일본) 각 방면에서 시찰단이 輻輳竝進하여 근일에는 원산 방면의 여관이 부족을 告하며 내지항로에 당한 선박 등은 항상 만원이 되는 형편이라. 고로 장래에는 어업 농업 등이 크게 발전할 것으로 생각한다.[48]

경원선은 곧 원산을 동해안 제일의 거점 항구로 만드는데 크게 기여했다고 할 수 있다.

47) 『매일신보』 1914.9.28.
48) 『매일신보』 1914.11.8.

6장 경춘선(서울–춘천, 1937~1939년)

1. 경춘선의 효용과 부설운동의 부침

1) 경춘선의 효용

경춘선은 <지도 1–2>의 ③과 <지도 6–1>에서 보듯이 경성부 성동역과 강원도 춘천역을 잇는 93.5 km, 궤간 1.435 m의 사설철도로서, 1937년 5월 부설에 착수해서 1939년 7월 개통하였다. 운영주체는 주로 민간자본으로 구성된 경춘철도주식회사이었다. 경춘선은 영업 개시 이후 승객과 화물이 넘쳐나는 가운데 客主貨從의 영업구조를 보이며 높은 수익을 올렸다. 그리하여 경춘철도주식회사는 영업 개시 이후 5년 만에 사철보조금을 받지 않고 1944년 경영 자립성을 확보할 수 있었다.

경춘철도주식회사는 국책과 영리가 교묘히 결합되어 창설되고 운영되었다. 조선식산은행, 일본인과 한국인 자본가, 춘천지역민 등이 공동출자로 참여했다. 한국인 주주가 다른 철도회사에 별로 참가한 사례가 거의 없던 점을 감안하면, 경춘철도주식회사는 한국에 있는 주민과 자본에 의

해 탄생하고 발전한 이른바 "純粹한 朝鮮産 私設鐵道"라 할 수 있다.1)

경춘철도주식회사는 설립 당시 인구 약 100만 명에 가까운 경성부를 매개로 하여 경인공업지대와 삼척공업지대를 연결하는 중부횡단선(인천–경성–춘천–양양 五里津)의 부설을 계획하였다. 또 철도뿐만 아니라 자동차운수업, 주택건축업, 임업, 서비스업(유원지, 호텔, 지하철, 백화점)을 함께 경영할 작정이었다. 곧 경성부의 도시개발과 郊外擴張, 강원도의 산업육성과 자원개발을 담당하려는 것이었다.

그렇다면 경춘선이 한국의 철도네트워크에서 수행해야 할 역할과 사명은 자명해진다. 1917년 7월 이래 남만주철도주식회사에 위탁 경영해왔던 한국의 국유철도는 1925년 4월부터 다시 조선총독부의 직영으로 환원되었다. 이를 계기로 한국의 경향각지에서는 철도건설을 요구하는 진정과 청원이 조선총독부에 빗발쳤다. 각지에서는 철도속성기성회가 雨後竹筍처럼 설립되었다. 조선총독부도 정치안정, 국방경비, 식산흥업, 문화개발 등을 위해 국유철도의 신규 부설과 확장을 중요 정책으로 제시했다.2)

이에 호응하여 제국철도협회와 조선철도협회는 1925년 말 한국의 철도망 확장에 대한 예비조사를 했다. 여기에서는 총연장 3,495 km의 확장과 건설비 4억 8,560만 9,000원의 확보를 제시했다. 1926년 7월 동경에서 일본 재계의 거물 澁澤榮一을 명예회장으로 朝鮮鐵道促進期成會가 창립되었다. 이 기성회는 행정관청, 상업회의소, 경제단체를 대상으로 하여

1) 경춘선에 관한 연구는 다음과 같은 논문이 있다. 김찬수, 2011, 「일제의 사설철도 정책과 경춘선」, 『조선총독부의 교통정책과 도로건설』, 국학자료원. 정안기, 2016 가을, 「1930년대 조선형 특수회사, '京春鐵道(株)'의 연구」, 『서울학연구』 64. 필자는 정안기가 이 논문의 초고를 발표했을 때 토론자의 역할을 한 바 있다. 6장의 글은 정안기의 논문을 많이 참조하면서 작성했다. 감사를 드린다.

2) 朝鮮總督府遞信局, 1925, 「鐵道直営後ノ状態並委託経営トノ得失比較」, 『第五十一回帝國議會說明資料』.

철도부설요망선을 조사했다.

이때 강원도가 제출한 경거선(서울－거진, 경성－춘천－거진)의 부설안과 그 이유는 경춘선의 위상을 이해하는데 큰 도움이 된다. 경춘철도주식회사가 당초 건설하려고 계획했던 노선과 거의 겹치기 때문이다. 그 골자는 다음과 같았다.

경거선은 서울을 기점으로 하여 경기도 양주, 가평, 강원도 춘천, 인제, 고성 등 6개 군을 관통해서 동해안의 거진에 이르는 중부횡단철도이다. 정치는 물론이고 군사 면에서도 중요한 역할을 기대했다. 경제면에서는 더욱 그러했다. 연선 각 군은 광대한 면적과 무한한 물산을 가지고 있지만 개발에 엄두를 내지 못했다. 특히 인제군은 유명한 목재 산지이지만 교통과 금융이 불편하여 방치된 상태였다. 만약 교통의 편리를 얻는다면, 태백산맥의 광산물은 물론이고 목재와 여러 물산은 곧바로 주요 화물이 된다. 인적 드문 한촌도 저명한 도시로 바뀌고, 황막한 원야는 비옥한 경지가 되어 산업이 융성하게 될 것이다.[3)]

경춘선은 경거선의 역할과 사명을 앞장서서 실현하는 노선이었다. 태백산맥으로 인해 동서가 단절된 한반도의 지정학적 특성을 감안하면 경춘선의 부설은 동서 연결을 촉진하는 획기적 의미를 지녔다고 볼 수 있다.

2) 부설운동의 부침

경춘선 부설운동은 큰 흐름으로 보아 3차에 걸쳐 일어났다. 1920년대 전반의 사설철도부설운동, 그 후반의 국유철도부설운동, 1930년대 전반의 道設鐵道敷設運動이 그것이다. 그 개요를 살펴보면 아래와 같다.

조선총독부는 1910년대부터 국유 간선철도를 보완하는 培養線으로서

3) 大平鐵畊, 1927,『朝鮮鐵道十二年計劃』, 鮮滿鐵道新聞社, 45～47쪽 ; 95～97쪽.

사철철도 부설을 장려했다. 1912년 6월 朝鮮輕便鐵道令을 제정하고, 1914년부터 사철 건설비에 대해 연 6%의 보조금을 교부했다. 1919년에 그것은 8%로 인상되었다. 조선총독부는 1920년 6월 조선경편철도령을 폐지하고 朝鮮私設鐵道令을 공포했다. 1921년 4월 朝鮮私鐵補助法을 제정하고, 1923년 4월 동법 시행 규칙을 개정해서 10년의 보조기간을 15년으로 연장하는 한편, 연간 보조금 한도를 300만 원으로 정했다. 1925년 4월 보조금 한도액은 450만 원으로 인상되었다.[4] 그 결과 1911년 국철 영업노선 연장 1,235.3 km에 대해 0.7%(79.3 km)에 불과했던 사철의 그것은 1925년 국철 2,016.8 km에 대해 36.8%(743.1 km)로 크게 늘어났다.[5] 이런 분위기가 경춘선부설을 자극했다.

1920년대에 들어 경춘선의 부설을 처음 시도한 것은 東京商工會議所 부회장으로서 중의원 의원을 역임한 山科禮藏 등이었다. 그들은 1920년 8월 춘천지역 유지들을 동원해서 경춘전기철도기성동맹회를 조직하고, 같은 해 10월 18일 조선총독부로부터 철도부설 인가를 취득했다.[6] 1920

---

4) 朝鮮總督府鐵道局編, 1940, 『朝鮮鐵道四十年略史』, 468~472쪽. 1911년부터 1920년까지 일본 국내의 사철 보조금은 4%였고, 1921년부터 1935년까지는 5%였다. 조선총독부는 일본의 민간자본을 유치하기 위해 고율의 보조금을 지불했다. 조선의 사철 보조금은 1935년 6%, 1939년 5%로 인하되었다.

5) 南滿洲鐵道株式會社庶務部調査課, 1925, 『朝鮮の私設鐵道』, 10쪽 ; 江口寬治, 1938.8, 「社團法人朝鮮鐵道協會略史」, 『朝鮮鐵道協會會誌』17-8. 조선사설철도협회는 조선의 철도가 점차 국책의 성격을 강하게 띠게 되자 1922년 6월 국철, 사철, 궤도, 기타 철도관계 단체와 개인을 회원으로 하는 조선철도협회로 탈바꿈했다. 1927년 5월 회원과 사업이 증가함에 따라 임의단체에서 사단법인으로 전환했다. 조선총독부의 사설철도 정책의 전개에 대해서는 다음의 논고를 참조할 것. 정안기, 2017, 「식민지기 조선사설철도보조법의 연구-성립 · 개정 · 운용 · 성과를 중심으로」, 『경제사학』 41-1, 경제사학회 ; 박우현, 2017, 「1930년대 조선총독부의 사설철도 매수 추진과 특징」, 『역사문제연구』 38호, 역사문제연구소.

6) 朝鮮商業會議所, 1922, 「朝鮮私設鐵道現況」, 『朝鮮經濟雜誌』.

년 11월 경춘전기철도주식회사 설립 발기인 총회는 협궤 1.09 m, 연장 79.8 km의 전기철도 부설과 일반여객 및 화물운송업, 부대사업으로 임업, 토지경영, 창고, 전등 등의 사업계획을 결정했다. 공칭자본금은 600만 원으로 하고, 1,000만 원까지 증자를 염두에 두었다. 경춘전기철도의 경성부 기점은 청량리, 종점은 춘천이었고, 중간 정차역은 仁倉, 金谷, 마석, 청평, 가평, 강촌이었다.[7]

경춘전기철도주식회사 설립 발기인 총회는 제1기 계획으로 우선 경성–춘천의 철도를 개통한 후, 제2기 계획으로 杆城을 거쳐 양양 五里津에 이르는 철도 부설을 내세웠다. 중부 한국을 횡단하는 철도를 부설해서 강원도의 풍부한 삼림과 동해안의 수산자원을 개발한다는 것이었다. 또 전기철도 부설에 필요한 전력을 확보하기 위해 발전소를 건설한다.[8] 제1기 계획으로 춘천에서 약 4km 떨어진 북한강 상류 화천군 구만리에 6,000 kw 용량의 발전소, 추가로 홍천군 牟谷里에 홍천강 수력을 이용하여 약 4,000 kw의 발전소를 건설한다. 제2기 계획은 춘천에서 24 km 지점에 위치한 인제군 인제면 검발리와 고사리에 북한강 지류 인제천의 물을 끌어들여 3,000 kw의 전력을 생산한다. 발기인 총회는 잉여 전력을 이용한 부대사업으로 전등, 수도, 제재, 관개 사업 등을 추진하겠다고 밝혔다.[9]

1921년 2월 말 경춘전기철도 창립위원장 山科를 비롯한 관계자 4~5명이 조사차 춘천을 방문하고, 같은 해 3월 말 주요 발기인 細野溫이 토목기사를 동반해서 철도부설예정지와 발전소후보지를 답사했다.[10] 그러나 경춘전기철도주식회사의 설립과 철도부설사업은 1921년 말까지 실천에

7) 朝鮮総督府, 1920, 『朝鮮事情』, 41~42쪽.
8) 『京城日報』 1920.2.19.
9) 朝鮮總督府遞信局, 1925, 「水力電氣ノ狀況」, 『第五十一回 帝國議會說明資料』; 朝鮮総督府, 1920, 『朝鮮事情』, 41~42쪽.
10) 朝鮮総督府, 1921.3, 『朝鮮事情』, 32쪽; 『매일신보』 1921.3.28.

옮겨지지 않았다. 그 이유는 1921년 12월 14일 회사의 주요 발기인 青山靜夫와 細野溫, 강원도 내무부장, 경춘전기철도기성회 대표가 조선총독부를 방문해서 보조금 교부를 청원했지만, 허가를 받지 못했기 때문이었다.[11] 사실은 1920년 이후 한국의 경제는 불황에 빠졌다. 그리하여 山科禮藏 등의 경춘전기철도부설은 곤란한 상황이었다.[12]

경춘전기철도부설 움직임이 침체되자 강원도청을 철원으로 이전하자는 여론이 부상했다. 1925년 12월 24일 강원도 道平議員會는 강원도청을 경원선 연선에 위치한 철원군으로 이전하자는 안건을 採決했다. 이런 일은 강원도 21개 군 가운데 상대적으로 철도교통이 편리한 철원군번영회가 주도했다.[13] 원주와 원산의 주민들도 강원도청을 교통이 편리한 자기 지역으로 이전해야 한다고 나섰다.[14]

강원도청 이전 문제가 불거지면서 춘천지역 주민을 중심으로 경춘철도부설운동이 다시 일어났다. 춘천번영회는 1926년 1월 10일 춘천군민 1만 명이 참가하는 대규모 군민대회를 개최하고, 경성-춘천 간 철도를 시급히 부설할 것을 결의했다. 박영철 강원도지사는 '철도연선이 도청 소재지가 되어야 한다면, 경성-五里津線과 금화-충주선을 빨리 건설해야 한다, 춘천은 그 十字路의 중심에 놓이게 되어 도청 소재지로서 조금도 불편이 없을 것이다'라고 주장했다.[15]

1926년 1월 13일 춘천번영회는 江原道廳移轉防止陳情委員을 조선총독부에 파견하여 경춘선을 시급히 건설할 것을 진정했다. 1월 15일에는

11) 朝鮮総督府, 1921.12, 『朝鮮事情』, 40쪽.
12) 『매일신보』 1926.1.26.
13) 『매일신보』 1926.1.1 ; 1926.3.26 ; 『시대일보』 1926.1.26.
14) 『매일신보』 1923.6.5.
15) 정안기, 2016 가을, 앞의 논문, 166쪽 ; 河野萬世, 1935, 『春川風 土記』, 262~271쪽 ; 『매일신보』 1926.1.11 ; 1926.1.12.

철도국장 大村卓一을 만나 경춘선의 부설과 함께 춘천-양양을 잇는 경성-양양 철도의 급설을 요청했다. 大村 국장은 동감을 표시하며 현장을 시찰하겠다고 답변했다.16) 제국철도협회, 조선철도협회, 朝鮮鐵道促進期成會 등의 의뢰를 받아 강원도가 제출한 3대 철도부설요망선에도 경성-거진선(경성-춘천-거진)이 첫째로 등재되어 있었다.17)

大村卓一 철도국장은 1926년 3월 28일부터 4월 4일까지 경춘선 예정지와 동해안 시찰을 겸해서 춘천을 방문하였다. 大村은 嶺西에 山嶽이 많아서 물자운송이 아주 곤란한 점은 同情한다고 말하면서도, 강원도가 제출한 철도부설 3대 요망선 가운데 두 번째인 동해안선의 부설에 방점을 두는 듯했다. 그는 1926년 10월 입안 중이던 조선철도12년계획의 노선선정 기준에 대해 國運營養의 動脈임과 동시에 지방의 천연자원을 개발하는데 최대한 기여하지 않으면 안 된다고 말했다.18)

1927년 3월 제52회 제국의회 중의원 예산총회는 大村 등이 마련한 총사업비 3억 2,000만 원의 朝鮮鐵道十二年計劃(나중에 2년 연장해서 1940년 완성으로 변경)을 확정했다. 거기에 동해선(원산-양양-강릉-울산-포항-부산, 549 km)은 들어가고, 강원도와 춘천지역민이 염원했던 경춘선은 빠졌다.19) 그리하여 경춘선을 국철로서 부설하자는 운동은 결실을 맺지 못했다.

---

16) 『매일신보』 1926.1.15.

17) 정안기, 2016 가을, 앞의 논문, 168쪽 ; 大平鐵畊, 1927, 앞의 책, 45~47쪽 ; 95~97쪽.

18) 大村卓一, 1926, 「鐵道網速成私見」, 『朝鮮公論』 14-10. 大村 철도국장의 활약과 구상에 대해서는, 정재정, 2007, 「조선총독부철도국장 大村卓一과 朝滿鐵道連結政策」 『역사교육』 104, 역사교육연구회를 참고할 것.

19) 大平鐵畊, 1927, 앞의 책, 122쪽 ; 朝鮮總督府鐵道局編, 1940, 앞의 책, 269~273쪽 ; 本誌記者, 1927, 「朝鮮鐵道網速成計劃案」, 『朝鮮公論』 15-4.

2. 道設鐵道案의 부상과 철도 연선 경제의 조사

1) 道設鐵道案의 부상

1933년 말 강원도청의 철원군 이전론이 다시 등장했다. 도청 이전의 주장에는 철도의 유무가 관건이었다. 공주, 해주, 춘천이 도청 이전 문제를 안고 있는데, 공주는 대전으로 이전한 반면 해주는 철도가 개통되어 현안이 해소되었다. 춘천의 철도 개통은 百年河淸이다. 따라서 철도를 끼고 있고, 세계적 명승지 금강산 입구에 위치한 철원이 도청 소재지가 되어야 마땅하다는 여론은 설득력이 있었다.[20]

1935년 7월 손영목 강원도지사는 朝鮮京東鐵道株式會社 荒木 사장과 강원도의 철도부설 문제를 협의했다. 손 지사는 朝鮮京東鐵道(주)가 추진하는 원주–횡성선 부설보다는 경성–춘천선 부설이 강원도 발전에 도움이 된다고 주장하며 소요경비를 문의했다.[21] 荒木 사장은 부설비 약 250만 원 가운데 150만 원을 지방민이 출자하고, 나머지 100만 원을 지방채 발행으로 조달한다면 충분할 것이라 회답하였다.[22] 荒木 사장과 손 지사의 협의안은 춘천지역민과 강원도가 공동으로 출자하자는 道設鐵道敷設案

---

20) 『매일신보』 1933.11.26.

21) 조선경동철도주식회사는 수원–여주 사이(73.4 km)에 협궤(0.762 m) 철도를 운행하고 수원–인천 사이 (54 km)의 철도부설면허를 가지고 있었다. 荒木 사장이 이 노선을 횡성을 거쳐 원주까지 확장할 의향을 밝힌 것 같다. 한편 朝鮮京南鐵道株式會社는 장항–광천–홍성–예산–온양–천안–안성–장호원 사이(214 km)에 표준궤(1.435 m) 철도를 운행하고 있었는데, 그것을 내륙으로 확장하여 원주를 거쳐 강릉까지 이르게 할 계획이었다. (財團法人 鮮交會, 1986, 『朝鮮交通史』, 三信圖書有限會社, 771~891쪽 참조.) 이처럼 일제하에서 강원도 내륙 각지를 횡단하는 철도를 부설하여 산업을 개발하고 서해와 동해를 연결하려는 구상은 다양했다고 볼 수 있다.

22) 『매일신보』 1935.7.28.

이었다. 이를 계기로 춘천읍에서는 다시 경춘선 부설 여론이 비등했다.

1935년 9월 춘천번영회는 경춘선 부설이 춘천읍민의 사활문제이므로 당국에 진정하는 것만으로는 절대로 불가능하며, 읍민이 일치단결해서 기성회를 조직하사고 주장했나. 10월에는 신성단을 조선총녹부에 파견하여 국철이 안 되면 지방민의 부담으로 사설철도라도 부설하겠다는 취지를 전달했다. 그들은 농촌진흥운동의 여파로 춘천과 경제관계가 깊은 홍천, 인제, 양구, 화천의 생산물이 증가하는 추세임을 감안하여 이곳을 경유해서 嶺東嶺西를 횡단하는 한국 중부 橫貫鐵道의 속성이 긴급하고 절실하다고 주장했다. 이 철도가 현재 시공 중인 동해북부선과 연결되면 철도의 기능은 한층 더 발휘된다. 우선 제1차 계획으로 경성–춘천 간에 지역주민의 부담으로라도 사설철도를 부설할 테니 허가해달라는 것이다.[23]

진정단은 조선총독부가 야심적으로 추진하고 있던 농촌진흥운동과 조선철도12개년계획을 끌어대면서 경춘선 부설의 필요성과 당위성을 강조했다. 조선총독부의 吉田 철도국장 및 今井川 정무총감 등은 철도국 예산이 3,000만 원에서 2,500만 원으로 축소된 데다가 사철 매수를 추진하는 중이어서 경춘선을 국철로 건설하는 것은 불가능하다는 뜻을 밝혔다.[24] 이에 1935년 11월 중순 춘천번영회는 손영목 강원도지사를 포함한 춘천지역 유력자의 참석 아래 경춘선 부설을 추진할 경춘철도기성회를 창립했다. 또 화천군, 양구군, 인제군에는 지역 분회를 설치할 것을 결의했다.[25]

---

23) 『매일신보』 1935.8.4 ; 1935.9.1 ; 1935.10.25.
24) 朝鮮總督府鐵道局編, 1940, 앞의 책, 480쪽 ; 『매일신보』 1935.10.31.
25) 『매일신보』 1935.11.17.

2) 연선 경제의 조사

조선총독부는 예산부족으로 경춘선 국철 부설은 어렵지만, 지역민이 주도하는 사설철도 부설에는 긍정적 입장이었다. 이에 조선총독부는 1935년 11월과 12월 경춘선 부설 예정지의 경제적 가치를 조사했다. 조사 결과의 골자는 다음과 같았다. 경춘가도 연선의 주요 운송점이 취급하는 화물의 총톤수는 255만 2,223톤(육상운송 114만 8,077톤, 舟便運送 140만 4,156톤), 각 구간 여객 총인원은 600만 4,561명이다. 이것을 철도가 흡수할 수 있다고 가정하면 화물운송은 육상 109만 663톤=10만 9,066원, 舟便運送 84만 2,493톤=8만 4,249원, 여객운송 420만 3,230명=21만 161원으로 합계 40만 3,476원이다. 철도가 개통되면 화물에서 50%, 여객에서 30%의 증가를 기대할 수 있다. 이것을 고려하면 화물운송 28만 9,972원, 여객 27만 3,209원, 합계 56만 3,182원이 될 것이다.[26)]

강원도의 인구는 1926년에 130만 7,145명이었는데 1936년에 이르러 152만 9,071명으로 증가했다(전국의 16.9%). 춘천군을 비롯한 경춘선 역세권은 1926년 29만 3,865명(강원도의 22.3%)에서 1936년 33만 4,300명(21.7%)으로 증가했다. 강원도의 공산액은 1926년 1,259만 6,308원(전국의 4.2%)이었는데, 1936년 2,457만 8,564원(3.3%)으로 증가했다. 강원도를 비롯한 경춘선 역세권의 인구 동태와 소득 수준을 고려하면, 화물 60%, 여객 50% 이상 증가하는 것은 결코 과대평가가 아니라는 게 조선총독부의 견해였다.[27)]

강원도청도 경춘선 부설을 위한 별도의 경제조사를 실시했다. 그 일단을 소개하면 아래와 같다.

---

26) 『매일신보』 1935.12.7.

27) 朝鮮總督府, 1926 · 1936, 『朝鮮總督府統計年報』; 『매일신보』 1935.12.3.

① 금광자원의 개발이다. 경춘선 역세권내(춘천, 인제, 양구, 홍천, 화천)에 산재하는 금광은 78광구(가동 광구 48개)였고, 1936년도 산액은 금 23만 6,838원, 금은 139만 562원, 사금 11만 5,362원, 합계 174만 2,767원이었다. 경춘선의 부설은 무진장하게 死藏된 사금 등 지하자원의 개발에 크게 공헌할 수 있다.

② 목탄의 증산이다. 조선의 목탄 생산량은 대략 1,500만 貫, 목탄 수요량은 1,200만 貫이었다. 이 가운데 일본에 이출하는 양은 300~400만 貫이었다. 이후 경춘선 역세권의 광공업화가 진행되면 목탄 수요량은 1936년 생산액의 약 4배에 달할 것으로 예상했다.

③ 갱목의 개발이다. 조선의 지하자원 개발은 다량의 갱목을 필요로 했다. 경춘선 역세권내에는 갱목을 공급할 수 있는 목재가 풍부해서 축적량은 232만 7,225 ㎥(국유림 26만 3,600 ㎥, 민유림 206만 3,620 ㎥)에 달하였다. 경춘선이 부설되면 운임 인하와 운송 위험률이 감소되어 대량의 갱목을 공급할 수 있다.

④ 경춘선이 부설되면 양구군의 고령토, 춘천군의 갈철광, 화천군의 안티몬, 경기도 가평군의 마그네사이트를 비롯하여 역세권내의 펄프와 침목 자재의 개발도 예상할 수 있다.[28]

1936년 1월 손영목 강원도지사는 경제조사보고서를 조선총독부에 제출했다. 조선총독부의 반응은 기대 이상이었다. 같은 해 2월 조선총독부, 경기도청, 경춘철도기성회, 강원도청, 조선총독부 철도국은 공동으로 경춘선 역세권에 대해 대대적으로 物資調査를 실시했다. 그 결과는 앞서 강원도가 실시한 경제조사와 별 차이가 없었다. 한마디로 경춘선은 물자가 풍부한 예상 밖의 경제선이라는 평가였다.[29]

---

28) 정안기, 2016 가을, 앞의 논문, 174쪽 : 江原道, 1937, 「京春鉄道工事ノ打切又ハ繰延ノ道治上並ニ産業開発上不可ナル理由書」.

29) 京春鐵道創立委員 牛島省三, 1936, 「京春鐵道の使命」, 『朝鮮經濟新報』.

3. 경춘철도주식회사의 설립과 경영 구상

1) 경춘철도주식회사의 설립

경춘철도기성회는 1936년 1월 주주 모집에 착수했다. 기성회는 춘천 읍내를 5개 권역으로 나눠 평의원을 파견해 주식을 모집했는데, 약 5만 주에 달하는 놀라운 실적을 올렸다. 2월 화천군과 양구군 군민도 각각 5,000주를 인수했다. 3월 조선총독부의 지원방침이 확고해지자 춘천지역뿐만 아니라 경성 방면의 투자 희망자도 늘어났다. 그런데도 경춘선의 주식모집은 1936년 4월 현재 경성부 5만 주를 더해도 500만 원 정도였다. 이것으로는 廣軌鐵道는 커녕 狹軌鐵道도 건설하기 어려웠다.30)

여기에 조선식산은행이 대주주로 참가함으로써 경춘선 부설 문제는 급진전을 보게 되었다. 경춘선 부설을 추진해온 유지들은 1936년 5월 경춘철도창립위원회를 열고, 공칭자본금 1,000만 원에 발행주식 20만 주로 하여 창립총회를 개최했다. 조선총독부 학무국장을 거쳐 조선식산은행 이사였던 林茂樹가 창립위원장을 맡고, 조선식산은행이 공칭자본금의 70~80%를 출자한다는 회사설립 대강을 발표했다. 조선총독부 내무국장을 사임한 牛島省三이 초대사장에 내정되었다.31)

조선식산은행이 갑자기 경춘철도주식회사에 대규모로 출자하게 된 경위는 다음과 같다. 이 은행은 1930년대 중반 조선총독부의 정책에 순응하여 북한강수력개발에 나섰다. 1936년 1월에 설립된 일본고주파중공업주식회사가 다량의 전력을 원했기 때문이다. 일본고주파중공업은 滿鐵 중앙연구소가 1934년에 개발한 제철방법(高周波電擊法)을 사업화하기 위

30) 『매일신보』 1936.1.9 ; 1936.3.6 ; 1936.4.1.
31) 『매일신보』 1936.5.21 ; 1936.5.22.

해 설립된 특수회사였다. 高周波電擊法은 철강기근이 심화되는 상황에서 세간의 주목을 끌었다. 일본고주파중공업은 1937년 12월 성진에 공장을 세우고 특수강 일관생산을 시작하였다. 그리고 격증하는 특수강 수요를 맞추기 위해 공장의 증축을 꾀했는데, 저렴한 전력 확보가 관건이었다. 일본고주파중공업은 경기도 인천 또는 강원도 삼척에 공장을 건설하고, 이에 필요한 전력을 북한강 수력을 개발해서 충당할 것을 모색했다. 북한강 수력을 개발하기 위해서는 방대한 資材를 운반해야 하는데, 경춘선이야말로 안성맞춤이었다.[32)]

漢江水電株式會社는 경춘선 개통에 즈음한 1939년 2월 설립되었다. 자본금 2,500만 원(납입자본금 625만 원, 발행 주식 50만 주)의 주요 출자자는 조선식산은행 8만 주(6.2%), 일본고주파중공업 8만 주(6.2%), 경춘철도 8만 주(6.2%)였다. 경영진은 사장 有賀光豊, 전무 林茂樹, 이사 牛島省三 등이었다.[33)] 모두 경춘철도와 관련이 깊은 사람들이었다.

조선총독부의 수력조사에 따르면, 북한강의 화천, 금화, 춘천, 청평 4개소의 포장수력은 총 19만 7,920 kw이었다. 한강수전(주)은 모두 12만 6,000 kw의 전력을 개발해서 일본고주파중공업 인천공장에 송전한다는 계획을 세웠다. 청평발전소는 1939년 2월에 착공해서 1943년 7월 제1호기, 10월 제2호기를 가동했다. 화천발전소는 1939년 7월 착공해서 1944년 5월 제1호기, 10월 제2호기를 가동했다. 경춘선 부설이 일거에 실현될 수 있었던 것은 한강수전(주)의 북한강수력개발 및 경인지역의 공업발흥을 적극적으로 활용했기 때문이다. 조선총독부의 지원 아래 조선식산은행과 일본고주파중공업이 경춘선 부설에 앞장섰다.[34)]

---

32) 朝鮮電氣事業史編纂委員會, 1981, 『朝鮮電氣事業史』, 中央日韓協會, 275쪽; 藤田文吉, 1993, 『朝鮮産業経済の近代化と朝鮮殖産銀行』, 西田書店, 476쪽.

33) 漢江水力電氣株式會社, 1939, 「제1기 營業報告書」.

경춘철도 발기인 대표 林茂樹는 경춘철도기성회 간부 5명(山中友太郎, 池奎汶, 村上九八郎, 久武常次, 崔養浩) 등 발기인 30여 명과 함께 1936년 6월 발기인총회를 개최했다. 여기에서 회사설립위원장 有賀光豊, 설립위원 林茂樹, 菊池一德, 牛島省三를 선임했다. 그리고 7월 20일 회사창립총회를 개최하고, 경춘 간 92 km에 표준궤 철도를 3년 이내에 부설할 것을 확정했다. 20만 주의 발행주식 가운데 3만 주는 공모하고, 주주에게는 영업개시까지 연간 5%, 영업개시 이후 7%를 배당할 계획이었다.[35]

2) 경영조직과 사업계획

경춘철도주식회사의 자본구성, 경영조직, 사업계획의 특징을 요약하면 다음과 같았다.

① 출자구성. 공모주 3만 주는 조선식산은행 본점 14만 2,950주, 동 지점 2만 3,000주 합계 16만 5,950주 만으로도 청약경쟁률이 5.5배나 되었다. 조선식산은행 춘천지점에 공모주식 청약자가 쇄도하자 회사 측은 소액주주 우대방침을 정했다. 춘천지역민의 청약 주식은 발기인 5명의 3만 주를 포함해서 4만 5,000주(지분율 22.5%)였다. 발행 주식 20만 주 가운데 공모주식 3만 주를 제외한 17만 주는 발기인과 회사설립찬성인이 인수했다. 그 가운데 100주 이상 청약한 한국인은 김연수(5,000주)와 池奎汶(춘천)을 비롯해 91명에 3만 4,560주(17.5%)였다. 한국인이 신설회사에 대주주로 다수 참가한 것은 종래 보기 드물었던 현상이었다. 경춘철도의 주주 총수는 932명이었고, 필두 주주는 조선식산은행이었다(소유주식은 3만 주, 지분율 15%).

---

34) 朝鮮電氣事業史編纂委員會, 1981, 앞의 책, 277~278쪽 ; 牛島省三君追想錄編集委員, 1941, 『牛島省三君追想錄』, 131쪽.

35) 『매일신보』 1936.6.6.

② 경영조직. 경영진은 취체역 사장을 비롯해 8명, 감사역 3명이었다. 이 가운데 한국인은 취체역 김연수와 감사역 박진양이었다. 초대 사장에 취임한 牛島省三은 宇垣 조선총독의 오른팔로 알려진 인물이었다. 1931년 6월 조선총독부 내무국장에 임명되었는데, 1936년 5월 사임과 동시에 경춘철도(주) 사장에 취임했다. 1940년 牛島省三이 사망하자 林茂樹가 제2대 사장이 되었다. 전무 취체역 塩川濟吉은 1918년 말 조선식산은행에 들어가서 각 지역 지점장을 역임했다. 취체역 가운데 山中友太郎과 村上九八郎은 山口縣, 박진양은 춘천지역민을 대표했다. 기술 중역은 조선총독부 철도국 출신 伊藤旺, 門司鐵道(株) 출신의 富田直次로서, 각각 지배인과 기사장을 겸했다. 1936년 11월 당시 회사 직제는 2부(여객자동차부, 화물자동차부) 5과(서무과, 경리과, 총무과, 자동차과, 공무과)였고, 운전과와 영업과는 철도개통 이후에 설치할 방침이었다. 경성, 춘천, 강릉, 원주에 영업지점을 두었다.

③ 사업계획. 경춘철도(주)는 철도업과 창고업, 임업과 토지 · 건물 사업, 개척 업무, 자동차운수업 등을 영위한다. 먼저 경춘선을 회사 설립과 동시에 착공하여 3개년 이내에 완성한다. 공칭자본금 1,000만 원 가운데 900만 원은 철도건설비, 나머지 100만 원은 자동차사업, 창고, 임업, 토지 · 건물 사업에 충당한다. 철도영업의 개시와 함께 조선총독부에서 철도부설비의 5%에 상당하는 사철보조금을 수령한다. 사업자금은 우선 제1회 납입금 100만 원과 차입금 500만 원을 조달해서 충당한다.[36)]

---

36) 정안기, 2016 가을, 앞의 논문, 180~183쪽 ; 有賀さんの事蹟と思い出編纂会, 1953, 『有賀さんの事蹟と思い出』, 研文社, 197~120쪽 ; 朝鮮總督府 交通局, 1943, 「第八十四帝國議會說明資料」; 『東亞經濟時報』 1936.6.10.

4. 경춘선의 부설과 운영의 개황

1) 선로 부설과 철도역의 설치

1936년 6월 경춘철도설립위원회는 6월 말부터 경춘선 노선의 실측에 나서 10월 말에 완료했다. 7월에는 조선총독부 철도국에 철도부설 면허를 신청하여 인가를 받았다. 이와 함께 철도용지 매수에 착수했다.[37]

경춘철도(주)는 당초 서울의 발착역으로 국철 경원선의 청량리역을 공동으로 이용할 생각이었다. 그런데 1937년 1월 서울의 발착역을 청량리역에서 4 km 떨어진 동대문과 청량리 사이 龍頭町으로 옮기기로 방침을 바꿨다. 조선총독부 철도국은 건설비와 보조금이 적게 드는 국철 이용을 권유했고, 牛島 사장도 당국의 의견에 따랐다. 그러나 필두주주인 조선식산은행의 有賀 사장 등은 경춘철도(주)의 발전을 위해서는 근시안적 계획에서 벗어나 원대한 구상을 실현해야 한다고 주장했다. 경춘선이 독자 노선을 가지고 서울 중앙부에 진출함으로써 흑자 경영을 이룩할 수 있다는 것이다. 경춘철도(주)의 전무 塩川済吉 등도 이 안을 지지했다.[38]

경춘철도(주)가 서울의 발착역을 제기동 용두정(나중에 성동역이 됨)으로 변경함으로써 경춘선은 서울 안에서 승하차가 가능한 유일한 사철이 되었다. 특히 경춘선이 개통된 1939년 9월에 즈음하여 연선에는 경성제국대학 이공학부(공릉동), 유원지와 운동장(퇴계원) 등이 들어설 계획이어서 일반승객과 나들이객의 증가가 예상되었다. 경춘철도(주)는 1937년 6월 15일 경성부 제기동–춘천 95.6 km로 부설면허를 변경했다.[39]

---

37)『매일신보』1936.7.14.

38) 有賀さんの事蹟と思い出編纂会, 1953, 앞의 책, 197~120쪽 ;『매일신보』1937.1.15.

39) 財團法人 鮮交會編, 1986, 앞의 책, 856쪽.

경춘철도(주)는 1937년 5월 경춘선부설공사에 착수했다. 착공이 늦어진 이유는 1936년 후반 이래 철강이 부족해져 철도레일 등의 가격이 폭등했기 때문이다. 1937년 8월 말 다시 산정한 총공사비는 1,130만 원으로서, 당초 예산 900만 원에 비해 230만 원이나 늘어났다.

경춘철도(주)는 조선총독부와 강원도청의 알선으로 철도건설노동자를 모집했다. 그렇지만 물가가 天井不知로 올라서 뜻대로 되지 않았다. 그리하여 경춘선개통이 무기 연기될지도 모른다는 소문까지 돌았다. 춘천군민의 민심 동요를 우려한 강원도청은 1937년 9월 말 조선총독부 앞으로 진정서를 보내, 경춘선부설의 지연이 道政과 회사의 손실은 물론이고 금광개발, 목탄증산, 갱목공급, 철광 · 안티몬 · 마그네사이트 · 고령토 생산 등에 미치는 악영향을 우려했다.[40]

1937년 7월 7일에 발발한 중일전쟁의 확대로 군부의 횡포가 심한데다가 철도건설공사가 이곳저곳에서 벌어지자 경춘선 부설에 필요한 철도레일 등의 자재조달이 쉽지 않았다. 有賀 씨와 조선총독부의 지원으로 간신히 해결할 수 있었다.

경춘선 전 구간을 11공구로 분할해서 토공, 교량, 터널 등의 공사를 순차적으로 시공했다. 궤도부설공사는 회사가 직영하고, 토목공사는 공개입찰을 거쳐 토건회사에 청부했다. 궤도부설공사는 제2~3공구에 속하는 연촌−금곡 간 공사를 우선하고, 1938년 7월부터 연촌역을 기점으로 확장해나갔다. 매일 약 3,000명에 이르는 노무자를 동원해서 嚴冬雪寒에도 주야간 돌관공사를 벌였다. 대규모 노무자 동원과 주야간 공사는 물가가 치솟는 와중에서 공기를 최대한 단축하여 건설비를 줄일 수 있는 유일한

---

40) 江原道, 1937, 「京春鉄道工事ノ打切又ハ繰延ノ道治上並ニ産業開発上不可ナル理由書」; 牛島省三君追想錄編集委員, 1941, 앞의 책, 131쪽 ; 『매일신보』 1937. 1.22 ; 2.26 ; 7.23.

방책이었다. 하지만 제10공구 터널공사는 곧 난관에 부딪쳐 설계를 변경하고 건설비를 증액할 수밖에 없었다. 게다가 노동자가 심각하게 부족하여 1939년 4~5월로 예정한 개통을 7~8월로 연기하지 않으면 안 되었다. 경춘철도(주)는 선로, 역사와 정차장, 부대설비 등의 공사에 박차를 가했다. 기관차, 객차, 화차의 시운전과 마지막 공구인 북한강 철교 공사도 추진했다.[41)]

1939년 7월 22일 경춘철도(주)는 조선총독부 정무총감 등이 참가한 가운데 93.5 km의 경춘선 개통식을 거행했다. 총공사비 1,490만 원, 선로연장 160 km, 철도용지 약 759만 ㎡(230만 평), 토공 약 380만 ㎥, 교량 60개소(연장 2,750 m), 터널 12개소(연장 2,710 m)였다. 철도역은 성동, 연촌, 태릉, 퇴계원, 금곡리, 마석, 대성리, 청평, 가평, 백양리, 신남, 성산, 춘천의 13개소를 설치했다. 각 역 사이 필요한 곳에 정차역 10개소와 간이역 2개소 등을 두었다. 1940년 3월 말 경춘철도(주)의 소유차량은 기관차 4량, 동차 4량, 객차 6량, 화차 39량(有蓋車 15량, 無蓋車 24량) 모두 39량이었다.[42)]

1941년, 성동역에서 춘천역까지 88.6 km 사이에 운행된 열차는 춘천 행이 7편, 퇴계원 행이 2편, 금곡리 행이 1편으로 모두 10편이었다. <지도 6-1>은 당시 경춘선의 노선과 역의 배치를 표시한 것이다. 열차운행을 보면, 춘천 행 첫차는 07:30 발이었고, 춘천역까지 2시간 52분 걸렸다. 춘천역에서 출발하는 열차는 모두 성동역 행인데, 18:40에 막차를 나면 21:25에 성동역에 도착했다. 성동역 발 춘천역 행 막차는 18:50, 춘천역 발 성동역 행 첫차는 07:00였다.[43)]

---

41) 有賀さんの事蹟と思い出 編纂會, 앞의 책, 198쪽 ; 江口生, 1939, 「京春鐵道開通式參列の記」, 『朝鮮鐵道協會會誌』 ; 『매일신보』 1938.8.4 ; 1939.5.3.
42) 江口生, 1939, 앞의 책 ; 『매일신보』 1939.7.22 ; 朝鮮殖産銀行, 1940, 「京春鐵道株式會社鐵道財團鑑定書」.

2) 철도 운영의 실적

경춘철도(주)는 1939년 7월 경춘선 개통과 더불어 하루 4번 왕복하는 열차를 운행했다. 성동역 발 07:15→춘천역 착 10:15, 09:50→13:45, 13:50→17:39, 16:35→23:04, 춘천역 발 08:10→성동역 착 11:54, 10:20→14:00, 15:55→17:56, 18:35→21:34가 그것이다. 편도 3시간에서 4시간이 소요되었다. 열차는 보통 객차 2량과 화물차 3량의 혼합편성이었다. 토요일 및 일요일에는 계절에 따라 연선의 나들이객을 위해 열차를 재편성하고 임시열차를 운행했다. 경춘철도(주)의 운임은 객화 모두 조선국유철도 여객운송 및 소화물운송규칙을 준용했다. 구간별 여객운임은 1 km 당 2등 4전, 3등 2전 8리이지만, 3 km를 초과할 때는 2등 14전과 3등 10전이었는데, 성동–연촌 간에는 특별운임을 적용해서 최저 보통운임 2등 14전과 3등 10전이었다.[44)]

개통 직후 경춘철도(주)의 객화운송은 漢江水電(주)의 청평 · 화천 발전소 토목공사 덕택 등으로 급격히 증가했다. 1939년 9월 경춘철도(주)의 영업수입은 1 km 당 30원대를 돌파했다. 화차가 부족하여 경남철도(주)로부터 2량, 조선총독부 철도국으로부터 2량을 빌리고, 신규 화차의 제작을 주문했다. 그러나 戰時의 자재부족으로 납품은 지연되었다. 경춘철도(주)는 급증하는 객화수요에 대처하고자 1940년 6월부터 화차 2량과 기동차량 2량을 증설 운행하고, 성동역–춘천역 간 객차 운행시간을 3시간에서 2시간으로, 객화혼합차는 4시간에서 3시간 30분으로 단축했다.[45)]

경춘철도(주)는 화물적체를 해소하기 위해 1941년 1월 상해에서 유개

43) 김종혁, 2017, 『일제시기 한국 철도망의 확산과 지역구조의 변동』, 도서출판 선인, 198~199쪽.
44) 『매일신보』 1939.7.22.
45) 정안기, 2016 가을, 앞의 논문, 197~199쪽.

화차 10량을 수입하고, 같은 해 11월 여객밀집을 완화하기 위해 일본에서 객차 4량을 구입했다. 또 성능검사를 마친 代煙車 4량을 가솔린차와 연결해서 퇴계원-금곡에서 시험 운행했다. 그 결과, 성동역에서 춘천역까지 무연탄 400 kg을 연소해서 가솔린 기관차와 동일한 속도와 조건으로 운행할 수 있었다. 경춘철도(주)는 가솔린 절약이라는 국책에 순응하면서 석탄증기차로 객화를 운송했다.[46)]

경춘철도(주)는 1942년 8월 조선총독부 철도국의 허가를 받아 급행열차의 운행을 개시했다. 급행열차는 갈탄 대연차였는데도, 경춘 간을 4시간에서 2시간 30분으로 단축해서 1일 2회 운행했다. 지역주민의 숙원인 경성-춘천의 일일생활권이 목전에 다가왔다. 그러나 전시통제가 심해지면서 정상적인 열차운행은 점점 어려워졌다. 1942년 9월 말 급행열차만은 상행선(춘천 발 09:15→성동 착 12:00), 하행선(성동 발 16:30→춘천 착 19:20) 모두 일양, 가평, 청평, 마석, 금곡, 연촌 6개역에 정차하면서도 2시간 50분에 주파했다. 보통열차에 비해 50여분 단축했다.[47)]

경춘철도(주)는 전시통제경제에 따른 급격한 물가상승과 업적저하를 반영해서 1942년 2월 1일 여객운임을 1 km 당 2전 8리에서 3전 5리로 인상했다. 1943년 11월 현재 경춘선 운임은 3등 3.5전이었고, 2등은 7전이었다. 화물의 1 km 당 할증률은 12.0%였다.[48)]

철도영업 수익구성은 다음과 같았다. 1939년부터 1943년까지 철도영업에서 약 953만 원(객차 580만 원, 화차 373만 원)을 벌었나. 이는 경춘철도(주)의 겸업을 포함한 전체 수입 1,001만 원의 95.2%였다. 객화수입의 구성은 여객 61%, 화물 49%이었다. 客主貨從의 수입구성은 경춘선

46) 『매일신보』 1940.12.15 ; 1941.11.18.
47) 『매일신보』 1942.9.27.
48) 朝鮮總督府交通局, 1943, 앞의 자료.

연선의 산업개발과 주택지화가 진전되어 여객 왕래가 빈번했기 때문이다. 하루 1 km 당 평균수입은 1939년 말 33원에 불과했지만, 1943년에는 88.4원으로 껑충 뛰었다. 5개년 평균수입은 60.7원이었다. 이것은 당시 한국의 13개 사철 중에서 북선척식철도(주)(<지도 1－2> ⑭, 1944, 4.1 국유철도로 매수함)의 135.7원에 이어 제2위였다. 1943년의 수익률은 1 km 당 18만 3,723원으로서, 북선척식철도(주), 서선중앙철도(주)(<지도 1－2>의 ④), 평북철도(주)(<지도 1－2>의 ⑥)에 이어 제4위를 기록하였다.[49]

경춘철도(주)의 수익률이 호전됨에 따라 사철보조금도 1940년 건설비 대비 9.9%에서 1943년 3.5%로 감소했다. 경춘철도(주) 이사 塩川濟吉은, 경춘선의 영업이 순조로운 것은 한강수력전기 건설자재를 운반한 덕택이기도 하지만, 사철이 신설 5년 만에 총독부보조금을 사퇴할 정도로 우수한 성적을 올린 것은 전례가 없는 일이라고 평가했다. 당시 법규에 따르면 경춘철도(주)의 보조금수급기간은 1964년 7월까지였다. 경춘철도(주)는 1939년 9월 결산 이래 당초 예정인 7%의 주주배당을 실행했다.[50]

5. 경춘선의 부대사업과 국유화

1) 부대사업의 확장

경춘철도(주)는 철도영업에 앞서 1936년 10월부터 경춘선과 배후지를 연결하는 자동차 운송업에 진출했다. 당시 서울에서 춘천까지 직통 자동

49) 정안기, 2015, 앞의 논문, 42쪽.

50) 有賀さんの事蹟と思い出編纂会, 1953, 앞의 책, 197~120쪽 ; 朝鮮總督府交通局, 1943, 앞의 자료.

차로 3시간, 보통 승합차로 4시간 걸렸다. 1915년 경춘가도(2등 국도)의 개통과 함께 시작된 자동차 교통은 춘천과 배후지 약 30만 명의 고객과 강원도 일대의 화물을 끌어들일 수 있는 조건이었다.51)

경춘철도(주)는 먼저 경기도청의 중재로 경기 · 강원 지역의 최대 화물 운송회사 京江陸運(주)을 합병했다. 경강육운(주)은 1936년 1월 말 경기 · 강원 지역 화물자동차 운송업자 12명이 공동출자하여 설립하여 일반운송업, 위탁매매업, 투자사업 등을 벌였다. 회사 사장은 조선인 자본가 최준식이었다. 경춘철도(주)는 조선총독부의 육운통제정책을 활용하여 자본금 50만 원(납입자본금 12만 원)의 경강육운(주)이 소유하고 있던 경기 · 강원 지역 화물운수 노선 전부와 영업권을 매수했다. 그리고 1936년 10월 화물자동차부를 신설하고 화물운송사업을 개시했다.

경춘철도(주)는 또 1939년 3월 강원도 남부지역 화물운송의 경쟁자였던 강원화물(주)의 자동차부를 매수하여 강원도지역 자동차 화물운송의 90%를 장악했다. 화물자동차 운송업은 1936년 이후 경경선과 경춘선 부설공사, 각지의 광산개발과 농산물 증산에 힘입어 양호한 성적을 기록했다. 그러나 1938년 7월 이후 휘발유소비 규제와 차량용품의 입수 곤란으로 영업의 위축과 재편을 피할 수 없었다.52)

경춘철도(주)는 여객운송에도 진출했다. 1936년 11월 말 內鮮自動車(주)와 춘천자동차의 영업권과 자산을 매수해서 여객자동차부를 신설하고 영업을 개시했다. 1937년 4월 경포자동차, 1938년 2월 五星自動車, 11월 이천자동차, 철원자동차, 철원금강택시, 1939년 6월 鮮日自動車, 8월 준양자동차와 연천자동차의 영업권을 각각 매수하였다. 1940년 2월에는

51) 京春鐵道株式會社 支配人 伊藤旺, 1936, 「京城鉄道株式會社の設立に就て」, 『朝鮮鐵道協會會誌』; 高松建太郎, 1937, 「春川と京城鉄道」, 『朝鮮鐵道協會會誌』.
52) 『매일신보』 1936.6.19 ; 1936.9.22 ; 1939.6.10.

森信自動車(주)의 경성지역(성동역−경성부내)과 경성−강화 간 승합자동차 노선과 영업권을 매수했다. 그 결과 경춘철도(주)는 경기 · 강원 지역의 여객운송업 대부분을 장악할 수 있었다. 조선총독부, 경기도, 강원도 등의 행정기관은 이것을 적극적으로 지원했다.[53)]

<지도 6−2>은 경춘철도(주)의 철도와 자동차 영업노선을 간명하게 표시한 것이다. 1940년 무렵 경춘철도(주)의 자동차 영업 범위는 경기, 강원, 충북, 경북 4개도에 걸쳤고, 객화운송면허는 44개 노선, 총연장 2,079 km (운수사업으로 여객 40선 1,707 km, 화물 4선 372 km)에 이르렀다. 또 별도의 화물운송전용면허는 38개 노선, 총연장 2,049 km, 영업소 59개소에 달하였다. 자동차영업노선의 합계는 4,500 km이었다. 영업용 보유차량은 여객운수용 버스 145대, 여객대절용 버스 11대, 화물운수용 트럭 30대, 화물대절용 트럭 194대, 합계 380대이었다. 1939년 11월 말 자동차 운송업은 2개의 여객자동차부(경성부 관수동, 동경성역), 1개의 화물자동차부(경성부 황금동), 4개 영업소(1개 여객자동차영업소와 3개 화물자동차영업소), 10개의 출장소(춘천, 원주, 강릉, 횡성, 홍천, 대화, 묵호, 금화, 철원, 영월)를 거느렸다.[54)] 경춘철도(주)의 자동차 운수영업 범위는 경기도와 강원도뿐만 아니라 황해도, 함경남도, 충청북도, 경상북도까지 미쳤다. <지도 6−2>에서 보듯이, 한반도의 중부지역을 거의 다 커버하는 셈이다.

경춘철도(주)의 자동차 영업은 1939년 7월 개시한 철도 영업 부문을 보완 · 지지하는 培養事業이었다. 이 자동차 운송사업은 객화요금 인하, 배차 증편, 직행노선 운행 등을 통해 지역민의 편리와 지역개발에 크게 기여했다. 그러나 1938년 후반 이후 물가상승과 전시통제경제에 따른 부속

---

53) 『매일신보』 1936.9.22 ; 1937.7.21 ; 1939.6.10 ; 1939.12.8.

54) 牛島省三君追想錄編集委員, 1941, 앞의 책, 132쪽 ; 朝鮮殖産銀行. 1940, 「京春鐵道株式會社鐵道財團鑑定書」.

품과 가솔린 입수 곤란 등으로 노선의 폐지와 재편 등 사업구조의 재편이 불가피했다.[55)]

경춘철도(주)는 토지 · 주택 사업을 비롯해 임업 · 유원지 개발 등에도 진출했다. 1930년대 후반 경인공업지구의 인구가 급격히 늘어나서 서울의 토지가격이 급등하자 교외주택지의 조성이 긴급한 과제로 떠올랐다. 조선총독부는 1939년 10월 朝鮮市街地計劃令 시행규칙을 개정해서 경인지역에 공업용지 7개 지구 3,294만 7,200 ㎡(998만 4,000평), 주택단지 11개 지구 8,214만 6,900 ㎡(2,489만 3,000평) 등을 비롯하여 모두 3억 4,997만 4,900 ㎡(1억 605만 3,000평)를 시가지계획구역으로 지정했다.[56)]

경춘철도(주)는 조선총독부의 정책에 호응하여 서울 외곽에 저렴한 택지와 주택을 조성하여 공급할 작정이었다. 실제로 1937년 전반부터 경성부 전농동에서 부지매입과 정지작업 그리고 도로건설에 착수했다. 나아가 서울 외곽 금곡에서 약 500세대의 토지 19만 8,000㎡(6만 평)를 매입하고, 서울과 금곡 사이에 하루 30여회의 자동차 왕복운행을 추진했다.

경춘철도(주)는 1938년 경성부 전농동 주택경영지 일부에 조선식 가옥 13채를 건설해 성황리에 매매하고, 경성부 장위리에 주택경영지 약 19만 832 ㎡(6만 평)을 매입하여 정지공사를 했다. 1939년 상반기에는 정지작업이 끝난 전농동의 땅 4만 9,500 ㎡(1만 5,000평)에 지은 주택 37채와 건축 중인 34채를 모두 매각했다. 1939년 후반기에도 전농동에서 한옥 71채를 지어 매각하고, 경성제국대학 관사 10채를 비롯해서 150채를 건축했다. 경기도 고양군 숭인면 월곡리에서도 19만 8천 ㎡(6만 평)에 이르는 주택단지를 조성했다.[57)]

---

55) 『매일신보』 1938.7.3.

56) 岸謙. 1939, 「京城の交通問題と其の對策」. 『朝鮮』 295 ; 京城都市計劃研究會 ; 1938, 『大京城座談會速記錄』.

1940년 3월 말 경춘철도(주)의 토지소유면적은 경성부 전농동 38만 1,506 ㎡(11만 5,608평), 고양군 숭인면 월곡리 29만 3,024 ㎡(8만 8,795평), 양주군 호해면 공덕리 8만 352 ㎡(2만 4,349평), 퇴계원 13만 2천 ㎡(4만 평), 춘천읍 만평리 29만 6,492 ㎡(8만 9,846평) 등 118만 3,374 ㎡(35만 8,598평)이나 되었다. 전농동과 월곡리 토지는 주택을 지어 분양하고, 공덕리 토지는 경성제국대학 이공과와 광산전문학교 등의 건축부지로 정지해서 분양할 방침이었다. 만평리 토지는 춘천읍의 시가지계획에 편입시켜 분양할 심산이었다. 1942년에 퇴계원에 운동장을 개설하고, 1943년 이후에는 朝鮮住宅營團과 연계해서 택지조성에 주력했다.[58]

경춘철도(주)는 1937년 4월부터 철도용 침목, 토목건축용 목재, 신탄 등의 임산사업에 착수했다. 1937년 상반기에 경기도로부터 도유림 입목 약 9,135 ㎥(2만 8,193척체)을 불하 받아 伐木과 造材를 하고, 하반기에는 경기도 도유림과 국유림 약 1만 1,442 ㎥(3만 5,313척체)을 불하받아 철도용 침목 등의 목재를 생산하고, 목탄 8,790俵를 생산하여 판매했다. 1938년 상반기에는 경기도 도유림 약 1만 789 ㎥(3만 3,300척체)을 불하받아 철도용 침목 7,963본을 제재하고, 신탄 2만 7,770본과 목탄 8,312俵를 생산해서 시판했다. 하반기에는 강원도 도유림 임목 1만 5,279 ㎥(4만 7,158척체)을 불하받고, 철도용 침목 8,612본, 건축용 재목 7만 5,048 ㎥(23만 1,629척체), 신탄 210평, 목탄 1만 407俵 등을 생산해서 판매했다.

1940년 3월 현재 경춘철도(주)가 소유한 임업관련 토지는 경기도 포천군 영북면 867정보였는데, 침엽수 16,281 ㎥(5만 2,050尺締)과 활엽수 20,218 ㎥(6만 2,400尺締)가 생장하고 있었다. 이곳에서 매년 2만 5,000俵의 목탄을 생산할 수 있었다. 그밖에 경기도와 강원도로부터 불하받은

57) 정안기, 2016 가을, 앞의 논문, 193쪽.
56) 東洋經濟新報社, 1943, 『朝鮮産業年報』, 140쪽.

도유림은 한국소나무 3,824 ㎥(1만 1,804尺締), 졸참나무 22,927 ㎥(7만 763尺締), 赤松 4,941 ㎥(1만 5,250尺締)에 이르렀다. 이들은 건축용 재목, 철도용 침목, 차량제작용 목재로 사용될 예정이었다.[59]

경춘철도(주)는 서울 근교의 경춘선 연선에 운동과 오락을 겸한 유원지 개발을 구상했다. 이에 따르면 서울 동부 근교에 위치한 양주군 별내면 퇴계원리 4만 평에 육상경기장, 배구장, 농구장, 야구장, 정구장, 아동 유희장, 풀장을 짓고, 과수원과 양계장을 조성한다. 유원지에는 하계 임간학교와 천막촌 등 피크닉 시설을 만드는 것 등이었다. 1939년 9월 경춘선의 개통 직후 퇴계원 유원지도 문을 열었다. 서울에서 퇴계원 유원지까지 버스로 30분, 철도로 20분 걸렸다. 이후 이용객이 크게 증가하여 경춘철도(주)의 수익성 확보에 기여했다.[60]

경춘철도(주)는 1939년 말부터 춘천읍 봉의산 중턱에 대규모 전용호텔의 신축을 추진했다. 경춘선 연선에 풍부한 관광자원이 있음에도 불구하고 춘천읍에는 적당한 숙박시설이 부족했다. 경춘철도(주)는 1942년 2월 춘천호텔의 상량식을 거행하고, 춘천 소재의 요정에 경영을 위탁했다.[61] 1939년 경춘철도(주)가 한강수전(주)의 주식 8만 주 (6.2%)를 인수한 것도 다각 경영의 하나라고 볼 수 있다.

1936년부터 1939년 9월까지 경춘철도(주)의 겸업사업은 1937년 전반기 7,368원의 손실을 제외하면 대부분 큰 이익을 냈다. 1940년 3월 당시 경춘철도(주)의 수입구성은 철도 10만 2,864원, 자동차 38만 6,347원, 토지 516원, 임산 2,146원, 합계 49만 1,873원이었다. 경춘선의 개통 직후에는 겸업수입이 철도수입을 압도했다.[62]

---

59) 朝鮮殖産銀行, 1940, 「京春鐵道株式會社鐵道財團鑑定書」.
60) 정안기, 1916, 앞의 논문, 194쪽.
61) 『매일신보』 1939.8.4 ; 1942.2.4.
62) 朝鮮殖産銀行, 1940, 「京春鐵道株式會社鐵道財團鑑定書」.

자동차운수업은 경춘선 연선과 벽지의 객화집산을 촉진해서 회사의 수익성과 관련성을 높이는 효과를 가져왔다. 1940년대에 들어서 자동차 운수부문은 여객과 화물의 정기 및 대절 등으로 영업을 다양화했다. 그렇지만 1942년 이후 이익은 큰 폭으로 감소했다. 전시통제경제의 영향을 받아 운전자재(차체, 타이어, 가솔린)의 입수 곤란으로 노선을 감축하고 차량을 운휴할 수밖에 없었기 때문이다.[63]

경춘선은 북한강 수운을 몰락시키는 결정적 요인이 되었다. 조선시대부터 목재를 서울로 운반하는 것이 북한강 수운의 주요 역할이었는데, 경춘선이 영업을 개시하면서 급격히 쇠퇴하기 시작했다. 더구나 청평댐이 완공되자 그 하류 지역의 뗏목 운행은 자취를 감추었다. 북한강 본류와 소영강 상류 지역에서 벌채한 목재는 춘천까지 뗏목으로 이동한 후 경춘선에 실려 서울로 운반되었다.[64]

2) 미군정의 국유화

경춘철도(주)는 1939년 7월 경춘선을 개통한 이후 춘천－양양을 잇는 중부 한국 횡단철도 부설을 계획했다. 이 노선은 춘천에서 설악산 밑의 인제를 거쳐 태백산맥을 관통해 양양에서 동해북부선과 접속한다. 이 철도는 서울에서 경인선과 만나므로 황해와 동해를 최단거리로 연결하는 동맥이 될 수 있다. 당연히 경인공업지대와 삼척 등의 신흥 군수공업지대를 연결함으로써 조선총독부의 병참기지화정책에도 기여한다.

경춘철도(주)는 또 경춘선의 운수영업을 촉진하기 위해 성동역과 동대문을 연결하는 지하철건설도 구상했다. 공사기간은 2년 6개월로 산정했

63) 東洋經濟新報社, 1943, 앞의 연보, 140쪽.
64) 김종혁, 2017, 앞의 책, 199쪽.

다. 당시로써는 획기적이었다고 볼 수밖에 없는 위의 사업들은 조선총독부의 인가를 받았음에도 불구하고 전시통제경제 아래 자재와 노동력의 확보 곤란 등으로 실행에 옮기지 못했다.[65] 일장춘몽이었지만, 오늘날 지하철 1호선이 운행되고 강릉까지 고속전철이 개통된 점을 감안하면 시대를 수십 년 앞선 선견지명이었다고 볼 수 있다.[66]

1945년 8월 당시 경춘철도(주)는 공칭자본금 1,000만 원(납입자본금 500만 원), 자산총액 1,866만 4,000원, 종업원 704명(한국인과 일본인 포함)을 보유했다. 1946년 5월 1일 미군정은 남한지역 사설철도 가운데 조선 경남철도(주), 경춘철도(주), 조선철도(주)를 접수했다. 5월 7일 군정장관 아처 엘 러취(Archer L. Lerch) 육군소장은 공공에 기여하기 위해 사설철도를 정부가 접수 · 통일하여 國營體制로 발전시키겠다는 취지의 법령을 공포했다. 그리하여 사설철도 경춘선은 국유철도로서 변신하였다.[67] 일제 강점기 서울의 철도네트워크 속에서 특이한 위치를 차지하고 있던 역사의 한 장이 막을 내린 것이다.

---

65) 『매일신보』 1939.10.17 , 1940.7.4 ; 東洋經濟新報社, 1943, 앞의 연보, 140쪽.

66) 2018년 2월 평창 동계 올림픽 개최를 앞두고 2017년 12월 22일 서울과 강릉을 잇는 경강선이 개통되었다. 서울에서 서원주까지는 기존 선로를 활용하고(102.4 km) 서원주에서 강릉까지는 새로 건설했다(120.7 km). KTX로 청량리역–강릉역은 86분, 서울역–강릉역은 114분 걸린다. 기존의 무궁화호 열차로 청량리역에서 강릉역까지 5시간 47분 걸리던 것에 비하면 철도교통에서 혁명이 일어난 셈이다. 해방 이후 천신만고를 극복하고 한국이 철도 혁명의 주체로 성장한 점을 기억해둘 필요가 있다(정재정, 2018.2.1, 「경강선과 영동선」, 『조선일보』).

67) 정안기, 1916, 앞의 논문, 206쪽.

7장 경경선(서울－경주, 1936~1942년)

1. 경경선의 성격과 사명

1) 경경선의 가치

경경선은 일제강점기 막바지(1936~1942년)에 조선총독부가 서울 淸涼里와 경상북도 慶州를 직접 연결하기 위해 신설 또는 개축한 382.7 km의 국유 간선철도였다. <지도 1－1>의 ⑪, <지도 1－2>의 ⑨, <지도 7－1>이 그것이다. 조선총독부는 오늘날 중앙선이라 불리는 청량리－永川 사이 345.2 km를 표준궤 국철로 신축함과 동시에 영천－경주 사이 37.5 km의 협궤 사철을 매수하여 표준궤로 개축했다. 그리고 양자를 합쳐 경경선이라 지칭했다. 경부선과 나란히 서울과 부산 사이를 달리는 경경선은 한반도 제2 縱貫線의 사명을 띠고 있었다.

경경선은 원래 압록강 철교가 준공되고 경원선 · 호남선의 완성이 가까워지자 철도관계자 · 민간유력자 · 연선주민 등이 부설을 제창했다. 한반도 종관철도의 중요성이 더욱 높아졌기 때문이다. 그런데 한반도 종관철도의 수송력 증대를 위해서는 3가지 방법이 논의되었다. ① 경부선 · 경의선의 선로를 대거 개량한다, ② 두 노선을 복선으로 만든다, ③ 중앙선(경경선)을 부설하여 경부선의 복선처럼 활용하고 경의선을 복선으로 증축한다 등이었다.

이런 논란 속에서 조선총독부는 함경선의 부설을 우선하고 부강-청도 구간(224 km)의 개량 공사를 추진했다. 이틈을 노려 조선철도주식회서는 1927년 청량리-대구(448 km)의 표준궤 철도 곧 중앙선의 부설면허를 신청했다. 조선총독부 철도국은 이 노선에 대해 상세한 조사를 한 후 결국 스스로 국유철도로 부설하겠다는 방침을 세웠다.[1)]

경경선의 건설비는 제69회 제국의회(1936년 5월)에서 6,513만여 원의 협찬을 얻은 이래, 난공사와 물자난 등이 겹쳐 제81회 제국의회(1942년 12월)에 이르기까지 수차례에 걸쳐 2,209만 원이 증액되어 모두 8,722만 원으로 불어났다. 조선총독부가 철도망의 확충을 위해 야심적으로 추진한 '조선철도12년계획'(1927~1938년) 이후 최대의 신규 사업이었다.

조선총독부는 중일전쟁(1937.7)과 태평양전쟁(1941.12)으로 이어지는 엄중한 전시상황 아래 왜 막대한 경비를 소비하고 험준한 산악을 관통해야 하는 경경선 부설을 무리하게 추진했을까? 대단히 궁금한 일이다. 그렇지만 역사학계에서 이에 대한 연구는 전혀 이루어지지 않고 있다. 그 이유는 전시상황이라는 특수사정으로 인해 경경선에 관련된 자료가 많이 생산되지 않아 그것의 실상을 파헤치기가 쉽지 않기 때문이라고 추측된다. 거기에다 근대사에서 철도가 지닌 중대한 의미를 역사학계가 제대로 이해하지 못하고 있는 것도 주요 원인이라고 할 수 있다.

이 장에서는 위와 같은 사정을 감안하여 먼저 경경선의 부설과 운영에

1) 大谷留五郎, 1932,「京城附近に於ける交通施設の將來」『朝鮮鐵道協會會誌』11권, 13~14쪽.

관한 기초적 사실들을 밝히는 데 중점을 두고자 한다. 좀 더 구체적으로 말하면, 경경선 부설의 목적과 노선의 선정, 부설공사의 강행과 신공법의 활용, 노동자의 동원과 인명사고의 빈발, 열차의 운행과 연선의 파급효과 등이 될 것이다. 이런 것들을 구명하기 위해 부족하나마 조선총독부가 남긴 자료와 일간신문 등의 기사를 최대한 수집하여 활용하겠다.

경경선의 완성을 전후하여 일제는 동아시아에서 制海權을 상실했다. 그리하여 대륙의 물자와 인력은 철도교통 그중에서도 특히 한국철도로 밀려들었다. 이른바 轉嫁輸送이 그것이다. 이에 따라 경경선의 중요성은 한층 더 높아졌다. 그러나 경경선이 활동을 개시한 지 불과 3년 만에 일제는 패망했다. 그리하여 조선총독부가 萬難을 무릅쓰고 부설한 경경선도 제 기능을 수행할 수 없었다. 따라서 경경선은 식민지지배정책의 斷末魔的인 성격을 웅변으로 말해주는 半身不隨의 철도였다고 할 수 있다.

경경선은 중앙선을 확장 보완한 철도였다. <지도1-2>의 ⑨와 <지도 7-1>을 참조하면서 경경선의 내력을 간단히 살펴보자. 중앙선은 원래 사설철도를 매수하여 국유로 전환된 동해중부선[2]의 永川을 기점으로

---

2) 矢代新一郎 等, 2008, 『日本鐵道旅行地圖帳 歷史編成 朝鮮臺灣』, 32~35쪽. 대구에서 경주를 거쳐 학산에 이르는 노선과 경주에서 분기하여 부산진에 이르는 노선은 원래 조선중앙철도주식회사가 출원하여 1918년 11월 1일 이래 협궤로 건설했다. 조선철도주식회사는 1923년 9월 1일 조선중앙철도주식회사를 합병하고 이 노선을 慶東線이라 불렀다. 조선총독부 철도국은 1928년 7월 1일 경동선을 매수하여 국철로 만들고 동해중부선이라 개명했다. 그리고 경경선의 신설이 진척됨에 따라 동일 궤간으로 연결하기 위해 1936년 9월부터 1939년 6월까지 동해중부선을 모두 표준궤로 개축했다. 좀 더 구체적으로 살펴보면, 대구-영천 구간은 1938년 12월 1일 표준궤 개축 완료와 동시에 대구선으로 개칭되어 경부선의 지선에 편입되었다. 영천-경주 구간은 1939년 6월 1일 표준궤 개축 완공과 더불어 경경선의 일부가 된 반면, 포항-학산 구간은 폐지되었다. 경주-부산진 구간은 1936년 12월 1일 표준궤 개축 완공과 함께 동해남부선으로 개칭되었다. 소속과 명칭의 변화가 번잡하여 이 논문에서는 동해중부선으로 통칭하는 경우도 있다.

하여 북쪽으로 올라와 義城-安東-榮州를 거쳐, 낙동강과 한강의 분수령인 竹嶺의 험준한 산을 뚫고 丹陽-堤川을 지나, 雉岳-原州-楊平을 통과하여 청량리(한때 東京城으로 개칭되었다)[3]에 이르는 총연장 345.2 km의 내륙 종관선으로 계획되었다. 그런데 일본 동경 지역에도 같은 명칭의 철도가 있다는 이유로[4], 1938년 12월 1일 영천-友保 사이를 개통한 시점 이후 경경선으로 고쳐 부르게 되었다. 이름만 바꾼 게 아니라 기점도 영천에서 경주로 옮겼다. 이를 위해 협궤 사설철도였던 동해중부선(대구-경주)을 조선총독부 철도국이 매수하여 국유철도로 만들고 표준궤로 개축했다. 이로써 경경선의 총연장은 382.7 km로 늘어났다.[5]

2) 부설의 목적

조선총독부가 경경선을 부설하고자 한 목적은 크게 보아 두 가지였다. 하나는 조선의 內陸 奧地 開發이었다. 조선총독부 철도국은 경경선 부설의 이유를 다음과 같이 설명했다.

---

3) 財團法人 鮮交會, 1986, 『朝鮮交通史 資料編』, 30쪽, 34쪽. 청량리역의 이름은 1938년 5월 1일 東京城역으로 바뀌었다가 1942년 6월 1일 청량리역으로 환원되었다. 이 논문에서는 특별한 경우가 아니면 청량리역으로 통일하여 부르겠다.

4) 原武史, 2003, 『鉄道ひとつばなし』, 講談社, 60~61쪽. 일본의 중앙선은 東京과 八王市의 高尾를 연결하는 철도이다. 기점과 종점이 모두 천황과 깊은 관련을 맺고 있다. 東京驛은 천황이 지방을 순시할 때 이용하는 현관역이고, 高尾驛은 大正 天皇의 능과 가장 가까웠다. 昭和天皇은 大正 天皇陵 참배 등에 이 철도를 자주 활용했다. 조선총독부는 이런 사정을 감안하여 1938년 12월 1일 중앙선을 경경선으로 개칭했다. 그렇지만 일제의 패망 직후(1945년 10월 1일) 미군정은 경경선 명칭을 원래대로 중앙선으로 고쳤다. 이 논문에서는 특별한 경우를 제외하고는 경경선으로 통일하여 표기하겠다.

5) 필자는 이 책의 출간이 지연됨에 따라 경경선에 관한 논문을 다음 학술지에 투고한 바 있다. 7장의 기술은 주로 이논문에 의거하여 작성하였다. 정재정, 2016 가을, 「일제 말기 京慶線(서울-경주)의 부설과 운영」『서울학연구』 64, 서울시립대학교 서울학연구소.

> 경부본선과 동해선의 거의 중앙부를 종관하여 동해중부선 영천-경주 사이의 광궤(표준궤:인용자) 개축과 함께 반도 제2의 종관선을 형성하는 것으로서, 경북 · 충북 · 강원 및 경기의 4도를 거쳐 奧地 沿線 일대의 풍부한 광산 · 농산 및 임산 등의 개발에 도움을 주고, 지방 산업의 발달을 촉진함과 아울러 근시 內鮮滿의 교통 · 연락 · 화물이 현저하게 증가하고 있는 사정에 비추어 既設 경부선의 수송을 완화시키기 위함이다.[6]

조선총독부가 내건 위와 같은 목적은 경경선의 완전 개통에 즈음하여 山田新十郎 조선총독부 철도국장이 아래와 같이 피력한 式辭에서도 재확인되었다.

> 생각건대 본선 개통의 진가는 심대하여 경북, 충북, 강원, 경기 각도 奧地의 농림, 鑛業 등 각종 산업을 진흥할 것은 물론이요 만주사변 이래 급속히 증가한 경부 사이의 수송을 원활히 하는 제2의 종관선이며 군사상으로도 중요한 사명을 가지는 것이다.[7]

실제로 경경선이 통과하는 지역의 범위는 <지도 1-2>의 ⑨와 <지도 7-1>에서 보는 바와 같이 4개도 27개 군에 걸쳐 전 국토의 12%를 차지하였다. 그리고 경경선 연선의 인구는 188만 명이나 되었다.[8] 그밖에 경경선의 연선에 금 · 동 · 아연 · 흑연 · 석탄 · 목재 · 쌀 · 땔감 등이 풍부하게 존재했다. 주요 정차장은 청량리-양평-원주-제천-단양-영주-안동-의성-우보-영천-포항-경주이었다.[9]

---

6) 朝鮮總督府鐵道局, 1938, 『朝鮮鐵道狀況』 29, 20쪽; 財團法人 鮮交會, 1986, 『朝鮮交通史』, 289~290쪽.

7) 『매일신보』 1942.4.2. 山田新十郎은 경경선의 부설이 한창 진행 중이던 1939년 7월 31일에 조선총독부 철도국장에 취임했다.

8) 『朝鮮民報』 1936.6.15.~1936.7.1.

경경선의 또 다른 목적은 일본-조선-만주-중국을 잇는 제2의 병참 간선을 확보하는 데 있었다. 경경선 뿐만 아니라 조선의 간선철도는 처음부터 경중의 차이는 있을지라도 모두 이러한 사명을 띠고 있었다. 게다가 1930년대 후반 전시체제에 돌입함에 따라 그 중요성이 더욱 강화되는 추세였다. 山田新十郎 조선총독부 철도국장은 1939년 8월 11일 간부회의에서 한국철도의 특성을 다음과 같이 말했다.

> 조선철도의 특이성을 말씀드리면, 하나는 조선 내에서의 여러 수송이라는 것도 있습니다만, 특히 최근 滿洲 · 支那(中國:인용자) 방면과 內地(日本:인용자)와의 교통이 더욱 빈번해지고 있는데다가, 군사상의 소위 병참기지로서 조선철도의 지위가 더욱 더 중대해졌습니다. ……조선철도는 內地와 滿洲 혹은 北支 방면과의 수송에서 중간에 위치하고 있어서, 內地 · 滿洲 · 北支 방면과의 교통이 원활한가 아닌가의 문제는 실로 조선철도의 설비에 달려 있고,……내지와 대륙 사이의 수송의 열쇠는 정말 우리 朝鮮鐵道局員의 두 어깨에 달려있다고 느끼고 있습니다.[10]

일제는 1931년 만주사변을 일으켜 만주를 점령하고 이듬해 만주국이라는 괴뢰국가를 세워 만주를 사실상 식민지로 삼았다. 1937년 7월 7일에는 중국과 전면전쟁에 돌입하여 삽시간에 북경을 비롯한 중국의 주요 도시를 점령했다. 그 후 일제의 침략전쟁은 동남아시아 일대로까지 확대되었고, 1941년 12월 8일 마침내 미국에 대해서도 전면전쟁을 선포하기에 이르렀다. 이른바 대동아전쟁 곧 아시아 · 태평양전쟁으로 돌진한 것이다.

일제는 무모한 전쟁을 지속하기 위해 자신의 세력권에서 물자와 인력을 조달하기 위해 광분했다. 山田新十郎 조선총독부 철도국장이 지적했

9) 『釜山日報』 1936.7.12.

10) 朝鮮總督府鐵道局, 1940, 『朝鮮鐵道四十年略史』, 106~107쪽.

듯이, 한국철도는 전쟁의 확대에 부응하여 아시아대륙과 일본열도를 연결하는 동맥으로서 중요한 역할을 수행했다.

그런데 서해안과 병행하며 북상하는 경부선(<지도 1-2>의 ①)은 미국의 함포공격에 노출될 수 있는 위험성을 안고 있었다. 그리하여 일제는 서둘러 내륙오지를 관통하는 경경선 부설을 계획했다. <지도 1-2>의 ⑨에서 보는 바와 같이 함포공격의 사정거리에서 벗어나 있는 경경선이야말로 일본-조선-만주-중국을 잇는 새 간선으로서 경부선을 보완하는 데 안성맞춤이었기 때문이다. 실제로 南次郎 조선총독은 1942년 4월 1일에 안동에서 거행된 경경선의 완전 개통식에서 경경선의 사명에 대해 다음과 같이 역설했다.

> 생각건대 본선은 반도 중앙부를 종관하여 자원개발에 기여하고 또 부산 경성 간의 보조간선으로서 경부본선의 수송을 완화 조절함으로써 大陸徑路를 증강할 뿐만 아니라 반도의 철도망완성을 촉진하고 나아가서는 대동아권내에서 조선의 지위 직능을 확립 확충케 하는 것으로 실로 조선교통사상에 한 신기원을 획하는 것이라 할 수 있어서 본선의 사명이야말로 매우 중대하다.[11]

南次郎 총독은 경경선을 대동아공영권 안에서 조선의 위상을 높여주는 대륙간선으로 자리를 매겼다. 이런 연유에서 일제는 전쟁으로 물자와 인력이 지극히 궁핍해졌음에도 불구하고 萬難을 무릅쓰며 경경선 부설을 추진했다. 조선총독부 철도국은 기회 있을 때마다 경경선이 중요 國防線임을 강조하고, 東海線(<지도 1-2>의 ⑧, 부산-원산, 남부에서 부산-포항, 북부에서 원산-양양까지만 완성되었다) 등의 공사를 중지시키면서까지 경경선 공사에 建設材料 등을 몰아주며 速成을 독려했다. 이와 함

11)『매일신보』1942.4.2.

께 경부선(<지도 1-2>의 ①, 복선화공사기간 1937.5~1945.3), 경의선(<지도 1-2>의 ②, 1938.5~1945.4), 경원선(<지도 1-2>의 ④), 함경선(<지도 1-2>의 ⑤, 1939.6~1945.8)의 복선화공사를 추진했다.[12)]

2. 철도 노선의 선정과 연선의 반향

1) 노선의 선정

경경선의 노선은 어느 날 갑자기 선정된 것이 아니었다. 거기에는 10년 이상에 걸친 前史가 있었다. 조선총독부 철도국은 이미 1923년 무렵 중앙선(당시의 명칭)의 노선으로서, 경원선의 西氷庫에서 시작하여 利川-忠州를 거쳐 단양-醴泉-안동-의성을 지나 大邱에 이르는 노선과 청량리-양평을 거쳐 長湖院-충주를 지나는 경로 등을 조사했다. 또 1926년에는 중부 한국의 개척, 곧 충주 부근의 석탄, 영월 · 평창 일대의 철광, 죽령 지역의 삼림을 개발하기 위해 경기도, 충청북도, 경상북도를 관통하는 철도를 구상했다. 이때는 대충 총연장 389 km, 총공사비 1,900만 원, 총공사기간 12년을 예상했다. 서울에서의 기점은 청량리를 꼽았다. 마침 서울은 大京城이라는 이름 아래 인구와 시역의 확장을 꾀하고 있었다. 철도국이 상정한 노선은, 경제사정 등에 따라 다소 변경이 있었지만, 청량리에서 한강을 오른편으로 끼고 양평으로 나가 梨平 부근에 철교를 가설하고 넘어간다. 그 다음 한강을 왼편에 바라보며 麗州-長湖院을 경유하여 충주에 이르고, 죽령을 넘어 醴泉-안동-軍威를 거쳐 대구에 도달하여 경부본선과 접속한다는 것이었다.[13)]

12) 『朝鮮日報』 1937.10.8 ; 『매일신보』 1937.8.22 ; 1938.11.13.

민간의 사설철도회사도 중앙선 부설을 시도했다. 조선철도주식회사는 1928년 경성역에서 청량리까지 지하철도를 건설하고, 나아가 청량리로부터 충주를 거쳐 대구에 이르는 약 320 km의 철도부설을 총독부에 출원했다. 중앙선을 먼저 부설하고 이와 연결되는 경성의 지하철도는 나중에 건설한다는 것이었다. 官私鐵道 모두 중앙선이 경부선의 복선 역할을 하게 함으로써 교통의 대동맥을 완성하겠다는 야심찬 계획이었다.[14]

1934년에는 江陵을 終端港으로 삼는 중앙선과 횡단선의 부설이 운위되었다. 조선총독부 철도국은 1939년부터 시행할 계획이라면서, 동해중부선의 영천을 기점으로 하여 의성－안동－단양－제천을 경유하여 강릉에 도달하는 중앙선을 부설하겠다는 뜻을 밝혔다. 횡단선으로는, 조선철도주식회사가 이미 운영하고 있던 충북선(<지도 1－2>의 ①, 조치원－충주, 94 km, 부설공사기간 1921.11.1.~1928.12.25.)의 충주를 기점으로 하여 영월을 거쳐 강릉에 이르는 노선을 계획했다. 朝鮮京東鐵道株式會社는 자신이 운영하고 있던 水麗線(<지도 1－2>의 ①, 수원－여주, 73.4 km, 부설공사기간 1930.12.1.~1931.12.1.)의 여주를 기점으로 하여 원주를 거쳐 강릉에 이르는 노선과 경원선의 청량리를 기점으로 하여 양평－횡성을 거쳐 강릉에 도달하는 노선 등을 제시했다. 어느 노선이나 모두 강릉에 도달하기 위해서는 大關嶺 · 挿唐嶺 등의 험난한 峻嶺을 넘어야 하기 때문에 滿浦線(<지도 1－2>의 ⑫, 順川－滿浦, 299.9 km, 부설공사기간 1918.12.1.~1939.2.1.) 이상으로 어려운 공사가 예상되었다.[15]

조선총독부 철도국은 1935년에 중앙 종관선으로서 청량리－양평－원주－제천 등의 도시를 연결하고, 단양－영주－안동－의성을 거쳐 영천에

13)『朝鮮日報』1927.2.5.
14)『朝鮮日報』1928.11.7.
15)『朝鮮日報』1934.12.25.

이르는 철도를 계획했다. 이것이 나중의 경경선에 가장 근접한 구상이었다. 세간의 주목을 끌었던 중앙선 부설 문제는 결국 宇垣一成 조선총독이 1936년 4월 동경에 가서 大藏省, 陸軍省, 拓務省 등과 절충함으로써 결착을 보게 되었다. 이때 제시된 노선은 <지도 1-2>의 ⑨에서 보는 바와 같이 조선총독부가 조선철도주식회사로부터 매수하여 표준궤로 개축하고 국철로 운영하고자 하는 대구선(<지도 1-2>의 ①, 동해중부선의 대구-영천 구간, 38.4 km, 부설공사기간 1917.11.1.~1918.91.)의 영천을 기점으로 하여 의성-안동-영주-단양-제천-원주-양평을 경유하여 청량리에 이르는 경로이었다. 영천에서는 동해중부선의 잔여구간(영천-경주, 37.5 km)을 지나 경주에 이른다. 종단항 부산에서 경부선과 병행하여 機張-울산을 거쳐 북상하고 경주에서 경경선과 접속하는 동해남부선(<지도 1-2>의 ⑧, 부산진-경주, 113.7 km, 부설공사기간 1921.10.25.~1936.12.1.)은 이미 조선총독부가 조선철도주식회사로부터 매수하여 대부분 표준궤로 개축하고 국철로 운영하고 있었다.

이상의 과정을 거쳐 <지도 1-2>의 ⑨와 <지도 7-1>에서 보는 바와 같은 경경선 노선이 확정되었다. 경경선의 총공사비는 부산, 여수, 성진, 다사도, 정주 등의 항만 수축비용을 포함하여 1억 원을 예상했다. 이에 따라 1936년부터 경경선에 대한 조사와 측량이 개시되었다.[16]

2) 연선의 반향

경경선 노선을 대강 결정한 조선총독부 철도국은 연선에 우선 43개의 역을 설치하겠다고 밝혔다. 평균 9 km 당 1개의 역을 설치하되 필요하면 늘려가겠다는 방침이었다. 이에 따라 총연장 358.6 km의 선로와 43개 역

16) 『매일신보』 1936.4.22.

의 부지 매수가 각 지역에서 시작되었다.[17] 이는 곧 연선의 토지가격을 삽시간에 끌어올리는 결과를 불러왔다.

안동에서는 역과 역원 관사 용지로 12만 4천 평을 매수하기로 했다. 위치는 泉里川 동쪽의 현재 경북선 안동역 부근이었다. 매수 지가는 평당 경지 최고 15원 최저 30전, 임야 최고 15전 최저 10전이었다. 가옥과 분묘 등은 나중에 확정하기로 했다. 관계 지주는 160명이었다.[18] 경경선 북부의 제9공구가 지나는 地正面 일대의 평균 매수가격은 가옥 1間 20원, 답 평당 최상 80전, 전 최상 30~40전, 임야 4전 가량이었다. 수백 명의 지주로부터 승낙을 받고 대금은 9월 중으로 지급하기로 했다.[19] 산간 오지인 풍기의 지가도 폭등했다. 평당 70전에서 1원 정도 하던 토지가 경경선이 들어오게 되자 10원 정도로 치솟았다.[20] 영주역 부지는 평당 2원 정도로 매수했다.[21]

경경선 기점으로 내정된 청량리 일대 지가도 폭등했다. 청량리는 1936년 봄까지 시외였다가 경성시가지계획[22]에 따라 경성부에 편입되었다. 거기에다 경경선 기점까지 되었다. 청량리역 근처 경성제국대학 예과 부근의 사거리는 1935년 가을까지 땅값이 고작해야 평당 30~40원이었는

17) 『매일신보』 1936.10.23.
18) 『매일신보』 1936.8.19.
19) 『매일신보』 1937.8.28.
20) 『朝鮮日報』 1936.11.13.
21) 『매일신보』 1938.1.8.
22) 1934년 6월 20일 제정된 최초의 근대 도시계획법령인 조선시가지계획령이 제정되었다. 이는 도시계획령이 아닌 시가지 계획이라는 점에서 몇 가지 특성이 있는데, 조선공업화 정책의 추진으로 인한 시가지 정비를 위한 법적 근거를 마련하기 위해 계획된 것으로, 주로 교외의 신시가지와 새로운 신시가지의 건설 등을 위한 목적으로 시행된 도시계획이었다. 이에 따라 경성부의 행정구역이 확대되었다. 조선시가지계획령과 관련된 주요 연구에 대해서는 다음의 논문을 참조할 것. 염복규, 2001, 「1933~43년 일제의 '京城市街地計劃'」, 『韓國史論』, 46 ; 이규환, 2002, 「조선시가지계획령과 서울의 도시개발사업」, 『한국공공관리학보』 16-2.

데, 경경선이 이곳으로 확정되었다는 소문이 퍼지자 1936년 6월에는 평당 최저 50원에서 최고 150원까지 부르게 되었다. 이 지역의 대지주인 동양척식주식회사는 앉은 자리에서 떼돈을 벌게 되었다.[23)]

경경선 예정지의 지가폭등은 용지매수에 지장을 초래하고 그것은 철도건설의 지연으로 연결되었다. 이에 조선총독부는 일부 지역에 토지수용령의 발포를 검토했다. 양주군 구리면 소재 3천여 평의 토지가 철도용지에 편입되었는데, 일본인 소유주가 요구하는 보상가와 철도당국이 제시하는 매수가 사이에 너무 차이가 나 토지수용령을 적용키로 했다. 경경선은 국책사업이었기 때문에 이것이 가능했다.[24)] 또 단양군의 400정보 밀림지대에서는 침목용의 목재를, 제천군의 紅松地帶에서는 電柱用의 목재를 벌목하기로 했다.[25)]

경경선이 지나는 각 지역에서는 역의 유치를 둘러싸고 주민운동이 활발히 일어났다. 양평군 용문면 馬龍里,[26)] 楊東面 三山里,[27)] 砥堤面 砥平里,[28)] 광주군 退村面과 南終面[29)] 등에서는 주민 수백 명 또는 수천 명이 모여 결의안을 작성하고 위원 대표로 하여금 서울에 가서 철도당국에 진정하도록 했다. 砥平里에 역의 신설이 결정되자 주민 대표 500여 명은 砥平公會堂에서 회합하여 砥平繁榮會를 조직하고 다음과 같은 결의를 했다. 상공업의 진흥을 위하여 외지에서 오는 상공업자의 점포 택지 공장시설 알선, 교육기관 확충, 통신기관 완비와 시설 촉진, 금융기관의 독립 설치, 지평시가지 조성과 지도 등.[30)]

---

23) 『朝鮮日報』 1936.6.9.
24) 『朝鮮日報』 1937.7.8.
25) 『매일신보』 1936.9.26.
26) 『朝鮮日報』 1937.2.20 ; 『매일신보』 1937.2.24.
27) 『매일신보』 1937.3.11.
28) 『매일신보』 1937.2.20.
29) 『매일신보』 1937.7.1.

경경선의 부설과 병행하여 이 철도의 효용을 높일 수 있는 사업도 추진되었다. 먼저 각 역에서 분기하여 사방으로 뻗어가는 도로망의 정비를 꾀했다. 조선총독부 내무국은 1937년도부터 경상남북도, 충청북도, 강원도, 경기도와 협의하여 지방농촌진흥토목사업의 명목으로 3년 동안 4천여만 원의 경비를 투입하여 도로개수사업을 추진한 것이다.31) 강원도 伊川에서는 경경선의 개통에 맞춰 葛山溫泉에 손님을 유치하기 위해 1937년부터 도로를 확장하고 교량을 가설했다.32)

경경선의 노선에서 제외된 지역에서도 배양선을 수축해야 한다는 운동이 일어났다. 대구 유지들은 경경선유치운동이 실패하자 상공회의소를 중심으로 하여 기성회를 조직하고, 경경선의 의성을 기점으로 대구를 경유하여 창녕－마산을 연결하는 160 km의 국유철도 부설을 요구하는 청원운동을 벌였다.33) 이와는 별도로 馬邱線聯合設置期成會를 조직하여 1,200만 원 정도를 들여 경경선이 완공될 예정인 1940년까지 마산－대구－의성의 사설철도를 부설하는 운동도 벌였다.34) 대구 유지들은 경경선이 영주－안동－영천을 지나 부산으로 빠지게 되자 영천과 의성에 여객과 화물이 집중되어 상권이 쇠퇴할까봐 전전긍긍했다.35)

실제로 경경선의 개통이 단계적으로 진행되자 대구의 상인 중에서 영천, 안동, 의성 등지로 移居하는 자가 많이 나타났다. 1936년까지 매년 4~5천 명씩 증가하던 인구도 1937년에는 1천 200명 정도 증가하는 데 그쳤다. 그리하여 대구의 상권을 확대 강화시키기 위해서는 비상한 수단

30)『매일신보』 1937.2.20 ; 1938.7.7.
31)『매일신보』 1936.7.10.
32)『매일신보』 1937.9.10.
33)『매일신보』 1936.5.17 ; 1936.5.24.
34)『매일신보』 1936.6.15.
35)『매일신보』 1937.1.9 ;『朝鮮日報』 1938.5.8.

을 강구해야 한다는 여론이 높았다. 그 중의 하나가 의성–대구–마산의 철도를 부설하고, 統營을 새로운 출입 항구로, 대구를 중계지로 삼자는 안이었다. 그밖에 浦項에 항구를 수축하여 대구의 현관으로 삼는다, 대구–南原에 철도를 놓는다, 포항–목포에 철도를 건설하여 黃海 湖水化 라인에 대구를 연계시킨다 등이 거론되었다. 모두 경경선의 혜택을 보든지, 그와 경쟁하든지 하여 상권을 수호하겠다는 悲願의 표출이었다.[36]

한편, 경경선을 북쪽으로 확장하여 만주 중앙부에 진입시키자는 안도 제기되었다. 곧 경성에서 평남 順川을 거쳐 만포진까지 가는 서북부 종관선으로 삼자는 것이다. 부산–순천–만포진을 직통으로 연결해갈 이 노선은 경부선과 경의선을 보충하는 데 그치지 않고, 만주 한복판을 뚫고 들어가는 동아시아의 새로운 간선이 된다. 1936년 10월 조선총독부가 주최한 산업경제조사회에서도 이와 비슷한 논의를 했다.[37] 사실 경원선의 철원에서 순천까지 160여 km만 건설하면 이미 건설 중인 만포선과는 쉽게 접속할 수 있다.[38] 조선총독부 철도국도 연선에 임산물과 지하자원이 무진장하고 비상시 군용선으로도 활용할 수 있는 이 철도의 중요성을 인식했다.[39]

3. 돌관공사의 강행과 신공법의 활용

1) 북부선(청량리–단양)의 공사

경경선은 동북아시아의 국제정세가 전쟁국면으로 변화하는 가운데 유

36) 『매일신보』 1938.6.26.
37) 『朝鮮日報』 1937.1.3.
38) 『매일신보』 1937.2.14.
39) 『매일신보』 1937.2.16 ; 1937.5.9.

사시에는 군사선으로, 평상시에는 경제선으로 갑자기 각광을 받게 되었다. 그렇지만 경경선은 험준한 산악지대를 관통해야 하기 때문에 어려운 공사가 예견되었다. 특히 충북 단양과 경북 영주 사이의 죽령터널은 험준한 산악을 가로지르는 상거리 구간으로서 특히 어려운 공사였다. 죽령터널은 길이 4km, 공비 2천만 원, 공기 4년 이상이 필요했다.[40]

조선총독부 철도국은 1936년부터 남북 양 기점과 종점 부근, 중앙부의 죽령터널 및 치악터널 부근 등 몇 개소에서 공사를 시작했다. 북쪽 기점은 청량리, 남쪽 기점은 영천이었다. 단양을 경계로 하여 이남을 남부선, 이북을 북부선이라고 불렀다. <지도 1-2>의 ⑨와 <지도 7-1>에서 보는 바와 같이 충북과 경북의 접경에 가까운 단양이 거의 중간지점에 해당했다. 철도국은 1936년 7월 서울 청량리에 북부건설사무소, 같은 해 12월 경북 안동에 남부건설사무소를 설치했다. 이로 인해 청량리와 안동은 갑자기 활기를 띠게 되었다. 이후 북부건설사무소는 경성사무소, 남부건설사무소는 안동사무소로 불렸다.[41]

북부선은 경원선 청량리에서 시작하여 얼마 동안 東進하고, 곧 동남으로 구부러져 양평가도를 따라 나아갔다. 그 후 양수리 부근에서 북한강을 건너 남으로 방향을 틀어 남한강을 따라 내려왔다. 그리고 양평과 원주를 거쳐 치악을 뚫고 넘어 제천을 지난다. 이어서 남한강 상류를 건너 단양으로 나와 남부선에 접속한다. 경성사무소는 소관 구역인 청량리-단양 사이를 19개 공구로 나눠 공사를 추진했다.

공사는 1936년 11월 청량리-二牌 사이 제1공구의 노반공사를 시작으로 순차적으로 진행되었다. 양평군 楊西面 雨水里와 菊秀里 사이 제4공구 9.632 km의 공사는 間組가 108만 원, 국수리와 양평군 葛山面 楊根里 사

---

40) 『매일신보』 1936.5.22.

41) 『매일신보』 1936.7.28 ; 1936.8.14 ; 1936.8.15 ; 『朝鮮日報』 1936.10.27.

이 제5공구 9.600 km의 공사는 大倉組가 81만 원에 각각 청부하여 1937년 8월부터 착수했다. 두 공구가 각각 매일 2천여 명의 노동자를 사역했다.[42] 양근리와 砥平里 사이의 제6공구 공사는 大倉組가 101만 3,700원에 낙찰하여 1938년 2월부터 착공했다.[43] 청량리–양평 구간은 1939년 4월에 완공하고 개업했다. 이어 1940년 4월에는 원주까지, 1941년 7월에는 제천에 이르는 155 km를 순조롭게 준공하고 개업했다. 이어서 제천 이남 단양까지 약 36 km의 노반공사는 1941년 3월까지 마쳤지만, 軌條와 鋼桁 등을 입수하기가 곤란하여 궤도부설공사에는 착수하지 못했다.

북부선 공사 구간의 특수사항은 양수–팔당 사이 북한강철교(上路 鈑桁 24.4 m×2連, 30 m×10連, 마름모꼴(菱形) 單構桁 62 m×3連, 총연장 580 m)의 급속한 가설이었다(<사진 7–1> 참조). 북한강철교는 죽령터널, 치악산 깊은 골짜기에 있는 吉峨川에 가설된 深溪橋(<지도 7–2> 참조)와 더불어 경경선의 3대 명물로 일컬어졌다.[44]

북한강교량의 기초공사에는 壓氣潛函工法[45]을 채용했다. 전력은 경성전기(주)가 공급하고, 변전소 및 압축소는 철도국이 설비했다. 북한강교량의 가설공사는 150만 원의 공비, 1,688톤의 鋼材가 소요되었다. 徑間 45미터의 마름모꼴 트러스트의 이 다리는 1937년 봄 착공되어 1939년 4월 1일 준공되었다. 공사 과정에서 십 수 명의 인부가 희생되이 세인을 놀라게 했다.

북한강철교는 <사진 7–1>에서 보는 바와 같이 독일 라인강변의 베젤(Wesel) 시와 뷔더리히(Büderlich) 시를 연결하는 베젤–뷔더리히철교

42) 『朝鮮日報』 1937.7.30.
43) 『朝鮮日報』 1938.2.1.
44) 『매일신보』 1938.3.26.
45) 대기압을 초월하는 기압 아래서 작업하기 위해 특수 작업실 또는 셔틀을 설치하고 공사를 진행하는 공법으로서, 주로 터널을 뚫거나 수중에 교각을 설치할 활용한다.

(<사진 7-2> 참조)를 모방하여 난간을 마름모꼴로 설계하여 外觀美와 堅實美를 겸비했다. 동양 최초의 시도라 해서 널리 구경거리가 되었다.[46)]

조선총독부는 치악터널(총연장 3,650 m) 및 그 부근의 金袋 제2터널(총연장 1,961 m의 루프형) 굴착공사는 본선공사와 분리하여 1937년 1월부터 착수했다(<사진 7-3> 참조). 그리고 신공법을 활용하여 鳳川과 堤原 가도 사이에 발전소를 설치하고 450HP 중유발동기 3대를 가동하여 양쪽 坑口로부터 굴착을 시도했다. 金袋 제2터널은 1939년 4월 20일, 치악터널은 1939년 8월 1일 각각 준공했다. 금대2터널과 치악터널은 높은 곳에 위치하여 출입의 낙차가 심했다. 그리하여 터널 속에서 열차가 빙빙 둘러서 오르내리도록 루프식(똬리형 또는 고리모양이라고도 부른다)으로 만들었다. 신기술의 精髓를 동원한 공사라는 평가를 받은 두 터널 굴착은 시작부터 세간의 관심을 끌었다. 그리고 준공 이후에는 승객에게 새로운 세상을 경험하게 만드는 명물이 되었다.[47)]

금대 제2터널은 금교와 치악역 사이 험준한 산줄기를 뚫고 지나는데, 원주-반곡 사이의 깊은 골짜기에 가설된 철강 들보다리(桁橋)[48)] 吉俄川高橋梁(上路 鈑桁 10 m×6連, 16.5 m×1連, 鋼構橋脚 20 m×8連, 총연장 236 m, 교각 높이 40 m, 百尺橋라고도 부른다)을 지나야만 했다(<사진 7-4> 참조). 공사에 556톤의 강재를 사용하고, 1941년 7월 1일 개통했다. 조선에서 처음인 고가교였다.[49)]

북부선 공사에서 또 특기할 만한 사항은 37kg 궤조에 20 m의 長尺 레

---

46) 『東亞日報』 1939.3.7 ; 『朝鮮日報』 1939.3.7 ; 財團法人 鮮交會, 1986, 『朝鮮交通史』, 326쪽.

47) 『朝鮮日報』 1938.12.13.

48) 구조로써 구별하는 다리의 한 종류로서, 하중을 지탱하는 주요 부재가 주로 휨모멘트에 저항할 수 있도록 틀이 짜여 있다.

49) 財團法人 鮮交會, 1986, 『朝鮮交通史』, 326쪽.

일을 깔았다는 점이다. 군사적 긴장이 고조되는 시국의 요청에 부응하여 하루 평균 1.5 km의 궤도를 까는 기록을 달성했다.

한편 본선이 모두 개통될 때까지, 경경선에서 경원선으로 직통하는 短絡線으로서 忘憂驛(청량리역의 다음)과 경원선 硯村驛을 연결하는 연장 4.9 km의 선로를 부설했다. 그리하여 청량리 일대는 경원선, 경경선, 경춘선 등이 교차하는 교통의 결절지역이 되었다(<지도 1−2> 참조). 조선총독부 철도국은 용산−청량리 구간에 폭주하는 열차운행의 부담을 완화하기 위해 1939년 5월부터 동 구간의 복선공사를 시작했다. 공사구간은 12.6 km, 공사비 2,300만 원, 공사기간은 2년을 예상했다.[50)]

2) 남부선(단양−영천)의 공사

남부선은 동해중부선 영천에서 시작한다. 경북의 한복판을 북상하여 의성, 안동, 영주를 거쳐 소백산맥의 척량 죽령(총연장 4,500 m, 당시 한국에서 最長)을 뚫고 지난다. 다시 루프식인 大崗터널(총연장 2,000 m)을 내려와 단양으로 빠져 북부선에 접속한다(<지도 7−1> 참조).

조선총독부 철도국은 1936년 12월 안동에 안동건설사무소를 설치하고, 남부선을 19개 공구로 나눠 공사를 추진했다. 남부선공사는 1937년 11월 영천−新寧 사이 노반공사를 2개 공구로 나눠 착수하고, 1938년 12월 友保까지 개업했다. 공사를 계속하여 1940년 3월에는 안동까지, 1941년 7월에는 영주까지 127.7 km를 개업했다. 본구간의 영업개시는 대구−영천 사이의 표준궤 개축과 맞물려 지방교통의 편리를 증대시켰다.

그렇지만 남부선 공사를 시행하는 과정에서 전시 물자통제 등으로 궤조를 입수하기 어려워 일부구간의 개통을 연기할 수밖에 없었다. 또 橋梁

---

50) 『東亞日報』 1939.3.26.

鋼桁의 제작이 지연됨으로써 그것을 입수하지 못한 교량에는 假桁을 대신 설치하고 나중에 교체하는 등 공사 진척상에 지장이 많았다. 강재는 모두 横河橋梁(株)의 東京工場에서 제작했다. 20 m 長尺 궤조를 부설할 때는 처음으로 철도성이 특허권을 가진 장척궤조부설기를 사용했다. 그런데 공사 성적이 불량했기 때문에 철도국 공장이 철도성과 협의하여 표준궤용으로 설계를 변경하여 軌條引落用 로러를 제작해서 활용했다. 그리하여 신속하게 궤조를 부설하는 데 성공할 수 있었다.

나머지 구간인 영주–단양 사이에 있는 죽령 및 大崗의 장대터널은 모두 1940년 5월까지 완성하고, 그 전후의 노반공사는 1941년 2월까지 준공했다. 죽령터널은 경경선의 최대 난공사로서 1937년 1월 27일 착공 이래 2개년 반 만에 개통했다. 西松組가 수주하여 시공한 죽령터널은 한국과 만주에서 가장 긴 터널이었는데, 연인원 43만 명의 노동자가 동원되었다. 총공사비 225만 원, 시멘트 14만 부대가 소요되었다. 技士와 技手 등 희생자도 적지 않았다. 그 때문인지, 南次郞 총독은 죽령터널의 남쪽 입구에 '一視同仁'이라는 휘호를 써서 새겨 붙였다.[51] 죽령터널 공사에는 電力과 기계가 활용되었다. 이 터널의 완공은 조선의 철도기술이 세계수준에 도달했음을 보여준 쾌거라는 평가를 받았다.[52] 西松組가 시공한 대강터널은 남부선 제18공구에 속했는데, 조선에서 가장 긴 루프식 터널이었다.[53]

남부선의 궤도부설공사는 영주까지 개업한 이후에도 추진되었지만 鋼材를 입수하기 곤란하여 지지부진해졌다. 중일전쟁이 장기전 체제로 돌입하자 단기간에 결실을 맺지 못할 건설공사에 대해서는 예산배정과 물

51) 『東亞日報』 1939.6.11 ; 1939.6.13.

52) 『東亞日報』 1940.1.24.

53) 『東亞日報』 1939.9.6.

자동원에서 제외될 분위기가 형성되었다. 이에 따라 영주–제천 사이 62 km의 궤도를 모두 깔아서 경경선을 전부 개통시키는 데는 상당한 일수가 필요하다고 예상했다. 실제로 이 구간의 궤도공사는 한때 중지된 상태에 놓였다. 철도당국은 軍部에 대해 필사적이고 강력한 절충을 계속했다. 그리고 통상 4~5개월 필요한 工期를 재료가 원활하게 입하된다면 2개월 안에 마치겠다는 결의를 표명했다. 실제로 山田 철도국장은 1939년 11월 14일 경성을 출발하여 양평, 원주, 치악, 제천, 죽령, 안동 등의 경경선 공사현장을 시찰하며 속성건설을 독려했다.54)

조선총독부 철도국은 突貫工事를 강행해서라도 경경선을 최대한 빠른 시일 안에 전부 개통시키겠다는 것을 조건으로 내걸고, 1941년 7월 일단 군부의 양해를 얻어냈다. 이에 따라 안동건설사무소는 제천–단양 사이도 그 소관에 편입하고, 영주–제천의 양쪽에서 궤도공사를 진행했다. 궤도재료와 鋼桁의 입수도 착착 추진했다.

제천–단양 공사구간 중 공기를 좌우한 최대 난관 작업은 남한강교량(上路鈑桁 12 m×2連, 24 m×4連, 총연장 150 m)의 桁架作業이었다. 이 교량은 반경 800 m의 곡선 중에 있고, 교각의 높이도 河底로부터 20여 m나 되었다. 남한강교량의 기초공사에서도 壓氣潛函工法을 채용했는데, 전력은 청부업자가 자가발전을 하여 충당했다. 먼지 교량까지 하루라도 빨리 궤도를 깔기 위해 제천에 궤도공사구간을 설치하고 숙련자를 배치했다. 그리고 늦게나마 궤조가 입하되자 1941년 9월 10일부터 手延式 連結工法을 채용하여 궤조부설작업을 개시했다. 晝夜兼行의 공사를 계속하여 1941년 11월 10일 남한강교량 제천 쪽 토대까지 30 km의 궤도를 깔았다. 그러나 11월 초순 도착 예정인 鋼桁의 입수가 지연되어 桁架作業은

54) 『東亞日報』 1939.11.15.

1941년 12월 1일에나 개시할 수 있었다. 남한강교량의 高所作業은 영하 수 십도의 한풍을 맞으며 진행되었는데, 그 곤란함은 말로 표현할 수 없었다. 작업종사자 일동은 이런 난관을 극복하고 마침내 1942년 1월 20일 이 교량을 준공할 수 있었다.

그 후 궤도의 연장작업도 신속히 진행되어 곧 단양정차장까지 이르렀다. 그리하여 1942년 2월 8일 江崎 건설과장과 기타 관계자가 參列한 가운데 백설이 휘날리는 단양정차장에서 긴장이 감도는 분위기 속에서 궤조연결식을 거행할 수 있었다. 이때 기념으로 금도금을 한 대못을 박고, 만세삼창을 한 후, 냉주를 마시며 공사의 성공을 축하했다. 그러나 무리한 돌관공사로 인한 희생도 적지 않았다. 죽령터널 남쪽 입구에서 기관차와 핸드카가 충돌하고, 제천 방면에서 자갈을 실은 열차가 궤도를 벗어나서 수 명의 사상자를 냈다.

남부선 건설공사에서 특기할만한 것은 다음과 같았다. 죽령터널과 대강터널 등은 1937년 4월부터 450HP의 중유발동기관을 365KVA 발동기 3대에 직접 연결하고 착암기와 기타를 사용하여 공사를 시행했다. 발전소 시설은 철도국이 설치하고 그것의 운용은 청부업자가 맡았다. 나아가 伊上－翁泉 사이의 金鷄터널(연장 2,730 m)은 南鮮合同電氣로부터 전기를 사서 機械掘機로 굴착했다. 영주와 안동 사이를 잇는 금계터널은 경경선의 3대 난공사로 알려졌는데, 阿川組가 190만 원에 매일 1천여 명의 인부를 사용했다.[55] 안동－伊下 구간의 成洛川橋梁(上路 鈑桁 30 m×3連, 上路 워렌형 構桁 62 m×2連, 연장 220 m)은 지형상 施工基面이 고수위보다 상당히 높았기 때문에 上路 構桁을 사용했다. 이런 공법은 한국철도에서 처음 시도되었다. 시공에 591톤의 鋼材를 사용하여, 1941년 7월 1일

---

55) 『朝鮮日報』 1937.7.18 ; 『東亞日報』 1939.4.21.

개통했다. 기타 공구에서도 공사를 속성시키기 위해 청부업자가 기계 설비를 갖춰 시행한 곳이 몇 개나 되었다.

경경선에 사용한 궤조와 침목의 내역은 다음과 같았다. 궤조중량은 37kg, 침목배치 挺數는 곡선반경 300 m 이상 500 m 미만이 17~19挺, 500 m 이상 1,000 m 미만이 16~19挺, 1,000 m 이상 2,000 m 미만이 16~17挺, 2,000 m 이상 또는 직선이 16~17挺이었다. 경경선의 규격은 3급, 단선으로서, 최급구배 23.5%, 최소반경 400 m, 유효장 430 m이었다. 망우선(망우-硯村, 4.9km)도 대체로 이와 유사했다.

경경선에는 연장 1,000 m 이상의 터널만도 6개나 되었다. 그 내역은 다음과 같았다. 죽령터널(喜方寺-죽령 구간, 4,400 m, 1940년 5월 1일 준공), 치악터널(板富-神林 구간, 3,650 m, 1939년 8월 1일 준공), 금계터널(伊下-瓮泉 구간, 2,730 m, 1939년 9월 준공), 대강터널(죽령-단양 구간, 2,000 m, 1940년 4월 30일 준공), 금대제이터널(반곡-신림 구간, 1,961 m, 1939년 5월 20일 준공), 매포터널(단양-제천 구간, 1,015 m, 1941년 6월 준공).

따라서 경경선은 일제가 아시아에서 부설한 철도 중에서 가장 험난한 과정을 거쳐 완성되었다고 볼 수 있다.[56)]

궤조연결 후 계속하여 궤도를 정비하고, 驛舍와 관사 및 통신시설 등을 점검했다. 그리고 1942년 4월 1일 안동에서 山田 철도국장 주재 아래 관민 다수가 열석한 가운데 경경선의 완전 개통식을 거행했다. 전시체제에 돌입한 까닭에 궤도 등의 재료 입수가 곤란하여 전통 예정기한보다 지연되었지만, 1936년 12월 착공 이래 1942년 4월 1일까지 5년 4개월 걸려 경경선의 신설구간 345.2 km를 전부 개통시킬 수 있었다.

56) 財團法人 鮮交會, 1986, 『朝鮮交通史』, 349쪽, 379쪽, 381쪽.

3) 매수선(영천－경주)의 개축

다음은 경경선의 확장된 구간, 곧 영천에서 경주까지가 어떤 경위를 생성되었는가를 살펴보겠다. 조선경편철도주식회사는 1916년 2월 경부선 대구역에서 시작하여 동해안 포항과 鶴山에 이르는 104.2 km 구간, 그 도중의 西岳에서 분기하여 울산을 거쳐 남하하여 東萊와 長生浦에 이르는 106.6 km 구간, 합계 연장 210.8 km의 부설면허를 얻었다. 78.8 cm 궤간의 협궤(경편) 증기철도였다. 이 회사는 1917년 2월 먼저 대구에서 기공하여 동년 11월 대구－河陽 간을 개통하고, 1918년 11월 동해안 포항까지, 1921년 10월 울산까지 개통했다. 이른바 慶東線이 탄생한 것이다.

조선경편철도주식회사는 1919년 조선중앙철도주식회사로 개편되었다. 그런데 조선철도주식회사 1923년 9월 1일 조선중앙철도주식회사를 비롯한 5개 사설철도회사를 매수 합병했다. 이때 경동선의 영업선은 147.7 km 이었다.[57]

그 후 조선총독부 철도국은 1928년 7월 1일 조선철도주식회사의 慶東線을 매수하고, 명칭을 동해중부선으로 바꿨다. 교부공채액면가는 757만 원이었다.[58] 조선총독부 철도국은 경주－울산 39.3 km 구간에 대해 1935년 6월부터 표준궤로 개축공사를 시작하여 1936년 12월 1일 영업을 개시했다. 이 구간은 동해남부선이 되었다(<지도 1－2>의 ⑧). 대구－영천 38.4 km 구간은 1936년 9월부터 표준궤로 개축공사를 시작하여 1938년 7월 1일 완공하고 영업을 개시했다. 이 구간은 경부선에 편입되어 대구선이 되었다(<지도 1－2>의 ①). 영천－경주 37.5 km 구간은 1937년 7월부터 표준궤로 개축공사를 시작하여 1939년 6월 1일 완공하고 영업을 개시했다.

---

57) 朝鮮鐵道協會, 1927, 『朝鮮鐵道一斑』, 83쪽 ; 87쪽.
58) 朝鮮總督府鐵道局, 1938, 『朝鮮鐵道의 事業概要』, 76쪽.

이 구간은 동해중부선이 되었다. 동해중부선의 경주–학산 38.4 km 구간은 1939년 11월 표준궤로 개축공사를 시작하여 1944년 말 경주–포항 구간은 완공하여 영업을 개시했다. 포항–학산 구간은 1940년까지 노반공사를 완성했으나 철도재료를 입수하기 곤란하여 궤도부설을 포기했다.59)

경경선은 위와 같이 복잡한 경위를 거쳐 형성되었다. 남부에서는 원래 기점으로 상정했던 영천을 통과하여 멀리 경주까지 확장되었다. 그리하여 경경선은 한반도 동남부의 간선철도와 사방으로 연결되는 중추선이 되었다.

4. 노동자의 동원과 인명사고의 빈발

1) 노동자의 동원

경경선의 부설공사에 몇 명 정도의 노동자가 동원되었는지에 대한 구체적이고 체계적인 통계는 찾아볼 수 없다. 다만 신문기사 등에 단편적으로 기술된 사실로 유추해보면 연인원 수 천만 명이 투입되었을 것은 틀림없다. 앞에서 언급했듯이 북부선 제4공구와 제5공구는 9~10 km 정도의 구간인데, 각각 하루 2천여 명의 인부가 일했다. 북부선의 공사구간이 모두 19개인데, 5년 6개월 동안 이런 공사가 축차적으로 진행된 점을 감안하면 공사에 동원된 연인원은 방대한 수에 이를 것이다. 남부선의 공사구간도 19개이므로 북부선과 거의 비슷한 인원이 공사에 투입되었을 것이다. 아니, 남부선이 북부선보다 훨씬 더 험한 산악지대를 관통하기 때문에 더 많은 노동자가 필요했다고 봐야 한다. 죽령터널 굴착공사에는 연인

59) 財團法人 鮮交會, 1986, 『朝鮮交通史』, 314~315쪽.

원 43만 명의 노동자가 투입됐고, 金鷄터널 공사에서는 매일 1천여 명이 작업했다. 1942년 4월 1일 경경선 완전 개통식에서 조선총독부의 山田 철도국장이 식사에서 보고한 바에 따르면 경경선 부설공사에는 연인원 2천만 명이 동원되었다.[60)]

위와 같은 사실을 염두에 두고 아래에서는 신문기사 등을 통해 노동자 동원의 몇 가지 사례를 살펴보겠다.

경경선 건설공사의 시작을 전후하여 한국에서는 대대적인 토목공사가 벌어지고 있었다. 특히 북한지역에서 철도부설과 수력발전소 건설 등이 활발해지자 조선총독부 사회과는 1936년에 남한지역에서 5만여 명의 노동자를 모집하여 보냈다.

1937년에는 남한지역에서 경경선건설, 항만수축, 삼척지방개발, 북한지역에서는 만포선 국경철교건설, 장진강과 부령강 수력발전소건설, 회령과 나진의 기지와 도로 건설 등이 추진될 예정이어서 전국에서 하루 평균 35만 명의 노동자가 필요할 것으로 예측했다. 종래의 수요공급을 감안하면 약 10만 명의 노동자가 부족할 것으로 보였다. 총공사비는 1억 5천만 원 정도였다.[61)]

실제로 경경선 건설공사에서는 시작단계부터 노동자 부족현상이 나타났다. 大阪의 西本組가 1936년 11월부터 시공한 치악터널공사는 하루 900여 명의 노동자가 필요했다. 西本組는 강원도 당국의 협력을 얻어 洪川, 橫城, 平昌 등 각 군에서 노동자를 모집했는데 노동자 기근으로 애를 먹었다.[62)] 홍천군은 도 당국의 지령에 따라 청부업자와 교섭하여 작년 風水害罹災民들을 경경선 부설공사에 알선했다. 이들은 춘궁기를 맞아

60) 『매일신보』 1942.4.2.
61) 『朝鮮日報』 1936.11.17.
62) 『朝鮮日報』 1937.4.24.

飢餓線上에서 방황하고 있었다.63)

경경선 부설공사에는 연선주민뿐만 아니라 기타지역의 노동자도 대거 참여했다. 충남 鳥致院에서 36명의 장정이 1937년 5월 13일 경부선 열차를 타고 용산역에 도착하여 전차를 갈아타고 청량리에 내려 도보로 楊州郡 瓦阜面 공사장까지 갔다.64) 경기도 社會係의 알선으로 수원군에서도 800여 명의 노동자를 알선 모집했는데, 1937년 6월 3일 1차로 202명을 도와 군 관리의 인솔 아래 열차로 경경선 건설공사장에 파견했다.65) 같은 달 23일까지 수원군에서 양평군 공사장까지 3차례 수백 명의 노동자가 파견되었다. 노동시간, 임금, 居處 등은 군의 관리가 고용주와 타협하여 주선했다.66) 6월 중에 경기도가 경경선부설공사에 알선한 노동자만 2천여 명이었다. 경기도는 이들에게 오락을 제공하기 위해 각 공사장에 活動寫眞班을 파견하여 영화를 상영해주기도 했다.67)

경기도 지방과 사회계는 1937년 7월부터 9월까지 3개월 간 경기도내에서 필요한 노동자를 연인원 292만 3,215명으로 추산했다. 살포될 임금은 219만 7,600연 원이었다. 경경선 건설을 비롯하여 국도개량과 치수공사에 연인원 20만여 명이 필요했다. 지역별로는 경성부 74만 6천여 명, 양주군 46만 명, 고양군 35만 명, 양평군 33만 명이 필요했다. 경기도는 노동시즌을 맞아 도내 각 군에서 노동자를 모집하여 공사장에 배치할 방침이었다.68)

조선총독부 사회과는 이미 수만 명의 노동자를 모집 알선했는데, 업자

---

63)『朝鮮日報』1937.4.5.
64)『매일신보』1937.5.15.
65)『매일신보』1937.6.5.
66)『매일신보』1937.6.25.
67)『매일신보』1937.6.4.
68)『매일신보』1937.6.30.

들의 가혹한 사용조건에 견디다 못한 노동자들이 도주하는 현상이 발생하자, 업자들로 하여금 노동자들을 보호사용할 것을 엄중히 지시했다. 그리고 제일 먼저 1937년에 경경선 건설공사로 임금만 600만여 원이 살포되는 경상북도에서 업자 50여 명과 경북토목건축협회원들을 소집하여 勞資摩擦에 대한 근본방침을 철저히 인식하도록 강습했다.[69]

그럼에도 불구하고 영주군의 경경선 죽산터널 공사장에서는 1937년 12월 14일 50명의 인부들이 시공업자 西本組가 日給制를 請負式으로 바꾸는 것에 항의하여 동맹파업했다. 西本組가 임금지불을 週間制로 함으로써 동맹파업은 15일에 곧 해결되었지만, 공사장 곳곳에서는 勞資間의 갈등이 끊이지 않았다.[70]

1938년에 들어서도 경경선 건설은 노동자 부족에 시달렸다. 이 해 경기도에서 필요한 노동자는 5만 7,321명으로 이들에게 뿌려지는 노임은 1,309만 7,211원으로 예상됐다. 노동자가 제일 많이 필요한 곳은 경경선과 경춘선 부설 현장이었다. 1938년 5월 경경선은 매일 평균 1,600명을 사용했는데, 농번기가 겹쳐 간신히 1,200여 명으로 공사를 진행하고 있었다.

조선총독부는 중대한 국책사업이 노동자 부족으로 지연되어서는 낭패를 당한다고 인식했다. 이에 경기도 지방과 사회계원들은 양평의 공사현장에 출동했다. 그리고 인근 麗州와 龍仁의 관계자와 협의하여 각 농가에 出役人夫를 할당했다. 3인의 노동력이 있는 농가는 2인을 출역시키고 1인은 농사에 종사하게 한다는 것이다. 아울러 각 동리에 出役督勵委員을 파견하여 노동자를 모집하고, 15명을 출역시키면 90전의 보수를 주되, 1명 증가에 2전씩 얹어주었다. 또 銃後報國强調週間을 설정하여 勤勞倍加運動을 전개했다.[71] 이 노동자할당계획에 따라 용인군은 각 면에 다음과

69) 『朝鮮日報』 1937.7.17.
70) 『매일신보』 1937.12.17.

같이 알선 모집을 통첩했다. 浦谷面 18명, 慕賢面 19명, 駒城面 16명, 水枝面 19명, 器興面 24명, 南四面 25명, 二東面 25명, 古三面 15명, 遠三面 30명, 外四面 31명, 內四面 22명, 합계 244명.[72]

양평군은 관내 경경선 부설공사에서 매일 2,900여 명의 노동자가 부족해지자 조선총독부와 경기도에 노동자 알선을 요청했다. 이에 따라 조선총독부가 삼남지방에서 모집 알선한 인부 500여 명이 1938년 5월 19일 양평에 도착했다. 청부업자 大倉組는 이들을 다소 우대했다.[73] 이어 6월 9일에는 2차로 모집 알선한 노동자 250명이 京電버스로 양평에 도착하여 제6공구와 제7공구에 배치되었다.[74]

여주군에서는 1938년 5월부터 청년단을 동원하여 勤勞報國團을 조직하고 경경선 건설 등의 국책사업과 공공사업에 자발적으로 勞力을 제공하기로 했다. 근로보국단은 25명이 1단을 이루었는데, 銃後奉公精神의 실현을 목표로 내걸었다. 경기도는 이것을 본 따 2만여 청년단원에게 근로보국단을 조직하고, 출역할 때는 국가나 애국행진곡을 제창하도록 지시했다.[75]

廣州郡과 利川郡에서도 8월부터 각각 근로보국대 100명을 경경선 건설공사장에 파견했다. 이들은 군수, 경찰서장, 관민, 학생 등의 환송을 받으며 양평 공사장으로 향했다. 銃後의 국책공사에 땀으로써 봉사한다는 게 내건 명분이었다.[76] 이천군에서는 중일전쟁 기념일인 7월 7일을 기하여 각 면에 근로보국단 본단을, 각 리에 근로보국단 분단을 설치하고 영농시설이나 부락시설 등에서 준비 훈련을 해왔는데, 이번에 8분단원 200

---

71) 『매일신보』 1938.5.1.
72) 『매일신보』 1938.5.6.
73) 『朝鮮日報』 1938.5.26.
74) 『朝鮮日報』 1938.6.9.
75) 『매일신보』 1938.5.1.
76) 『매일신보』 1938.8.9 ; 1938.8.10.

명을 양평군내 경경선 부설공사장으로 출동시키기로 한 것이다.[77]

安城郡에서도 1938년 10월 31일부터 경기도 직원 인솔 아래 100여 명의 근로보국대원을 경경선 건설공사장에 파견했다. 그들은 2주일 이상 노력봉사를 한다. 이들의 노역이 끝나면 다른 군 근로보국단원이 출동하게 된다.[78] 그리하여 경성사무소 관내에서 노역하는 근로보국대원이 815명에 이르고 그 수는 점점 더 늘어났다.[79]

1938년 5월 원주군도 관내 경경선 부설공사장에 노동자를 모집 알선했다. 고용주 西本組와 협의하여 원격지 거주자는 자동차로 수송하고 고용조건도 좀 낫게 했다.[80] 이즈음 원주군 관내의 제11공구 500명, 제12공구 2,000명, 제13공구 600명, 제14공구 치악산터널 공사에 800명이 필요했다. 그런데 모두 1,500명의 노동자가 부족하여 도 당국의 알선으로 전라남도에서 500명, 원주군내에서 1,000명의 노동자를 모집 알선했다.[81] 그래도 농번기를 맞아 노동자가 부족해지자 원주군은 勞動調定委員會를 개최하여 대책을 강구했다. 마련한 방침은 군내 각 부락의 청년단을 출역시키고, 또 누구든지 20명의 노동자를 모아오면 상금 1원을 지급하는 것이었다.[82]

남부선 의성－영주 간 공사현장에도 다수의 노동자가 투입되었다. 1938년에 이 구간에 배정된 임금은 영주 264,237원, 경주 278,238원, 안동 1,475,140원, 의성 630,259원, 군위, 182,680원, 영주 626,144원, 합계 3,556,698원이었다.[83]

남부선 공사현장에서 노동자가 부족해지자 북부선처럼 근로보국대가

---

77) 『매일신보』 1938.8.11.
78) 『매일신보』 1938.11.1.
79) 『매일신보』 1938.9.15.
80) 『매일신보』 1938.5.21.
81) 『매일신보』 1938.6.4.
82) 『매일신보』 1938.10.23.
83) 『매일신보』 1938.6.21.

투입되었다. 안동사무소 관내의 의성, 안동, 영주, 단양 각 군에서 청년단, 면직원, 학교생도 등으로 결성된 근로보국대원들이 재향군인과 군직원 등의 지도 아래 25명씩이 10일 간 또는 1개월 간 교대로 출역했다. 이들은 가설한 숙소에서 공동으로 기거하고 자취하면서 매일 아침 국민체조를 하고 황국신민의 서사를 제창한 후 작업에 나섰다. 안동사무소 관내에 이미 380명이 출역하고 있었는데, 1938년 9월 하순부터 다시 560명이 출역하게 되어 인부부족으로 곤란을 겪고 있던 경경선 부설공사가 활기를 띠게 된다.[84]

1939년 한국의 토목건설은 더욱 활기를 띠었다. 경경선, 경춘선, 평원선, 동해선 건설공사, 경부선과 경의선 개량공사, 청진-나진 철도건설공사, 강계수력과 한강수력의 전기발전공사, 홍원의 화학공업공장건설 등이 잇달았다. 국책사업인 경경선 건설공사에는 노동자가 우선 배정되었는데도 노동력 부족은 피할 수 없어서, 예의의 고향이라는 안동, 영주 등에서조차 부녀자들도 경경선 부설공사에 참여했다. 대개 20세에서 50세까지인 그들은 하루 평균 12시간을 일하고 70전 내외의 품삯을 받았다.[85] 마침 1939년 조선은 전례 없는 旱害에 시달렸다. 조선총독부 철도국은 경경선 부설공사를 旱害救濟의 일환으로 활용했다.[86] 철도국은 산간벽지에서 무더위와 싸우며 철도건설에 매진하고 있는 노동자를 위안하기 위한 '위문영화반'을 만들어 경경선 연선에 파견했다.[87] 경경선 건설을 둘러싸고 전개된 위와 같은 노동력의 수급상황은 완공이 되는 1942년 3월말까지 계속되었던 것으로 보인다.

---

84)『매일신보』1938.9.15 ;『朝鮮日報』1938.9.16.
85)『東亞日報』1939.6.14.
86)『매일신보』1939.8.22.
87)『매일신보』1939.8.18.

2) 인명사고의 빈발

장기간에 걸쳐 다수의 노동자를 사역한 경경선 건설현장에서는 인명사고가 빈발했다. 기계사용이 적은 데다가 안전장치도 제대로 마련되어 있지 않았기 때문에 사고의 대부분은 人災의 성격을 띠고 있었다.

1937년 5월 24일 원주역 관사신축 기지 공사장에서 100명의 한국인 인부가 산언덕을 파는 작업을 하다가 무너져 내리는 흙더미에 깔려 1명이 즉사하고 2명이 중상을 입었다.[88] 북부선 제13공구인 金垈터널 공사장에서 6월 25일 반석이 떨어져 荒井組 인부 1명이 즉사하고 3명이 중상을 입었다.[89] 11월 11일에는 제3공구에서 間組의 조선인 인부가 무너지는 흙덩이에 깔려 죽었다.[90]

1938년에도 사고는 이어졌다. 2월 8일 영주군 平恩面 江東里 터널공사장에서 흙덩이가 무너져 일본인과 한국인 인부 2명이 즉사하고 한국인 1명이 중상을 입었다.[91] 3월 3일 원주군 神林面 金倉里 제14공구 공사장(청부업자 西本組)에서는 운반차가 높이 160 m에서 굴러 8명이 즉사하고 1명이 중상을 입었다.[92] 8월 13일 남부선 제11공구 寺洞터널 공사장에서 화약이 폭발하여 한국인 인부 4명이 치명상을 입었다. 8월 14일에는 제12공구에서도 화약이 폭발하여 한국인 인부 2명이 중상을 입었다.[93] 9월 3일 안동군 金鷄터널 바위가 떨어져 한국인 인부 3명이 중상을 입었다.[94] 9월 19일 죽령터널에서도 낙반사고가 일어나 西松組의 한국인 인부 1명

---

88) 『매일신보』 1937.5.27.
89) 『매일신보』 1937.6.27.
90) 『朝鮮日報』 1937.11.13.
91) 『朝鮮日報』 1938.2.10.
92) 『朝鮮日報』 1938.3.5.
93) 『매일신보』 1938.8.16.
94) 『매일신보』 1938.9.7.

이 즉사하고 1명이 중상을 입었다.95)

1938년 10월 25일 양평군 북한강교량 가설공사를 하고 있던 間組의 일본인과 한국인 인부들이 20미터 아래의 강바닥으로 떨어져 8명이 즉사하고 7명이 중상을 입는 대형사고가 발생했다.96) 10월 23일 남부선 제13공구 안동군 터널 공사장에서 폭파된 암석에 맞아 일본인과 한국인 인부 2명이 즉사했다.97) 11월 3일 남부선 제7공구 의성군 공사장에서 작업하던 松下組의 한국인 인부 9명이 떨어지는 바위에 깔려 매몰되었다. 3명은 중상을 입고 간신히 구조되었으나 나머지는 생사불명이었다.98) 12월 5일 북부선 제7공구 양평군 터널 공사장에서 한국인 인부 4명이 매몰되었다.99) 12월 26일 남부선 제7공구 안동군 남후면 수하동 터널 공사장에서 콘크리트천정이 무너져 京城鐵道工業組의 인부 중 사망자 7명, 중상자 10명, 경상자 7명이 발생하는 대형사고가 일어났다.100)

1939년 6월 8일 남부선 제14공구 영주군내의 용혈터널 공사장에서 大林組의 인부 15명이 생매장되어 2명은 사망하고 13명은 생사불명인 사고가 발생했다.101) 1940년 1월 27일 안동군 일직면 운산동에서 철도건설재료를 싣고 가던 기관차와 트럭102)가 충돌하여 인부 1명이 즉사하고 4명이 중경상을 입는 사고가 일어났다.103)

이상에서 살펴본 것처럼 경경선 부설공사는 많은 희생이 뒤따랐다. 조

95) 『매일신보』 1938.9.21.
96) 『매일신보』 1938.10.26.
97) 『朝鮮日報』 1938.10.26.
98) 『매일신보』 1938.11.5.
99) 『朝鮮日報』 1938.12.7.
100) 『朝鮮日報』 1938.12.28.
101) 『東亞日報』 1939.6.10.
102) 트럭은 가설 궤도나 경편 궤도에서 사용하는 무개화차를 의미한다. 당시에는 흔히 도록고라고 불렀다.
103) 『朝鮮日報』 1940.1.29.

선총독부 철도국은 1942년 4월 1일 오전 11시 경경선이 완전 개통식을 안동에서 거행했다. 이에 앞서 9시부터는 공사 중에 순직한 22명(한국인 2명, 일본인 20명)에 대한 위령제를 집행했다.[104] 그런데 순직자는 조선총독부 철도국이나 공사청부회사에 소속된 직원에 한정된 것으로 보인다. 일반 노동자들을 포함하면 그 수는 크게 늘어난다. 앞에서 소개한 신문기사의 인명피해자 수만 합산해도 사망자와 행방불명자는 67명, 중경상자는 50여 명이었다. 그중 대부분이 한국인이었다.

5. 경경선의 운영과 연선의 상황

1) 개통의 경과

경경선은 1936년 11월 3일 건설공사의 첫 삽을 뜬 뒤 5년 5개월만인 1942년 4월 1일 완전 개통되었다. 그 전에 먼저 건설공사가 끝난 구간은 차례로 열차를 운행했다. 경경선의 구간별 개통과 개업 상황을 간단히 제시하면 <표 7－1>과 같다.

<표 7－1> 경경선의 구간별 개업 상황(1938~1942년)

구간	연장(km)	시공	개업
영천－우보	40.1	1936.12.18.	1938.12.1.
우보－안동	48.9	1937.8.7.	1940.3.1.
안동－영주	38.7	1938.2.1.	1941.7.1.
영주－제천	62.3	1937.4.1.	1942.4.1.(전통).
제천－원주	46.8	1937.1.10.	1941.7.1.

104) 『매일신보』 1942.3.25.

원주-양평	55.9	1938.2.6.	1940.4.1.
양평-동경성	52.5	1936.11.3.	1939.4.1.
합계	345.2	1936.11.3.	1942.4.1.

*참고자료 : 財團法人 鮮交會, 1986, 『朝鮮交通史』, 289쪽.

경경선에서 제일 먼저 개통된 구간은 남부선의 영천-우보였다. 1938년 12월 1일 개통과 더불어 영업을 개시한 이 구간에는 영천(보통역)-화산(간이역)-신녕(보통역)-봉림(간이역)-화본(간이역)-우보(보통역) 등의 역이 설치되었다. 국책사업으로 추진된 경경선의 첫 개통은 언론의 상당한 각광을 받았다. 1938년 11월 29일의 시승식에는 30여명의 기자가 탑승하여 연선 분위기를 전했다. 12월 1일 우보에서 거행된 개통식은 관민 수백 명이 참석했고, 축하연, 기생연주회, 씨름, 백일장 등의 여흥이 이어졌다. 개통식을 계기로 선로명을 '중앙선'에서 '경경선'으로 바꾸었다. 일본에도 '중앙선'이라는 철도가 있어서 혼란을 야기할 우려가 있다는 이유 때문이었다.[105)]

영천-우보 구간의 개통에 이어 1939년 6월 1일 경주-영천 사이(37.5 km)의 협궤철도(0.762 m)가 표준궤(1.435 m)로 개축되었다. 이와 함께 노선 이름도 동해중부선에서 경경남부선으로 개칭되었다. 영천과 경주 사이에는 林浦-阿火-乾川-毛良 등의 역을 설치했다.[106)]

북부선 청량리-양평 구간은 2년 3개월의 공사 끝에 1939년 4월 1일 개통되었다. 1 km 평균 18만 8,000원의 공사비가 들고, 교량 39개 1,657 m, 터널 11개 3,036 m를 포함한 난공사였다. 정차장으로는 청량리(보통

105) 『매일신보』 1938.11.28 ; 『朝鮮日報』 1938.12.4. 그러나 한국인 뿐만 아니라 일본인에게도 경경선보다는 중앙선이 더 익숙했던 것 같다. 南 총독조차 경경선의 완전 개통식 고사에서 중앙선이라는 호칭을 썼다.

106) 『朝鮮日報』 1939.5.7 ; 『東亞日報』 1939.6.2.

역)-망우(간이역)-도농(보통역)-덕소(간이역)-팔당(간이역)-양수(보통역)-국수(간이역)-양평(보통역)이 설치되었다. 양평번영회는 개통을 축하기 위해 4월 1일부터 사흘 동안 영화, 줄광대, 기생연주회, 농악, 삼현육각, 불놀이, 곡마단, 신파연극 등의 오락을 제공했다.[107]

남부선 우보-안동 구간의 개통은 1940년 3월 1일이었다. 안동역 구내에서 개최된 개통식은 山田 철도국장, 滝 경북지사, 중추원 참의 朴重陽 등 500여명의 관민이 참가한 가운데 성대히 거행됐다.[108] 궁성요배, 묵도, 국가합창, 축사, 황국신민의 서사 제창 등을 마치고 美妓의 勸酒 등의 여흥, 만세삼창 등이 이어졌다.[109] 우보역과 안동역 사이에는 탑동, 의성, 단촌, 운산, 무릉 등의 역이 설치되었다. 이 노선은 경북의 중앙을 관통하면서 연선의 목재, 면화, 누에고치, 축산 등의 자원을 수송하는 이외에 국책의 특수사명을 수행하게 된다.[110] 남부선의 개통과 아울러 조선철도주식회사가 경영한 김천-안동(118.1 km)의 경북선도 조선총독부 철도국에 매수되어 국철로서 영업을 시작했다.[111]

북부선 양평-원주 구간은 1940년 4월 1일 원주에서 성대한 개통식을 거행하고 영업을 개시했다. 양평역과 원주역 사이에는 원덕, 용문, 지평, 구둔, 양동, 간현, 동화, 만종 등의 역이 설치되었다. 이 역들에서도 지역 관민들이 3~4일 간격으로 개통식을 개최했다. 열차운행이 시작된 며칠간은 역 주변이 인산인해를 이루었다. 문명의 이기에 눈이 쏠린 것이다.[112]

1941년 7월 1일 제천에서 청량리-제천, 영주에서 안동-영주 구간의

---

107) 『東亞日報』 1939.3.18 ; 『朝鮮日報』 1939.3.31.
108) 『매일신보』 1940.3.3.
109) 『東亞日報』 1940.3.5.
110) 『매일신보』 1940.3.3.
111) 『東亞日報』 1940.3.1.
112) 『매일신보』 1940.4.9.

완공 기념식을 개최했다. 1942년 3월 26일 단양역에서는 철도관계자 다수가 참가한 가운데 양쪽 선로의 연결식을 거행했다. 곧이어 북부선과 남부선이 만나는 영주-제천 구간의 건설공사가 마무리됨으로써 1942년 4월 1일 안동에서 완전 개통식이 거행되었다. <지도 7-1>은 개통 당시 경경선의 노선과 역을 표시한 것이다.

南 총독은 1942년 3월 31일 오후 8시 20분 경성역을 출발하여 경부선 열차를 타고 대구를 거쳐 4월 1일 오전 9시 안동역에 도착했다. 그는 11시에 시작되는 개통식에 참석하고, 오후 1시 35분 안동역을 출발하여 경경선 열차를 이용하여 9시 44분 청량리역에 도착했다. 8시간 9분이 소요된 셈이다.

경경선 완전개통식에는 南 총독 이외에 板垣 조선군사령관, 강원 · 충북 · 경북 · 경남 지사, 山田 철도국장 등 1천여 명의 지방유지와 군관민 등이 참석했다. 개통식에서 철도당국은 6년 가까운 공사기간에 총공사비 1억 원, 연인원 2천만 명을 투입하고, 터널 90개소를 비롯하여 조선에서 철도건설 사상 최대의 난공사를 완수해냈다고 자화자찬의 보고를 했다.[113)]

南 총독은 경경선 개통식 告辭에서 한국철도와 경경선이 갖는 정치적 · 군사적 · 경제적 의미를 다음과 같이 피력했다.

> 대저 조선에 있어서 철도의 사명은 반도 통치상 매우 중요할 뿐만 아니라 그 간선은 일로 만주국과 北支의 각 철도에 연결하여 內鮮滿支 사이의 最短捷路로서 국방상 또는 운수교통상 중대한 의의를 가지고 있는데 동아의 약진적 발전에 따라서 철도의 旣定 계획은 착착 진척되어 이미 만포선 · 경원선에 이어 중앙선의 개통을 보게 된 것은 참으로 경하에 마지않는 바이다.……이제 대동아전쟁 발발 이래로 군은 서태평양을 중심으로 혁혁한 전과를 거두고 있으나 北邊의 수호 또한

113) 『매일신보』 1942.4.2.

반석같이 견고히 할 것은 말할 것도 없다. 이때를 맞아 중앙선의 완성을 보게 된 것은 참으로 의의가 깊은 것이라고 할 것이다.[114)]

경경선이 중일전쟁과 태평양전쟁이라는 전시체제 아래 경제적 · 군사적으로 동아시아의 간선철도로서 새롭게 탄생했음을 만방에 천명한 것이다. 실제로 경경선은 <지도 1-1>에서 보듯이, 한국의 경의선(②), 경원선(④), 함경선(⑤), 만포선(⑨), 만주의 간선철도(안봉선ⓐ, 연경선ⓑ, 경도선ⓕ, 매집선ⓓ, 경봉선ⓘ) 등과 연결되어 아시아대륙의 동맥으로 기능하게 되었다.

2) 열차의 운행

조선총독부 철도국은 경경선 전통에 맞춰 1942년 4월 1일 열차시각표를 개정하고, <지도 1-2>의 ⑨에서 보는 바와 같이 관부연락선 夜行 편에 접속하여 경경선을 통해 서울과 부산 사이를 직통하는 열차를 운행했다. 이에 따르면 아침 7시 25분에 청량리역을 출발한 남행열차는 원주, 제천, 안동, 영천, 경주를 거쳐 같은 날 오후 9시 23분에 부산에 도착했다. 부산을 아침 8시 35분에 출발한 북행열차는 역순으로 달려 청량리역에 같은 날 오후 10시 51분에 도착했다. 편도 약 14시간이 걸렸다.[115)] 경경선의 열차시각도 다른 간선철도와 마찬가지로 관부연락선의 발착에 맞춰 편성했다.

그 후 조선총독부는 전시비상수송체제에 대응하기 위해 열차시각표를 자주 개정했다. 1942년 11월 1일에 개정된 열차시각표에 따르면 경경선 서울−부산 직통열차(507열차)의 운행은 다음과 같았다. 부산 발 08:35→

114) 『매일신보』 1942.4.2.
115) 『매일신보』 1942.3.31 ; 1942.4.1.

경주(착 11:39, 발 11:47)→안동(착 14:45, 발 14:59)→청량리 착 22:30. 부산에서 서울로 가는데 13시간 55분이 소요되었다. 부산에서 서울로 직통하는 열차 이외에 일부 북행 구간에 운행된 열차는 모두 17편이었다. 청량리 발 07:30→안동(착 14:55, 발 15:05)→경주(착 18:01. 발 18:08)→부산 착 21:23. 서울에서 부산으로 가는데 13시간 53분이 소요되었다. 서울에서 부산으로 직통하는 열차 이외에 일부 남행 구간에 운행된 열차도 17편이었다.[116]

1944년 2월 1일 일제의 철도당국은 大陸轉嫁物資 및 중요물자의 수송요청이 급격히 증가하자 수송력을 확보하기 위해 일부 여객열차의 운전을 중지하고 침대차를 감축하여 화물열차의 증발로 돌렸다. 그 일환으로 만주의 안동에서 경경선을 경유하여 부산에 이르는 왕복 화물열차를 1편 증설했다.[117]

1944년 4월 1일, 조선총독부는 '결전수송'이라는 명분 아래 열차시각을 개정하고, 경경선의 서울–부산 직통 여객열차를 폐지했다. '결전수송'이란 한마디로 전력증강을 위한 중요물자를 수송하기 위해 여객열차가 화물열차에 길을 비켜주는 것을 의미했다. 이에 따라 여객열차의 승객은 決戰要務를 띤 사람만으로 제한했다.

'결전수송' 시각표에 따르면 부산을 07:30에 출발한 북행 여객열차는 경주에 10:42에 도착했다. 경주에서 10:50에 출발하는 열차로 갈아타면

116) 鐵道省編纂, 1942.11, 『時刻表』, 229쪽. 한국에서 열차 운행의 방향은 보통 수도 서울을 중심에 놓고 서울을 향하는 열차를 상행, 서울에서 지방으로 가는 열차를 하행으로 부른다. 그렇지만 일제하에서는 수도가 東京이었기 때문에 열차운행 방향의 호칭이 그와 반대였다. 여기서 일부러 하행이나 상행의 호칭을 피하고 북행이나 남행으로 부른 것은 인식의 혼란을 가져올 우려가 있기 때문이다. 식민지의 철도는 이처럼 호칭의 하나하나에서조차 제국주의적 성격을 띠고 있던 셈이다.

117) 朝鮮關係殘務整理事務所交通班, 1945, 『終戰前後의 朝鮮의 運輸狀況』, 100쪽.

13:50에 안동에 도착했다. 안동에서 하루를 머물고 그다음 날 08:05에 출발하는 열차를 타면 21:15에 청량리역에 도착했다. 부산→서울 북행에 37시간 45분이 소요된 셈이다. 기타 북행 구간의 운행편수도 9편으로 줄어들었다.

서울→부산의 남행 여객열차를 보면, 청량리를 09:15에 출발한 열차가 22:27에 안동역에 도착했다. 안동에서 1박하고 다음날 15:10에 출발하는 열차를 타면 부산역에 21:25에 도착했다. 서울→부산 남행에 19시간 27분이 소요되었다. 기타 남행 구간의 열차운행도 9편으로 축소되었다. 반면에 만주의 안동에서 경경선을 경유하여 부산에 이르는 화물열차 1왕복과 신막-부산의 화물열차 1왕복을 증설했다.[118)]

패전을 좀 더 가까운 시기인 1944년 10월 1일 일제는 大陸轉嫁物資와 중요물자의 수송증가에 대응하기 위해 열차시간표와 관부연락선의 운항시간표를 변경했다. 같은 해 4월 1일에 폐지되었던 경경선의 서울-부산 직통 여객열차를 다시 운행했다. 주요역의 북행 발착시각은 다음과 같다. 부산 발 07:25→경주(착 10:43, 발 10:51)→안동(착 13:50, 발 14:00)→청량리 착 21:25. 부산→서울 북행에 14시간이 소요되었다. 기타 북행구간에는 9편의 열차가 운행되었다. 주요역의 남행 직통 여객열차의 발착시각은 다음과 같다. 청량리 발 07:55→안동(착 15:46, 발 15:56)→경주(착 18:50, 발 18:58)→부산 착22:15. 서울→부산 남행에 14시간 20분이 소요되었다. 기타 남행구간에는 9편의 열차가 운행되었다.[119)] 그리고 경경선을 경유하는 수색-부산의 화물열차 1왕복을 증설했다. 반면에 제천-안동의 여객열차는 운행을 중지했다[120)]

---

118) 朝鮮總督府交通局, 1944.4,『朝鮮鐵道時間表』, 229쪽.
119) 朝鮮總督府交通局, 1944.12,『鐵道時間表』, 39쪽.
120) 朝鮮關係殘務整理事務所交通班, 앞의 책, 101쪽.

1944년 2월 15일 일본 閣議는 '決戰非常措置要綱'을 결정하고 한국철도로 대륙의 물자를 轉嫁輸送하기 위해 안간힘을 썼다. 골자는 여객열차의 운행을 압축하고 화물열차의 운행을 증설하는 것이었다. 여객열차의 편수를 줄이기 위해 속도를 희생하면서까지 급행열차의 연결차량수를 9량에서 16량으로 늘렸다. 게다가 승차권 발매조차 통제했다. 그리하여 1942년까지는 여객열차와 화물열차의 운행 킬로미터가 대등했는데, 1944년 4월 이후 여객열차의 운행 킬로미터는 전체의 16%에 불과했다.[121]

조선총독부는 패전을 앞두고 군수물자의 수송요청에 대응하기 위해 자주 여객열차의 운행을 압축하고 화물열차를 증설하는 열차시각표 개정을 단행했다. 그렇지만 연료품질의 저하, 차량보수자재의 부족, 중견승무원의 應召 등이 겹쳐 열차 운행은 혼란에 빠졌다. 기관차의 견인정수를 늘리고 열차편수를 감소해봤지만 오래 견디지 못하고 열차운행은 지연에 지연을 거듭했다. 급수소의 물 공급 곤란, 사고 유발 등이 겹쳐 최악의 상황에 직면했다.[122]

일제는 1945년 3월 1일부터 최고전쟁지도자회의의 결정에 따라 對日重要總動員物資의 수송을 확보하기 위해 대륙철도수송(대륙중계항에서 船舶揚搭作業을 포함함)을 군사수송으로서 처리하도록 했다. 군사수송으로 처리되는 중요총동원물자의 범위는 한국, 만주, 중국에서 대륙철도를 통해 한국항만을 중계항으로 하여 일본에 송환되는 모든 군수품이었다. 발송지로부터 중계항에서 탑재작업에 이르기까지의 모든 중요총동원물자는 육군이 책임을 지고 처리했다. 대륙철도 수송의 계획 및 처리는 대륙철도사령관이, 선박에 대한 양탑작업은 선박사령관이 맡았다.

---

121) 交通局運輸課, 1944, 「貨物輸送의 激增에 대해 採할 方策」, 『日帝下支配政策資料』 4, 348쪽.

122) 財團法人 鮮交會, 1986, 『朝鮮交通史』, 525~526쪽.

한국철도는 1945년 3월 10일부터 '철도군사사용에 관한 칙령'(1942년 7월 17일)의 적용을 받았다. 한국-만주를 일관하는 한국철도의 군사수송은 관동군사령관의 위임에 따라 대륙철도사령관이 지휘 감독했다. 그렇지 않은 것은 조선군관구사령관의 위임에 따라 대륙철도사령관의 지휘 감독을 받았다.

1945년 4월 미군의 공습이 격화되자 일제하의 모든 철도는 必死挺身으로 결전수송에 돌입했다. 열차시각표의 개정으로 여객열차는 한층 더 압박을 받아 한국의 주요 구간도 직통 2편 정도로 줄이고, 부산-新京은 급행 1편을 남기고 전부 중지했다. 화물수송에서도 일반수송을 반으로 줄였기 때문에 한국 내의 중요물자 수송이 심각한 영향을 받아 산업경제 부문은 치명상을 입었다. 鐵道部隊가 출동하여 군용자재의 지원, 철도방위의 보완, 수송강화의 독려 등의 응급조치를 강구했다. 그 결과 6월 하순까지 군사수송과 대륙물자수송은 그런대로 성적을 올렸지만, 일반 화물과 여객 수송은 심대한 타격을 입었다.[123]

게다가 1943년 10월 이후 미군의 폭격과 잠수함 공격 등으로 관부연락선이 침몰 당하는 등 한국-일본 항로가 핍박을 받자 한반도를 종관하는 간선철도 운수도 급속히 기능부전 상태에 빠졌다. 전부 개통된 지 3년쯤 지난 경경선도 이같은 운명에서 벗어날 수는 없었다.[124]

3) 연선의 상황

국책사업으로 추진된 경경선 건설은 한반도에 제2의 종관선이자 동북아시아에 또 하나의 간선이 출현한다는 것을 의미했다. 중일전쟁이 광역

123) 財團法人 鮮交會, 1986, 『朝鮮交通史』, 605쪽.
124) 일제 패망 직전의 철도운행에 대해서는 정재정, 2013, 「일제하 동북아시아의 철도교통과 경성」, 『서울학연구』 52, 198~199쪽을 참조할 것.

화·장기화함에 따라 경경선은 일본-한국-만주-중국을 최단거리로 연결하는 不沈 간선, 또 병참기지로 부상한 한국의 무진장한 자원을 개발하는 觸手의 사명을 짊어지게 되었다.[125] 그렇지만 경경선이 실제로 지나는 연선사회의 실상과 기대는 좀 더 구체적이고 현실적이었다.

경경선과 경춘선의 기점이 되는 청량리 일대는 팽창하는 경성의 새 거점으로서 각광을 받았다. 1936년 이후 서울은 관할구역을 대폭 확장하여 100만 명을 포용하는 대도시로 발돋움하고 있었다. 그중에서도 동부 일대가 핵심으로 떠올랐다. 이곳을 중심으로 방사선 형태의 교통로가 뻗어나가게 된다. 그리고 한반도 내륙을 남북으로 종관하는 경경선과 강원도의 처녀지를 돌진하는 한반도 유일의 중부횡단선인 경춘선이 개통되면 여객과 화물의 집산은 폭주할 것이다. 그것을 예상하고 경성부는 1938년 5월 1일부터 청량리를 동경성으로 개칭했다. 이에 따라 동경성역은 경성의 동부에 위치한 새로운 목구멍이 되었다. 청량리 일대는 경성부 동부출장소 관내 23정으로 이루어졌는데, 1937년도 서울 전체 호수 증가 5,665호의 60%에 해당하는 3,044호가 이곳에서 증가했다. 인구도 14만 명에 달한다.[126] 이런 와중에 경경선의 각 구간이 차례로 개통됨에 따라 청량리역은 화물에 치중하고 경성역과 용산역은 여객에 치중하는 식으로 역할을 분담하게 되었다. 1938년 7월 1일부터 경성역과 용산역에 입하되던 방대한 장작은 청량리역에서 내려졌다.[127]

경경선을 이용하여 2시간 30분이면 갈 수 있는 단양은 금, 구리, 철, 텅스텐 등을 채굴하여 광공업도시로 발전하는 것뿐만 아니라 風光이 秀麗한 別莊地帶로서도 부자들의 인기를 끌었다.[128] 제천은 일약 교통의 요지

125) 『매일신보』 1938.12.4.
126) 『朝鮮日報』 1938.5.3.
127) 『매일신보』 1937.2.18 ; 1938.5.26.

가 되어 충북과 강원의 임산물과 광산물을 반출하는 거점으로서 활기를 띠었다. 경경선 개통으로 영월, 평창, 삼척, 강릉의 奧地가 그 영향권 안에 들어온 것이다. 제천의 인구는 매년 7~8천 명씩 늘고 정차장 부근의 땅은 한 평에 30원을 호가했다.[129] 淸風面 窯業界 100여명은 제천군청풍요업조합을 설립하고 요업을 근대식으로 개선하기로 했다. 제천 일대는 요업에 필요한 磁土, 石英, 滑石, 長石, 石灰石, 白雲石이 풍부하여 과학적 조사와 개발이 기대되었다.[130]

풍기는 인삼과 곶감을 두 배 이상 출하하고, 영주는 봉화, 영월, 울진, 양양, 삼척 등지의 텅스텐, 철, 석탄 등의 광산물과 紅松 등의 임산물을 실어내는 결절지로 떠올랐다.[131] 증산조선은행과 식산은행 등이 원주, 제천, 영주, 영천, 안동 등에 지점을 설치하려고 나섰다.[132] 조선운송주식회사는 경경선 연선의 영업을 확충강화하기 위해 영천, 안동, 영주, 제천, 원주, 의성에 直轄店을 두고 기타 역에는 대행영업소를 설치할 방침이었다.[133]

경경선 개통은 무엇보다도 연선주민에게 문명전환의 충격을 주었다. 1938년 11월 29일 영천-우보 연선주민들은 개통식을 앞두고 시속 50km로 시운전을 하는 열차를 넋이 빠진 듯 바라보았다.[134] 1939년 6월 말, 열차가 우보에서 영천까지 달리게 되자 20리가량 떨어진 소학교에서는 점심을 싸 와서 단체로 기차를 구경했다. 부인네들은 눈정기가 좋아진다고 하며 고무신을 벗어서 기관차에서 떨어지는 물방울을 받아 눈을 씻었다.

128)『매일신보』 1937.6.26 ; 1942.4.1.
129)『朝鮮日報』 1939.8.1 ;『매일신보』 1942.3.31.
130)『朝鮮日報』 1937.11.3.
131)『매일신보』 1942.4.2.
132)『매일신보』 1938.9.22.
133)『朝鮮日報』 1938.11.17.
134)『朝鮮日報』 1938.12.1.

또 달리는 열차를 만져보려고 궤도 안으로 뛰어드는 사람이 많아 기차가 진행할 수 없었다. 어느 노인은 궤도에 걸터앉아 '양반이 앉아 있는데 누가 내 앞을 지나가'라고 하며 호령하여 뭇사람을 웃겼다. 열차에 시승한 기자는 이런 모습을 보고 경경선 연선의 문화수준이 경부선 연선에 비해 10년 이상 뒤졌다고 촌평했다.135)

일제 지배자들은 경경선 개통을 대외선전과 대내통치의 호재로 활용했다. 조선총독부 정무총감 大野綠一郞은 1942년 3월 17일부터 19일까지 영월탄광, 죽령터널 등을 시찰하고 돌아와 이렇게 말했다.

> 전쟁을 하면서도 이와 같이 큰 공사를 할 수 있는 우리나라의 실력을 영국과 미국 사람들은 지금부터라도 늦지 않았으니 알아야 한다. 경경선은 4월 1일 전부 개통되기로 되었는데, 전시하 수송력의 증강은 다시 말할 것도 없고 연선에서 나는 텅스텐, 모리부덴, 석탄, 형석 등 귀중한 지하자원개발에 획기적인 의의를 가지는 것이다. 그뿐만 아니라 이 선에다 수원-水麗線 조치원-忠北線의 두 철도를 연장하여 연락시키면 중부 조선의 교통은 사통팔달하게 되는 셈이다. 지방민의 시국인식은 대동아전쟁 후 비약하여 비행기헌납 국방헌금도 거액에 달하고 인심도 대단히 긴장하고 있어서 미곡공출도 순조로이 진행되고 있다. 보리도 잘 자라고 지금 같아서는 물도 넉넉하여 풍년이 예상되는 것은 마음 든든한 일이다.136)

새로 부임한 조선총독 小磯國昭는 1943년 3월 7일 오전 7시 30분 청량리역에서 경경선 열차를 타고 연선시찰에 나섰다. 神林驛, 제천역, 단양역에 내려서 지방관과 지역민의 영접을 받고 施政과 현안에 대한 보고를 들었다. 日本稀有金屬會社, 月嶽鑛業所 등의 관계자로부터 개발상황을 청취

135) 『朝鮮日報』 1939.8.11.
136) 『매일신보』 1942.3.20.

하고 生産戰力의 증강에 대해 방침을 피력했다. 또 私立特別錬成所에 들러 40여명의 생도를 사열하고 다음과 같은 취지의 훈시를 했다.

> 훈련을 쌓으면 몸이 가벼워지고 기분이 명랑해지며 규율이 있게 되는 것이다. 그런데 한 가지 생각할 것은 우리는 무엇 때문에 훈련하고 일하는 것인지 알아야 한다. 나는 이에 대하여 國體本義에 투철해야 한다고 말한다. 이는 결국 천황폐하께 충성을 바치려는 것이다. 이 같은 목표는 훈련을 통하여 자연이 체득되는 것이다. 그러므로 훈련에는 정신수양이 있어야 하는 것이다. 특히 장래 군인이 되려는 제군은 더욱 정신수양이 극히 소중한 것이다.[137]

그 후 小磯 총독은 충주를 방문하여 군수에게 모리브덴과 텅스텐의 증산을 독려하고, 농가에 들러 미곡공출과 대용음식의 현황을 살폈다. 농가의 부엌에 들어가 저녁으로 지어놓은 죽 그릇을 보고 대단히 용하다고 칭찬했다. 그 집 국민학교 아동으로부터 무슨 과목이 제일 재미있느냐는 물음에 '국어'(일본어)라는 대답을 듣자 대단히 感心하여 더욱 힘쓰라고 격려했다. 다른 농가에서는 지난 겨울에 부업으로 가마니 100개를 짜서 쌀을 사 왔다는 주부의 설명을 듣고 장하다고 칭찬했다. 총독은 마치 천황이나 수령처럼 지방을 순행하며 현지지도를 했다. 새로 개통된 경경선이 바로 총독의 발 노릇을 한 셈이다.

일제 말기(1936.11~1942.4)에 조선총독부 철도국이 부설한 경경선은 서울과 경주를 잇는 국유 간선철도였다(<지도 7-1> 참조). 1.435 m의 표준궤간에 383 km의 노선으로서 조선의 제2 縱貫線을 형성했다. 그 중 서울-영천 구간(345 km)은 새로 부설한 노선이었고, 협궤 사철이었던

137) 『매일신보』 1943.3.8.

영천–경주 구간(38 km)은 조선철도주식회사로부터 매수하여 개축한 노선이었다.

일제가 서울의 동부 청량리에서 양평–원주–제천–단양–영주–안동–의성–영천–경주를 통과하는 경경선을 부설한 목적은 식민지 조선의 내륙에 부존한 광물과 목재 등의 자원을 개발하고, 일본–조선–만주–중국을 신속 · 안전하게 연결하는 동맥을 확보하려는 데 있었다. 당시 일제는 만주에 대한 지배력을 강화하는 한편 중국과 전면 전쟁을 벌였다. 곧 이어 동남아시아를 침공하고 미국과도 치열한 전쟁에 돌입했다. 일본열도와 아시아대륙을 연결하는 조선의 간선철도, 특히 경부선(서울–부산)과 경의선(서울–신의주)은 군수 물자와 전투 병력을 운반하는 핵심 수송루트였다. 그렇지만 두 철도만으로는 폭주하는 물자와 인력을 원활히 수송할 수 없었다. 더구나 경부선은 미국의 함포공격에 노출되기 쉬웠다. 일제는 이런 약점을 보완하기 위해 萬難을 무릅쓰고 험난한 내륙 산악지대를 관통하는 경경선을 부설했다. 경경선의 부설에는 8천 7백여 만 원의 자금이 투입되고 처음 선보이는 최신 공법이 활용되었다. 2천여 만 명의 노동자가 돌관공사에 동원되었고, 위험에 노출된 공사현장에서 수십 명이 목숨을 잃었다.

전쟁이 한창인 가운데 개통한 경경선은 군부의 지휘 감독 아래 군수 물자와 전투 병력을 수송하는 데 크게 기여했다. 그렇지만 경경선이 개통된 지 불과 3년여 만에 일제가 패망함으로써 기대한 역할을 충분히 수행하지는 못했다. 그러므로 경경선은 막중한 사명이 부과되었음에도 불구하고 임무를 제대로 수행하기도 전에 세상과 주인이 바뀌어 남한만의 간선철도로 움츠러든 機能不全의 철도였다고 보는 것이 타당할 것이다.

제2부

철도의 운수영업과 서울의 위상

8장 철도의 운영과 서울의 철도 기관

1. 운영체제의 변천

1) 철도 관리의 통일

일본이 러일전쟁 때까지 한국에서 부설하고 운영한 경인선, 경부선, 경의선, 마산선 등은 성립배경과 소유관계가 서로 달라 관리하는데 애로가 많았다. 경인선은 당초 미국인 모스가 부설을 시작했기 때문에 철도재료의 대부분이 미국에서 수입되었고, 철도의 경영기법도 민간식 색채가 농후하였다. 경부선은 일본의 특허회사로 출발하여 半官半民의 국책회사로 변신한 관계로 관청식 운영방식을 취하고 있었다. 경의선과 마산선은 일본의 군용철도로 부설된 경위로 인해 일본육군이 소유하고 군대식으로 운영했다.[1)]

한국철도의 다양한 성격은 일본이 한국침략정책을 一絲不亂하게 추진하는 데 방해되었다. 그리하여 일본정부는 러일전쟁 직후부터 한국철도

1) 朝鮮總督府鐵道局, 1937,『朝鮮鐵道史』, 421~423쪽.

의 통일적 지배를 활발하게 논의했다. 일본이 세 갈래로 나뉘어 있던 한국철도의 운영체제를 어떤 방향으로 통일하는가는 일본의 한국철도정책뿐만 아니라, 일본의 한국침략정책의 기조를 정하는 데도 중요한 사안이었다.[2)]

일본정부는 한국철도를 일원적으로 지배하기 위해 다음 세 가지 방법을 놓고 저울질했다.[3)]

① 경의선, 마산선, 경부선(경인선과 경부선은 운영주체와 자본계열이 유사했기 때문에 1903년 11월 경부선에 매수 합병되었다)을 모두 일본 체신성이 경영한다. 이를 위해서는 경의선, 마산선의 관할권을 육군성에서 체신성으로 이관하고, 민간회사 소유의 경부선을 매수하여 국유화할 필요가 있다. 체신성 관리들이 주로 이런 주장을 했다.

② 일본군부의 주장으로서, 육군성이 경부선, 경의선, 마산선 등을 모두 운용한다. 이것은 경부선을 국유화하여 군용철도로 만들자는 안이다. 일본 군부가 철도를 활용해 한국침략과 대륙진출을 추진하겠다는 의지를 명백히 보여주었다.

③ 경부철도주식회사가 마산선, 경의선을 매수하여 일괄 경영하자는 안이다. 일본의 민간회사가 한국철도를 모두 경영하자는 방안인데, 주로 대장성 관료들이 주장했다. 그들은 일본의 재정형편상 경부선의 매수가 불가능하다는 것을 이유로 내세웠다.

일본정부는 분열된 의견을 조정 통합하기 위해, 관련된 각성 차관과 외무차관으로 구성된 鐵道合同審議委員會를 설치하였다. 이 위원회는 1905

---

2) 이에 관한 최초의 연구는 鄭在貞, 1982, 「韓末・日帝初期(1905~ 1916年) 鐵道運輸의 植民地的 性格-京釜・京義鐵道를 中心으로(上)」, 『韓國學報』 28, 一志社, 119~122쪽을 참조할 것.

3) 朝鮮總督府鐵道局, 1929, 『朝鮮鐵道史』, 344쪽. 이후 『朝鮮鐵道史』, 1929로 약칭함.

년 8월 일본정부가 경부선을 매수하고, 경의선 · 마산선과 함께 체신성에 이관하여 일괄 경영하는 게 좋다고 건의하였다.[4] 그 이유는, "경부 · 경인의 二線이 반도에서 다른 철도의 여러 선로에 대해 그 사명을 누를 만큼 긴요한 위치"[5]에 있기 때문에, 사설회사의 경영에 맡겨두면, "금후 아무리 그 감독을 엄밀히 하여도, 원래 영리와 공익은 일치시키기 어려워, 우리의 대한경영방침과 회사의 시설과는 시종일관한 지렛대"[6]가 될 수 없다는 것이었다.

일본정부가 경부선과 경인선을 매수하여 직접 경영하겠다고 나선 것은 당시 일본에서 추진하고 있던 국내철도의 국유화정책과 밀접한 관련을 맺고 있었다. 일본은 러일전쟁을 전후하여 산업혁명이 급속하게 진전됨에 따라 해외시장(특히 한국과 중국) 공략을 국가의 사활문제로서 인식했다. 해외시장을 개척하기 위해서는 국내기반을 조성해야 한다. 곧 일본이 러시아, 프랑스, 독일, 영국, 미국 등의 선진 제국주의 국가와 대항하면서 한국과 중국에 진출하기 위해서는 국내시장과 해외시장을 통일적으로 연결할 필요가 있다. 이를 위해서는 전국의 철도망을 하나로 묶어주는 게 가장 시급한 과제라고 인식한 것이다.[7]

일본의 西園寺 수상은 1906년 3월 철도국유법안과 경부철도매수법안을 의회에 제출하였다. 여기서 그는 北海道로부터 九州에 이르는 일본의 간선철도와 한국의 경부철도를 일본정부가 매수하여 통일적으로 경영할 것을 주장하였다.[8] 대장대신 阪谷芳郎도 "이제부터 전쟁은 무기를 가지

4) 『朝鮮鐵道史』, 1929, 346쪽.
5) 『朝鮮鐵道史』, 1929, 343쪽.
6) 『朝鮮鐵道史』, 1929, 343쪽.
7) 中西健一, 1962, 「鐵道國有化への道と「ビスマルク的國有」 – 日本鐵道史研究上の一問題の再檢討(一)」, 『經濟學雜誌』, 大阪市立大學經濟學研究會, 45쪽.
8) 『太陽』 1906년 3월 임시증간호 「交通發達史」.

고 하는 전쟁이 아니라 주판을 가지고 하는 전쟁"이라고 역설하고, "일본 산물을 한국과 중국에 가장 신속하고 저렴하게 수출하기 위해서는 철도 국유화를 단행하여, 한국과 만주 철도를 일본 철도망의 일환으로 편입시켜야 한다."고 주장하였다.[9)]

일본정부는 경부철도매수법안에서 다음과 같은 단호한 의지를 피력했다.

> 조선에서 철도각선의 관리를 통일하여 운수교통의 민활을 꾀하고 일반영업상 및 군사상 목적을 달성하기 위해……한국 경영을 위하고 또 만주에서 아국의 이익 발전을 위해……관설의 경의선과 사설의 경부철도를 하나로 한다.[10)]

경부철도매수법안이 의회를 통과하자 일본정부는 1906년 7월 1일 통감부에 철도관리국을 설치하고, 古市公威를 초대 국장으로 임명했다. 경부선과 경인선을 국가재정으로 사들여 통감부 철도관리국에 소속시켰다. 통감부 철도관리국은 서울에 총무 · 보선, 부산에 공무 · 운수 등의 사무소와 용산 · 인천 등에 공장을 설치했다. 이어서 일본정부는 1906년 9월 1일 군용철도 경의선과 마산선을 통감부 철도관리국에 이관했다.[11)]

일본정부의 한국철도국유화는 한국의 주권을 완전히 무시한 처사였다. 왜냐하면 경인철도계약과 경부철도합동에 따르면 두 철도는 준공 후

---

9) 中西健一, 1962, 앞의 논문, 44~45쪽.

10) 「京釜鐵道買收法案理由書」(1906.3.3 제출) ; 朝鮮總督府鐵道局, 1940, 『朝鮮鐵道四十年略史』, 71쪽. 아래에서는 이 책을 『四十年略史』라고 약칭하겠다.

11) 「韓國統監府鐵道管理局」이 장악한 철도연장은 경부선(경인선 포함) 472 km, 경의선(겸이포선 등 지선 포함) 554 km, 마산선 40 km이었다. 한국의 전철도가 일반영업을 개시했을 당시(1908년 4월 1일)의 총연장은 1,034 km이었다. 이것은 일본본토철도의 13%에 해당할 만큼 방대한 것이었다(村上勝彦, 1975, 「朝鮮鐵道敷設と資本輸出」, 『日本産業革命の硏究』 下, 東京大學出版會 ; 財團法人 鮮交會, 1986, 『朝鮮交通史』, 11쪽. 다음부터는 이책을 鮮文會, 1986a라고 쓰겠다.).

15년 간 일본이 영업권을 소유하되, 그 기간이 지나면 한국이 매수할 수 있게 되어 있었다. 또 마산선과 경의선은 러일전쟁이라는 특수상황 아래에서 군용철도로서 부설되었기 때문에, 전쟁이 끝나면 적절한 매수절차를 거쳐 한국정부에 반환되는 것이 마땅했다.

그런데도 일본정부는 그런 계약이나 원리를 완전히 무시하고 통감부 철도관리국을 설치하여 한국 철도망을 일방적으로 장악해버렸다. 이에 대해 한국 측은 강력하게 반발하였다. 일반 여론도 일본의 철도국유화를 강도 높게 비판하였고, 의병부대들은 항일투쟁을 전개하였다.[12)]

일본정부의 한국철도국유화는 군부와 관료 및 자본가의 요구를 국가권력이 최종적으로 통합 조정하여 단행한 것이었다. 이로써 일본정부는 한국철도를 완전히 장악하고, 이 철도를 매개로 하여 한국에 대한 지배권을 확고히 확보할 수 있게 되었다.

통감부 철도관리국은 국유화된 경인선 · 경부선과 臨時軍用鐵道監部에서 양도받은 馬山線 · 경의선을 총괄하고 운영하였다.[13)] 출발 당시 철도관리국의 조직을 보면, 중앙에 部와 課, 지방에 保線事務所, 驛, 臨時鐵道建設部 등을 거느렸다(<그림 8-1> 참조).

일본은 1910년 8월 22일 한국을 강점한 후 한국 내의 모든 관청을 조선총독부에 소속시키었다. 이에 따라 9개월 정도 일본의 鐵道院에 속해 있던 국유철도는 새로 설치된 조선총독부 철도국으로 이관되었다. 철도국은 철도의 건설, 개량, 보존, 운수 및 輕便鐵道에 관한 사무를 관장하였다.

---

12) 「論說 : 鐵道問題」, 『大韓매일신보』 1906.2.11 ; 「雜報 : 何謂軍用」 『大韓매일신보』 1906.5.15.

13) 統監府鐵道管理局의 京仁線 · 京釜線 · 京義線 · 馬山線 통합관리과정에 관해서는 鄭在貞, 1982, 앞의 논문을 참조할 것. 통감부 철도관리국은 그후 통감부 철도청(1909.6.18.~1909.12.4.), 철도원 한국철도관리국(1909.12.5.~1910.9.30)으로 바뀌었다.

철도국의 중앙에 각 課를 설치하여 해당 업무를 분장케 하였다. 그리고 지방에는 출장소, 건설사무소, 공장을 설치하여 운수업무, 건설사무, 차량수선 등을 담당하도록 했다.[14]

2) 남만주철주식회사의 위탁 경영

한국철도의 통일적 지배를 완료한 일본은 한 걸음 더 나아가 한국철도와 만주철도의 일체화를 꾀하였다. 한만철도 一元化論은 러일전쟁 직후부터 등장하였다. 일본이 1907년 국책회사인 南滿洲鐵道株式會社를 설립하여 大連－奉天, 安東－奉天의 간선철도를 장악하자, 대륙침략주의자들은 一朝 有事時에 한국과 만주철도가 최대한의 수송능력을 발휘하기 위해서는, 평상시부터 동일한 운수체제와 철도설비를 갖추고 있어야 한다고 주장했다. 예를 들면, 만철(주)의 초대 총재이자 식민지정책의 입안자였던 後藤新平는, "조선철도는 만주철도와 脣齒相依의 관계에 있으므로 사실상 사업의 통일"[15]이 필요하고, 그 실행방법으로서 "조선철도를 매여할 필요 없이 별도로 만주철도경영자에게 대여하여 통일 경영하도록 해야 한다."[16]고 제안하였다.

그렇지만 만철(주) 창립 당시에 대두된 한만철도 통일 구상은 곧바로 실행에 옮겨지지 않았다. 원래 성립의 주지와 성격 및 조직을 달리하고 있던 한만철도를 하나로 통합한다는 것은 고도의 정책적 판단과 외교적 모험이 뒤따르는 사안이었다. 그리하여 제1차 세계대전까지 한만철도를 하나의 경영조직 속에 통합하지는 못하였다. 그 대신 두 철도의 궤간 통일, 압록강철교 가설, 안봉선 개축, 연락운수의 편리 도모, 부산－長春 직통

14) 鮮交會, 1986a, 127~128쪽.
15) 後藤新平, 1944,『日本植民政策一班 日本膨脹論』, 84쪽.
16) 後藤新平, 1944,위의 책, 84쪽.

급행열차 운행, 三線連絡運賃制度(경부선과 경의선을 통과하는 일부 화물에 대한 운임 인하)의 도입 등을 통해 한만철도를 운전 운수 면에서 밀착시키려는 정책이 착착 추진되었다. 이러한 정책을 앞장서서 실천한 사람이 러일전쟁 때 육군대신을 역임하고 초대 조선총독으로 부임해 온 寺內正毅였다. 그는 골수 대륙침략주의자로서 한국과 만주를 일원적으로 지배하기 위해서는 한만철도를 통일해야 한다고 생각했다. 그 전 단계로서 그는 먼저 경부선과 경의선의 수송력을 강화하는 정책을 추진한 것이다.[17]

1916년 조선총독 寺內는 수상의 大任을 지고 군벌내각을 출범시켰다. 이때 後藤新平도 內相 겸 철도원총재로 입각했다. 한만철도를 통일할 수 있는 절호의 찬스가 온 것이다. 때마침 일본은 중국에 대해 '21개조'의 체결(1915.1)과 '西原借款'의 공여(1917.6~1918.9)를 강요하고, 시베리아에 군대를 파견하여 赤軍을 공격하는(1918.8) 등 대륙침략정책을 적극적으로 추진하고 있었다. 寺內 내각은 국방력 강화를 뒷받침하기 위해 韓滿鐵道의 통일에 나섰다.[18]

寺內 내각은 두 가지 방향에서 한만철도의 통일을 구상하였다.

첫째 일본정부가 만철까지 국유화하여 한국철도와 만주철도를 국가권력이 직접 장악하는 방안이다. 이를 위해서 일본은 奉天에 철도청, 만주와 한국에 그 예하 기관인 철도관리국을 설치한다.[19] 이 방안은 만철(주)의 창설 당시 後藤가 주창한 만철의 국유화방안과 일맥상통하였다. 그는 국유만철을 관리하기 위해 만주철도청을 설치하고, 關東總督이 철도청장관을 겸임함으로써, 만철을 만주경영의 중추로 삼아야 한다고 주장했다.[20]

---

17) 『四十年略史』, 90~91쪽.
18) 『四十年略史』, 90~91쪽.
19) 滿史會, 1964, 『滿洲開發四十年史』上卷, 214쪽.
20) 鶴見祐輔, 1965, 『後藤新平』 2, 651~652쪽.

둘째 寺內 수상이 長谷川好道 조선총독에게 보낸 照會要領(1917.5.11)에서 엿볼 수 있듯이, 한국과 만주를 행정적으로 통일하여 조선총독이 관동도독을 겸임하게 함으로써 한만철도를 일체화시키는 방안이다.[21] 그런데 일본 외무성은 만철을 국유화하거나 한국과 만주를 행정적으로 통합하다가는 국제관계에 심각한 분란을 야기할지도 모른다고 우려하고, 이에 극력 반대하였다.[22]

그리하여 일본정부는 한국철도를 만철에 위탁하여 경영하도록 하는 방법을 모색하였다. 이번에는 寺內 수상이 이 방안을 적극적으로 지원하였다. 그 결과 조선총독부 철도국과 남만주철도주식회사 사이에 '國有朝鮮鐵道委託契約'(1917.7.31)이 맺어졌다. 이로써 한국철도는 1917년 8월 1일부터 만철이 경영하게 되었다.[23]

南滿洲鐵道株式會社가 한국철도를 經營함에 따라 조선총독부 철도국(1919년 8월에 鐵道部로 개칭)은 總督官房 소속으로 격하되고, 예하의 監理課와 工務課는 장래 부설할 철도의 선로조사, 국유재산관리, 사설철도 보조 등의 업무만을 수행했다. 나머지 국유철도의 관리와 운수영업은 남만주철도주식회사가 담당했다. 그리고 종래 조선총독부 철도국의 조직과 인원은 거의 대부분 남만주철도주식회사에 인계되었다.[24]

일본정부가 한만철도를 하나로 묶어 경영한 것은 국가적 차원에서 대륙침략을 원활히 하기 위함이었다. 그리고 그 이면에는 일본이 한만의 교

---

21) 鐵道部長, 1919.10.1, 『朝鮮鐵道ノ經營ニ關スル件』(日本 國會圖書館 憲政資料室 所藏 文書).

22) 『四十年略史』, 92쪽.

23) 한국 철도의 만철에의 위탁 경영에 관한 전반적인 내용에 대해서는, 橋谷弘, 1982, 「朝鮮鐵道の滿鐵への委託經營をめぐって－第1次大戰前後の日帝植民政策の一斷面」, 『朝鮮史研究會論文集』 19를 참조.

24) 한국철도의 南滿洲鐵道株式會社에의 위탁 경영에 관해서는 橋谷弘, 1982, 위의 논문을 참조할 것.

통운수와 철도경영에서 최대한 이익을 확보하려는 의도도 숨어 있었다. 곧 교통운수에서는 운임의 저렴화, 취급수속의 간편화, 貨物積替의 간소화, 旅客乘換의 不利不便 제거 등을 꾀하고, 철도경영에서는 한만철도의 이해관계 조화, 이익 균점, 경비 절약, 종사원의 융통 등을 기대하였다.[25] 또 한만철도를 통일함으로써 한국의 米와 만주의 大豆·大豆粕을 서로 교환하고, 한국과 만주를 동일 경제권으로 재편하려는 속셈도 있었다.[26]

3) 조선총독부의 직접 경영

만철의 한만철도 통일경영은 기대한 만큼의 성과를 올리지 못하였다. 오히려 만철(주)과 조선총독부 양쪽에서 불만이 쌓여갔다. 만철(주)의 불만은 조선총독부에 납부하는 금액이 너무 많다는 것이었다. 조선총독부의 불만은 식민지 지배정책과 맞지 않는다는 것이었다. 조선총독부의 주장은 다음과 같았다.

> 철도통일은 철도가 동일의 정치·경제 상태의 지역에 있을 때는 그 효과가 있지만, 朝滿과 같이 통치권을 달리하고, 사회·경제상 그 뜻을 달리하는 지역에서는 효과가 없다. 더구나 본래 滿蒙에서 사업을 행하는 사명을 지닌 一會社에 병합하는 것은 得策이 아니다.[27]

조선총독부는 또 위탁 경영의 폐해를 구체적으로 이렇게 摘示하였다.

> ① 조선인 통치상-조선의 철도를 만철에 위탁하는 것은 조선을 식민지로 깔보는 감을 조선인에게 갖도록 함으로써 통치상 불리하다.

---

25) 鐵道部長, 1919.10.1, 앞의 문서.
26) 人見次郎, 1917.9, 「鮮滿鐵道の統一」, 『朝鮮彙報』 34쪽.
27) 鐵道部長, 1919.10.1, 앞의 문서.

② 일반행정상—철도와 같이 중요한 기관을 총독부에서 경영하지 않으면 그 위력을 손상하고, 또 일반 산업행정과 施政의 협조를 유지하는 데 불편하다.
③ 철도경영상—만철의 경영은 이 회사 본래의 성질상 자연히 만주본위로 흐르기 쉽기 때문에 조선은 오히려 일본과 먼저 통일하는 편이 낫고, 철도운임이 만주와 같은 수준으로 인상되면 民度가 낮은 조선인으로서는 곤란하며, 朝鮮線 종사원의 급여를 滿洲線 종사원과 동일제도로 하면 조선의 다른 회사 또는 관리의 급여보다 훨씬 고액이 되어 각종 폐해를 유발한다.
④ 경영감독상—정부가 만철과 같은 거대한 회사를 감독하는 것이 무척 곤란하다.
⑤ 고용관계상—철도종사원은 한 회사의 피용자이기 때문에 의무 관념이 엷어서 무척 不規律하게 되어 철도경영이 매우 방만해진다 등.28)

조선총독부는 위탁 경영의 폐해를 이렇게 지적하면서 결론적으로 한국철도는 국유국영의 원칙에 따라 한국통치의 당사자인 총독부가 직접 경영하는 것이 가장 좋은 방책이라고 건의하였다.

조선총독부의 위탁경영해제 주장은 식민지 지배정책의 합리성을 강조한 것이었다. 또 그 이면에는 만철(주)의 납부금액이 저하함에 따라 공채이자의 지불이 어렵게 될 것이라는 우려도 강하게 작용하였다. 만철(주)도 나름대로 납부금액과 직원들의 퇴직금 부담이 점차 커져감에 따라 한국철도의 통일경영을 못마땅하게 생각하였다.29)

조선총독부와 만철(주)의 협공에 밀린 일본정부는 결국 1925년 3월 31일부로 위탁 경영을 해제하여 4월 1일부터 조선총독부가 한국철도를 직영하도록 조치하였다. 그리고 당초에 위탁 경영에서 기대하였던 여러 목

---

28) 鐵道部長, 1919.10.1, 앞의 문서.
29) 澤崎修, 1925.5, 「朝鮮鐵道制度の更新」, 『朝鮮』 120, 5쪽.

표들은 한만철도의 연락운수를 강화함으로써 달성하겠다는 방침을 표명하였다.[30]

寺內 수상이 중심이 되어 단행한 한국철도의 만철위탁경영은 10년도 안 되어 해제되었다. 그렇지만 이 위탁 경영은 일본정부의 대륙침략정책과 한국종관철도 중시정책을 상징적으로 보여준 사례였다. 이 정책에는 일본과 만주를 직접 연결하는 한국종관철도, 특히 경부선과 경의선을 대륙침략의 병참간선으로 육성하려는 일본의 의지가 짙게 배어 있었다.

실제로 짧은 위탁기간이었지만, 경부선과 경의선은 일본의 시베리아 침공군을 수송(1918~23년)하는 데 지대한 공헌을 하였다.[31] 그렇기 때문에 위탁 경영이 해제되었다 하더라도 한만철도 통일구상은 일본의 대륙침략정책의 추이에 따라 언제든지 다시 대두될 가능성이 있었다. 예를 들면, 일본이 만주에 괴뢰국가를 세운 1932년이나, 중국과 전면전쟁을 시작한 1937년을 전후하여 대륙침략론자들 사이에서 한만철도 통일경영이 다시 거론되었던 것이다.[32]

조선총독부 철도국이 다시 한국철도를 직접 관리하고 운영하게 되자 남만주철도주식회사의 한국 관련 조직과 인원은 복귀되었다. 아울러 거기에 사설철도를 감독하기 위해 감독과를 신설하였다.[33]

조선총독부 철도국의 조직은 국유철도의 선로와 운수영업이 자꾸 늘어남에 따라 계속 확대되었다. 특히 1940년 12월에는 경성, 부산, 함흥에 本局을 방불케 하는 지방철도국이 설치되었다. 그리하여 본국에서는 종합적인 기획, 지방철도국에서는 실행계획과 철도사무소에 대한 지도와 감독을 맡게 되었다.[34]

---

30) 朝鮮總督府鐵道局, 1928, 『朝鮮の鐵道』, 5657쪽.
31) 南滿洲鐵道株式會社, 1913, 『南滿洲鐵道安奉線槪要』, 441쪽.
32) 『京城日報』 1933.8.1 ; 『京城日報』 1936.8.19 ; 『釜山日報』 1933.11.26.
33) 鮮交會, 1986a, 137~139쪽.

일본은 1937년부터 중국과 전면전쟁을 확대해가면서, 본토뿐만 아니라 식민지에서도 정치, 경제, 사회, 문화를 전시체제로 개편하였다. 교통운수분야도 예외일 수 없었다. 조선총독부는 1943년 12월 1일부터 철도국을 交通局으로 개편하고, 종래의 철도업무 이외에 海事, 항공, 항만, 세관 등의 업무도 관장하도록 하였다.[35] 그리하여 교통국은 이제 명실공히 육, 해, 공의 교통운수를 모두 관리하는 관청이 되었다. 이것은 곧 전시 교통운수체제의 완성을 의미했다.

2. 수송능력의 증대

1) 선로시설의 개량

한국철도가 항상 대륙교통의 동맥으로서 기능하기 위해서는 시대상황의 변화에 대응하여 수송시설과 열차운행을 개선할 필요가 있었다. 그 중에서도 선로와 역설비의 개량, 조차장과 기관차고의 증설, 선로의 복선화, 종단항설비의 개선, 차량의 개량 등이 절실한 과제였다.

한국철도를 일원적으로 장악한 일본은 이들이 명실공히 한국지배의 간선으로서 기능하게 만들기 위해 대대적인 개량공사를 실시하였다. 일본은 러일전쟁 동안 불과 1년여 만에 1,000여 km의 철도를 부설했지만, 속성공사를 통해 완공된 철도는 제대로 운수영업을 할 수 없을 정도로 부실하였다. 특히 군사수송을 위해 졸속으로 부설한 경의선은 最小曲線半徑이 8鎖(1鎖=20 m), 最急勾配가 2.5%~3%(40~30분의 1)이어서, 22톤

34) 鮮交會, 1986a, 140쪽.
35) 鮮交會, 1986a, 160쪽.

차 3량 편성의 열차도 통과하기 어려운 형편이었다.[36]

그리하여 일본은 統監府 鐵道管理局의 예하에 臨時鐵道建設部를 설치하여 경의선과 마산선의 개량에 착수하였다. 경의선의 개량공사(1905.3~1911.2)는 最急勾配를 1 %(100분의 1), 최소곡선반경을 400 m(20鎖)로 줄이고, 교량 328개와 터널 19개소를 신축하며, 레일을 약 27 kg(60파운드)에서 약 32 kg(70파운드)로 교체하는 것이었다. 개량(improve)이라기보다는 오히려 개축(rebuild)이라는 편이 더 적합했다.[37] 일본이 '韓國鐵道會計資本勘定'을 설정하여 1910년도까지 철도의 건설 및 개량에 투입한 돈은 경의선 5,157만 원, 마산선 2,946만 원에 달할 정도로 방대한 규모였다. 이때 여객과 화물을 신속하게 취급하기 위해 정거장 시설도 대폭 개선하였다.[38]

일본정부는 경의선의 개축공사와 함께 압록강철교 가설에 착수하였다. 압록강철교는 한국과 만주를 직접 연결하는 국경철교일 뿐만 아니라, 해양과 대륙을 육로로 연결하는 세계적 교량이었다(<사진1－1>참조). 1911년 11월 1일 압록강철교가 준공되자, 경부선과 경의선은 한국과 만주, 나아가서 일본과 대륙을 연결하는 종관철도로서의 지위를 확보하게 되었다. 이와 더불어 安東과 奉天을 연결하는 安奉線이 표준궤로 개축됨으로써 한만철도는 동일궤도상에서 동일궤간으로 직접 접속하게 되었다.[39] 한만철도 일체화가 실질적으로 성립한 것이다.

---

36) 『朝鮮鐵道史』, 1929, 425쪽.

37) 臨時軍用鐵道監部가 경의철도를 부설하는 과정에서 圖面에서는 평지였는데, 현장에 가보니 산지인 경우도 많았다. 그리하여 군용철도시대의 것이 도움이 된 것은 레일 정도였다고 한다(社團法人 鐵道建設協會, 1967, 『日本鐵道請負業史』, 449쪽 ; 『京城日報』 1930.11.23.).

38) 朝鮮總督府鐵道局, 1913, 『京義鐵道工事槪況』, 16쪽.

39) 南滿洲鐵道株式會社, 1913, 앞의 책.

조선총독부는 경의선 개량과 압록강철교 가설을 완공한 후 경부선과 海陸連絡設備의 개수에 착수했다. 원래 경부선의 大邱-芙江 區間(143.7 km)은 아주 험난한 코스였다. 그리하여 처음 공사에서는 最急勾配 2%(50분의 1), 最小曲線半徑 300 m(15鎖)을 채택했다. 그런데 1914년 호남선과 경원선이 부설되어 경부선의 수송수요가 크게 증가하자, 조선총독부는 대대적인 개량공사를 실시하여 최급구배를 1%(100분의 1), 최소곡선반경을 400 m(20鎖)로 완화하였다(1914.10~1919.12). 특히 若木-金泉 사이는 金烏山 南麓을 돌아 터널을 관통하던 종래 노선을 버리고, 금오산 동북에서 서쪽으로 우회하는 새 노선을 채택하였다. 그리고 그 사이에 龜尾·大新 역을 새로 설치하였다.[40]

경부선의 종단인 부산항은 일본세력이 상륙하는 교두보였다. 그리하여 조선총독부는 열차가 선착장까지 들어갈 수 있도록 引入線(부두전용선)을 부설하고, 접안시설로서 棧橋를 신설 확충하였다(1911~1919년).[41] 이로써 關釜聯絡船은 부산잔교(부두)에서 철도와 직접 연결되었다(<사진1-5>참조). 선로와 해륙연락설비의 개량을 완공한 조선총독부는 열차운전회수와 견인차량수를 늘이기 위해 약 27 kg(60파운드) 軌條를 약 34 kg(75파운드)로 교체하였다(1922년). 그리고 경부선과 경의선의 연락을 원활히 하기 위해 남대문 역에서 阿峴·懿寧의 터널을 통해 신촌·수색으로 나아가는 새 선로를 부설하였다.[42] 오늘날의 경의선로가 탄생한 것이다. 경성역도 1922년 6월부터 1925년 10월까지 대대적으로 확장되었다. 이리하여 경부선과 경의선은 이제 일-한-만을 연결하는 아시아 간선철도로서 손색이 없게 되었다.

---

40) 『四十年略史』, 283~284쪽.
41) 『四十年略史』, 285쪽.
42) 『四十年略史』, 285~286쪽.

일본정부는 한국철도의 통일 및 개량과 더불어 철도운수를 뒷받침하는 도로와 항만을 대대적으로 정비했다. 우선 제1, 2기 도로개수공사(1907~1911년)를 실시하여 396만 원의 예산으로 818 km에 달하는 도로를 수축하였다.[43] 그 뒤 다시 제1기 도로개수공사(1911~1917년)를 실시하여 1,000여만 원의 예산으로 2,693 km에 달하는 방대한 도로망을 개수하였다.[44] 조선총독부는 식민지지배에 편리하도록 도로망을 1,2,3등으로 나누어 어떤 형태로든지 철도역과 연결되도록 하였다. 이로써 철도의 수송력이 강화되어 식민지지배력을 전국으로 확산시키데 큰 힘을 발휘하였다.

일본이 도로와 함께 철도의 방조기관으로서 중요하게 여긴 것은 항만이었다. 항만은 교량적 특성을 지닌 한국철도에 아주 중요한 해륙 연락접점이었다. 그리하여 일본은 1906~1918년 사이에 1,300여만 원의 예산으로 인천, 부산, 진남포, 군산, 목포, 원산 등의 항구를 대대적으로 개축하였다.[45] 특히 부산, 인천, 진남포 등은 경부선과 경의선에 접속하는 항구로서, 방대한 접안시설과 철도인입망을 보유하고, 부두에서 해륙직통열차가 직접 발착할 수 있게 되었다. 일본정부와 조선총독부는 수축된 항구를 기점으로 하여 거미줄처럼 명령항로를 개설하였다. 이로써 1920년대에는 한국철도를 기축으로 한 해륙연락운수체제가 원활히 기능하게 되었다.[46]

일본이 한국에서 대대적으로 추진한 철도, 도로, 항만의 수축은 철도의 수송력을 강화하는데 크게 기여하였다. 그러나 이것만으로는 시국의 변화에 따라 증대되는 수송요구를 충족시킬 수 없었다. 특히 일본이 만주를 완전 점령하고(1931년), 중일 전면전쟁을 도발한(1937년) 이후부터 한국

---

43) 朝鮮總督府, 1937, 『朝鮮土木事業誌』, 93~95쪽.
44) 朝鮮總督府, 1937, 위의 책, 117쪽.
45) 朝鮮銀行, 1921, 『朝鮮經濟十年史』, 70~73쪽.
46) 朝鮮銀行, 1921, 위의 책, 65~66쪽.

철도에 부과되는 수송요구는 기하급수적으로 증대되어 갔다. 특히 경부선과 경의선은 日－韓－滿－中을 연결해주는 不沈 幹線인데다가, 새롭게 발흥하는 병참기지 한국의 한복판을 관통하는 동맥이었기 때문에 그 중요성이 한 층 더 높아졌다.

일본은 이러한 시대적 요청에 부응하여 또 한 차례 한국철도의 대대적 개량에 착수했다. 그 중에서 가장 괄목할 만한 것은 경부선과 경의선을 비롯한 간선철도의 복선화공사였다. 경부선과 경의선 복선화가 현실성을 갖고 제기된 것은 중일전쟁의 도발을 앞둔 시점이었다. 그 전에 일본정부는 만주국의 수립으로 한국철도의 객화수송이 격증하고, 또 중국에 대한 침략계획이 무르익자, 1934년 1월 앞으로 5개년 간 770만 원을 투자하여 경부선과 경의선을 대대적으로 개량하겠다는 방침을 발표했다. 이번의 개량은 궤조 교환, 자동신호기 증설, 철교 개량, 勾配와 커브 개선, 급수탱크 증설 등이었다. 철도당국은 이 계획이 완성되면 부산－安東 사이의 열차 운행시간을 4~5시간 단축

할 수 있다고 밝혔다.[47)]

그 후 경부선과 경의선 개량계획은 복선화문제로 확대되었다. 일본정부는 1935년 7월 두 철도의 군사적 성격이 다시 강화되자 1936년부터 약 1억 원의 자본을 투자하여 수송난을 겪고 있는 구간부터 순차적으로 복선화할 것을 결정했다.[48)] 그리고 1936년 4월부터 북에서는 호남선과 수송이 중복되고 있는 영등포－대전, 남에서는 마산선과 수송이 중복되고 있는 부산진－삼랑진의 복선화공사를 시작했다.[49)] 경부선 복선화공사는 중일전쟁의 도발 이후 전시체제가 형성되어감에 따라 빠른 속도로 진척

47) 『京城日報』 1934.1.14 ; 『京城日報』 1934.1.16 ; 『朝鮮日報』 1934.1.16.
48) 『東亞日報』 1935.7.12.
49) 『釜山日報』 1936.5.30.

되었다. 영등포－대전, 부산진－삼랑진의 공사는 당초계획보다 1년 앞당겨 2년 만에 준공되고, 곧 대전－삼랑진 간의 공사를 시작했다.[50] 이들 공사는 모두 일본의 토건회사가 시공하였다. 공사에 참여한 노동자들 중에는 전업적인 토건노동자 이외에도 각도의 알선을 받은 농민들도 많았다.[51] 철도국이 진두지휘한 경부선 복선화공사는 1945년 3월에 완공되었다. 이와 함께 낙동강, 한강 교량과 부산, 대전, 대구 操車場의 신설과 개축 공사도 완료되었다.[52]

중일전쟁 발발 이래 한국철도가 극심한 수송난을 겪게 되자, 조선총독부는 곧바로 경의선 복선화공사에 착수하였다. 1938년 4월부터 경성－평양, 1940년 6월부터 평양－신의주 공사가 추진되어, 1945년 8월까지 대부분의 공사가 완성되었다.[53] 아울러, 임진강, 대동강, 청천강, 대령강, 압록강 등의 철교와 수색, 평양의 操車場施設도 신축되거나 개축되었다.[54]

1930년대 중반 이후, 함경남북도 지방에서 전개된 지하자원과 삼림자원 개발 그리고 중화학공업 발달은 이 지방의 교통수요를 폭발적으로 증대시키었다. 그리하여, 일본의 제79회 제국의회는 이 지역을 관통하는 경원선과 함경선을 복선화하기로 결정하였다.[55] 경원선과 함경선은 1939년 5월부터 수송난이 극심한 지역부터 복선화 공사에 들어갔다. 두 철도의 복선화공사가 모두 완공된 것은 아니지만, 해방 시점까지 주요 구간의 복선화공사는 어느 정도 마무리되었다. 동시에 원산과 本宮에 操車場施

---

50) 『東亞日報』 1937.10.28 ; 『東亞日報』 1938.4.8.

51) 『東亞日報』 1937.11.11.

52) 財團法人 鮮交會, 1986, 『朝鮮交通史 資料篇』, 210~211쪽. 다음부터는 이 책을 鮮交會, 1986b라고 쓰겠다.

53) 『東亞日報』 1937.12.2 ; 『東亞日報』 1938.3.19 ; 『東亞日報』 1939.6.3 ; 『東亞日報』 1939.11.23 ; 『西鮮每日新聞』 1938.1.8 ; 『西鮮每日新聞』 1938.1.27.

54) 鮮交會, 1986b, 211~213쪽.

55) 朝鮮總督府交通局, 1944, 『朝鮮交通狀況』 1, 40~41쪽.

設도 신축되었다.56) 거기에다 茂山鐵鑛 개발을 위해 무산－古茂山 사이의 복선화공사도 완공되었다(1939.6~1941.12).57)

조선총독부는 간선철도의 복선화공사와 아울러 이들과 연결되는 지선의 개량공사도 활발하게 추진하였다. 경부선의 마산선(<지도 1－2>의 ①, 1937.4~1941.12), 경의선의 平南線과 겸이포선(<지도 1－2>의 ②, 1944.5~45.8), 함경선의 나진－청진선(<지도 1－2>의 ⑤, 1939.6~1940.11)의 勾配가 완화되고 교량이 개축되었다.58) 일부 私鐵들을 매수하여 표준궤로 개축하거나 선로를 개량하였다. 신안주－泉洞(<지도 1－2> ②, 36.9 km, 1933.4), 광주－여수(<지도 1－6>의 ⑥, 160 km, 1936.3), 김천－안동(<지도 1－2> ①, 118.1 km, 1940.3), 신의주－南市(<지도 1－2> ②, 33.9 km, 1943.4), 승호리－신성천(<지도 1－2> ②, 68.4 km, 1944.4), 沙里院－옹진(<지도 1－2> ⑩, 278.5 km, 1944.4) 등이 그것들이다.59)

그 밖에 軌條도 무거운 것으로 바꿨다. 경부선과 경의선의 궤조는 34 kg으로부터 50 kg으로, 호남선과 평원선의 궤조는 30 kg에서 37 kg으로 교체되었다. 또 철도차량의 增備와 열차속도의 향상을 도모했다. 이를 위해 조선총독부 철도국 산하의 철도공장(부산, 경성, 평양, 청진)의 조립 제작 능력을 향상시키고, 부족한 부분은 용산공작주식회사 영등포공장과 일본차량주식회사 인천공장에 의뢰하였다.60)

조선총독부 철도국의 수송시설 개량사업은 간선철도의 수송능력을 괄목할 만하게 향상시켰다. 이에 따라 복선화된 경부선과 경의선의 線路容

56) 鮮交會, 1986b, 213~214쪽.
57) 朝鮮總督府鐵道局, 1941,『第七十九回帝國議會說明資料』.
58) 鮮交會, 1986b, 208~209쪽.
59) 朝鮮總督府鐵道局, 1944, 앞의 책, 44~45쪽 ; 1927~1944년까지 매수되어 국유철도가 된 구간만도 1.101 km에 달하였다.
60) 朝鮮總督府鐵道局, 1938,『朝鮮總督府時局對策調査會諮問案參考書－軍需工業ノ擴充ニ關スル件』.

量(1일에 열차를 투입할 수 있는 회수)은 48로서, 같은 철도의 未複線化 구간의 25~32이나 기타 간선철도의 13~14 보다 2~4배의 수송능력을 갖췄다. 복선화가 부분적으로 실시된 경원선과 함경선은 18~25의 선로용량을 가졌다. 정거장의 有效長(열차를 집어넣을 수 있는 최소거리)도 경부선과 경의선은 500 m가 되어 기타 간선의 300~439 m를 훨씬 능가했다. 선로용량이 크다는 것은 열차를 운행할 수 있는 횟수가 그만큼 많다는 것이고, 정거장의 유효장이 길다는 것은 한꺼번에 여객과 화물을 많이 싣고 내릴 수 있다는 뜻이다. 그렇기 때문에 전체적으로는 철도의 수송능력이 탁월함을 의미했다.

2) 차량속도의 향상

철도 수송시설의 개량은 수송능력의 향상뿐만 아니라, 열차 운행속도를 높이는 데도 크게 기여하였다. 1932년 7월 1일부터 운행된 부산−奉天 사이 화물 급행열차는 종래 소요시간보다 부산→安東을 4시간 46분, 안동→부산을 4시간 56분이나 단축하였다. 그리하여 한국 남부지방의 해산물을 적시에 만주 한복판으로 운반하는 데 공헌하였다.[61] 경인선에는 경성−인천을 40분에 주파하는 초특급열차가 투입되어 하루에 13번 왕복이 가능해졌다.[62] 그 밖에 조선총독부 철도국은 증기기관차의 성능을 개량하여 10시간 소요되던 경성−부산 간을 8시간으로, 12시간 소요되던 경성−신의주 간을 8시산 54분으로 단축하고자 시험운전을 계속했다. 철도국의 궁극적인 목표는 부산−안동 간을 16시간에, 東京−新京 間을 72시간에 연결하겠다는 것이었다.[63]

---

61) 『京城日報』 1932.7.2 ; 『釜山日報』 1932.7.23.
62) 『東亞日報』 1932.8.17 ; 『西鮮每日新聞』 1932.10.3.
63) 『京城日報』 1932.10.19 ; 『西鮮每日新聞』 1932.10.5 ; 『東亞日報』 1932.12.21.

일본의 열차속도향상정책은 결실을 맺었다. 1934년 11월 1일부터 부산-新京에 직통 급행열차 '히까리'(ひかり, <사진 10-2> 참조), 부산-봉천에 '노조미'(のぞみ)가 등장하여 東京-新京 사이의 소요시간을 12시간 단축하였다. 경성-웅기에 직통 여객열차, 경성-청진에 직통 화물열차가 운행되었다.[64] 또 1936년 12월 1일부터 부산-경성을 6시간 45분에 주파하는 특별 급행열차 '아까쯔끼'(あかつき, <사진 10-3> 참조)가 등장하였다.[65] 중일전쟁이 격화된 1938년 10월 1일부터 부산-北京(2,068 km)을 38시간 45분에 주파하는 직통 급행 여객열차도 운행되었다. 이 열차에는 1939년 11월 1일 '大陸'이라는 이름이 붙었다(<사진 10-4> 참조). 이와 아울러 부산-북경 사이에 직통 급행 '興亞'가 증설되었다.[66] 국제열차의 운행에 대해서는 10장에서 좀 더 자세히 살펴보겠다.

일본과 철도당국이 이처럼 열차의 속력증가에 정열을 쏟은 것은 일본-한국-만주-중국의 시간적 거리를 최대한 좁힘으로써, 한국과 동북아시아 지역을 일본에 강고하게 편입시키기 위함이었다. 실제로 1910년대 말에는 경성과 大阪 사이의 화물 수송기간이 8일이었지만, 1930년대 말에는 경성-동경 사이의 화물 수송기간조차 6일로 단축되었다.[67] 이것은 곧 이 지역에서 일본을 주축으로 하는 인간이동, 물자유통, 자금회전이 그만큼 빠르게 진행되었다는 것을 의미했다.

철도시설의 개량과 열차의 고속화정책은 객화차량의 운행을 증가시켰다. 경부선과 경의선의 1 열차가 끌고 다니는 여객차량수는 1911년과 1938년 사이에 큰 변화가 없었다. 그러나 화물열차의 평균 연결차량수는 1911년에 비해 1938년이 거의 2배나 증가하였다. 그중에서도 경의선은

64) 鮮交會, 1986b, 27쪽 ;『京城日報』1934.4.21.
65) 鮮交會, 1986b, 28쪽 ;『東亞日報』1935.7.2 ~1935.7.8.
66) 鮮交會, 1986b, 30쪽 ;『東亞日報』1938.10.1.
67) 日本國有鐵道廣島鐵道管理局, 1979,『關釜連絡船史』, 86쪽.

9.6량에서 19.7량으로 증가하여 경부선을 능가했다. 국유철도의 1일 1킬로미터 평균 통과차량수에서 객화차 모두 경부선과 경의선이 월등히 많았다. 여객차의 경우에는 경부선이 우세하였고, 화물차의 경우는 경의선이 약간 더 많았다. 전반적으로 화물차량의 통과수와 증가폭이 여객차량의 그것을 크게 능가하였다. 그것은 열차운행회수와 1열차의 연결차량수의 증가에서 화물차가 여객차를 앞질렀기 때문이다. 그러므로 일본이 추진해온 수송시설개량과 열차고속화정책은 주로 화물수송의 증대를 위한 것이었다고 볼 수 있다. 그 중점은 어디까지나 경부선과 경의선에 두어져 있었다.[68]

3. 조선총독부 철도국

1) 직원

조선총독부 철도국은 한국의 국유철도를 총괄하고 운영했을 뿐만 아니라, 私設鐵道와 자동차 운송업에 대한 감독권까지 행사하였던 식민지 교통운수의 총 본산이었다. 그런데 그 명칭, 소속, 조직은 시기에 따라 조금씩 바뀌었다. 먼저 명칭과 소속의 변천과정을 더듬어 보면 아래와 같다.

> 統監府 鐵道管理局(1906.7.1～1909.6.17), 統監府 鐵道廳(1909.6.18.～1909.12.4), 鐵道院 韓國鐵道管理局(1909.12.5.～1910.9. 30), 朝鮮總督府 鐵道局(1910.10.1.～1917.7.31), 南滿洲鐵道株式會社 京城管理局(1917.8.1.～1925.3.31), 朝鮮總督府 鐵道局(1925.4.1.～1943.11.30), 朝鮮總督府 交通局(1943.12.1.～1945.8.15).[69]

68) 各年度『朝鮮總督府鐵道局施年報』참조.

아래에서는 특별한 경우를 제외하고는 조선총독부 철도국으로 통칭하겠다. 조선총독부 철도국의 변천과 역할에 대해서는 1절(운영체제의 변천)에서 자세히 설명했으므로 여기에서는 직원과 청사에 관해서만 간단히 언급하겠다.

용산에 철도시설이 집중하기 시작한 것은 1908년부터였다. 이해 11월 11일 남대문역 건너편 남산기슭에 있던 통감부 철도관리국을 용산으로 이전했다. 이후 철도의 부대시설이 속속 용산에 설치되었다. 용산이 철도의 메카가 된 것은 간선철도인 경인선, 경부선, 경의선, 경원선, 함경선, 경경선(중앙선), 호남선 등의 시발점 또는 통과역인데다가 주변에 50만 평이 넘는 철도용지와 100만 평이 넘는 군용지 및 150만 평 이상의 일본인거리를 거느리고 있기 때문이었다.[70]

조선총독부 철도국은 한국에서 가장 큰 관업기관이었다. 철도국은 교통운수에서뿐만 아니라 종사원의 고용, 총독부의 재정에서도 중요한 위치를 차지하였다. 철도국의 영업 km는 1927년부터 급증하기 시작하여 1945년에는 5천 km를 넘어섰다. 조선총독부는 1927년부터 '조선철도12년계획'을 추진하여 圖們線, 惠山線, 滿浦線, 東海線, 慶全線 등을 새로 부설하고 사설철도를 많이 매수하였다. 1936년부터는 경경선(중앙선)을 새로 부설하였다.

국유철도의 영업 km가 늘어나고 운수영업이 활발해짐에 따라 종사원 수도 대폭 증가했다. 특히 1930년대 중반과 1940년 이후의 증가가 격심하였다. 그리하여 해방 당시에 철도국은 10만 7천여 명에 달하는 종사원

69) 鮮交會, 1986a.

70) 철도용지와 軍用地가 용산에 집중하게 된 과정에 대해서는, 鄭在貞, 1986, 「韓末京釜 · 京義鐵道敷地의 收用과 沿線住民의 抵抗運動」, 『李元淳敎授華甲記念史學論叢』와 孫禎睦, 1979, 「日本軍의 駐屯과 新龍山」, 『서울 六百年史』3, 399~418쪽을 참조할 것.

을 거느렸다. 종사원의 한국인 대 일본인의 비율은 1925년 43:57, 1935년 40:60, 1945년 70:30이었다. 한국인의 비중은 평소에 30~40%정도였지만, 전쟁이 확대되어 일본인 종사원들이 군대에 징집되어간 1930년 후반부터 높아지기 시작하였다. 그리하여 1945년에는 한국인이 70%를 차지했다. 그렇지만 한국인들은 대부분 사무부서의 하급직위에 머무르거나, 현업부서의 말단에서 실무에 종사하는 경우가 많았다.[71]

2) 청사

통감부 철도관리국의 청사가 용산에 자리 잡은 것은 1908년이었다. 그 전에 용산역 앞 광장에는 임시군용철도감부 건축반의 건물이 세워져있었는데, 경의선이 한국통감부 철도관리국에 인계된 뒤부터 이 건물은 철도중앙기관의 청사로 사용되게 되었다. 조선총독부는 1912년 9월 용산역 앞 광장 남쪽에 공비 약 15만여 원을 들여 6,245 m2의 2층 양식 목조건물을 신축하여 철도국 청사로 사용했다. 이 건물은 당시로써는 드물게 스팀 난방 시설을 갖추고 있었다. 철도국 청사가 준공됨으로써 각 곳에 흩어져 있던 철도국의 예하 기구는 이곳으로 통합되었다.[72]

용산은 일제 강점기 내내 한국철도의 핵심지역의 역할을 했다. <지도 8-1>은 용산에 차례로 들어선 각종 철도시설의 분포를 표시한 것이다. 용산역을 거점으로 하여 조선총독부의 철도국, 철도공장, 벽돌공장, 철도관사, 철도병원, 철도구락부, 철도종사원양성소, 철도운동장, 철도공원

71) 朝鮮總督府鐵道局의 雇傭構造와 民族別 人員構成에 대해서는 鄭在貞, 1989, 「朝鮮總督鐵道局의 雇傭構造」, 『近代朝鮮의 經濟構造』, 一朝閣을 참조할 것.

72) 鮮交會, 1986a, 400~401쪽. 원래 경인철도합자회사의 사무소는 인천(1899.5.15), 경부철도주식회사의 사무소는 서울의 진고개(1900.3.31)와 초동(1901.1.1)에 있었다가 남대문역 건너편 남산 기슭의 통감부 철도관리국으로 옮겼다.

등이 들어섰다. 철도시설의 바로 옆에는 일본군사령부 등의 군사기지가 자리 잡았다. 지금부터 <지도 8-1>을 참조하면서 각 철도시설의 내력과 기능을 개관하겠다.

조선총독부는 철도국의 기구가 팽창함에 따라 청사를 수시로 증축하였다. 곧 1933년 11월 2,577 m2, 1937년 12월 2,569 m2를 증축하고, 1939년에는 종사원양성소 구내에 2,571 m2의 2층 벽돌 분청사를 새로 지었다(<사진 8-1> 참조).[73]

1945년 8월 15일 한국이 해방을 맞자 조선총독부 교통국은 미군정청 교통국이 되었다. 그리고 얼마 지나지 않아 국을 부로 개칭할 때 운송부가 되었다.

1948년 8월 15일 대한민국 정부가 수립되자 운송부는 교통부로 바뀌어 계속 용산에 자리 잡았다. 6 · 25전쟁이 발발한 1950년 6월 25일 정오 무렵 교통부는 북한비행기의 공습을 받았다. 그리고 7월 16일 미군비행기가 용산 일대를 폭격할 때 교통부와 용산역은 완전히 잿더미가 되었다. 부산에서 서울로 환도한 교통부는 잠시 광화문 근처에 자리를 잡았다. 그 후 서울역 서편에 새 청사를 지어 교통부는 서울철도청과 더불어 이곳에 정착하였다.

4. 철도종사원양성소

1) 종사원양성 기구의 변천

용산은 일제 강점기 내내 철도국의 중견 종사원을 양성하는 본거지였

---

73) 鮮交會, 1986a, 400~401쪽.

다. 그렇지만 여기에는 조금이나마 언급하고 넘어가야할 전사가 있다.

일본의 臨時軍用鐵道監部는 경의선 건설 업무가 확대되고 또 군용철도에서 일반철도로 용도가 바뀔 것에 대비하여, 1905년 3월 10일 인천의 典圜局 자리에 鐵道吏員養成所를 설치했다. 그리고 같은 해 5월부터 運輸科, 汽車科에 韓日 양국에서 각 40명을 선발하여 3개월간 速成敎育을 실시하였다. 나중에 工務, 經理, 電信 등이 추가되었다. 입소자는 尋常小學校 졸업 정도의 학력자 중에서 소정의 시험을 통해 선발하였다. 이들에게는 傭人見習生으로서 각종 편의(숙박, 피복, 日給 15錢)가 주어졌으며, 졸업 후에는 傭人見習으로 채용하였다. 철도이원양성소(1905.5~1907. 4)가 배출한 종사원은 運輸見習生 112명, 汽車見習生 68명, 工務見習生 76명, 經理修技生 25명, 電信手技生 17명 등 총 298명이었다.[74]

경부철도주식회사는 1905년 7월 초량역에 運輸事務講習所를 설치하고, 일본인만 20명을 선발하여 保線, 運轉, 調査, 帳表, 電氣通信, 機關車, 法規 등을 교습하였다. 강습소는 제1기 교습을 완료하고 폐쇄되었다.

임시군용철도감부의 철도이원양성소는 경의선이 통감부로 이관되자 統監府 鐵道管理局 運輸部 電信修技生養成所(1907.4~1910.11)로 개칭되어 존속하였다.[75] 용산이 철도의 거점으로 떠오르자 1907년 11월 인천에서 용산으로 교사를 이전하였다. 입소자는 15세부터 25세 미만의 중학 2년 수업 정도의 局員 중에서 모집하였다. 약간의 국외자에게도 입소를 허용했다. 이들에게는 5개월간의 수업기간 동안 日給 35錢이 지급되었다. 그 대신 그들은 졸업 후에 雇員으로 채용되어 2년 동안 운수부에 종사할 의무가 있었다. 이때 양성된 종사원은 電信修技生 124명, 運輸事務修技生 24명 등 총 148명이었다.

---

74) 『朝鮮鐵道史』, 1929, 693~695쪽.
75) 『朝鮮鐵道史』, 1929, 693~695쪽.

조선총독부는 통감부의 제도를 계승하여 철도국에 鐵道從事員敎習所를 설치하였다. 교습생의 정원은 일본인 20명, 한국인 30명 이내였고, 교습기간은 원칙적으로 8개월이었다. 교습생은 30세 미만의 남자, 소정의 신체검사 합격자, 중학교 또는 同 제2학년 이상 수료자(한국인은 관립고등학교 또는 同 제3학년 이상 수료자, 철도국장이 정하는 시험에 합격하여 同等 이상의 학력소지자로 인정받은 자, 철도국 종사자로서 근무성적이 양호하고 장래성이 있는 자 중에서 선발하였다.[76] 電信修技生은 만 15세 이상 25세 미만인 자를 선발하였고, 한국인에 한해 局外者의 입소를 허락하였다. 입소자에게는 수업연한 동안 雇員은 現給, 局外者는 日給 35錢이 지급되었다. 이 교습소는 1910년 11월~1917년 3월 동안 모두 485명의 종사원을 배출하였다.[77]

철도종사원의 양성체계는 1917년 4월 1일 남만주철도주식회사가 한국철도를 수탁 경영함으로써 획기적인 전환을 맞았다. 회사는 1919년 3월 조선총독부의 인가를 받아 용산에 京城鐵道學校를 설립하였다. 그리고 1920년 4월까지 65만 원의 工費를 들여 새 교사(벽돌과 기와 2층의 본관, 강당, 기숙사, 道場, 병기고 등 6,281 m^2(1,900 평)를 세웠다(<사진 8-2> 참조).[78] 철도학교는 처음에 본과(업무, 운전, 토목 분야로 나누어 주로 중견종사원 양성), 電信科(電氣通信士 양성), 徒弟科(工場從事員 양성), 講習科(단기의 재교육 실시), 夜學部(庸人級의 補修敎育 실시) 등을 설치했다. 선발된 학생들은 기숙사에 수용되어 무상으로 교육을 받았다.

1925년 4월 1일부터 한국철도의 경영은 다시 조선총독부로 환원되었

---

76) 朝鮮總督府訓令 第61號, 1910.10.21; 「朝鮮總督府鐵道局從事員敎習所規程」, 『韓國鐵道史』 3, 454~455쪽.
77)『四十年略史』, 184~185쪽.
78)『四十年略史』, 202쪽.

다. 이와 함께 철도학교도 교명을 조선총독부 鐵道從事員養成所로 바뀌었다. 1934년부터는 신규채용을 조절하기 위해 전신과와 강습과를 제외한 다른 학과의 학생모집을 중지하는 한편, 철도공장에 기공견습양성소를 개설하였다.[79]

1937년 7월 7일 일본이 중국과 전면전쟁에 돌입하자 철도업무는 팽창일로를 걷게 되었다. 이로 인해 종사원의 신규채용이 현저하게 늘어나자, 조선총독부는 1939년에 기술원교습소를 설치하고 학생을 모집하여 기계, 전기, 토목의 기술을 1년간 가르치는 편법을 썼다. 그러나 이것만으로는 종사원의 질을 향상시킬 수 없을 뿐만 아니라 원만한 철도 운영마저도 불가능한 것처럼 보였다. 그리하여 1941년 4월부터 本科를 부활시키고, 기계, 전기, 2과를 신설하며, 야학부를 부설하는 등 종사원양성소의 기구를 대폭 확충하였다.

그러나 철도학교 졸업자 이외의 신규채용이 해마다 급증함에 따라 종사원의 資質은 점점 더 떨어져 특수기술을 필요로 하는 철도업무의 수행이 점점 더 어려워지게 되었다. 그리하여 철도국은 1942년부터 종사원양성소에서 직원의 재교육을 실시하고, 각 역과 구에서 현장강습회를 개최하도록 적극적으로 권장하였다. 또 같은 해 4월에는 부산과 함흥에 종사원양성소를 신설하고, 용산의 종사원양성소는 중앙종사원양성소로 개칭하였다.[80]

1943년 12월 철도국이 교통국으로 개편됨에 따라 양성소의 명칭도 조선총독부 중앙교통종사원양성소로 개칭되었다.[81] 그런데 전쟁이 막바지

79) 철도학교의 변천과 교육내용에 대해서는 鄭在貞, 1989, 앞의 논문과 鮮交會, 1986a, 202~203쪽을 참조할 것.
80) 鄭在貞, 1989, 앞의 논문 ; 鮮交會, 1986a, 202~203쪽.
81) 정재정, 1989, 앞의 논문 ; 鮮交會, 1986a, 202~203쪽.

로 치달음에 따라 종사원의 숫자는 더욱 필요하게 되었다. 그리하여 1944년 4월에는 경성에도 양성소를 급설하고, 기존 수업시간을 대폭 단축하여 대량양성체제로 돌입하였다. 그리고 주요 역과 구에 직원교습소를 설치하여 양성자수를 늘려갔다.

2) 종사원양성의 내역

경성철도학교의 설치 이래 종사원양성소가 배출한 졸업자수를 <표 8-1>에 의거하여 살펴보면 다음과 같았다. 경성철도학교 시절의 졸업자수는 1,260명이었다. 철도종사원양성소로 개편된 1925년부터 1941년까지의 졸업생은 8천여 명에 이르렀다. 1942년과 1943년은 해마다 1천 명이 넘는 졸업자를 배출하여 1944년 9월까지 철도종사원양성소에서 배출한 졸업자는 1만 명에 가까웠다.

경성철도학교 졸업생의 민족별 구성은 한국인 161명(10.7%), 일본인 1,348명(89.3%)이었다. 또 1938년까지 철도종사원양성소 졸업생의 민족별 구성을 살펴보면, 한국인 1,034명(23.6%), 일본인 3,345명(76.4%)이었다. 한국인의 비중이 이렇게 낮은 것은 한국인의 입학 자체를 정원의 10~20%로 제한했기 때문이었다.[82]

한편, 철도종사원양성소 야학부의 수업·졸업생수는, 경성철도학교 시기 442명, 1941년까지의 양성소 시기 1,257명이었다. 그리고 1942년과 1943년에는 각각 90여 명의 졸업자를 배출하여 통산 1,879명에게 야간교육을 실시한 셈이었다.

전쟁의 막바지에 종사원을 대량으로 길러내기 위해 설치하였던 지방

82) 종사원 양성의 한·일간 분포에 대한 전반적 분석은 鄭在貞, 1989, 앞의 논문을 참조할 것.

양성소의 졸업생수는, 1942년 720명, 1943년 801명, 1944년 1,121명이었다. 이들의 민족별 구분은 불가능하다. 다만 경성철도종사원양성소 단기전신과 수료생의 경우에는 한국인 137명, 일본인 92명이었다. 한국인이 약간 더 많은 것은 이곳이 하급 현업종사자 양성기관인데다가 일본인이 입대하여 결원이 많이 생겼기 때문이었다.

<표 8-1> 철도종사원 양성의 내역(용산, 1919~1944년)

단위 : 명

연도		1919~1924 (철도학교 시대)				1925년도~1941				1942				1943				1944년 9월 현재			
과정 \ 학사		입학	퇴학	졸업	1924년도 말 현재	입학	퇴학	졸업	1941년도 말 현재	입학	퇴학	졸업	년도 말 현재	입학	퇴학	졸업	년도 말 현재	입학	퇴학	졸업	9월말 현재
본과	업무	299	30	173	96	282	33	345	–	50	–	–	49	49	2	–	96	50	3	–	143
	운전	241	42	140	59	350	49	312	48	50	3	–	95	50	7	39	99	49	7	–	141
	토목	62	7	21	34	–	1	33	–	50	1	–	49	48	8	–	89	51	8	–	132
	기계	–	–	–	–	50	1	–	49	50	2	–	97	51	9	42	97	50	8	–	139
	전기	–	–	–	–	50	2	–	48	50	–	–	98	50	1	43	104	50	7	–	147
별과	토목	–	–	–	–	64	2	62	–	28	–	28	–	–	–	–	–	–	–	–	–
	기계	–	–	–	–	144	8	136	–	43	3	40	–	–	–	–	–	–	–	–	–
	전기	–	–	–	–	88	6	82	–	35	7	28	–	–	–	–	–	–	–	–	–
전수부		811	30	781	–	6,896	163	6,488	543	781	33	907	86	1,002	49	901	138	165	3	135	165
항로표지과		–	–	–	–	–	–	–	–	–	–	–	–	14	–	11	3	18	2	3	16
공작과		412	140	145	127	216	74	269	–			1942년도부터 공장기공견습양성으로 개편									
계		1,825	249	1,260	316	8,140	339	7,727	688	1,137	49	1,003	474	1,264	76	1,036	626	433	38	138	883
누계						–	–	–		9,227	388	8,730	–	10,541	464	9,766	–	10,974	502	9,904	–

* 참고자료: 鮮交會, 1986a, 204쪽.

철도학교는 광복 후에도 존재했다. 철도종사원의 양성 시설은 6 · 25전쟁으로 일단 부산에 내려갔다가 서울 수복 이후 다시 올라와 철도고등학교로 개편되어 많은 졸업생을 배출하였다. 그들 중 상당수는 철도청의 중견간부로 재직했고, 일부는 다른 관청 또는 산업계 등에 진출하여 활약했다. 철도고등학교는 1977년 3월 말에 철도전문학교, 그리고 1979년 1월 1일부터 철도전문대학으로 개편되었다. 철도전문대학이 용산을 떠나 경기도 시흥군 부곡 교육단지로 이전한 것은 1985년 1월이었다. 철도전문대학은 1999년 3월 1일 한국철도대학으로 승격 · 개편되었다.[83)]

5. 철도공장

1) 규모와 설비

일본의 임시군용철도감부는 1905년 6월 24일 철도차량의 수리를 위해 용산공작반을 설치했다. 이것이 용산에 철도공장이 들어서게 된 발단이었다. 용산공작반은 1906년 10월 1일 통감부 철도관리국에 인계되어 용산공장이라 개칭되었다. 그리고 1908년에는 경인철도합자회사가 세웠던(1899.9.18.) 인천공장을 인수받고, 1914년에는 겸이포에서 이전한 평양공장을 분공장으로서 거느렸다. 용산공장은 규모가 확대됨에 따라 차량의 개수는 물론, 화차, 객차, 기관차를 제작하기도 하였다. 용산공장은 1923년 6월 경성공장으로 개칭되어 한국 제일의 철도공장이 되었을 뿐만 아니라 일반기계공장으로서도 손색이 없는 지위를 확보하였다.[84)]

용산공장에서는 1909년 12월 11일부터 공장 구내에 화력발전소를 설치하여 공장 동력은 물론 역사와 관사 등의 전등 조명에 이용하였다. 그

83) 한국철도대학 100년사 편찬위원회, 2005, 『한국철도대학100년사』, 한국철도대학 참조.

84) 鮮交會, 1986a, 448쪽.

러나 1925년 8월 대홍수로 피해를 입은 후에는 금강산전기철도주식회사와 경성전기주식회사로부터 전력을 공급받아야 했다.

<표 8-2> 철도공장의 규모와 설비 및 기공수(용산, 1920~1939년)

내역 / 연도	부지면적 (㎡)	건가면적 (㎡)	기계대수	마력 (HP)	기 공 수(명)		
					일본인	한국인	계
1920	155,760	22,770	315	1,350	250	1,200	1,450
1925	155,839	24,341	452	2,149	321	1,059	1,380
1927	155,839	24,403	482	2,021	313	966	1,279
1930	164,800	29,300	537	2,815	319	910	1,229
1933	239,900	24,500	570	3,114	282	872	1,154
1939	261,000	44,900	854	–	595	1,105	1,700

* 참고자료 : 鮮交會, 1986a, 453쪽.

<표 8-2>는 경성공장의 규모와 직공수를 간단히 정리한 것이다. 이 표에 따르면 경성공장의 규모는 시간이 지남에 따라 확장되었다. 1939년에는 1920년에 비해 부지 면적은 1.6배, 건물 면적은 2배, 기계 대수는 3배가량 늘어났다. 일본이 1941년 현재 경성, 부산, 평양, 청진에 설치하였던 철도공장 중에서 용산에 있던 경성공장은 부지 26만 1천여 m^2, 건물 4만 5천여 m^2, 기계 대수 854대로서 가장 큰 규모를 자랑했다(<사진 8-3> 참조).[85]

경성공장에서는 객차, 화차, 기관차는 물론 橋桁用品, 轉轍器, 機械器具의 제작과 수리도 행하였다. 1945년 8월 현재, 용산의 경성공장은 종업원 2,638명을 거느리고 연간 기관차 600량, 객차 1,100량, 화차 2,000량을 수선할 수 있는 능력을 갖추고 있었다. 이것은 각지에 설치되어 있던 다른 공장의 수선 능력을 훨씬 상회하는 수치였다.

85) 鮮交會, 1986b.

경성공장이 위와 같은 능력을 발휘하기 위해서는 각종 설비를 갖추지 않으면 안 되었다. 경성공장이 작업량의 증가와 기계공작기술의 진보에 따라 신설 혹은 증설해갔던 직장은 조립, 선반, 단야, 제관, 도장, 동합금, 주물, 전기, 동륜선반, 사상, 강판, 자동수리 공장 등이었다. 경성공장에서 1927년 이후 증기기관차를 생산하고, 또 1939년에 베어링의 제작에 성공한 것은 특기할 만한 가치가 있었다(<사진 8-4> 참조).[86]

2) 직공의 한일 분포

<표 8-2>에 따르면 1920년에 비해 1939년의 경성공장의 규모는 2배 이상 커졌다. 그런데 技工數는 1.2배 정도 증가하는 데 그쳤다. 이 시기에 일본인 기공 수는 2배 이상 늘어난 반면에 한국인은 오히려 감소하였다. 이것은 철도국 전체 종사원 수에서 한국인의 비중이 1939년에 급격하게 증대하였던 것과는 대조되는 현상이었다.

1944년 12월말 현재 경성공장의 직공 분포는 技工 3,064명, 見習技工 276명, 技工手 210명, 技術掛 194명, 機械運轉手 129명의 順으로 많았다. 1944년 12월 말의 기공 인수는 1939년보다 거의 두 배로 증가했다. 전쟁이 격화됨에 따라 철도운수가 폭주하자 이를 지원해야 할 차량의 제작 · 수리도 따라서 격증하여, 그만큼 기공의 수요가 늘어났기 때문이다.[87]

한국인 공장 종사자들은 부서 배치, 기술 습득, 봉급 수령 등에서 일본인에 비해 차별을 받았다. 1941년 현재 한국인 중에 副參事나 技師는 한 명도 없었다. 반면에 일본인 중에서 부참사가 1명, 기사가 10명 있었다. 촉탁 이상 중견 간부직의 한국인 대 일본인의 분포는 16명:189명이었다.

---

86) 鮮交會, 1986a, 452~453쪽.
87) 鮮交會, 1986a, 914쪽.

雇員의 분포는 433명:533명, 第1種 傭人의 분포는 4명:46명, 第2種 傭人의 분포는 1,816명:984명이었다. 한국인이 수적으로 우세한 것은 최하급의 현장 노동자인 第2種 傭人 뿐이었다.88)

월급액에서도 한국인과 일본인은 큰 차이가 있었다. 1941년 현재 한국인과 일본인의 월급 평균 액수를 대비해 보면, 書記 73원:123원, 技手 68원:126원, 鐵道手 87원:131원, 雇員 技術 59원:83원, 雇員 技工 72원:96원, 第1種 傭人 技術 50원:81원, 第2種 傭人 技工 41원:20원, 第2種 傭人 機械運轉手 45원:70원, 第2種 傭人 常傭手 40원:52원, 第2種 傭人 技工見習 25원:33원이었다. 상층으로 올라갈수록 한국인과 일본인의 임금 격차는 더욱 컸다. 한국인은 대체로 일본인의 50~70%에 해당하는 임금을 받았다고 할 수 있다.

용산 철도공장은 광복 후에도 중요한 역할을 했다. 일제하에서 한국인들이 어깨너머로 배운 기술을 총동원하여 '조선해방자호'를 만들어 1946년 5월 20일 운행한 것은 한국철도사에서 눈부신 성과였다. 아울러 鐵道勞組가 이끄는 노동운동 곧 파업투쟁의 본거지이기도 했다. 6 · 25전쟁 초기인 1950년 7월 16일 美軍機의 大爆擊을 받아 철도공장의 시설은 대파되었다.

한국군과 유엔군이 서울을 수복한 후 용산의 철도공장은 대대적으로 수리되었다. 이름이 서울철도국 용산공작창으로 바뀌고, 주로 기관차, 객차, 화차를 수리, 보수했나. 그 후 철도차량의 국산화가 진전되면서 기존의 낡은 시설로는 업무를 담당할 수 없게 되었다. 용산공작창은 1970년대에 폐지되고, 그 기능의 일체는 경기도 富谷에 있는 철도단지로 이전되었다.

88) 鮮交會, 1986b, 70~71쪽.

6. 철도관사

1) 관사의 효용과 건립 추세

(1) 관사의 효용

일제 강점기에 조선총독부와 조선군 및 주요 공공기관은 산하 부서에 종사하는 일본인들에게 주거시설을 제공했다. 조선총독부관사, 철도관사, 육군관사, 체신관사, 경성부청관사, 식산은행사택, 조선은행사택 등이 그 예이다. 그중에서도 철도종사원에게 준 관사는 유형의 다양성과 규모의 방대함에서 단연 으뜸이었다. 철도는 일제가 한국을 지배하고 대륙을 침략하는데 가장 중요하게 활용한 기간시설인데다가, 1899년부터 1945년까지 장기간에 걸쳐 전국 방방곡곡으로 노선을 확장했기 때문에 철도관사의 수요와 건립도 이와 보조를 맞춰 증가했다. 그리하여 전국의 주요 정차장 근처에는 대단위의 철도종사원 주거단지가 잇달아 조성되었다.

철도종사원들은 철도가 일단 부설되면 평상시에 철도를 원활히 운영(운전, 영업, 보안, 보존, 개량 등)하고, 유사시에 특별한 임무(군사 수송 등)를 신속히 수행하기 위하여 철도와 가까운 장소에 거주할 필요가 있었다. 그리하여 조선총독부 철도국은 종사원에게 평상시의 원활한 임무 수행과 유사시의 신속한 대응을 요구하는 대신에, 그들에게 출근과 퇴근은 물론 생활의 어려움을 덜어주기 위해 근무지 근처에 주거시설을 제공하였다. 그러므로 일제가 한국에서 건립한 철도관사는 종사원들이 낯설고 물설은 외국에서 철도운영에 헌신하고 '철도가족'으로서 결속을 다지기 위해 마련해준 집단거주시설이었다고 볼 수 있다.[89)]

일제강점기의 철도관사는 철도병원과 함께 철도종사원이 누린 최상의

---

89) 小倉辰造, 1927, 「鐵道官舍の過去と現在」, 『朝鮮と建築』 第6集 第5号, 10~11쪽.

복지 혜택이었다. 그 보답으로 철도관사에 거주하는 철도종사원들은 '철도가족'이라는 동류의식으로 똘똘 뭉쳐 철도가 교통기관의 핵심으로서 원활하게 기능하도록 노력했다. 한국에서 일제의 철도망이 확장되는 만큼 전국 각처에 근무하는 철도종사원의 수도 늘어났다. 이에 따라 이들에게 제공되는 철도관사는 철길이 닿는 곳이라면 도시뿐만 아니라 해안이나 산간에도 지속적으로 건립되었다. 그러므로 철도관사는 일제의 한국 침략과 더불어 일본의 주택문화와 생활문화를 한국 구석구석까지 전파한 쇼윈도였다고 해도 과언이 아니다.[90]

(2) 관사의 건립 추세

일제의 철도관사는 철도의 경영주체와 시대상황의 변화에 따라 크게 4기로 나누어 볼 수 있다[91].

제1기는 1899~1906년까지로 경인철도합자회사가 경인선을, 경부철도주식회사가 경부선을, 임시군용철도감부가 경의선과 마산선을 부설하고 운영한 시기였다. 한국철도의 초창기라고 할 수 있다. 철도회사와 철도감부는 급한 대로 일본에서 모든 인력을 데려와 철도에 관련된 업무를 수행하였다. 그렇게 하기 위해서는 철도종사원에게 일본에서 살았던 것과 비슷한 주거시설(곧 사택이나 관사)을 마련해주어야만 했다. 한국이 일본과 아무리 가깝더라도 자연, 기후, 식생, 습관 등이 많이 달랐기 때문에 그들을 정착시키기 위해서는 일본식 주거환경을 만들어주는 게 급선

90) 『四十年略史』, 263~266쪽, 384~385쪽. 일제하 서울의 철도관사에 관한 전반적인 내용은 이영남 · 정재정, 2017, 「일제하 대단위 철도관사단지의 조성과 소멸」 『서울과 역사』 97, 서울역사편찬원을 참고할 것. 각주가 없는 부분의 기술을 주로 이 논문에 따르겠다.

91) 김수영, 2000, 「해방 이전 건립된 철도관사의 공급방식과 평면유형의 특성에 관한 연구」, 한양대학교 석사학위 논문 ; 鮮交會, 1986a, 393~395쪽.

무였다. 그리하여 이 시기에는 철도역사에 연속하거나 철도역 주변에 우선 일본식 철도관사를 본 딴 주택을 지었다.

제1기에 지은 관사는 대부분 막사형 가건물이었다. 구운 벽돌로 벽을 쌓고 목조로 기둥과 지붕을 만들었다. 이때의 철도관사는 뚜렷한 건축 방침이 없이 임시로 살기 위한 가설건물의 형태였기 때문에 규격과 형태가 통일되지 않았다. 다만 임시군용철도감부는 기준설계를 등급제도로 하여 3~8등을 설정했다. 집단주택의 외부 구조는 목조 단층의 간이숙소 형태로서, 여러 채의 주택이 서로 벽을 공유하며 한 동으로 길게 늘어섰다. 내부 구조는 전통적인 일본식으로서 방은 대부분 다다미를 깔았다.

제2기는 1906~1910년까지이다. 이 시기에 일본정부는 한국의 사설철도와 군용철도를 모두 매수하여 국유철도로 만들고 통감부 철도관리국(마지막 짧은 기간은 철도원)이 일률적으로 운영하도록 했다. 이때 철도의 관리 주체가 하나로 통합되자 관사도 통일된 형태를 갖추게 되었다. 사설철도의 사택을 기준에 맞춰 관사로 개편했다. 사무소 소재지에는 4등 이하 관사, 중간 역에는 6~8등의 관사를 설치하고, 독신자 주거로서 합숙소를 건축했다. 통감부 철도관리국이 관사 건립을 담당했다.

제2기에는 한국에서 일제의 철도경영이 궤도에 올라 주요 역 근처에 집합관사가 더러 세워졌다. 용산의 초기 집합관사가 여기에 해당한다(<사진 8-5> 참조). 이때부터 일제는 넉넉하게 확보한 공간에 반듯하게 구획을 정리하고 일조량과 생활동선 등을 감안한 설계도면에 따라 다량의 집합주거지를 만들었다. 중간 역의 경우에는 분할된 필지에 집합관사를 짓거나, 역과 가까운 곳에 단층 연립건물(한 동에 2가구)을 2~5동씩 세웠다.

제3기는 1910~1941년까지이다. 한국이 일본의 식민지가 된 시기의 대부분을 차지한다. 이 시기에 한국철도의 경영주체는 조선총독부 철도국에서 남만주철도주식회사(1917~1925년)로 바뀌었다가 다시 조선총독부 철도국으로 환원된다. 일제는 1931년에 만주사변, 1937년에 중일전쟁, 1941년에 태평양전쟁을 도발한다. 일제의 식민지 지배가 심화되고 전쟁이 확대됨에 따라 한국철도는 크게 확장되고 일본과 대륙을 연결하는 간선으로서의 역할을 강화한다. 이에 따라 철도관사가 대폭 증설되고, 표준설계에 의거하여 등급별 평면이 정립된다.

1910년 조선총독부 철도국은 건설과를 설치하고 일본의 철도관사건립계획의 표준설계도에 따라 철도관사를 다량 건립했다. 집합주거단지는 독립 건물들을 일자형으로 배치하고 건물사이에 도로를 만들어 가지런하게 구성했다. 용산, 평양, 함흥, 부산, 순천 등 대단위 단지에는 주거용 건물 이외에 의료시설, 공중목욕시설, 공원, 운동장, 철도구락부 등 생활, 문화, 위락시설을 갖춘 경우도 있었다. 물론 대단위 단지라 해서 이런 시설이 모두 있었던 것은 아니며, 중소단지에도 공동우물, 목욕장, 배급소, 소규모 공원 등의 시설을 갖춘 곳도 있었다.

1930년대 후반 이후 철도종사원의 수가 급격히 늘어나 관사의 수요도 많아졌다. 그렇지만 조선총독부 철도국이 관사 증축에 필요한 예산과 자재를 좀처럼 확보하기 어렵게 되자 조선총독부 철도국 공제조합이 1936년부터 주택부를 발족하여 부대사업으로 관사를 건립했다. 성진에 60호, 평양에 100호, 서울 합성동에 100호의 관사를 지어 종사원에게 대여한 것이 그 예이다.

제4기는 1941~1945년으로, 태평양전쟁 도발 이후부터 패전까지 시기이다. 전시의 인력과 물자 결핍으로 철도의 부설과 운영이 한계를 드러냈다. 철도의 건설과 개량은 중단되거나 축소되었다. 심지어 경북선과 안성선 등의 레일을 철거하여 군수품으로 활용했다. 반면에 전시수송을 위해 한국철도의 중요성은 더욱 높아지고 철도종사원 수도 폭증하여 관사의 수요는 더욱 늘어났다.

일제가 한국에서 몇 채의 철도관사를 지었는지는 정확히 알 수 없다. 다만 1922~1938년 동안 철도관사의 총면적이 늘어난 추세는 파악할 수 있다. 1922년의 총면적은 220,132 m^2(73,433평), 1932년에 283,843 m^2 (66,707평)이었다가, 1927년에 242,330 m^2(73,433평), 1933년에 287,843 m^2 (87,225평), 1938년에 420,953 m^2(127,562평)으로 증가했다. 철도관사의 넓이는 유행에 따라 다양했기 때문에 이것이 몇 채에 해당하는 지는 확정할 수 없다. 한 채 평균 66 m^2(20평)이라고 한다면 1938년에는 6,400여 채가 된 셈이다.[92)]

조선총독부 철도국은 공제조합의 자금을 활용하여 경성철도국 관내인 부곡(경부선 수원-군포 구간)에 관사 1,000호, 기숙사 10동(1,200명 수용), 교육기관 1동, 병원 1동, 회관 1동과 평양지구, 함흥철도국 관내, 부산철도국 관내에도 대규모 관사를 건립할 계획을 세웠다. 그러나 전시상황의 악화로 실행에 옮기지 못하고, 1943년 부곡에 관사 200호를 건립하는 데 그쳤다. 이 시기에는 집단관사보다는 소규모 관사가 더러 건설되었다.[93)]

철도관사는 대체로 제3기 이후에 많이 건립되었다. 이 시기에 철도관사에서 널리 유행한 건축양식은 전통적 일본가옥양식에 근대화된 서양식을 접목하여 일본사람의 생활에 맞도록 재구성한 '근대 일본의 건축양식'이었다.[94)] 대부분 현관은 북쪽에, 부엌은 남쪽에 배치하고, 각 방을 연결

---

92) 鮮交会, 1986b, 53쪽.
93) 김수영, 2010, 앞의 논문.
94) 김상호, 1992, 「일제강점기에 건설된 철도관사의 단위평면에 관한 연구」, 경상대학교 석사학위논문, 4쪽.

하는 복도를 설치했다. 한국의 기후와 풍토가 일본과 다른 점을 고려하여 하위직의 관사에는 부분 온돌을, 고위직의 주택에는 부분 온수난방(스팀) 시설을 설치했다. 겨울추위가 극심한 북부지역은 온돌, 온증기 난방, 벽난로(페치카), 화로, 이중창 등의 방한 보온시설을 갖추었다.[95]

2) 관사의 유형과 서울의 관사단지

(1) 관사의 유형

철도관사의 유형은 크게 철도국장, 철도역장을 포함한 고위급이 거주하는 단독관사와 중하위급에게 제공하는 집단관사, 독신자가 생활하는 기숙사형 관사로 나뉘었다.

철도국장의 관사는 경성역 앞 남산 기슭(지금의 서울스퀘어 자리)에 있었는데, 구관과 신관으로 구성되었다. 구관은 경부철도주식회사의 중역사택이었고, 신관은 조선총독부 철도국이 1913년 초에 신축했다. 구관은 벽돌로 지은 단층 건물로서 부분 지하실이 있었다. 신관은 내부와 외부가 모두 서양식인 2층 양옥(1,200평)으로 온수난방의 시설을 갖췄다. 건축 당시 총독관저보다 낫다고 할 만큼 호화롭기로 이름 난 고급관저였다.[96]

철도국장의 고급관저 이외의 관사는 거주자의 직급에 따라 3~8등의 여섯 등급으로 나뉘었다. 그리고 이 등급에 의거하여 주택의 크기와 형태가 달랐다. 그 내역을 간결하게 제시하면 다음 표와 같다.

95) 『四十年略史』, 316~317쪽. 1927년 즈음에는 3~4등 관사에 온돌은 설치되지 않았고 주로 페치카를 사용한 것 같다. 그러나 1940년쯤 되면 페치카를 사용한 곳까지 모두 온돌을 설치했다(권석영, 2010, 『온돌의 근대사』, 일조각, 96쪽).
96) 鮮交會, 1986a, 394쪽.

<표 8-3> 철도관사의 등급별 규모와 내부 구조(1940년)

관사 등급	넓이	거주 직급	내부 구조
3등 관사	79평(약 260 m^2)	칙임	서양풍 외관, 단독형, 응접실, 다다미방, 복도, 서재, 부엌, 목욕실, 화장실
	57평(약 188 m^2)	주임	
4등 관사	50평(165 m^2)	주임	서양풍 외관, 단독형, 응접실, 다다미방, 복도, 서재, 부엌, 목욕실, 화장실
5등 관사	30평(99 m^2)	주임	일본풍 외관, 단독형/연립형, 다다미방, 복도, 부엌, 목욕실, 화장실
6등 관사 (갑, 을)	21~25평 (약 69~83 m^2)	판임	일본풍 외관, 연립형, 다다미방, 부엌, 목욕실, 화장실
7등 관사 (갑, 을)	15~20평 (약 50~66 m^2)	판임, 고원	일본풍 외관, 연립형, 다다미방, 부엌, 목욕실, 화장실
8등 관사	약 10평(약 33 m^2)	고원, 용인	일본풍, 연립형, 다다미방, 부엌, 목욕실+/-, 화장실
합숙소	3평~4평 (3.3~13.3 m^2)	독신자 2~3인	연립형, 다다미방

* 참고 자료 : 鮮交會, 1986a, 394쪽 ; 『四十年略史』, 316~317쪽.

5등급 이상의 고위 직원(주로 과장 이상)이 거주하는 관사는 단독주택형이었다. 6~8등급의 중하위 직원(6등급은 과장 이하의 부서장이나 규모가 큰 역장, 7등급은 작은 역장이나 부역장 또는 조역, 8등급은 평직원)이 거주하는 관사는 1동 2호의 단층 연립건물형이 기본이었지만, 경우에 따라서는 1동 4~10호의 장형연립 건물도 있다. 이른바 일본식 나가야(長屋)이었다. 용산역과 錦町(지금의 효창동) 일대에 있던 철도관사 단지에는 2층 건물에 1동 4호 연립형과 8호 연립형도 있었다. 젊은 독신 종사자들의 합숙소인 연립형의 益濟寮는 3.3~13.3 의 m^2의 다다미방에 2~3인이 거주했다.97)

연립형 철도관사는 대개 목조단층에 시멘트 기와나 함석판(아연판) 또는 스레이트 지붕을 얹었다. 구운 기와지붕은 드물었다. 내벽은 대나무를 엮어 흙으로 채운 후 위에 석회를 바르고, 외벽은 시멘트를 바르거나 몰탈을 입힌 일본산 삼나무(杉) 목판으로 마감을 하였다. 2층은 하부 구조가 철근 콘크리트인 경우도 있었다.

고위직원의 관사(4등 이상)는 서양풍의 외양에 내부를 방(벽장 포함), 응접실, 중간 복도, 서재, 부엌, 목욕실, 화장실(대, 소변 구분) 등으로 구성했고, 중하위직원의 관사(5~8등)는 일본풍의 소박한 외관에 방(벽장포함), 복도, 부엌, 화장실(대, 소변 구분)을 두고 경우에 따라 목욕시설을 포함했다. 곧 고위직원의 주거공간은 세분화되어 서양풍을 많이 가미한데 비하여, 하위직원의 주거공간은 단순화하여 생활의 편리를 우선한 필수 공간에 치중했다.[98]

(2) 서울의 관사단지

일제 강점기의 서울은 한국 철도의 중심지였을 뿐만 아니라 동북아시아 유수의 철도 결절지역이었다. 곧 경부선, 경인선. 경의선, 경원선, 경춘선, 경경선(중앙선)의 시발점이자 종착점이었다. 그리하여 서울 일대에는 경성역과 용산역을 위시하여 경부선의 노량진역, 영등포역, 경의선 본선의 서소문역, 신촌역, 수색역, 당인리 발전소로 연결되는 경의선 지선의 효창역, 공덕역, 합정역, 경원선의 서빙고역, 옥수역, 왕십리역, 청량리역, 청량리에서 출발하는 중앙선의 망우역, 사철인 경춘선의 시발점인 성동역(제기동역) 등의 많은 역이 설치되었다.

각 역 주변에는 앞에서 살펴본 것과 같은 단독 혹은 집단의 철도종사원

97) 『四十年略史』, 393~395쪽.
98) 김상호, 앞의 논문, 7쪽 ; 김수용, 앞의 논문, 64~66쪽.

주거시설이 존재했다. 그 규모는 역의 위상과 역할에 따라 차이가 컸다. 그 중에서 용산역 근처 한강통(지금의 한강로)과 錦町(지금의 효창동), 경성역과 가까운 화천동(지금의 순화동), 당인리발전소 배후 합정동, 청량리역 인근 전농동, 영등포역 근처 도림동과 영등포동, 수색역 인근 수색동 등에는 수십에서 수백 채 건물이 들어선 대규모 철도관사단지가 존재했다. 지금부터 그중 몇 개를 좀 더 자세하게 살펴보자.

<용산과 錦町(효창동)의 철도관사>

1907년 11월 인천에 있던 통감부 철도관리국과 각종 철도 관련 시설이 용산으로 이전되자 용산은 단번에 한국 철도의 본산이 되었다. 그 후 일제의 한국 지배가 본격화되고 철도가 그 지렛대 역할을 함에 따라 165만 m^2(50만 평)에 달하는 용산의 철도부지에는 철도국, 철도병원, 철도공장, 철도학교, 철도관사, 철도공원, 철도구락부 등이 빼곡히 들어찼다. 이것들을 운영하고 사용한 주체는 주로 일본인들이었기 때문에 용산 일원에는 자연이 전형적인 일본인 집단 거주지가 형성되었다. 그중에서도 철도관사단지가 전형이었다.

용산의 철도관사단지는 통감부 철도관리국이 1906~1908년에 6종(3~8등급) 120동의 집단거주시설을 건립하면서 시작됐다. 한국이 일본의 식민지로 전락한 1910년대에도 철도관사는 계속 건립되어 1925년에는 774채에 이르렀다. 그리하여 용산역 근처 한강통 일대에는 한국에서 가장 큰 철도관사단지가 자리를 잡았다. 官舍 이외에도 젊은 독신 종사자들의 합숙소로서 益濟寮도 용산에 들어섰다.[99]

용산 철도관사 부지는 원래 제방이 부실한 한강변에 있어 범람이 잦았

---

99) 『四十年略史』, 393~395쪽.

다. 1924년 무렵에도 용산 철도관사 주위에는 물웅덩이가 다수 존재했다. 이런 곳에 철도관사단지를 조성하기 위해서는 물웅덩이를 메우고 땅을 단단하게 다져야만 했다. 2010년 재단법인 겨레문화유산연구원의 발굴조사에 따르면 철도관사 부지는 폐기와, 적황색 사질토, 황갈색 사질토, 자갈 등으로 매립한 후 80~90 cm 간격으로 나무기둥을 박아 지반을 강화했다. 특히 장방형으로 관사 벽을 세운 곳은 지반의 침하를 막기 위해 더욱 단단하게 다졌다.[100)]

그런데 1925년 7월, 이른바 '을축년 대홍수'를 맞아 용산 철도관사의 대부분은 물에 잠겼다(<사진 8-6> 참조). 조선총독부 철도국은 홍수 피해를 복구하는 과정에서 철도관사 200여 호를 錦町으로 이전했다. 錦町은 용산역에서 그리 멀지 않은 곳에 위치했는데, 이왕직이 하사한 땅이었다. 철도국은 錦町에 집단관사단지를 조성하고 1926년부터 1928년까지 연차적으로 6~8 등급 관사로서 아파트 형태의 2층 건물(1동에 4 또는 8 기구)과 고위직원 용 단독 건물 등을 지었다. 금정 철도관사의 바닥은 시멘트, 지붕은 기와 또는 석면 슬레이트, 벽은 목재 등으로 마감했다. 겨울철 난방을 위하여 각 가구에 온돌을 한 칸씩 설치했다. 관사단지는 집합소, 공동목욕탕, 물품배급소 등 주민이 함께 사용하는 시설을 구비한 반면, 개별 관사에는 목욕탕을 설치하지 않았다.[101)]

수해를 입은 철도관사 200여 호가 錦町 등지로 옮겨간 후 용산 철도단지 내 침수피해 지역에는 야구장, 축구장 등의 철도운동장이 건립되었다. 그리고 나머지 567호의 철도관사는 1~2등급 또는 4~10등급의 단층 목조 독립 또는 연립의 형태로 개축되었다. 사무소장 관사인 4등급 1동의 면적은 220 m^2 정도였고, 단층 목조 건물로서 지붕은 특제품의 이태리 양

100) 재단법인 겨레문화유산연구원, 2012, 『서울 용산 한강로 유적』.
101) 鮮交會, 1986a, 394쪽.

식의 기와를 덮었다. 합숙소(만철 경영 때는 益濟寮라 불렀다)의 거실에는 6~8조의 다다미가 깔렸는데, 2~3인이 거주했다. 용산의 1~3동 합숙소는 독신자를 가장 많이 수용했는데, 인천 월미도에 세웠던 건물을 그대로 이전하여 설비가 불량했다. 1925년에 한국철도의 경영권이 남만주철도주식회사에서 조선총독부 철도국으로 환원되어 주거시설의 표기도 滿鐵社宅에서 鐵道官舍로 다시 바뀌었다.

<화천동(순화동)의 철도관사>

1899년 9월 18일 경인선이 개통되었을 당시 기차는 노량진과 인천 사이만 운행되었다. 그 후 1900년 7월 5일 한강철교 준공, 7월 8일 노량진–서대문 선로의 완성을 계기로 기차 운행은 서대문역까지 연장되었다. 경인선에는 서울의 남대문역과 서대문역을 포함하여 9개의 역이 있었는데, 인천역과 서대문역에도 종사원 주거시설이 마련되었다.

서대문역(1900.7~1919.3.31)은 서대문(당시의 돈의문) 밖 화천동(조선시대는 巡廳洞이었는데, 1914년 4월 1일에 和泉洞으로 바뀌었다가 1946년 10월 1일 巡和洞으로 변경되었다)에 위치했다. 지금 이화여자고등학교 교정에 있는 유관순 기념관 자리이다. 그 서대문역 동편에 역장관사와 철도관사가 건립된 것이다. 화천동 철도관사는 경인선 개통을 전후한 시기에 건립된 것으로 한국에서 처음 계획적으로 조성한 집단주택단지였다고 할 수 있다.

서대문역은 1919년 3월 31일에 폐쇄되고, 그 기능이 남대문역(1923년 1월 1일 경성역으로 개칭, 1925년 10월 15일 역사 신축 준공)으로 옮겨갔다. 폐쇄된 서대문역 부지에는 철도관사가 증축되었다.[102] 나중에 남대

102) 鮮交會, 1986a, 388쪽.

문역 근처에 거주하던 철도종사원들이 이곳에 속속 입주함으로써 화천동 철도관사의 규모는 더욱 커졌다. 해방 이후 국유재산이 된 철도관사 부지 31,862 ㎡(9,638.4평)는 1955년 10월 15일 교통부 경리국 재무과장(이진구)과 이화학교 교장(신봉조) 사이에 국유재산 매매계약이 이루어져 학교법인 이화재단의 소유가 되었다.[103]

<합정동과 수색의 철도관사>

경성전기주식회사가 1929년 6월, 한강 북안(서강대교와 당산철교 사이)에 당인리화력발전소(1969년 서울화력발전소로 이름을 바꿈)를 착공하였다. 조선총독부 철도국은 발전소에 물자를 수송하기 위하여 1929년 9월 20일 경의선의 지선으로 당인리선을 부설했다. 이어 철도국은 발전소의 배후지역인 합정동에 철도관사를 건립했다. 발전소 설비의 증가로 발전량이 늘어나자 합정역의 철도업무와 종사원도 증가하였다. 철도국은 전시체제 아래 예산과 물자 확보가 어렵게 되자 1939년 철도종사원공제회 주택부의 자금을 빌려 합정동 관사단지에 6~8등 관사 100호를 증축했다.[104] 합정동 철도관사도 해방 이후 민간에게 불하되었다.

수색역은 1906년 경의선의 정차장으로서 서울의 서북 외곽(당시는 경기도)에 만든 역이다. 이곳에는 기관차사무소, 차량사업소 등이 들어서서 역의 위상이 높고 업무도 많았다. 철도종사원의 수가 많았기 때문에 수색 철도관사단지의 규모도 컸다. 철도단지는 6~8등급 관사로 구성되었다. 수색 지역에는 2000년대 초반까지 상당수의 관사(불하된 개인 주택)가 있었는데 그 후 현대식 단독주택이나 연립주택 등이 빼곡하게 들어섰다.

103) 이화백년사편찬위원회, 1994, 『이화백년사 1886~1986』, 385~387쪽.
104) 鮮交會, 1986a, 231~233쪽.

<청량리의 철도관사>

청량리는 경원선이 통과하고 중앙선이 발착하는 동부 서울의 중심역이다. 청량리역 인근에 있는 전농동 일대의 철도관사는 경원선이 부설되던 1910년 즈음부터 조성되었다. 그리고 1936년 10월 경경선(지금의 중앙선)을 착공할 무렵 건설사무소, 건설자재 창고와 더불어 400여 호의 철도관사 건립이 추진되었다.[105] 청량리 철도관사들도 다른 곳과 마찬가지로 해방 이후 상당한 기간은 국유 재산으로 남았다가 차츰 민간에 불하되어 개인 소유가 되었다. 지금은 모두 일반 주택단지로 변신하여 철도관사의 흔적은 전혀 없다.

7. 철도병원

1) 철도의료의 수요와 철도병원의 설립

(1) 철도부설과 의료수요

철도는 일제의 한국침략을 선도하고 지탱한 핵심 사회간접자본이었다. 그리고 그 자체가 전국에 뻗친 거대한 산업시설이자 최대 10만여 명의 종사원을 거느린 고용기구였다. 철도는 운영의 특성상 군대 이상으로 조직화되어 있는 유기체였고, 감독체계가 엄중하게 기능하는 활성체였다. 그리하여 철도에 종사하는 사람들은 서로 '철도가족'이라 부르며 끈끈한 인간관계를 형성했다. 철도의 이런 특별한 성격이 산업병원의 한 부문으로서 철도병원을 잉태하는 배경이라고 할 수 있다.

일제가 한국을 침략하던 19세기 말에서 20세기 초 무렵 한국에서는 전

105) 『조선일보』 1936.10.30.

염병이 빈번하게 발생하였다. 1895년에는 콜레라의 유행으로 평안북도에서만 6만 명 이상이 사망하였다. 1902년 중국 천진 지역에서 발생한 콜레라가 의주와 진남포에 침입하여 평양, 개성, 부산 등 전국적으로 퍼져나갔다. 한국의 위생 환경과 의료 기관은 열악했다.106)

가끔 전염병이 발생하고 이에 대한 의료 대책이 부실한 가운데 일제는 경인선, 경부선, 경의선 등의 철도를 부설했다. 사람의 육체노동에 의거한 철도부설공사에는 사건과 사고가 늘 따르게 마련이었다. 이에 대한 의료지원도 거의 갖추고 있지 않았다. 철도부설공사가 내륙으로 진척되어 감에 따라 의료 미비는 더욱 심각했다. 이것은 공사를 담당하는 노동자들의 사기를 저하시키는 배경이 되었고, 실제로 노동력의 감퇴를 초래하여 철도부설의 조속한 완공을 지연시키는 원인으로 작용했다. 그렇기 때문에 일제는 철도를 부설하는 노동력을 유지하기 위해서라도 의료대책을 강구하지 않으면 안 되었다.107)

경인철도합자회사는 경인선에서 발생하는 부상자 등의 환자를 인천병원에 의뢰하여 진료받도록 했다. 종사원 및 그 가족들에게도 혜택을 주었다. 경부철도주식회사는 원로 大隈重信가 회장으로 있는 同仁會와 교섭하여 철도공사현장에 동인회 소속 의사 10여 명을 파견하여 진료하도록 하였다. 동인회에서 파견한 의사는 1904년 2월 6일 부산에 상륙한 후 2개조로 나뉘어, 남부 건설구역에 6명, 북부 건설구역에 7명이 배치되어, 종사원의 진료와 치료에 임하였다. 아울러 초량 및 영등포에 의무실을 세워 종사원 및 가족의 진료에 종사하게 하였다.108)

---

106) 조우현, 박종연, 박춘선, 2002, 「우리나라 근대 병원의 등장－19세기 말 20세기 초의 병원들－」, 『醫史學』 20, 24쪽.
107) 박윤재, 2003, 「統監府의 醫學支配政策과 同仁會」, 『東方學志』 119, 104~105쪽.
108) 동인회에 대한 자세한 설명은 李忠浩, 1998, 『日帝强占期 韓國 醫師 敎育史 硏究』, 국학자료원 ; 박윤재, 2005, 『한국 근대 의학의 기원』, 혜안 등 참고.

경의선을 부설하던 임시군용철도감부는 1904년 9월 전속 위생원으로서 2명의 軍醫를 파견하고, 간병인 4명을 본부, 겸이포, 남천, 신안주에 배치하였다. 그 후 공사의 진척에 따라 위생원의 배치 장소는 수시로 변경되었다. 그러나 이 정도의 위생원으로는 경의선 부설공사의 진척에 따른 의료 수요를 감당할 수 없었다. 이에 감부는 1905년 2월 촉탁의의 배속을 일본군 병참총감에 요청하였다. 병참총감은 2월 22일 그 필요성을 인정하고 동경의 동인회에 의사 파견을 요청하였다. 이렇게 해서 한국에 건너온 의사들은 겸이포, 신안주, 신의주, 정주에 배치되어 종사원 및 가족의 진료에 임하였다. 여력이 있을 때는 일반 공중의 진료도 담당하였다.[109]

이처럼 한국철도의 초창기에 일제의 각 철도는 운영 주체의 사정에 따라 지역 병원과 연계하거나 동인회의 협력을 구하는 등의 방법으로 철도 종사원 및 그 가족의 보건을 담당하도록 하였다. 그런데 경인선, 경부선, 경의선이 잇달아 개통되어 종사원의 수가 두드러지게 증가하자 그들 및 가족의 진료를 전문으로 하는 철도병원의 필요성도 점차 높아졌다.

(2) 철도병원의 설립과 확대

일제는 일단 한국철도의 주요 거점인 용산에 철도병원을 설치하기로 방침을 정했다. 1907년 3월 통감부 철도관리국장관 古市公威와 동인회 회장 大隈重信는 한국철도의 의료 및 위생 사무에 관한 위탁계약을 맺었다. 용산에 동인병원을 개설하기로 한 것이다. 동인회에서 파견한 今村保가 용산 동인병원의 원장에 취임하고, 이 병원은 주로 철도국원 및 가족의 진료를 담당하고 여력이 있으면 局外者의 치료도 행하였다. 今村는 조선총독부의 설치와 때를 맞춰 1910년 10월 사임하고, 佐佐木 四方志가

109) 『朝鮮鐵道史』, 1929, 689~690쪽.

동인회의 한국대표자 겸 鐵道醫長이 되어 원장에 취임하였다.[110]

용산 동인병원은 1913년 9월 7일 용산철도병원으로 명칭을 바꿨다. 동인회와의 계약도 해제했다. 다만 병원의 경영 및 철도의사의 총 감독은 여전히 佐佐木이 맡았다. 1917년 4월부터 1925년 3월까지 용산철도병원은 한국의 국유철도와 함께 남만주철도주식회사에 위탁하여 경영하였다. 1925년 4월 한국철도가 남만주철도회사에서 다시 조선총독부 직영으로 바뀌자, 한동안 철도병원 직영을 둘러싸고 논의가 일어났다. 1926년 6월 칙령 제223호로 '철도의 및 철도약제사관제'가 공포되어 종래의 위탁 경영은 해소되었다. 조선총독부가 의료시설을 직영하는 것을 계기로 佐佐木 원장이 사임하고 金丸惣가 원장에 취임하였다.[111]

중일전쟁이 발발한 직후인 1937년 9월 용산철도병원은 본관 후방에 콘크리트 3층 병동 신관을 증축하고 각종 의료설비를 보완했다. 그리고 1938년 6월 경성철도병원으로 이름을 바꿨다(<사진 8-7> 참조). 중일전쟁이 확대되고 나아가 태평양전쟁으로 치닫게 되자 한국철도의 역할은 점점 막중하게 되었다. 철도종사원의 건강이 곧 '興亞輸送의 대동맥'을 지키는 관건이었다. 철도종사원의 체위향상과 위생보건이야말로 철도 수송력의 증강을 지탱하는 힘이었다. 조선총독부는 경성철도병원 이외에 평양, 함흥, 부산에도 각 과 종합의 철도병원을 세우겠다고 나섰다.

경성철도병원은 1943년 12월 교통병원으로 명칭이 바뀌었다. 그 사이에 콘크리트 2층과 3층 병동이 속속 증축되었다. 8개 과의 신료실, 사무실, 약국, 렌트겐 사진실, 시험실, 수술실, 병실(52실), 식당, 간호부기숙사

---

110) 문화재청, 2012, 『구 용산철도병원 본관 : 기록화 조사 보고서』, 21~33쪽.

111) 「共濟組合과 鐵道病院 直營 療養所까지 設置」, 『매일신보』 1925. 5. 21 ; 「鐵道病院을 來年度부터 直營 經費二十萬圓」, 『매일신보』 1925. 7. 11 ; 「내년도부터 철도병원 직영? 경비 약 20만원」, 『東亞日報』 1925. 7. 16.

등의 최신식 시설을 갖췄다. 철도병원은 환자의 치료 이외에 간호부와 조산부를 매년 30명 정도 새로 모집하여 훈련시켰다. 서울 이외의 철도연선에서도 교통병원이 새로 설치되었다. 평양에서는 1942년 4월 1일 철도진료소로 출범했다가 1942년 4월 1일 평양교통병원으로 승격했다. 1943년 2월 1일 함흥교통병원이, 1944년 4월 1일 부산교통병원 등이 새로 개설되었다.[112)]

용산의 경성교통병원은 해방 이후에도 오랜 기간 종합병원으로서 기능하였다. 그러나 철도청은 건물과 시설이 너무 노후하여 사용하기 어려움을 인지하고 1984년 7월 이것을 중앙대학교 의과대학 제2부속병원으로 임대했다. 그리하여 용산 철도병원 77년의 역사는 막을 내렸다. 지금 그 자리 일부에는 백색 고층의 최신식 병원이 들어서 있다.

2) 철도병원의 시설과 운영

(1) 시설과 직원

먼저 용산 철도병원의 시설을 살펴보자. 용산 동인병원 당시에는 용산 철도관사의 5등관사 2동 4호를 접속하여 의무실로 활용하였다. 가옥 일부를 바꿔 안에 2호를 치료소 및 병실로, 다른 2호를 촉탁의의 주택 및 의원의 숙박실, 식당 기타로 사용하며 진료에 활용하였다.[113)]

1913년에 목조 2층, 온수 · 난방이 달린 본관을 신축하여 진료에 임했다. 이 시설은 1918년에 일어난 본관 화재로 모두 불타고, 이듬해에 기와 2층, 건평 697 m^2의 건물을 새로 지었다. 공사비는 8,200여 원이었다.[114)]

112) 「부산과 함흥에 철도병원신설」, 『매일신보』 1941. 6. 28,
113) 鮮交會, 1986a, 402쪽.
114) 「龍山鐵道病院全燒－ 환자는 무사지만 손해과다」, 『매일신보』 1918년 2. 9.

1925년 4월 한국철도의 총독부 직영으로 종업원이 증가하여 의료설비를 확충할 필요가 발생하자 1928년에는 인접한 곳에 새로 2층 기와 건물을 건축하였고, 구관은 내부를 고쳐 병실 및 수술실의 일부로 활용했다.[115] 새로 공사비 15만여 원을 들여 본관을 신축해 모든 설비를 정돈하고, 동시에 피부과 비뇨과를 설치해 내용 외관 모두 면목을 일신했다.[116]

1930년 용산철도병원은 분과로 내과, 소아과, 외과, 이비인후과, 안과, 치과 및 산부인과를 두고 X-선 촬영실 및 시험실을 신축하였다. 1940년에는 각 과 진찰실, 사무실, 약국 외 뢴트겐 사진실, 시험실, 수술실, 병실(52실), 식당, 간호사기숙사 등을 모두 새로 설비하였다.[117]

조선총독부 철도국이 남만주철도주식회사로부터 철도경영을 환수할 때 철도의와 철도약제사의 대우 및 직임이 정해졌다. 그 칙령 가운데 제2조는 철도의 및 철도약제사의 대우를, 제7조는 加俸을 명시하였다.[118] 철도병원 간호부는 매년 공모를 통해 선발하였다.[119] 모집인수는 때마다

---

115) 鮮交會, 1986a, 402~403쪽.

116) 茂森萩, 1930, 『朝鮮の都市-京城, 仁川-』, 171쪽.

117) 鮮交會, 1986a, 234쪽 ; 「경성철도병원을 증축코자 대확장」, 『東亞日報』 1939. 7. 22.

118) 『官報』 제4151호, 칙령 제223호 「鐵道醫及鐵道藥劑師 二關スル件」 가운데, 제2조 철도의 및 철도약제사는 奏任官 또는 判任官의 대우로 한다. 철도의는 상사의 지휘를 받아 요양에 종사한다. 철도약제사는 상사의 지휘를 받아 조제에 종사한다. 제7조 주임관의 대우를 받는 철도의 및 철도약세자로써 1급봉을 받아 5년을 넘은, 특히 공로가 있는 자에게는 연액 700원 이내를 加給할 수 있다. 판임관의 대우를 받는 철도의 및 철도약제사로써 1급봉을 받고 5년을 넘어 사무 鍊熟이 우등한 자에게는 월액 40원 이내를 加給할 수 있다. 제9조 조선 · 대만 · 만주 · 樺太 및 남양군도 재근 문관 加俸令은 철도의 및 철도약제사에게 이것을 準用한다.

119) 「중등이상 남녀학교 - 용산철도병원」, 『東亞日報』 1930. 2. 17 ; 「중학이상, 남녀학교 입학안내(11) - 용산철도병원」, 『東亞日報』 1932. 2. 21 ; 「중등정도 이상 남녀교 - 금춘 입학 안내 - 용산철도병원」, 『東亞日報』 1933. 3. 11 ; 「각 학교 입학 수지(18) - 용산철도병원 간호부양성소」, 『東亞日報』 1936. 2. 18 ; 「경성철도병원서 간호부모집」, 『東亞日報』 1940. 2. 6.

조금씩 다르지만 15~20명 정도였으며, 지원자격으로는 16~30세 미만, 배우자가 없는 여자로서 고등소학 또는 동등 이상 학력이 있는 자로 제한하였다. 수업연한 4년의 여자고등보통학교 또는 고등여학교 졸업자는 학과시험을 면제해주는 특전을 주었다.

(2) 운영과 이용

철도병원은 진료환자를 제1종 환자, 제2종 환자, 제3종 환자 및 제4종 환자로 4등급으로 나누어 진료하였다. 제1종 환자는 철도국 직원으로서 직무상 傷痍를 입은 자 또는 질병에 걸린 자를 이르고, 제2종 환자는 여객으로 상이를 입은 자 또는 질병에 걸린 자를 이른다. 제3종 환자는 철도국 직원 및 그 가족으로서 상이를 입은 자나 질병에 걸린 자를 말한다. 제4종 환자는 일반 공중으로, 상이를 입거나 질병에 걸린 자를 말한다.

철도병원은 철도국 직원의 보건을 위해 운영되는 산업병원의 성격이 강했는데, 입원 환자가 정원을 초과할 경우에는 먼저 제1종 환자를 수용하고, 순차적으로 제2종, 제3종 및 제4종 환자를 수용했다.

철도병원의 제1종 환자는 철도국 현업원으로서, 현업원 공제조합에서 치료비를 지불하였다. 조선총독부 철도국 현업원 공제조합은, 1910년 4월 1일부터 철도원 직원구제조합의 일부로 개시하여, 같은 해 10월 1일 관제 개정과 동시에 칙령 제414호, 총독부 훈령 제25호 및 제26호로 조합을 새로 조직함으로써 종전의 조합원의 자격을 승계하여 탄생하였다. 이 조합은 철도국 종사원의 상해 구제와 종사원의 사망 · 노쇠의 구제를 목적으로 만들어졌다.[120)]

조선총독부 철도국 현업원 공제조합은 종사원만을 대상으로 하다가

120) 朝鮮總督府鐵道局, 1911.12, 『朝鮮鐵道狀況』, 55쪽.

1917년 4월 남만주철도주식회사로 이관된 이후, 직무상 상해로 취급하던 것은 회사비용으로 옮기고, 고원 이하의 종사원 및 그 가족까지 구제범위를 확대하였다. 그리고 1925년 4월, 남만주철도주식회사에서 총독부로 다시 국유철도가 환원되자 조선총독부 철도국에서 현업원 공제조합을 운영했다. 지급 내용은 公傷給付, 장애급부, 요양급부, 질병급부, 퇴직급부, 유족급부로 나뉘는데, 1936년 10월 규칙이 개정되어 산부급부와 재해급부가 신설 · 추가되었다.[121]

1925년 조선총독부 철도국 현업원 공제조합의 공제기금 수지 계산표를 통해 지출된 철도병원 관련 금액을 살펴보면 공상 일시금 3,653원 60전, 의료금 6,195원 45전이 지출되었다.[122] 1931년의 진료 인원 가운데 호흡기병 18,740명이 가장 많고, 다음으로 소화기병 13,384명, 안과 12,498명, 귓병(耳病) 11,795명이 많았다.[123] 1939년도의 모든 철도노선의 진료 연인원은 63만 9,700여 명이었다. 그 가운데 경성철도병원의 진료 연인원은 32만 65백여 명(입원 37,700여명)으로서 반 이상을 차지했다. 서울이 철도의 결절지역이었음은 철도병원의 진료 실태에서도 확실히 알 수 있다.[124]

8. 철도도서관

철도도서관은 철도 종사원과 그 가족들의 업무 참고, 성신 수양, 독서 장려라는 목적을 달성하기 위해 1918년 7월 경성철도학교의 부속기관으

121) 朝鮮總督府鐵道局, 1925.12, 『朝鮮鐵道狀況』16, 60~65쪽 ; 『朝鮮鐵道狀況』 28, 1937.12, 54쪽.
122) 朝鮮總督府鐵道局, 1926, 『鐵道局年報』, 406쪽.
123) 朝鮮總督府鐵道局, 1931, 『鐵道局年報』, 20쪽.
124) 『四十年略史』, 222쪽.

로 설립되었다. 당시에는 만철경성도서관이라 불렸다. 발족 당시의 장서는 7천 권 정도였다.[125] 조선총독부가 다시 철도를 직영하게 된 1925년 4월부터 이 명칭은 철도도서관으로 개칭되었다. 그 후 건물이 증축되고 장서가 늘어나서 철도도서관은 비약적으로 발전했다.

<표 8-4> 철도도서관의 장서와 이용 현황 (용산, 1943년)

성적종별			1943년도	대전년도 비교증감	1943년도 1일평균	성적종별			1943년도	대전년도 비교증감	개관이래 누계
열람성적	열람인원	관내	48,221	△11,487	142.5	장서성적	도서 수납	도서관용	12,108	△ 164	201,900
열람성적	열람인원	관외	43,647	△ 7,575	130.1	장서성적	도서 수납	문고용	8,446	△2,240	88,195
열람성적	열람인원 문고	순회	43,707	1,017	119.4	장서성적	도서 수납	각개소전용	771	249	31,551
열람성적	열람인원 문고	교양	2,888	△ 349	7.8	장서성적	도서 수납	합계	21,325	△2,155	321,646
열람성적	열람인원 문고	열차	38,181	5,259	104.3	장서성적	도서 대출	도서관용	1,192	△7,098	30,822
열람성적	열람인원 문고	호텔	1,450	△ 619	4.0	장서성적	도서 대출	문고용	2,306	△5,191	44,190
열람성적	열람인원	합계	178,094	△13,754	508.1	장서성적	도서 대출	각개소전용	104	△ 664	21,204
열람성적	열람책수	관내	46,380	3,691	142.1	장서성적	도서 대출	합계	3,602	△12,953	96,216
열람성적	열람책수	관외	97,760	△10,429	300.8	장서성적	도서 보유	도서관용	–	–	171,078
열람성적	열람책수 문고	순회	70,664	8,221	193.1	장서성적	도서 보유	문고용	–	–	44,005
열람성적	열람책수 문고	교양	3,607	△ 844	9.9	장서성적	도서 보유	각개소전용	–	–	10,347
열람성적	열람책수 문고	열차	40,050	4,747	109.4	장서성적	도서 보유	합계	–	–	225,430
열람성적	열람책수 문고	호텔	1,599	△ 942	4.4	장서성적	잡지·신문	도서관용	387	△ 94	–
열람성적	열람책수	합계	260,060	4,444	759.7	장서성적	잡지·신문	각개소전용	1,936	△ 8	–
열람성적	열람요금 (원)		3,270.40	△194.06	10.06	장서성적	잡지·신문	합계	2,323	△ 102	–

* 참고자료: 鮮交會, 1986a, 210쪽.

<표 8-4>은 철도도서관의 장서규모와 열람현황을 상세하게 정리한 것이다. 1940년 3월 말 현재 철도도서관의 건물은 2층 벽돌 구조 1,531 m^2,

125) 鮮交會, 1986b, 208쪽.

장서는 164,079책에 이르렀다.126) 그 후에도 도서관의 장서와 이용자 수는 더욱 늘어나서 1943년에는 장서 수 321,646책, 열람자 수 178,094명을 헤아렸다.

철도도서관은 현장에서 근무하는 지방 재주 종사원들을 위해 400여 개의 순회구를 설정하여 순회문고를 운영하였다. 그리고 부산-북경, 부산-경성, 부산-하얼삔, 경성-목단강의 직통 여객열차는 물론이고, 철도국 직영의 부산 철도호텔, 조선호텔, 평양 철도호텔, 신의주 철도호텔에서도 각각 列車文庫를 운영했다.

9. 철도박물관

조선총독부 철도국은 만철의 한국철도 위탁 경영을 해제하고 직접 경영에 나선 지 10년이 지난 1936년에 그 기념사업으로서 철도박물관을 만들었다. 철도박물관은 철도종사원양성소(철도학교) 건물의 일부를 이용하여 설치되었는데, 철도 창설 이래 각지에 산재했던 철도에 관련된 각종 집기, 차량, 사진, 서한, 모형, 기념품 등을 전시했다. 그리고 철도업무의 변천을 담고 있는 실무교육 참고자료 등도 수집해서 일반에 공개하였다. 주요 내역을 적기하면 아래와 같다.

大正天皇이 황태자로서 한국을 방문했을 때의 사신 및 의자, 순종황제의 순행 때 이용한 귀빈차, 역대 철도국장의 필적과 사진, 각 시대의 전화기 모형, 텐호일 형 기관차 종단 모형, 통표식 폐색기(타블레트), 교량축조 순서 모형, 경인선 부설 당시부터 현재에 이르기까지 역사연혁을 보여주는 각종 자료 700여점 등.127)

---

126) 鮮交會, 1986b, 208쪽.

그밖에 용산 철도관사 지역 안에는 철도구락부를 개축한 鐵道會館(1936년 7월 준공)이 있었다. 철도종사원의 집회소인 철도회관은 연건평 2,795㎡의 서양 근대식 건물로서 식당, 연회실, 숙박실, 오락장 등을 갖추고 1,000명 이상을 수용할 수 있었다.[128] 그리고 철도관사를 낀 한강변에는 광대한 철도공원이 조성되어 산책과 운동의 장소로 활용되었다. 일제하 용산은 그야말로 한국철도의 메카였다.

---

127) 鮮交會, 1986a, 210쪽.

128) 『四十年略史』, 393~395쪽.

9장 철도의 운수개황과 서울 철도역의 실적

1. 철도의 운수영업과 수송경로

1) 운수영업의 개황

한국철도는 일본의 경제적 수탈과 군사적 지배를 관철시킨 핵심적 교통기관이었기 때문에 한국철도로 운반된 여객과 화물의 내역은 한국철도가 수행한 역할을 이해하는데 중요한 지표가 된다.

일제 침략기 한국철도의 여객 · 화물 수송 실태를 운수수입에 초점을 맞추어 간략하게 제시하면 <그림 9－1>과 같다. 이 그림에 의하면 한국철도의 운수상황은 1930년대 중반을 경계로 하여 전기와 후기에 큰 차이가 있었음을 알 수 있다. 곧 전기는 제1차 세계대전기의 호황으로 인해 객화가 모두 급증하였던 시기(1915~23년), 그리고 세계공황의 여파로 양자 모두 대폭 감소하였던 시기(1928~32년)를 제외하면, 대체로 답보상태를 유지하였다. 반면에, 후기에는 한국에서 工業化의 진전과 日滿 경제블럭의 형성으로 인해 객화가 폭주함으로써 철도 수송량이 급격한 팽창을 지속하였다.

운수수입은 1910~25년에 여객수입이 화물수입을 소폭으로 능가한 반면, 1926~37년에 양자가 균형을 이루거나 화물수입이 여객수입보다 약간 많았다. 그리고 1938~45년에는 여객수입이 화물수입을 대폭 상회하였다. 영업수지에서는 객화운수가 급증하였던 1917~19년과 1935~45년은 흑자였지만, 그 밖의 시기는 적자였다. [1]

한편, 화물수송의 내역도 1930년대 중반을 계기로 크게 바뀌었다. 철도화물의 구성비율은 <표 9-1>에서 보는 바와 같이 시기에 따라 크게 변하였다. 1930년대 중반 이전에는 농산품 22~32%, 광산품 17~28%, 공산품 8~17%, 임산품 7~11% 순이었지만, 그 이후부터는 광산품 32~38%, 공산품 8~17%, 농산품 8~16%, 임산품 6~9% 순으로 역전되었다.

화물의 내용을 좀 더 자세하게 살펴보면, 전기에는 쌀 · 조 · 석탄이 가장 큰 비중을 차지했던 반면에, 후기에는 석탄 · 시멘트 · 광석 · 금속 · 기계 · 군수품 등이 높은 비중을 차지하였다.[2] 이것은 일본의 식민지 지배정책이 1930년대 중반을 경계로 하여 식량생산 제일주의로부터 자원개발과 군수공업화 우선주의로 전환되어 광산업품의 유통이 농산품의 그것을 훨씬 능가하였기 때문이다.

<표 9-1> 한국 국유철도의 화물 구성(1910~1944년)

화물 / 비중 / 연도	농산품		임산품		광산품		수산품		공산품		군수용품 및 기타	
	%	지수	%	지수	%	지수	%	지수	%	지수	%	지수
1910	22.0	100	8.3	100	21.9	100	4.0	100	7.8	100	36.0	100
1914	27.3	189	7.9	145	22.8	159	6.2	240	8.1	159	27.5	116

1) 정재정, 1999, 『일제침략과 한국철도(1892~1945)』 서울대학교 출판부, 420~ 426쪽.
2) 朝鮮總督府鐵道局, 各 年度 統計年報 참조.

1918	28.0	422	8.3	331	18.0	274	7.7	649	12.7	541	25.3	233
1922	23.6	517	10.9	631	17.1	377	4.5	551	10.8	668	33.2	446
1926	32.2	936	8.1	624	18.0	528	4.8	786	14.1	1,159	22.8	404
1930	26.2	886	7.9	710	21.0	714	3.7	701	15.8	1,515	25.3	524
1934	25.8	1,129	7.2	987	27.7	1,220	4.4	1,066	16.8	2,080	16.8	450
1938	16.2	1,288	8.9	1,856	31.8	2,538	2.9	1,303	17.4	3,909	22.8	1,103
1942	9.9	1,471	9.0	3,549	37.8	5,665	2.2	1,837	8.1	3,432	33.0	2,999
1944	7.9	1,396	5.5	2,569	37.4	6,638	2.7	2,655	7.8	3,907	38.7	4,161

*참고자료 : 財團法人 鮮交會, 1986,『朝鮮交通史 資料編』, 62쪽.

2) 수송경로의 변화

한국철도의 화물수송에서 주요 부분을 차지하고 있던 쌀 · 조 · 석탄 · 시멘트 · 철광석 등의 유통경로와 수송 방향은 한국경제의 식민지적 편향성을 뚜렷하게 반영하고 있었다. 한국미는 원래부터 일본의 식량부족을 메꾸기 위한 최적의 농산자원으로 각광을 받아왔다. 그리하여 1915년~1919년에는 생산고의 14%, 1930~1934년에는 46%가 일본으로 이출되었다.[3] 그리고 이출미의 대부분은 철도를 통하여 운반되었다.

한국에서 일본에의 이출미 수송은 대체로 생산지→한국철도→근접항구→해운→일본(阪神, 京濱地帶)의 경로를 밟았다. 이출경로를 <지도 1-2>를 참조하며 좀 더 구체적으로 살펴보면, 충청북도 · 경상북도 · 경상남도는 경부선(①)→부산항, 전라북도 · 전라남도는 호남선(③)→목포항 · 군산항, 충청남도 · 경기도는 경부선(①)→인천항, 평안북도 · 평안남도 · 황해도는 경의선(②)→진남포항의 방향을 택하였다. 이처럼 이출미의 수송이 지역적 분산성을 띠게 된 것은 운임 면에서 유리한 해운이

3) 林炳潤, 1971,『植民地における商業的農業の展開』, 東京大學出版會, 262쪽.

아직도 철도의 장거리 수송에 대해 강력한 저항세력으로 남아 있었기 때문이었다.[4)]

그러나 한국미의 철도직통수송에 대한 할인운임제도가 실시된 1930년대 중반부터는 이출미의 수송이 경부선 · 경의선과 부산항으로 집중하는 경향을 나타냈다. 곧 생산지→한국철도→부산항→관부연락선→下關港→일본철도의 직통수송로가 새로이 주목을 받게 된 것이다.[5)] 이는 곧 철도가 해운을 제치고 한국미의 장거리 · 대량 수송의 기반을 확고하게 구축했음을 의미했다. 쌀의 이출에 따른 대용식량으로서 한국인들이 상용하기 시작한 만주산 조(粟)는 쌀의 이출량과 비례하여 1920년부터 수입량이 격증하기 시작했다. 그리고 輸入粟의 80% 정도는 경의선 · 경부선 · 호남선 등을 통하여 운반되어 전국의 소비지에 산포되었다.

석탄은 일제 강점기 전 기간을 통하여 철도화물의 10% 정도를 차지할 만큼 중요하였다. 그리고 그것의 유통경로는 일본 · 한국 · 만주의 수급관계 속에서 형성되었다. 곧 만주산 석탄이 한국으로 수입되는 것이 기본적인 수급관계였으므로, 수송경로 역시 경의선 · 경부선 등을 통해 평양 · 진남포 · 서울 · 대구 등의 대도시와 철도연선으로 운반되는 것이 主線이었다. 그리고 일본으로의 이출을 위해 한국산 석탄이 만포선(⑫)→진남포항, 함경선(⑤)→청진항으로 수송되는 경로와 일본산 석탄이 이입되어 인천항→서울로 수송되는 경로가 從線이었다.

1930년대 중반부터 화물의 대종을 이루었던 시멘트와 철광석은 한국북부의 광산지대와 중공업도시 및 일본으로의 이출항이 주요 발착지였다.

---

4) 철도 수송에 대한 자세한 내용은 鄭在貞, 1993, 「朝鮮總督府의 鐵道政策과 物資移動」, 『近代朝鮮工業化의 硏究, 1930－1945년』, 一潮閣을 참조.

5) 平井廣一, 1985, 「日本植民地下における朝鮮鐵道財政の展開科程」, 『經濟學硏究』, 34－4, 北海道大學, 25쪽.

시멘트는 함경선→원산항, 경의선→진남포항이 주요 수송경로였고, 철광석은 경의선 · 만포선 · 평원선(⑪)→진남포항 · 겸이포, 함경선(⑤) · 혜산선(⑬)→원산항이 기본 수송경로였다. 이 때문에 함경선 · 평원선 · 만포선 등의 新設線이 1930년대 중반부터는 화물수송의 주요 부분을 담당하게 되었다.

화물의 내역과 수송경로의 변화는 철도경영의 好惡에 중대한 영향을 미쳤다. 1930년대 중반까지의 화물수송은 대용적화물인 쌀 · 조 · 석탄 등의 남행이 소용적화물인 면사 · 면포 · 잡화 등의 북행을 압도적으로 능가하였기 때문에, 남북행 열차의 적재량에 심한 불균형을 초래하였다. 그리하여 북행열차에서 空車 운행이 그만큼 많을 수밖에 없었다. 더구나 화물의 주종을 이루었던 농산물의 출하량이 계절적으로 편중되어 있어서 호황기(10~4월)와 불황기(5~9월)에 물동량의 차이가 50% 이상에 이르렀다. 이러한 사정은 곧 철도경영의 악화를 가져오는 근본원인이 되었다.

그러나 1930년대 중반부터 쌀 · 조 등 농산물의 비중이 감소하고 철광석 · 시멘트 등의 광공업품의 비중이 증가하자 화물수송량의 계절적 편차는 거의 사라졌다. 그리고 중일전쟁의 확대와 일본-한국-만주 경제블록의 형성은 한국과 일본으로부터 對滿輸出을 비약적으로 증가시켜 한국철도→만주, 일본→한국철도→만주의 화물수송을 전기에 비해 각각 3배, 7배씩이나 신장시켰다. 만주행 화물의 증가는 한국철도의 고질적 약점이던 남북행간의 물동량의 격차와 空車運行의 과다를 해소시키는 데 결정적으로 도움을 주었다. 또한, 한국의 중화학공업의 급속한 발전은 국내지역 간의 물자이동을 촉진시켜 철도노선간의 수송량의 차이를 좁히는 데 기여하였다. 그리하여 1930년대 중반부터 한국철도는 미증유의 호황을 구가하면서 막대한 흑자경영을 지속할 수 있었다.

결국 한국의 간선철도는 한국과 만주의 원료 및 곡물을 일본으로 흡수하고, 일본의 공업제품과 군대 및 이민을 한국과 만주로 운반하는 수송로의 역할을 수행하였다. 일본은 이러한 역할의 원활한 수행을 위해 한국철도에 대해 특별운임제도를 마련하는 등 두터운 보호정책을 실시하였다. 그리하여 종래 강운과 해운을 기반으로 형성되었던 한국의 교통운수체계는 현저하게 약화되고, 철도를 주축으로 하는 육상 교통운수체계가 새롭게 구축되었다. 이에 따라 식민지 지배와 수탈의 거점도 개항장과 포구로부터 철도노선상의 신흥도시와 정차장으로 옮겨갔다. 실제로 1910년대 중반에 벌써 재한 일본인의 70%가 철도연선에 분포하고 있었던 반면에, 한국인은 전 인구의 5%만이 철도연선에서 거주하고 있었다. 그러므로 철도는 그 노선 자체가 식민지 지배를 선도하는 동맥이었다고 할 수 있다.[6]

2. 서울 철도노선의 수송실적

1) 단위 거리당의 수송량 변화

서울에 거점을 둔 주요 철도노선의 객화 운수실적을 한국철도 전체 속에서 개략적으로 파악하는 데는 <표 9-2>와 <표 9-3>이 도움이 된다. <표 9-2>는 각 철도가 1년 동안 단위 거리(1 km)당 몇 명의 승객을 수송했는가를, <표 9-3>은 단위 거리당 몇 톤의 화물을 운반했는가를 6위까지 제시한 것이다.

6) 이상에서 설명한 한국철도의 식민지적 운수상황에 대해서는 정재정, 1999, 앞의 책, 제7장을 참조할 것.

<표 9-2> 각 철도노선의 단위 거리당 수송 여객수 및 순위 (1910~1940년, 명/km)

연도 / 내역 / 순위	1910		1920		1930		1940	
	노선	수송량	노선	수송량	노선	수송량	노선	수송량
1	경인선	12,684	경인선	43,215	경인선	58,837	경인선	183,200
2	경부선	5,379	군산선	20,801	군산선	31,225	경부선	82,539
3	경의선	2,065	경부선	20,318	경부선	25,124	군산선	73,021
4	평남선	634	호남선	11,964	경의선	15,202	평남선	51,118
5	–		경의선	10,443	평남선	14,655	경의선	51,084
6	–		평남선	8,901	호남선	14,334	호남선	36,266

* 참고자료 : 허우긍, 2010, 『일제강점기의 철도수송』, 서울대학교출판문화원, 123쪽.

<표 9-3> 각 철도노선의 단위 거리당 수송 화물량 및 순위 (1910~1940년, 톤/km)

연도 / 내역 / 순위	1910		1920		1930		1940	
	노선	수송량	노선	수송량	노선	수송량	노선	수송량
1	경인선	6,021	경인선	11,925	경인선	25,268	경인선	54,032
2	경부선	1,520	평남선	5,684	군산선	10,259	평남선	37,319
3	경의선	1,425	군산선	4,820	평남선	9,982	군산선	19,227
4	평남선	316	경부선	4,069	경부선	5,414	경부선	12,385
5	–	–	경의선	3,149	경의선	3,437	경의선	9,143
6	–	–	호남선	1,330	호남선	2,067	호남선	3,281

* 참고자료 : 허우긍, 2010, 위의 책, 123쪽.

<표 9-2>에 따르면 경인선은 1910년 12,684명(1위), 1920년 43,215명(1위), 1930년 58,837명(1위), 1940년 183,220명(1위)으로 부동의 1위를 차지했다. 경인선의 여객수송은 1910년에서 1920년까지 큰 폭으로 증가한 반면, 1920년에서 1930년까지는 완만히 증가하다가, 1930년에서 1940년까지는 격심하게 증가했다.

<표 9-3>에 나타난 경인선의 화물수송은 1910년 6,021톤(1위), 1920년 11,925톤(1위), 1930년 25,268톤(1위), 1940년 54,032톤(1위)로서, 계속 1위를 유지했다. 경인선의 화물수송은 1910년에서 1940년까지 매 10년마다 앞 시기에 비해 2배 정도씩 증가했다. 경인선의 화물수송도 여객수송보다 변화는 완만하지만 착실히 큰 폭으로 증가했다.

경인선의 수송밀도가 가장 높은 것은 수도 서울과 그 관문인 인천을 잇는 노선이므로 당연한 결과라고 볼 수 있다. 게다가 1930년대 이후 서울, 영등포, 소사, 인천 지역에는 이른바 경인공업지대가 형성되어 공장과 인구가 대폭 늘어났다. 또 주변에 신흥 주택단지가 조성되어 거주 인구도 많이 유입됐다. 이에 따라 통근과 통학도 빈번했다. 이런 상황에 힘입어 경인선은 다른 노선에 비해 발군의 수송실적을 올렸다.

<표 9-2>에 따르면, 경부선의 여객수송은 1910년 5,379명(2위), 1920년 20,318명(3위), 1930년 25,124명(3위), 1940년 82,539명(2위)이었다. 2~3위를 오락가락했다. <표 9-3>에 나타난 경부선의 화물수송은 1910년 1,520톤(2위), 1920년 4,069톤(4위), 1930년 5,414톤(4위), 1940년 12,385톤(4위)로서 후기로 갈수록 운반톤수는 증가했지만, 그 순위는 저하했다. 특히 1930년대에는 1920년대에 비해 화물 운반톤수가 격증했음에도 불구하고 그 순위는 4위로 처졌다. 경부선은 한국종관의 간선철도인 데다가 노선연장이 길어서 여객과 화물의 절대 수송량에서는 가장 많지만, 단위 거리당의 수송량은 노선연장이 짧은 지선에 비해 적은 편이었다.

<표 9-2>를 보면, 경의선의 여객수송은 1910년 2,065명(3위), 1920년 10,443명(5위), 1930년 15,202명(4위), 1940년 51,084명(5위)로서 초기에는 3위를 차지했다가 후기에 가면 4~5위를 차지했다. <표 9-3>에 나타난 경의선의 화물수송은 1910년 1,425톤(3위), 1920년 3,149톤(5위), 1930년 3,437톤(5위), 1940년 9,143톤(5위)으로서, 초기에는 2위를 차지

했다가 후기에 가서 여객보다도 약간 처져서 5위에 머물렀다.

경의선과 경부선은 한국철도의 초기에는 다른 노선이 별로 없었기 때문에 객화 모두에서 압도적 비중을 차지했다. 그렇지만 후기에 갈수록 각지에서 산업형이나 개발형의 철도가 많이 건설되어 여객과 화물의 수송을 분담함으로써 경부선과 경의선의 객화수송량은 절대량에서 크게 증가했음에도 불구하고 그 비중은 감소하였다. 특히 경의선에서는 평양과 진남포를 연결하는 평남선이 경인선과 같이 수송을 분산시키는 역할을 했다. 서울에 거점을 둔 철도노선의 이런 운수실태는 일제 말기인 1944년에도 마찬가지였다.

경춘선과 경경선(중앙선)은 각각 1939년 7월과 1942년 7월에 완전 개통되었다. 그렇기 때문에 여객과 화물의 수송을 다른 노선처럼 장기간에 걸쳐 비교하기가 어렵다. 경춘선은 개통 직후부터 좋은 성적을 올렸지만, 경경선은 개통을 전후하여 일본의 전시통제경제가 막바지에 이른데다가 전쟁에서 패색이 짙어짐에 따라 기대한 만큼 수송실적을 올릴 수 없었다.

경원선의 수송실적은 경인선, 경부선, 경의선에는 미치지 못했다. 그렇지만 경원선은 서울과 한반도의 동북부지역을 연결하는 데 없어서는 안 될 간선철도였다. 그리하여 객화수송에서도 나름대로 중요한 역할을 하였다.

경원선의 여객수송은 1920년대 1년 평균 1 km 당 8천 명 수준을 유지했다. 그 후 1930년에 들이 급증하기 시작하여 1940년에는 4만 명을 돌파했다. 서울 철도네트워크 중에서 순위는 경인선, 경부선, 경의선에 이어 4위였다.[7] 화물수송에서 경원선은 1920년대 1년 평균으로 1킬로미터 당 2천 5백 톤 수준을 유지했다. 그 후 1930년대에 급증하기 시작하여 1940년

7) 허우긍, 2010, 앞의 책, 110쪽.

에는 1만 톤에 육박하였다. 순위는 서울 철도네트워크 중에서 경인선, 경부선, 경의선에 이어 4위였다.[8]

경원선의 화물수송 내역을 좀 더 자세히 살펴보면 다음과 같다. 철도수송이 가장 활발했던 1930년대 후반(1936~38년)의 전국 철도의 화물구성은 석탄류(16.3%), 쌀(10.4%), 광물류(8.9%), 임산물(7.6%), 시멘트와 석회류(7.0%), 비료(6.0%)였다. 경원선의 화물구성은 쌀(11.5%), 광물류(11.4%), 시멘트와 석회류(10.3%), 임산물(9.7%) 순으로 많았다.

경원선의 화물구성이 다른 노선과 다른 점은 광물과 시멘트와 석회류가 3위 안에 들었다는 점이다.[9] 이것은 경원선이 지하자원과 공업제품의 운반에서 특히 중요한 역할을 했다는 것을 의미한다. 곧 자원의 개발과 공업의 발흥에 기여한 셈이다. 경원선을 산업철도 곧 경제수탈 동맥이라고 칭한 까닭이 여기에 있다.

일제하 한국철도에서 여객의 평균 이동거리는 1912년에 약 60 km, 1920년대 약 60 km 안팎, 1930년대 약 70 km, 1943~44년 82.3 km이었다. 화물의 평균 이동거리는 1910~30년대 200~250 km, 1940년대 347.3 km이었다. 객화 모두 후기에 갈수록 수송거리가 길어졌다. 화물의 경우가 여객보다 심했다. 이것은 일제의 지배 영역과 철도네트워크가 확장됨에 따라 한국철도의 장거리 수송 또는 국제연락운수가 활발해졌다는 것을 의미했다.[10]

일제하 한국철도의 교통량 구성비를 보면 초기에는 경부선과 경의선이 객화수송에서 모두 86%를 담당했으나, 1940년에는 모두 여객 32%, 화물 24%로 감소했다. 철도망이 확장됨에 따라 객화수송의 분산이 심화되었기 때문이다.

---

8) 허우긍, 2010, 앞의 책, 111쪽.
9) 허우긍, 2010 ,앞의 책, 145쪽.
10) 허우긍, 2010, 앞의 책, 75~84쪽.

<표 9-2>와 <표 9-3>에서 본 것처럼, 단위 거리당 객화수송에서는 경인선이 다른 간선을 모두 제칠 만큼 많고 또 증가세도 가팔랐다(1908~1940년). 서울을 비롯한 경인지역에 인구가 집중되고 공업이 발흥하여 교통수요가 그만큼 많이 발생했기 때문이다. 전체적인 경향으로 보아 한국인은 대부분 근거리 여행을 했고, 일본인은 대체로 장거리 여행을 했다고 볼 수 있다.[11)]

2) 각 노선의 수송 비중 변화

다음은 <표 9-4>에 의거하여 서울 철도네트워크의 수송비율과 수송순위를 살펴보자. 1년 동안 한국철도 전체의 여객 수송량 중에서 차지하는 여객의 수송비율을 보면, 1910년에는 경부선 58.9%, 경의선 27.3%, 경인선 9.3%로서 전국 철도의 95% 이상을 실어 날랐다. 경부선이 으뜸이고 그 다음이 경의선이었나. 다만, 이때는 전국의 철도노선이 4~5개뿐이었다. 1940년까지 경부선과 경의선의 순위는 변하지 않았으나, 두 철도가 차지하는 비중은 현저히 감소했다. 1940년에는 경부선 17.8%, 경의선 14.0%였다. 1920년의 여객 수송비율에서 경원선 6.5%, 경인선 4.7%였는데, 1940년에는 경원선 5.3%, 경인선 2.7%로 줄어들었다. 1920년에 경원선은 경부선 33.6%, 경의선 20.3%, 호남선 11.9%에 이어 4번째 순위였다. 함경선은 그다음으로 6.1%였다. 1930년 경원선의 여객 수송비율은 5.8%였다. 경부선 24.2%, 경의선 17.6%, 함경선 12.3%, 호남선 8.5%에 이어 경원선은 5번째 순위였다.[12)] 철도망이 확산됨에 따라 여객 수송에서 경부선, 경의선, 경인선의 비중이 크게 감소하는 반면, 경원선은 대

---

11) 허우긍, 2010, 앞의 책, 82~83쪽; 102~107쪽 ; 109~113쪽,
12) 허우긍, 2010, 앞의 책, 107쪽.

체로 일정한 수준을 유지하면서 4번째 정도의 순위를 확보했다. 경원선이 한반도 및 만주의 동북지역과 서울을 연결하는 데 그만큼 중요한 역할을 했기 때문이다.

<표 9-4> 각 철도노선의 수송비율 변화 추이 (1910~1940년)

객화 / 연도 / 노선	여객 (%)				화물 (%)			
	1910	1920	1930	1940	1910	1920	1930	1940
경인선	9.3	4.7	3.9	2.7	10.4	5.5	6.7	4.1
경부선	58.5	33.6	24.2	17.8	36.9	28.4	20.9	13.6
경의선	27.3	20.3	17.6	14.0	43.7	24.7	14.7	10.5
경원선	–	6.5	5.8	5.3	–	7.8	8.5	8.3
기타노선	4.9	34.9	48.5	60.2	9.0	33.6	49.2	63.5
전선합계	100.0	100.0	100.0	100.0	100.0	100.0	100.0	100.0

* 참고자료 : 허우긍, 2010, 앞의 책, 107쪽

<표 9-4>에 의거하여 화물 수송의 경향을 살펴보자. 1910년에 경의선 43.7%, 경부선 36.9%, 경인선 10.4%였는데, 1920년에는 경부선 28.4%, 경의선 24.7%에 이어 경원선이 7.8%로 3번째 순위였다. 함경선은 그 다음으로 6.1%였다. 경인선은 5.5%였다. 1930년에는 경부선 20.9%, 경의선 14.7%, 경원선 8.5%, 경인선 6.7%이었다. 전쟁이 한창이었던 1940년은 경부선 13.6%, 경의선 10.5%, 경원선 8.3%, 경인선 4.1%이었다.[13]

철도망이 확산됨에 따라 화물 수송에서는 여객 수송보다도 경부선과 경의선의 비중이 크게 감소하는 반면, 경원선은 오히려 더 비중을 높여가

13) 허우긍, 2010, 앞의 책, 107쪽.

며 4번째 정도의 순위를 유지했다. 이러한 변화는 경원선이 한반도 및 만주 동북지역의 화물을 서울 등지로 반출하는 데 그만큼 중요한 역할을 했다는 것을 의미한다.

3. 서울 철도역의 수송 추세

1) 경성역

(1) 정차장의 내력

서울역은 명실공히 한국철도의 심장부이다. 서울역은 서울이 한국에서 차지하는 위치와 비중을 그대로 體現하고 있기 때문이다. 서울은 한반도의 한가운데에 있을 뿐만 아니라, 정치, 경제, 사회, 문화의 모든 부문에서 다른 도시의 추종을 불허할 만큼 압도적 비중을 차지하고 있다. 이른바 一極中心이다. 교통 부문에서는 더 말할 나위가 없다. 서울은 한강이라는 천혜의 수운에 힘입어 조선시대 이전부터 인간왕래와 물자유통의 요지였다. 근대에 들어서서는 한반도의 간선철도가 모두 서울에서 방사선으로 뻗어나갔다. 경인선과 경부선(<지도 9-1>의 ①), 경의선(<지도 9-1>의 ②), 경원선(<지도 9-1>의 ④), 경춘선(<지도 9-1>의 ㊱), 경경선(중앙선, <지도 9-1>의 ⑨) 등의 철도가 그것이다. 오늘날의 서울은 실로 철도가 만든 도시이다. 지금은 국토와 민족이 남북으로 분단되어 철도네트워크가 반신불수의 상태에 빠졌지만, 서울이 모든 교통에서 차지하는 압도적 지위는 무너지지 않고 있다. 그 중에서 서울역은 아직도 한국철도의 결절지점으로서 국민들의 머릿속에 새겨져 있다.

서울역은 오늘날의 이름이고, 일제가 최초로 정차장을 설치한 1900년에는 남대문역이라 불렀다. 한양도성의 최대 관문인 남대문 밖에 자리 잡았기 때문이다. 나중에 식민지지배가 확립된 1923년에 남대문역은 경성역으로 바뀌었다가, 해방 후에 서울역이라는 이름을 얻게 되었다. 이 절에서는 서울역의 확립과정과 운수영업의 추세에 대해서 자세히 설명하겠다.

서울역은 원래 경인선의 서울 쪽 통과역으로서 탄생하였다. 경인선의 부설권은 1896년 3월 29일 미국인 제임스 모스에게 許給되었다. 모스는 경인선건설자본의 모집이 어렵게 되자, 1897년 5월 4일 부설권을 200만 원을 받고 일본의 경인철도인수조합에 팔았다. 이 조합은 일본 경제계의 대표자 격이었던 澁澤榮一 등이 결성하였다. 일본정부는 1895년 4월 이른바 三國干涉 등으로 인해 한국에서 약화된 지위를 만회하는 발판으로서 경인선부설권의 획득을 활용하기 위해 이 조합에 100만 원을 특별히 보조했다.

경인철도인수조합은 미국인 콜브란 등이 시공하고 있던 경인선의 건설공정을 이어 받아, 1899년 4월 22일 인천에서 다시 기공식을 거행하였다. 그리고 같은 해 5월 15일 조합을 경인철도합자회사로 개편하고, 본사를 동경에, 사무소를 인천에 두었다. 회사는 1899년 6월 10일 軌條의 부설에 착수하여, 같은 해 9월 18일 인천−노량진 구간(약 35 km)의 경인선을 준공하고 영업을 개시하였다. 이것이 한국 최초의 철도였다. 그러나 경인선은 미국과 일본의 기술과 자본으로 건설되었기 때문에 처음부터 한국의 자주권을 심대하게 침해하였다. 한국철도의 불행한 역사가 시작된 셈이었다.

경인철도합자회사는 한강철교 이북에서 남대문역을 거쳐 서대문역에 이르는 工區를 1900년 5월 26일에 기공하여 같은 해 6월 말에 준공했다. 나아가 1900년 7월 8일 한강철교를 완성하고, 서울의 종착역으로서 돈의문 밖에 서대문역을 설치했다. 종로를 관통하는 전차와 쉽게 연락할 수 있도록 궁리한 셈이다. 노량진에서부터 서대문역 사이에 운수영업이 개시됨으로써 경인선의 총연장은 약 42 km(26마일)로 확장되었다. 이때 지금의 서울역 자리에는 남대문역이 세워졌다. 나중의 경성역, 곧 서울역이다. 처음 정차장을 설치한 당시에는 서대문역의 공식 명칭이 오히려 경성역이었다. 경인선의 모든 구간을 시공한 것은 일본의 토목건축회사 鹿島組였다. 이 회사는 그 후 한국에서 계속 철도, 도로, 항만, 댐 등을 건설하여 대기업으로 성장했다.

경인선개통 당시 서울지역에 지어진 용산역(1900.4), 남대문역(1900.7), 서대문역(1900.5), 노량진역(1899.9), 영등포역(1899.9)의 건물은 공사용 가설건축물이나 임시막사와 같이 통나무 등으로 만든 조악한 구조이었다. 철도의 운수영업에 간신히 견딜만한 수준이었다.[14] 철도 자체가 이용객의 편의를 위한 것이라기보다는 침략과 지배를 위한 군인과 물자의 수송에 중점을 두었기 때문이었다. 역사의 양식은 대부분 일본식과 서양식을 절충한 것이었다.[15] 그중에서 남대문역이 가장 반듯한 편에 속했다(사진 <9-1> 참조).

일본의 주요 자본가들이 설립한 경부철도주식회사는 1903년 10월 31일 경인철도합자회사를 매수 합병했다.[16] 이에 따라 남대문역은 경부선의 역으로서도 중요한 기능을 담당하게 되었다. 경부철도주식회사는 1905년 3월부터 1906년 1월까지 영등포역에서 남대문역에 이르는 약 8.4 km(5.2마일)의 선로를 더 건설하여 남대문역을 경부선과 직접 연결시

14) 金鍾憲, 1998, 「韓國鐵道驛舍(1899~1945년)의 建築的 特性에 관한 硏究」, 『大韓建築學會論文集』14-1, 182쪽.

15) 尹仁石, 1998, 「韓國鐵道施設物 디자인의 發展過程에 關한 硏究」, 『建築歷史硏究』 7-3, 74쪽.

16) 일본의 경부철도 부설권의 장악과 경부철도주식회사의 설립과정에 대해서는 鄭在貞, 1984, 「京釜鐵道의 敷設에 나타난 日帝의 韓國侵略政策의 性格」, 『韓國史硏究』 44, 한국사연구회를 참조할 것.

켰다. 복선이 설치된 셈이다. 그리고 1905년 3월 24일 남대문역의 명칭은 그대로 두고 경성역의 명칭을 서대문역으로 바꾸었다.

경부철도주식회사는 1905년 1월 1일 초량-영등포 구간 약 431 km(268마일)의 건설공사를 완공하고 운수영업을 개시했다. 그리고 같은 해 5월 1일 초량역과 서대문역 사이에 직통급행열차를 매일 1회 왕복 운행했다. 소요시간은 30시간에서 14시간으로 단축되었다. 경부선의 준공식은 같은 해 5월 25일 남대문정차장 구내에서 거행되었다(<사진 3-2> 참조).

한편, 러일전쟁 때 일본의 임시군용철도감부가 건설에 나섰던 용산역-신의주역 사이 약 528 km(328마일)의 경의선은 1905년 4월 28일 부분적으로 운전을 개시했다. 양역 사이에 직통운전이 개시된 것은 1906년 4월 3일이었다. 이때 경부선과 경의선은 용산에서 접속하였다.[17]

일제는 한국의 철도를 통일적으로 지배하기 위하여 1906년 7월 1일 통감부에 철도관리국을 설치하고, 경부선과 경인선을 매수하여 이에 소속시켰다. 같은 해 9월 1일에는 군용철도였던 경의선과 마산선도 철도관리국으로 이관하여 철도지배의 통일을 이룩했다. 일제는 통감부 철도관리국이 위치한 남대문역 일대의 마을 이름을 초대 국장 古市公威의 이름을 따서 古市町으로 바꿨다. 서울역이 철도를 이용한 일제 침략의 교두보였음을 웅변하는 지명이라고 볼 수 있다.[18]

대한제국을 폐멸한 일제는 1910년 10월 1일 조선총독부 철도국을 설치하고, 통감부 철도관리국의 철도업무를 이곳에서 맡도록 하였다. 그리

17) 경의철도의 성립과정과 일본의 한국종관철도 정책에 대해서는 鄭在貞, 1984, 「京義鐵道의 敷設과 日本의 韓國從貫鐵道支配政策」, 『한국방송통신대학 논문집』 3을 참조할 것.

18) 정재정, 2018. 봄, 「일제와 서울의 마을 이름 管見-'동해' 표기의 정의롭고 평화로운 실현을 바라며-」, 『한일협력』, 한일협력위원회.

고 1914년 1월 11일 대전－목포 사이 약 261 km(162마일)의 호남선을, 같은 해 8월 16일 용산－원산 사이 약 222 km(138마일)의 경원선을 개통시키었다. 그리하여 용산역을 분기점으로 하는 X字型의 철도망이 자리를 잡았다.

그 사이 서울역과 관련된 사업들도 확장되었다. 1908년 11월 남대문역－초량역 사이에 철도전용 직통전신회선이 개설되었다. 1909년 2월 1일부터 남대문역에서 公衆電報를 취급하고, 부산역－신의주역 사이에 남대문역을 들렀다 가는 격일제 직통여객열차를 운행했다. 1911년 11월 1일 압록강철교의 가설을 계기로 남대문역과 長春驛 사이에 1주일에 3회 '鮮滿直通急行列車'가 운전을 개시했다.

1914년 10월 10일, 조선총독부 철도국은 환구단을 헐고 세운 철도호텔의 영업을 개시했다. 철도호텔은 남대문역에서 경복궁(나중의 조선총독부)에 가는 길목의 중간에 위치했는데, 독일 건축기사 라라제가 설계했다. 대지 6,700평, 건평 583평에 지하 1층, 지상 3층 옥탑 돔 모습을 지닌 이 호텔은 한국식과 서양식을 절충했는데, 당시 동양에서 손꼽히는 시설을 갖췄다. 건설비는 84만 3천원, 여객 수용인원은 106명이었다. 요인의 숙박은 물론 각종 회의와 연회에 사용되었다(<사진 9－2> 참조). 조선총독부 철도국은 이미 1912년 7월과 8월에 부산역사와 신의주역사 2층에 스테이션 호텔을 개관하여 여행객에게 숙박의 편의를 제공했다. 일제하에서는 철도가 호텔영업 곧 관광사업을 선도한 셈이다.

조선총독부 철도국은 1919년 3월 31일 서대문역을 폐지했다. 그리고 竹添町에 의령터널과 아현터널(착공 1918.9.1, 준공 1921.6.25)을 뚫어 남대문 역에서 연희역으로 직통하여 신의주로 향하는 철도를 부설했다(<지도 9－1> 참조). 이에 따라 용산역에서 서강쪽으로 분기하던 경의선은 남대문역에 표시된 경성역)을 경유하게 되었다.[19)]

조선총독부 철도국은 남대문 정차장을 확장할 때 철도로 분단된 남대문 옆 칠패 시장~만리재·애오개를 연결하기 위해 쌍굴의 蓬萊橋를 가설했다(<사진 9-3> 참조). 이곳에는 원래 蔓草川을 건너는 焰硝橋가 있었는데, 철도국은 남대문역에서 용산을 거치지 않고 직접 북상하는 경의선의 새 노선을 개설하기 위해 염초천 물길과 염초교를 훼손하고 봉래교를 놓은 것이다(1919.7. 15~1920.5.24).[20] 이것이 오늘날 鹽川橋라 부르는 跨線橋이다.

조선총독부 철도국은 1923년 1월 1일 남대문역을 경성역으로 개칭했다. 오늘날 우리가 흔히 알고 있는 서울역(京城驛)이 명실공히 등장한 것이다.

(2) 역사의 건축

조선총독부 철도국은 1925년 10월 15일 경성역 건물을 신축 낙성하고 새 역사에서 영업을 개시하였다. 새로 지어진 서울驛舍는 동양 有數의 위용을 자랑하였다. 3년여의 공사기간과 195만 원의 공사비를 들여 완공한 서울역사는 르네상스식의 석재와 벽돌 및 철근콘크리트 건물이었다. 겉쪽은 2층, 승강장 쪽은 3층 건물로, 총 건평 1,750여 평이었다. 중앙의 대현관은 승차객의 통로, 좌측의 현관은 특별 출입구, 이층의 우측은 사무

19) 『동아일보』, 1924.7.20

20) 朝鮮總督府, 1921.3, 『朝鮮』, 소수. 봉래교는 봉래정에서 따온 이름인데, 일제의 서울 침략 과정을 상징한다. 일제가 청일전쟁을 도발하기 직전(1894년 7월) 서울에 거주한 일본인은 일본군이 청군에 패할까봐 전전긍긍하였다. 전쟁이 개시되자 일본군은 만리창 일대에 진지를 구축하고 남대문을 통해 都城 안에 침입해 일본인을 보호했다. 이때 九死一生의 희열을 맛본 일본인은 마치 신선이 살고 있다는 전설 속의 섬인 봉래산에 들어온 느낌을 받았다고 한다. 그리하여 일본군의 진입로에 해당하는 남대문 밖 일대에 호라이쵸(蓬萊町)라는 이름을 붙였다. 이에 대해서는 정재정, 2018.봄, 앞의 논문을 참조할 것.

실, 좌측은 식당이었다. 플랫트 홈은 1층 아래로 내려가도록 되어 있었다 (<사진 9-4> 참조).

서울역사는 동경역사와 부산역사를 설계한 辰野金吾의 제자 塚本靖가 설계했다. 돔의 모습이 한결 돋보였다. 조선총독부 철도국 공무과 설계계가 주로 관여한 서울역사는 규모나 양식 면에서 동아시아 어느 지역에 세워진 철도역사에 견주어도 떨어지지 않는 수준임을 보여주었다. 비잔틴 돔을 사용하면서도 네오바로크적인 수법으로 마무리했는데, 塚本가 파사드 디자인으로 정해준 것이라고 한다. 서울역사는 붉은색 벽돌에 흰색의 화강석을 사용하고, 각층을 구별할 수 있도록 수평 줄눈을 둘렀다. 또 벽면 모서리에 귓돌을 설치하여 변화감을 유도했다. 르네상스 양식의 상당히 세련된 구조를 가지고 있다. 당시 서양의 철도역사에서 보편적으로 나타나는 양식이었다.[21]

서울역사의 평면은 대합실과 역무실로 양분되어 있고, 역무실은 매표소와 사무실로 나뉘어 있다. 매표소는 여행객이 대합실에 들어오면서 표를 살 수 있도록 대합실 입구 쪽에 면하여 설치되었다. 이런 구조는 이용자가 많을 경우 출입구를 막게 되어 혼잡을 일으키기 쉽다. 서울역사를 비롯하여 한국의 철도역사 대부분이 이런 평면구조로 되어 있는 것은 여행객의 편의를 별로 배려하지 않았다고 볼 수 있다.[22]

일제하의 서울역은 경인선과 경부선에 있지만 의령터널과 아현터널이 뚫림으로써 경의선과도 직접 연결되었다. 또 용산을 경유해서는 경원선과 경경선과 접속한다. 이로써 서울역은 한국뿐만 아니라 동북아시아 각지로 뻗어간 철도네트워크의 결절지점이 되었다.[23]

21) 김종헌, 1998, 앞의 논문, 187쪽.
22) 김종헌, 1998, 앞의 논문, 184쪽.
23) 앞으로 서울역과 관련된 구체적인 사실들을 언급할 때에는 특별히 다른 문헌을 註

(3) 수송의 추이

경성역은 명실공히 한국철도의 심장부라고 할 수 있다. 서울은 한국의 중앙에 위치한 수도인데다가, 정치 · 경제 · 사회 · 문화의 모든 면에서 발군의 지위에 있기 때문에 그 관문인 경성역이 객화수송에서 압도적 비중을 차지하는 것은 당연했다. 여기에서는 일단 1920년대까지 수송의 내역과 추이를 살펴보겠다. 1930년대 이후는 서울 소재 각역의 역세를 비교하는 다음 절에서 자세히 설명하겠다.

먼저 1910년대 경성역(남대문역) 상황이다.[24] 경성역 바로 앞에는 남대문시장이 있어서 원래부터 물자유통이 활발했다. 남대문시장은 상설시장으로서 경향각지의 물산이 집산하는데다가, 일본인 상가가 밀집한 명동 등과 붙어 있어서 일제 강점기 내내 번창하였다.

1910년도 경성역의 영업성적을 보면 승차인원 248,140명, 하차인원 246,651명, 객차수입 555,921원, 발송화물량 22,762톤, 도착화물량 124,583톤, 화차수입 241,789원이었다. 발송화물 중에서 중요한 품목은 쌀 1,823톤, 대두 1,120톤, 연초 1,847톤, 비료 1,309톤, 석재 2,923톤, 목재 1,646톤 등이었다. 도착화물 중에서 중요한 품목은 쌀 29,166톤, 맥 2,749톤, 잡곡 2,677톤, 생과 2,949톤, 채소 2,036톤, 금속기 2,173톤, 주류 3,208톤, 금건(광목) 2,505톤, 종이 2.372톤, 기와 · 도자기 4,422톤, 석탄 6,945톤, 목재 11,181톤, 장작 9,129톤 등이었다. 이것으로 보아, 경성역은 서울이 소비하는 물품의 유입창구로서 기능했음을 알 수 있다.

로서 표기하지 않는 한 財團法人 鮮交會, 1987, 『朝鮮交通史 資料編』, 三信圖書有限會社의 年表에 의거하였음을 미리 밝혀 둔다.

24) 아래에서의 서술은 별도의 註를 기입하지 않는 한 朝鮮總督府鐵道局, 1912, 『朝鮮鐵道沿線市場一班』, 110~130쪽의 내용을 참고한 것이다.

1910년 서울의 인구는 211,512명, 그중에서 한국인은 173,691명, 일본인은 35,609명, 외국인은 2,212명이었다. 그 후 서울에서 인구가 증가하고, 교통기관이 발달함에 따라 서울의 商圈은 확장일로를 걸었다. 한국과 일본의 상거래가 활발해 소비지로서 뿐만 아니라 공급지로서도 중요해졌다. 철도를 통해 서울과 상거래를 많이 한 곳은 인천과 大阪이었다. 그밖에 부산, 평양, 대구, 개성, 수원, 下關, 門司 등이 뒤를 이었다.

무역 면에서 보면, 서울로 輸移入되는 화물은 해로와 인천을 거쳐 保稅貨物로서 回送되는 것과 鐵道連帶貨物로서 부산을 경유하는 것으로 대별되었다. 그 비율을 보면, 인천 경유가 1908년 30.3%, 1909년 23.6%, 1910년 18.3%, 1911년 16.3%였고, 부산 경유는 같은 해에 각각 69.7%, 76.4%, 81.7%, 83.7%였다.

이상의 수치에서 알 수 있듯이 서울의 輸移出入品은 압도적으로 부산 경유의 철도편으로 수송되었고, 그 비중은 해마다 높아졌다. 그 까닭은 철수송이 해상수송보다 덜 위험한데다가, 운임도 효과에 비해 비교적 저렴하고 또 신속하게 운반할 수 있었기 때문이다. 철도수송에 걸리는 시간은 해상수송의 반 정도에 불과했다. 서울에서 일본 등지로 수이출되는 중요 품목은 우피 · 牛膽 등이었다. 그리고 일본 등지에서 서울로 수이입되는 주요 품목은 금건(광목), 맥분, 사탕, 연초 등이었다. 서울역에서 발착하는 대량의 화물은 곡물류, 건축재료 등이었다.

1913년에 철도로 경성역, 서대문역, 용산역을 통해 서울에 도착한 곡물은 381,152석이었다. 한강 수운을 이용하여 한강동, 서빙고, 元町 · 마포, 東幕을 통해 서울로 들어온 곡물은 229,700석이었다. 반면에 철도로 세 역을 통해 인천으로 발송된 곡물은 68,162석이었다. 한강 수운을 이용하여 다섯 포구를 통해 인천으로 발송된 곡물은 48,640석이었다. 철도와 수운을 통해 들락거린 양을 계산하면 494,050석이 서울에서 소비된 셈이다. 이때만 하더라도, 철도가 한강 수운보다 반입에서 1.7배, 반출에서 1.4배 더 많이 수송했지만, 한강 수운도 아직 상당한 힘을 발휘하고 있었다.

1913년에 철도편으로 서울에 곡물을 많이 발송한 역은 수원, 오산, 서정리, 평택, 천안, 조치원, 대전, 왜관, 인천, 금촌, 평양, 정주, 진남포, 논산, 군산 등지였다. 수운으로 서울에 도착한 곡물 중에서 한강동, 서빙고에 도착한 것은 전부 상류지방에서 하강한 것이고, 원정 · 마포에 도착한 것은 상류방면에서 30%, 하류방면에서 70%가 운반되었다. 동막에 도착한 것은 상류방면이 96%, 하류방면이 4%를 차지했다. 일본인 정미업자들은 주로 철도편을 이용하고, 생산지나 큰 시장의 미곡상인과 직접 거래했다. 한국인 정미업자들은 마포, 동막 등의 객주를 통해 거래했다.

경성역 근처에는 철도와 상호보완 관계에 있는 한일 운송업자가 20여개나 존재했다. 그중에서 중요한 것은 內國通運株式會社支店, 協同組支店, 中村運送店, 河村運送店, 普興運輸組合 등이었다. 일본인측은 각 운송점이 합동하여 京城運輸組合을 조직했다. 한국인측은 普興運輸組合을 조직했다. 조선총독부 철도국은 두 조합과 內國通運會社에게 철도화물취급 자격을 부여했다.

1913년의 승하차 여객 중에서 60%는 한국인, 37%는 일본인, 3%는 외국인이었다.

1920년대 중반에 이르면 일본의 식민지 지배기반이 확립되고 철도망이 정비됨에 따라 서울의 위상은 더욱 높아졌다. 그리하여 종래 서울 2~3개 도에 불과했던 경성역의 상권은 크게 확대되었다. 나아가 일본, 만주, 몽골 등을 상대로 한 무역에까지 영향을 미치게 되었다.[25]

---

25) 1920년대 서울驛勢에 대한 설명은 별도의 註가 없는 한 龜岡榮吉 · 砂田辰一, 1927, 『朝鮮鐵道沿線要覽』, 朝鮮拓植資料調査會, 232~260쪽의 내용을 참조한 것이다.

화물의 집산은 대부분 철도편에 의존했다. 한강의 수운은 경원선의 개통과 지방도로의 개수로 왕년의 성황을 보기 어렵게 되었다. 그렇지만 결빙기를 제외하면 아직 배편도 중요한 역할을 했다. 운임이 철도에 비해 저렴한데다, 한강 연선까지 철도망이 파고들지 못했기 때문이다. 수운의 주요 선착장은 용산역, 서빙고역, 왕십리역 등의 역세권에 들어있었다.

1926년 경성역의 운수성적은 다음과 같다. 승차인원 1,436,216명, 하차인원 1,328,738명, 객차수입 2,863,192원, 발송화물량 431,046톤, 도착화물량 97,612톤, 화차수입 748,877원. 1910년에 비해 승차인원 5.8배, 객차수입 5.2배, 발송화물 3.5배, 도착화물 0.8배, 화차수입 3.1배 증가하였다. 여객은 한국내의 여행이 96%, 일본 3%, 만주 · 기타가 1%였다. 당시 서울의 인구는 한국인 25만 176명, 일본인 8만 5,811명, 중국인 5,309명, 기타 515명이었다.

서울의 시역이 확장되어 감에 따라 경성역은 이제 서울의 한복판에 자리 잡게 되었다. 북동쪽으로는 서울의 중심 시가지와 연결되고 남쪽으로는 용산을 끼게 되었다. 경성역에서 사방으로 시가지를 향해 전차가 달리고, 자동차 · 마차 · 인력거가 빈번하게 왕래했다. 당시 서울에는 200여대의 자동차와 1,196대의 인력거, 6대의 승합마차, 492대의 荷牛馬車, 4,455대의 荷車, 36대의 自動自轉車, 9,828대의 자전거가 있었다. 1925년 10월 東洋有數의 京城驛舍가 완공된 것은 앞에서 기술한 바와 같다.

경성역을 중심으로 해서 포진한 소운송업자는 國際運輸 등의 지점을 포함하여 37개나 되었다. 소운송업자는 가정이나 상점 · 회사 · 공장 등과 철도를 연결하는 실핏줄과 같은 역할을 했다. 이들은 운송합동, 곧 一驛一店主義를 표방하는 일본정부와 조선총독부의 정책에 직면하여 대책 마련에 부심했다.[26]

2) 용산역

(1) 정차장과 역사

경인철도합자회사는 노량진에서 용산에 철교를 가설하고 경인선을 서울의 도성 코앞까지 연장했다. 노량진의 대안 곧 용산 지역에 설치한 것이 바로 용산역이었다. 1900년의 일이다. <지도 9-1>에서 보는 것처럼, 경인선, 경부선, 경의선, 경원선 등을 통해 서울에 진입하는 길목에 위치한 용산은 곧바로 일본의 침략과 지배의 거점으로 부상했다. 한반도의 사방으로 뻗어가는 철도의 분기점이다 보니 일본군의 주둔지가 되고 철도의 각종 부대시설이 들어섰다. 이런 시설에 기대어 삶을 개척하는 일본인이 대거 밀려옴으로써 용산에는 갑자기 일본인 마을이 생겨났다.

경인선이 개통되었을 당시만 하더라도 용산역은 선로만 쭉쭉 뻗어있는 노지였다. 정차장에는 12 ㎡(3.5평)에 불과한 목조 오두막이 역사랍시고 서 있었다(<사진 9-5> 참조). 그런 용산역은 러일전쟁을 계기로 면모를 일신했다. 일본군대와 군수물자를 대량으로 싣고 내리는 철도역이 되었기 때문이다. 용산역 주변에는 방대한 규모의 군사시설이 속속 들어서고 수천 명의 병력이 착착 진주했다. 이에 따라 용산정차장과 부속건물은 날로 새롭게 확장되어갔다.

龍山驛舍는 러일전쟁기(1904~1905)에 일본군이 용산을 기점으로 하여 경의선을 부설하자 1906년 11월 목조 2층으로 개축되었다(<사진 9-6> 참조). 이 역사가 화재로 불타버리자 곧바로 1,587 ㎡(480평)의 고딕식 건물을 다시 세웠다. 당시로써는 훌륭한 驛舍였다. 남대문역사나 서대문역사가 빈약한 상황에서 용산역사가 일찍이 서양 고전양식의 위용을

26) 일제하에 철도연선의 各 驛, 특히 서울역에 존재하였던 小運業의 실태와 이들에 대한 통제정책에 대해서는 鄭在貞, 1990, 「植民地期의 小運送業과 日本의 統制政策」, 『歷史敎育』 48, 역사교육연구회를 참조 할 것.

갖춘 것은 일본의 군사거점이자 식민거리로 떠오른 용산을 화려하게 부각시키기 위해서였다. 그리고 한국에서 강화되는 일본의 권세를 자랑하고 선진 문물을 과시함으로써 한국인의 반일감정을 완화시키려는 의도도 깔려있었다.[27]

용산역사는 북부유럽 목조건축물의 특징을 보여주고 있다. 건물은 하프팀버 또는 골조를 드러내는 목조인데, 지붕에 도머창을 설치했다. 일본 남부 특히 규슈지방에 도입된 역사건축이 이와 비슷했다. 초창기 서양역사에서는 굴뚝을 볼 수 없었으나 용산역사의 주요 건물 두 채에는 제대로 설비된 굴뚝이 갖춰 있다. 겨울에 난방이 필요한 한국의 기후와 풍토에 맞췄다고 볼 수 있다. 또 역사 정면 1층에 차양이 돌출되어 있다.

용산역의 넓은 앞 광장에서 한 블록 건너까지는 한강로를 향해 방사선 도로가 펼쳐있었다. 군대의 이동과 행사에 적합한 구조라고 할 수 있다.[28] 용산역이 틀림없이 군사시설의 하나였기 때문이다.

(2) 수송의 추이

용산역은 경성부 남단의 한강연안에 있고, 구용산과 신용산의 중간에 위치한다. 북쪽으로 남산, 서쪽으로 聖峴山을 끼고 있다. 부근에 堂村, 倭峴 등의 구릉이 있지만, 남쪽으로 광활한 개활지가 강변까지 펴져있다. 용산의 확장은 일본의 침략을 빼놓고는 설명할 수 없다.

일본인은 1882년 제물포조약의 체결을 계기로 용산에 이주하기 시작했다. 그리고 청일전쟁(1894~95년)에서 일본이 승리한 이후 일본인 거주자는 급증했다. 특히 1900년 경인선이 한강철교를 건너 용산을 거쳐 서대문까지 뻗어가자 용산은 하루가 다르게 변모했다. 용산역 앞에 이른바

27) 김종헌, 1998, 앞의 논문, 186쪽.
28) 윤인석, 1998, 앞의 논문, 74쪽.

신용산이 출현한 것이다. 구용산은 철도선로 以西 지역으로서, 종래 한강 수운을 따라 충주와 인천 지역을 서울과 연결하는 교통 요충지였다. 일제 강점기에 元町이라고 불린 지역이다. 철도 以東은 신용산으로서 일본인이 몰려오기 전까지는 넓은 砂洲에 군데군데 마을이 있었다.

1895년 11월 일본인 거주자들은 용산에 거류민총대 사무소를 설치하고 자치제를 실시했다. 일본이 한국을 강점한 1910년 용산거류민 조직은 경성민단과 합병했다. 러일전쟁(1904~05년) 때 일본이 용산을 기점으로 하여 군용철도 경의선을 부설하자 신용산은 갑자기 번성하게 되었다. 1906년에는 통감부 철도관리국이, 1907년에는 일본군사령부가 용산에 설치되었다. 1921년에 용산을 종점으로 하는 京城市街電車가 경성부와 동일 운임을 책정하고, 전화도 경성시가와 동일 구역이 되었다. 용산은 상하수도와 전등 등의 문화시설을 갖춘 신흥 도시로 바뀌어갔다.

1914년 6월 말 현재 신구용산일대 호수는 5,431호(일본인 3,243호, 한국인 2,174호, 중국인 12호, 외국인 2호), 인구는 23,108명(일본인 12,202명, 한국인 10,872명, 중국인 29명, 외국인 5명)이었다. 호구와 인구에서 일본인이 한국인보다 많다는 것은 용산이 그만큼 진하게 일본거리가 되었다는 것을 의미했다. 마포, 공덕리, 동막, 둔지미, 서빙고, 한강동 일원을 합치면 호수는 10,447호(일본인 3,361호, 한국인 7,062호, 중국인 22호, 외국인 2호), 인구수는 48,823명(일본인 12,594명, 한국인 36,203명, 중국인 61명, 외국인 5명)이었다. 용산 교외로 영역이 넓어지면 호구와 인구에서 한국인이 일본인보다 많았다. 일본인은 철도와 밀접한 지역에 더 많이 살았다는 것을 보여주는 증거라고 할 수 있다.[29)]

용산지역에 소재한 관공서는 한강통에 군사령부, 사단사령부, 육군창

---

29) 1913~14년의 용산에 관한 좀 더 자세한 정보는 朝鮮總督府鐵道局, 1914, 『朝鮮鐵道驛勢 一斑』下卷, 450~466쪽을 참조할 것.

고, 위수감옥, 위수병원, 군악대, 병기지창, 헌병분대, 우편국, 영림창출장소, 철도국, 용산심상소학교 등이, 元町에 경찰서, 인쇄소, 농상공부분실, 용산고등소학교 등이, 榮町에 경성부출장소 등이, 둔지미와 서빙고에 헌병출장소 등이, 한강동에 헌병파견소 등이, 마포·동막·공덕리에 순사주재소 등이, 마포에 稅關看視署와 우편소 등이, 공덕리에 경성감옥, 화약고, 총독부 양조시험소 등이 있었다. 통신기관으로는 한강통에 우편국이, 한강통과 원정에 우편소가 각 1개씩 있었다. 여기서는 우편·전신·전화를 취급했는데, 전화가입자는 420여 명이었고, 경성부와 시외통화요금은 1통화 3전이었다. 금융기관으로는 元町에 18은행출장소, 한성은행출장소가 있었는데, 일반은행업무를 취급했다.

여객의 왕래는 매년 4, 5, 9, 10, 11월에 많았는데, 陽春과 仲秋라는 계절이 영향을 미쳤다. 나머지 기간은 엄동설한이나 농번기 등으로 여객이 많지 않았다. 여객은 한국인 60%, 일본인 40% 정도였다. 1913년도에 용산과 교통이 빈번한 구간의 1일 평균 승하차인원은 다음과 같았다. 남대문 승차 53명, 하차 57명. 노량진 승차 55명, 하차 45명. 영등포 승차 55명, 하자 56명. 杻峴 승차 43명, 하차 33명. 인천 승차 32명 하차 11명. 수원 승차 17명, 하차 17명 등. 용산과 가까운 지역의 왕래는 주로 전차를 이용했다.

용산역세권 안의 중요 생산물은 미 57.839석, 맥 13,759석, 소두 892석, 잡곡 1,771석, 연초 2,009관, 대두 3,603석, 면 2,899관, 콜타르 1,047톤, 연화 1천만 개, 기와 150만 매, 코크스 3,902톤, 염분 33,945관, 장유 3,000석, 어름 1,800톤 등이었다. 용산부근의 주요 공장으로는 宇惠喜醬油주식회사(원정), 제빙회사(철도구내), 德久煉瓦工場(三坂通), 德久瓦工場(삼판통), 탁지부연와공장(마포), 대창정미소(마포), 마포정미소(마포), 순창정미소(마포), 동일정미소(마포) 등이 있었는데, 거래선은 주로 경성과 용산 일대였다.

용산은 경인선과 경부선이 통과하고, 경의선과 경원선의 분기점으로서 각지와의 교통이 아주 편리했다. 또 한강통(신용산) 및 원정(구용산)에는 경성시가전차가 달리고, 동대문, 청량리, 왕십리, 마포 지방과 육상교통편도 있었다. 공덕리, 마포, 동막, 둔지포, 서빙고, 한강동과는 2間 또는 4間 폭의 도로가 통했다. 도중에 언덕이 있지만, 車馬에 의한 물자의 운송이 편리하고, 마포, 동막, 서빙고, 한강동은 한강수운을 통해 각지와 교통이 아주 빈번했다. 마포 부근과 경성에는 한국인 부호가 많고, 그 소유 전답이 경기도, 황해도, 충청남북도, 전라남북도에 걸쳐 있었다. 매년 수확기에는 각 곳에서 한강 상류와 하류를 통해 마포, 동막 선착장으로 실어오는 소작미(주로 벼)가 아주 많았다. 이곳에서 경성, 용산, 인천 등지로 이출되는 미곡도 적지 않았다.

마포는 원래 철도역이 없었다. 그런데 마포에서 철도편 화물의 집산을 원활하게 만들기 위해 1913년 7월 마포사법부와 연와공장 앞에 側線을 부설하고 영업을 개시했다. 1913년 마포에 도착한 화물은 벼 3,647톤, 석탄 923톤, 기타 393톤, 합계 4,963톤이었다. 마포에서 이출된 화물은 5,559톤이었는데, 주로 연와, 백미, 벼 등이었다.

1913년도 용산역의 운수성적은 승차인원 140,505명, 하차인원 134,528명, 발송화물톤수 38,530톤, 도착화물톤수 62,605톤이었다. 객차수입은 115,247원, 화차수입은 109,492원, 합계 224,739원이었다. 중요 발송화물은 대두 2,618톤, 목재 1,404톤, 석탄 1,159톤, 군용품 1,109톤, 쌀 827톤, 연와 585톤, 비료 542톤, 소금 470톤이었고, 중요 도착화물은 석탄 15,092톤, 목재 5,019톤, 쌀 4,763톤, 군용품 2,780톤, 목탄 1,070톤, 금속류 557톤, 금속기구 480톤이었다.

용산은 철도와 군대의 번성과 비례하여 활기를 띠었다. 1920년대에 이르면 용산은 경성부의 일부가 되어 두 시가는 하나로 합쳐졌다. 용산에는 陸軍村으로서 조선군의 최고 수뇌부가 자리 잡고, 철도와 관련된 모든 기관도 용산에 입주했다. 용산에서 철도와 육군을 빼면 아무것도 남지 않을 정도였다. 한국철도가 만철의 경영 아래 놓였을 때는 '육군촌'이나 '만철왕국'이라는 형용사가 용산을 대표하는 말이었다.

1926년 무렵 여객은 한강 수운보다 거의 다 철도를 이용했다. 왕래가 가장 빈번한 곳은 용산과 영등포, 인천, 소사, 안양, 평택의 순이다. 서울과 같이 가까운 역 사이에 여객왕래가 적은 것은 시내 전차와 운임경쟁에서 밀렸기 때문이다. 여객이 많은 달은 4, 5, 10, 11월이고 1, 2월은 적었다. 계절적 편차는 기후, 거래, 농번기와 관련이 있다.[30]

용산지역의 화물은 주로 철도에 의하지만, 한강 수운에 의한 것도 있다. 영등포 정도까지는 육로를 통해 우마차, 手車 등으로 반출입하는 것도 있었다. 1926년 용산역의 도착화물 중에서 중요한 것은 석탄으로서 8만여 톤이었다. 보낸 곳은 撫順이 약 90%, 일본·조선이 각 5%이었다. 목재 약 2만 톤은 안동, 신의주, 인천, 원산, 함흥 등에서 발송했다. 소맥 1만 2천 톤은 인천, 황해도 방면에서 보냈다. 기타 육군과 철도 관계 화물도 많았다. 용산역의 발송화물은 주로 맥분 4천 톤, 염어 1천 톤, 천연 어름 등이었다. 염어는 강화도 일대에서 보낸 조기(石首魚)로 마포에서 양륙되어 철도로 대구 및 경원선 방면으로 발송된다. 천연 어름은 한강산품으로 마산, 대구, 호남선 방면과 인천 등지로 발송되었다. 또 육군과 철도 관계 물품도 적지 않았다.

1926년 용산역의 발송화물은 69,174톤, 도착화물은 248,481톤이고, 승차인원은 364,846명, 하차인원은 472,388명이었다. 화물수입은 320,

30) 1926년 용산의 교통운수에 관한 기술은 龜岡榮吉 · 砂田辰一, 1927, 앞의 책, 227~232쪽에 의거했다.

779원, 여객수입은 351,091원이었다. 용산역의 종업원수는 191명이었는데, 공중전보도 취급했다. 용산역 근처의 일본인 호수는 4,494호, 인구는 17,533명, 한국인 호수는 5,963호, 인구는 29,203명이었다. 1914년에는 일본인 호수와 인구가 한국인보다 많았는데, 1926년에는 그것이 역전되었다. 그렇다 하더라도 한국에 거주하는 일본인 수가 대개 한국인구의 3% 정도였던 사실을 감안하면 용산역 근처에 한국인 수의 60%에 이르는 일본인이 사는 것은 아주 특별한 사례라고 할 수 있다.

1920년대, 용산은 공업발전이 현저하여 군사·교통의 중심지로서만이 아니라 공장지대로도 각광을 받았다. 용산은 경성의 일부이기 때문에 상업거래 등을 경성과 분리하여 설명하기는 곤란하다. 다만 용산에서 볼만한 공업을 적기하면 다음과 같다. 특허시멘트, 伊藤商行, 용산공작주식회사, 풍국제분주식회사, 石崎商店支店, 경성와사전기제조소, 경전용산발전소, 조선서적인쇄주식회사, 철도공장 등이었다. 대경성의 도시계획상 용산과 노량진이 공업지역으로 선정되었기 때문에 용산의 공업적 지위는 앞으로도 더욱 높아질 것이다. 그렇지 않아도 한강연안은 땅값이 싸고 수운도 편리하여 공장 설립이 이미 급증하는 경향을 보였다. 시멘트, 금속제조, 양조, 장유, 제분, 유산암모니아, 인쇄, 연와 등이 그것이다.

일본인의 거주가 증가하고 군사시설이 확충됨에 따라 용산역의 여객수송도 활기를 띠었다. 특히 1921년 경성전기주식회사가 용산까지의 전차요금을 시내와 균일하게 5전으로 정한데다가, 시내 승합자동차의 출입, 여객열차의 용산역 장시간 장차, 경성 남부의 발전 등으로 승객은 매년 증가 추세를 보였다. 1932년 당시 용산역의 승하차 인원은 하루 평균 500~600명에 이르렀다.

1930년대 이전까지 용산역의 운수성적(여객 · 화물의 증가 추세)을 간략하게 정리하면 다음과 같다. 1910년의 승하차객은 162,458명, 1929년의 승하차객은 1,016,947명으로 약 20년 동안 여객 승하차수는 6.3배 늘었다. 화물 발착량은 1910년에 103,908톤, 1929년에 334,724톤으로 3.2배 증가했다. 특히 주목할만한 사실은 최근 여객의 하차가 승차를 크게 능가한다는 것이다. 1916년에는 승차가 하차보다 많았는데 1921년에는 오히려 하차가 43,306명, 1926년에는 107,542명, 1929년에는 103,711명이나 많았다. 그 이유는 시내교통이 원활할 데다가 지방에서 서울로 들어오는 열차가 용산역에 오래 정차했기 때문이다. 화물의 발착에서도 도착이 발착의 3배를 넘었다. 주요 도착화물은 목재 · 석탄 · 철도용품 · 군사용품 등이었다.[31] 용산이 철도와 군사의 거점이라는 사실을 보여주는 징표였다.

3) 영등포역

영등포역은 경인선상에 위치한 주요 정차장일 뿐만 아니라, 경부선의 분기점으로서 일찍부터 각광을 받았다. 영등포역의 역할은 한국에서 철도운수가 활발해지고, 서울이 팽창하여 영등포지역을 포섭함으로써 더욱 강화되었다.[32]

경인선과 경부선이 개통된 1900년 전후의 영등포는 주위에 비옥한 평야와 농경지를 끼고 있어서 서울과 용산에 채소를 공급하는 역할을 했다. 그리고 부근에 그릇을 굽기에 적합한 흙이 많아 벽돌, 기와, 土管을 많이 산출했다. 영등포는 이것들을 철도를 통해 인천, 부산, 서울, 한강의 수운을 통해 마포, 용산, 강변 등으로 발송하였다. 그러나 개통 당시의 영등포

31) 大谷留五郞, 1932, 「京城附近に於ける交通施設の將來」『朝鮮鐵道協會會誌』 11月號, 13~14쪽.

32) 영등포역의 운수영업을 좀 더 자세히 알고 싶으면 정재정, 1989, 「철도 · 통신」『永登浦區誌』, 서울특별시 영등포구를 참조할 것.

역은 여객의 승강과 화물의 발착을 간신히 취급할 수 있을 정도의 빈약한 시설이었다(<사진 9-7> 참조).

1910년 당시 영등포역 근처에는 일본인 238호 901인, 한국인 481호 2,281인, 합계 719호 2,182인이 살고 있었다. 그리고 역 근처에는 주요 상점으로서 일본인 잡화상 6, 운송업 3, 농업상 10, 목재상 1, 한국인 잡화상 4곳이 있었다. 음력 3일과 8일에는 牛馬市場이 섰다. 영등포역 부근에서 市場으로 이입하는 牛馬는 장이 설 때마다 평균 130頭 정도였다. 잡화류는 인천에서 철도편으로 상점에 이입되었다. 석탄, 목재와 같은 것은 종종 한강 수운을 통해 楊花津에서 揚陸되고, 서울에서부터 육로로 반입되기도 하였다. 인천에서 이입되는 주요 화물 중에는 술 300통, 쌀 1,200석, 석유 800상자, 석탄 2,154톤이 들어있었다. 영등포에서는 토관, 옹기, 연와, 瓦, 된장, 야채 등이 육로와 철도를 통해 서울, 용산, 대전, 인천, 부산, 평양, 안동 지방으로 반출되었다.

1913년 당시 영등포역의 운수상황을 살펴보면, 승차인원 105,018명, 하차인원 103,150명, 여객수입 21,223원, 발송화물 7,725톤, 도착화물 5,430톤, 화물수입 9,753원 등이었다.[33] 주요 발송화물은 우피 217톤, 된장 · 간장 402톤, 煉瓦 4,298톤, 瓦 778톤, 土管 331톤이었다. 이들은 주로 영등포역 부근에서 생산되는 품목들이었다. 반면에, 주요 도착화물은 쌀 331톤, 소금 160톤, 석탄 1,640톤, 된장 · 간장 31톤, 석유 21톤, 목재 650톤, 薪炭 249톤이었다. 이들은 주로 영등포역 부근에 사는 한국인과 일본인들에게 공급되었다.[34]

---

33) 1910년 당시 영등포의 전반적 상황에 대해서는 朝鮮總督府鐵道局, 1912, 앞의 책, 100~101쪽을 참조할 것.

34) 1913년 당시 영등포역의 운수영업에 관한 자세한 내용은 朝鮮總督府鐵道局, 1914, 앞의 책, 438~447쪽을 참조할 것.

1920년대 중반에 이르러, 영등포는 서울 교외의 주택지로서 주목을 끌었다. 이때 이미 영등포가 서울에 편입되리라는 설이 무성하였고, 실제로 승하차 여객의 3분의 2는 경성역과 용산역을 왕복하는 사람들이었다.

1926년 당시 영등포역의 운수상황은 승차인원 268,477명, 하차인원 268,340명, 여객수입 59,267원, 발송화물량 15,914톤, 도착화물량 14,182톤, 화물수입 37,281원 등이었다. 반출화물의 제1위는 벽돌인데, 그 중 3분의 2가 서울 부근에서 소비되었다. 거리가 가까워 우마차나 자동차 등으로 운반되는 것이 많았다. 피혁제품과 간장 · 된장의 반출도 해마다 증가하였다. 도착화물은 석탄, 목재, 쌀, 장작, 소가죽, 일용잡화 등이 많았다. 이때 영등포역 부근에 거주하는 인구는 일본인 201호 901인, 한국인 1,008호 5,139인이었다.[35]

영등포역의 운수량은 여객과 화물 모두 시간의 흐름에 따라 급증하였다. 그 중에서도 특히 1930년대 후반에 격증했다. 이런 추세를 반영하여 조선총독부 철도국은 1935년 영등포역 건물을 다시 지었다(<사진 9-8> 참조). 초창기에 비하면 대단히 거창한 것이었다. 신역사는 이채로운 점이 없는 표준적인 모델이었다. 대합실, 역무실, 수하물창고, 화장실 등을 기능적으로 갖춘 평면구조였다. 대합실의 천정을 다른 공간보다 상대적으로 높게 만들었다. 지붕은 박공 또는 모임지붕 형태를 띠어 상징성을 부여했다.[36]

1936년 영등포는 京城府에 편입되고, 1938년 5월 1일 驛名도 南京城驛으로 바뀌었다. 명실공히 서울의 남쪽 관문으로서 자리 잡았다는 것을 보여주는 상징적 조처였다. 영등포역의 수입은 1920년대 중반까지 여객수

35) 1926년경의 영등포의 전반적 상황에 대해서는 亀岡榮吉 · 砂田辰一, 1927, 앞의 책, 222~226쪽을 참조.
36) 윤인석, 1998, 앞의 논문, 75~76쪽.

입이 화물수입을 능가했으나, 1920년대 후반부터 화물수입이 여객수입을 상회하고, 그 폭은 1930년대에 들어서서 큰 폭으로 벌어졌다.

4) 청량리역

청량리역은 일제 강점기 서울 동부의 관문이었다. 청량리역이 건립된 것은 경원선의 용산-청량리 구간(약 11.52 km)이 개통된 1911년 8월 6일이었다. 역의 건설공사를 청부한 업자는 일본의 龜割組 松崎長太郎이었다. 청량리역이 준공되자 이곳은 서울과 강원도 북부지역 및 함경남북도 지역의 여객과 화물을 서로 발착시키는 역할을 수행하게 되었다(<사진 9-9> 참조).

그 후 1937년 1월에 경경선의 이패-청량리 구간(약 22.4 km)의 완공을 시작으로 경경선이 쭉쭉 뻗어 나가자, 청량리는 경기도 · 강원도 · 충청북도 · 경상북도의 오지와 서울을 연결하는 결절지역으로서 부상하였다. 이런 추세를 반영하여 청량리역도 개축되었다. 이때 청량리역의 시공을 담당한 업자는 일본인 安藤賢治였다. 한반도의 동북지역과 동남지역을 서울과 결합시키는 청량리역의 역할은 1941년 12월 이후 용산-청량리 구간의 복선화와 더불어 경원선과 함경선의 복선화가 진척됨에 따라 더욱 증대되었다.[37]

청량리역은 지정학적으로 대단히 중요했다. 청량리역의 여객과 화물 운수실적을 몇 단계로 나누어 좀 더 자세히 살펴보면 다음과 같다.

1911년부터 영업을 개시한 청량리역은 서울의 동대문에서 동쪽으로 4 km 정도 떨어진 곳에 있고, 부산 · 춘천 · 원산 방면으로 통하는 가도의

37) 청량리역에 관한 기술에서 각주가 없는 부분은 주로 정재정, 1994, 「鐵道와 驛舍」, 『東大門區誌』, 서울특별시 동대문구청, 756~761쪽을 참조했다.

요충에 자리 잡고 있다. 이곳은 서울 종로를 관통하는 시가전차의 동방 종점에 해당하였다. 근처에 구릉과 기복이 있지만, 평야도 적지 않고 땅이 비옥하여 농산물이 풍부했다.

먼저 경원선이 거의 완공된 1913년 청량리역의 여객 수송은 승차 68,943명, 하차 73,156명, 화물수송은 발송 1,657톤, 도착 5.7톤이었다. 운수수입은 객차 38,160원, 화차 4,817원이었다.[38)]

경원선이 완전히 개통된 1914년 청량리역 근처의 호수는 267호(한국인 231호, 일본인 32호, 외국인 4호), 인구 1,555명(한국인 1,394명, 일본인 151명, 외국인 10명)이었다. 중요한 상점으로는 한국인과 일본인의 운송점 14개, 잡화상 한국인 2채가 있었다. 관공서로는 순사주재소가 있었지만 통신기관이 아직 없어서 정거장에서 공중전보를 취급하였다. 여객은 겨울과 봄에 많고 여름에는 적었다. 상인이 주였는데, 한국인이 95%, 일본인이 5% 정도였다.

청량리역의 운수상황은 화물수송보다는 여객수송 면에서 더욱 발전하였다. 1926년에는 승하차 여객이 40여만 명에 가까웠다. 경원선을 이용하는 여객은 주로 청량리에서 타고 내렸음을 알 수 있다. 승하차 인원을 나누어보면, 승차 185,647명, 하차 194,616명이었다. 청량리 부근의 농산물은 육로를 통해 직접 서울로 반입되었기 때문에 청량리역의 발송화물은 별로 많지 않아서 4,841톤에 불과했다. 반면 도착화물은 춘천지방에서 운반되는 화물들이 이곳을 통해 빠져나갔으므로 20,280톤에 달했다. 영업수입을 보면 여객 수입 138,019명, 화물수입 21,660톤이었다. 청량리역의 종사원은 9명이었다.[39)]

1926년 당시 청량리역 주변에는 각종 학교와 산업시설이 들어서서 새

38) 朝鮮總督府鐵道局, 1914, 앞의 책, 391~392쪽.
39) 龜岡榮吉 · 砂田辰一, 1927, 앞의 책, 652~653쪽.

로운 면모를 보여주기 시작했다. 이것은 전차와 철도의 개통에 힘입은 바가 컸다. 학교로서는 경성제국대학교 豫科(학생수 320명), 경성농업학교(학생수 226명), 숭인보통학교(학생수 250명), 사립 동명학교(학생수 80명)가 있었다. 그리고 관공서로서는 조선총독부 임업시험장 · 京畿道種苗場 · 京畿道原蠶種製造所가 있었고, 생산시설로서는 化製肥料會社 · 鍾淵紡積工場 · 조선고무회사 · 조선제사회사 등이 있었다.

청량리 부근에서는 쌀 · 채소류가 많이 생산되어 고무제품과 함께 서울시내에 판매되었다. 비료와 박직 등은 한국 각지로 출하되었다. 이후 청량리 일대는 장차 서울의 공업지대가 될 것이라는 전망 아래, 종연방적 공장을 비롯하여 제사공장 · 비료공장 · 護謨工場 · 釀造所가 들어서고, 養魚場을 만들어 淡水魚를 양식하였다.[40]

5) 노량진역

노량진역은 원래 경인선의 서울 쪽 기점으로서 출발하였다. 그리하여 경인선의 준공기념식도 노량진 정차장에서 거행되었다(1899.9.18)(<사진 2-1> 참조). 그런데 1900년 7월 8일 경인선이 한강을 건너 서대문역까지 확장되자 노령진역은 통과역의 성격을 띠게 되었다. 그리고 1905년부터 경부선이 영등포역에서 분기하자 영등포역의 번성에 눌려 상대적으로 그 역할이 감소되는 경향을 보였다.

1910년 당시만 하더라도 노량진역은 일본인 128호 486명, 한국인 772호 3,860명, 외국인 13호 118명으로 영등포 못지않게 번성하였다.[41] 철도의 운수성적은, 승차인원 20,045명, 하차인원 19,323명, 여객수입

---

40) 龜岡榮吉 · 砂田辰一, 1927, 앞의 책, 652~654쪽.

41) 1910년 당시의 노량진의 전반적 상황에 대해서는 허우긍, 2010, 앞의 책, 102쪽을 참조.

3,060명, 발송화물량 2,960톤, 도착화물량 467톤, 화물수입 3,519원이었다. 1910년의 주요 발송화물은 연초 17톤, 금속기 51톤, 기와 266톤, 목재 45톤이었다. 기와가 많은 것은 노량진 부근에 도기를 굽는데 적합한 흙이 많아 제도가 성했기 때문이다. 주요 도착화물은 쌀 40톤, 금속기 53톤, 석탄 22톤, 목재 31톤, 땔감 127톤, 석탄 · 시멘트 44톤이었다. 이러한 물품들은 노량진 근처에서 소비되기도 했지만 강운과 육운을 통해 인근 지역으로 이출되기도 하였다.

1919년 노량진역의 객화운수를 보면, 여객에서 승차 68,933명, 하차 62,179명, 화물에서 발송 1,449톤, 도착 9,346톤, 여객수입 12,623원, 화물수입 5,218원이었다. 1920년대 중반까지 운수상황은 별로 나아지지 않았다. 오히려 감소하는 경향도 나타났다.

1926년의 노량진역의 운수실태는, 승차인원 53,033명, 하차인원 49,778명, 여객수입 14,137원, 발송화물 859톤, 도착화물 8,530톤, 화물수입 2,895원이었다. 1910년에 비해 여객의 경우는 모두 증가했지만, 화물에서는 도착화물이 크게 증가한 반면에, 발송화물은 대폭 감소하였다.

노량진역의 여객운수는 1920년대에 감소 추세를 보이다가 1930년대에 들어서서 증가하여 1930년대 말에는 격증하였다. 화물의 경우도 비슷한 경향을 보였다. 1938년의 경우, 여객에서 승차 104,843명, 하차 116,783명, 화물에서 발송 8,623톤, 도착 11,465톤, 여객수입 58,051원, 하물수입 41,637원이었다. 이 시기에 노량진역에서 발송하는 주요 화물은 자갈, 모래, 벽돌 등이었다. 그리고 도착화물은 쌀, 장작, 석탄류, 시멘트 등이었다.[42]

---

42) 노량진역의 운수영업은 정재정, 1989, 「철도 · 통신」『永登浦區誌』, 서울특별시 영등포구, 456~457쪽을 참조할 것.

6) 왕십리역

용산을 기점으로 함경남도 원산에 이르는 경원선은 건설 당시 제1구간에 왕십리, 청량리, 창동, 의정부 등 네 개의 정차장을 두었다. 각 역은 모두 1911년 10월 15일 영업을 개시했다.

개통 당시 왕십리역의 부지와 건물의 규모는 알 수 없으나, 1932년 단계에 오면 꽤 방대했다고 볼 수 있다. 정차장 부지의 총면적은 약 9만 2,690 m^2(28,088 평), 구내의 최대 연장은 704.1 m, 동 최대 폭원은 161 m, 역사 건평은 약 125.4 m^2(38 평), 그 중 대합실은 29.7 m^2(9 평), 사무실은 약 34.7 m^2(10.5 평), 플랫폼의 길이는 167.6 m이었다.[43] 1927년부터 1931년 사이 하루 평균 발착 인원은 126~144명, 화물은 66~91톤이었다.[44]

왕십리역의 객화 발착 내역은 1927년 여객 승차 24,336명, 하차 21,817명, 하루 평균 여객 126명, 화물 발송 5,470톤, 화물도착 21,263톤, 하루 평균 화물 73톤이었다. 그것이 1931년에는 여객의 승차 26,715명, 하차 24,963명, 하루 평균 여객 144명, 화물의 발송 7,863톤, 도착 26,261톤, 하루 평균 화물 66톤이었다.[45]

7) 성동역

성동역은 사설철도 경춘선의 서울 쪽 시발역이자 종착역이었다. 성동역이 영업을 개시한 것은 경춘선이 개통된 1939년 7월 25일이었다. 이를 계기로 하여 성동역은 청량리역과 더불어 서울의 동부관문으로서 소임을 다하기 시작했다.[46] 그 전 해에 준공된 성동역사는 영등포역과 비슷한

43) 京城府, 1932, 『京城都市計劃 資料調査書』, 135~136쪽.
44) 京城府, 1934, 『京城府行政區域擴張調査書』, 113~114쪽.
45) 서울특별시 성동구, 1992, 『城東區誌』, 625쪽.
46) 성동역에 관한 기술은 주로 정재정, 1994, 「鐵道와 驛舍」, 『東大門區誌』, 서울특별

구조를 갖추고 있었다(<사진 9－10> 참조).[47)]

경춘철도주식회사는 당초 서울의 발착역으로 국철 경원선의 청량리역을 공동으로 이용할 생각이었다. 그런데 1937년 1월 서울의 발착역을 청량리역에서 4 km 떨어진 동대문과 청량리 사이의 龍頭町으로 옮기기로 방침을 바꿨다. 조선총독부 철도국은 건설비와 보조금이 적게 드는 국철 이용을 권유했고, 牛島 사장도 당국의 의견에 따랐다. 그러나 필두주주인 조선식산은행의 有賀 사장 등은 경춘철도(주)의 발전을 위해서는 근시안적 계획에서 벗어나 원대한 구상을 실현해야 한다고 주장했다. 경춘선이 독자의 노선을 가지고 서울의 중앙부에 진출함으로써 흑자 경영을 이룩할 수 있다는 것이다. 경춘철도(주)의 전무 塩川濟吉 등도 이 안을 지지했다. 이에 따라 경춘철도(주)는 1937년 6월 15일 경성부 제기동－춘천 95.6 km로 부설면허를 변경했다.[48)]

경춘철도(주)가 서울의 발착역을 용두정 제기동 (나중에 성동역이 됨)으로 변경함으로써 경춘선은 서울 안에서 승하차가 가능한 유일한 사철이 되었다. 경춘선이 개통된 직후인 1939년 9월 경춘선 연선에 경성제국대학 이공학부(공릉동), 유원지와 운동장(퇴계원) 등이 들어설 계획이 발표되었다. 경춘선에게는 호황을 예보하는 낭보였다.

성동역은 당연히 경춘선에서 가장 중요한 역이었다. 1940년 3월말 현재 성동역에서 근무하는 직원 수는 59명으로 경춘철도(주) 모든 직원 525명의 1할 이상이었다. 성동보선구의 직원 30명까지 합산하면 89명에 이르러 그 비중은 더욱 높아졌다.[49)]

시 동대문구청, 772~774쪽을 참조했다.

47) 財團法人 鮮交會編, 1986,『韓鮮交通史』, 三信圖書有限會社, 856쪽.

48) 有賀さんの事蹟と思い出編纂会, 1953,『有賀さんの事蹟と思い出』, 研文社, 197~120쪽 ;『매일신보』 1937.1.15.

49) 京春鐵道株式會社, 1940,『京春鐵道柱式會社鐵道財團鑑定書』.

성동역이 서울의 물자이동에서 어느 정도의 비중을 차지하고 있었는가를 살펴보면 다음과 같다. 1936년 성동역의 화물발송량은 3,237톤으로 서울 각역 전체의 0.4%, 1940년의 그것은 각각 6,981톤으로 0.7%였다. 그 비중은 1% 미만이었으나 절대량과 비중에서 1년 사이에 2배 정도 증가했다. 성동역의 도착화물량은 1939년 9,433톤, 1940년 44,655톤이었고, 서울 각역 총톤수에서 차지하는 비율은 각각 0.4%, 2.0%였다. 1년 사이에 5배의 증가를 보였다.

개통 이후 시간이 지남에 따라 성동역은 경기도·강원도 일대의 물자를 서울로 흡수하는데 더 큰 역할을 수행하였다. 국철과 사설철도를 통틀어 서울의 화물 착발톤수에서 성동역이 차지하는 위치는 11개 중 7~8위 정도였다. 그러나 다른 역들이 서울의 서남부에 집중되어 있던 반면에 성동역은 동부에 있었기 때문에 지정학적인 면에서 더 중요한 역할을 하였다고 할 수 있다. 특히 경기도와 강원도 내륙의 물자를 흡수했다고 볼 수 있다.[50)]

해방 직후 미군정법령 제 75호에 의하여 사설철도 경춘선이 국철에 편입되자 성동역의 존재가치는 급격히 떨어졌다. 도보로 10여분 거리에 국유철도 경원선과 경경선의 청량리역이 있었기 때문에 성동역을 청량리역과 합치는 방안이 강구되었다. 성동역은 1971년 10월 5일 폐지되었다. 지금 그 자리에는 미도파백화점 청량리점이 들어서 있다.

8) 기타 역

일제 말기 서울에는 위에서 언급한 역 이외에도 각 철도노선 상에 군소역이 몇 개 더 있었다. 경의선의 경성역-수색역 사이에 西小門驛, 阿峴里驛, 新村驛, 경원선의 용산역-倉洞驛 사이에 西氷庫驛, 漢江里驛, 왕십리역,

50) 京城商工會議所, 1941, 앞의 책 ; 『経済月報』 306, 30~34쪽 ; 『経済月報』 307, 28~32쪽.

水鐵里驛, 碩村驛, 용산역–唐人里驛 사이 용산선상에 元町驛, 彌生町驛, 孔德里驛, 東幕驛, 西江驛, 細橋里驛, 放送所前驛 등이 존재하였다.

이러한 군소 역들은 서울 사람들의 생활과 밀접한 관련을 맺고 있었지만 여객과 화물의 수송에서는 큰 비중을 차지하지 못했다. 다만 화물의 수송에서 왕십리역의 비중은 1940년에 5% 전후로 높아졌고, 서빙고역의 발송량이 한때 청량리역보다 훨씬 더 많아 서울에서 4위를 차지했다. 이러한 사정에 대해서는 뒤에서 <표 9–8>과 <표 9–9>를 설명할 때 부연하겠다.

4. 서울 철도역의 세력 비교

1) 경인선상의 역세

경인선은 단위 거리당 여객과 화물의 수송에서 다른 철도노선의 추종을 불허할 만큼 압도적 지위를 차지하였다. 따라서 경인선상에 위치한 각 철도역의 객화집산을 따져보면 역세의 지위를 어느 정도 파악할 수 있을 것이다. <표 9–5>는 1930년대 전반기 경인선 주요 역의 여객수송 실적을 보여주고 있다. 이 시기는 세계대공황의 여파로 <그림 9–1>에서 본 것처럼, 한국철도의 운수영업, 특히 여객수송이 침체 또는 소강 국면에 빠져 있었다.

<표 9–5>에 기재된 경인선상의 철도역 중에서 서울 지역의 철도역은 경성, 용산, 노량진, 영등포이다. 경성역은 1931년부터 1935년까지 해마다 절대다수의 승객을 싣고 내렸다. 그 숫자는 1931년에 승차 46만여 명, 하차 51만여 명에서 갈수록 크게 증가하여 1935년에는 승차 65만

여 명, 하차 70만여 명이 되었다.

용산역은 경성과는 달리 승차가 하차보다 해마다 4~7만여 명 많았다. 승차는 1931년에 약 25만 명에서 1935년에 약 27만 명으로 조금 늘었다. 하차 인원은 1931년에 약 21만 명에서 1935년에 약 20만 명으로 조금 줄었다. 1932~1933년에 승하차 모두 2~3만 명씩 반짝 증가한 것이 눈에 띈다. 만주사변의 군사수송이 영향을 미친 것 같다. 그렇다 하더라도 용산역의 여객 수송실적은 경성역에 비해 2분의 1 또는 3분의 1 수준이었다.

영등포역의 승하차 인원도 용산역과 비슷한 경향을 보였다. 해마다 승차 인원이 하차 인원을 능가했다. 승하차 인원수는 1931년에 각각 약 20만 명 내외, 1933년에 28만여 명과 26만여 명으로 증가했다. 그런데 1935년에는 승차 24만여 명, 하차 14만여 명으로 바뀌었다. 하차 인원이 급격히 감소한 게 이상한데, 경성역으로 여객이 집중하였기 때문으로 보인다.

노량진역의 승하차객의 숫자는 앞의 3개 역에는 훨씬 미치지 못하지만 1931년부터 1935년까지 각각 4만 명대에서 7만 명대로 꾸준히 증가했다.

경인선상의 여객수송에서 괄목할 만한 현상은 항구와 가까운 인천역과 상인천역에서 오르내리는 승객이 압도적으로 많다는 점이다. 후기로 갈수록 그런 경향은 더욱 강해진다. 특히 두 역의 승하차 인원수는 매년 각각 10만 명에서 20만 명 가량 경성역을 능가하고 있다.

1935년 당시 경인선 각 역세권의 인구는 경성역 342,000명, 용산역 62,000명, 노량진역 20,000명, 영등포역 34,000명, 오류동역 10,000명, 소사역 27,000명, 부평역 14,000명, 주안역 12,000명, 상인천 및 인천역 80,000명이었다. 각 역의 승하차 인원수는 역세권의 인구수와 어느 정도 비례한다고 볼 수 있다. 다만 경인선 양쪽 終端驛인 경성역과 상인천역·인천역으로 승하차객이 집중한 것은 그들 중에 일본을 왕래하는 여객이 많았다는 것을 의미한다.[51]

<표 9-5> 경인선 각역의 승하차 인원(1931~1935년, 명)

연도 / 승하차 / 역	1931		1932		1933		1934		1935	
	승	하	승	하	승	하	승	하	승	하
경 성	461,274	510,321	503,517	589,914	507,917	546,319	555,903	612,052	653,058	700,071
용 산	248,074	206,178	268,876	210,886	294,823	249,855	254,799	211,115	269,700	200,471
노량진	43,537	49,686	53,323	57,249	59,630	59,660	63,888	64,269	73,135	75,650
영등포	197,177	190,569	216,266	205,360	283,210	263,841	216,148	212,165	243,643	138,251
오류동	38,853	38,981	39,107	39,871	42,010	42,306	45,194	48,806	62,654	63,660
소 사	97,515	98,886	99,222	100,807	99,927	101,455	112,024	115,078	145,963	151,264
부 평	52,474	54,263	61,512	63,075	60,269	63,816	72,389	74,014	95,625	98,504
주 안	73,114	71,935	69,775	67,606	69,934	68,192	74,227	73,859	91,124	90,271
상인천 · 인천	617,795	624,754	675,556	699,238	646,440	616,632	729,691	730,622	870,576	857,442

* 참고자료: 五十嵐重次, 1937, 「京仁間の交通問題」(二), 『朝鮮鐵道協會會誌』 10월호, 25~26쪽.

<표 9-6>은 1936년에 경인선상의 주요 역 사이에 여객이 왕래한 濃度를 표시한 것이다. 이 표에서 보듯이 경성역에서 상인천역으로 가는 여객과 상인천역에서 경성역으로 가는 여객이 가장 많아서 각각 20만 명 이상이었다. 그 다음이 경성역과 인천역 사이를 왕래하는 여객으로 10만 명에서 20만 명 정도였다. 이런 수치는 경인선의 양쪽 종단역에 승객이 몰렸다는 것을 의미한다.

그 다음으로 왕래가 많은 지역은 영등포와 경성, 상인천과 용산 구간이었다. 영등포역과 경성역을 왕래하는 승객은 승하차 각각 8만 명에서 10만 명이다. 상인천역에서 승차하여 용산역에서 하차하는 승객도 그 정도였다. 반면에 상인천역에서 용산역으로 가는 승객은 8만에서 10만 명이었는데, 용산역에서 상인천역으로 가는 승객은 5만에서 10만 명이었다.

51) 五十嵐重次, 1937, 「京仁間の交通問題(一)」, 『朝鮮鐵道協會會誌』 9월호, 52~53쪽.

영등포와 용산을 왕래하는 승객은 승하차 모두 5만 명에서 8만 명가량이었다. 영등포 역세권은 1936년 이후에 서울에 편입되었다. 상인천에서 부평, 용산에서 상인천으로 가는 여객도 5~8만 명이었다.

<표 9-6> 경인선 각역 사이의 승객 이동 농도 (1936년, 명)

2만 이상~3만까지	경성→용산, 소사→용산, 인천→용산, 경성→오류동, 용산→소사→상인천→영등포, 용산→인천
3만 이상~4만까지	영등포→상인천, 소사→상인천, 상인천→소사
4만 이상~5만까지	부평→상인천, 소사→경성, 경성→소사, 상인천→소사, 주안→상인천
5만 이상~8만까지	상인천→부평, 영등포→용산, 용산→상인천, 용산→영등포
8만 이상~10만까지	영등포→경성, 상인천→용산, 경성→영등포
10만 이상~20만까지	경성→인천, 인천→경성
20만 이상	경성→상인천, 상인천→경성

* 참고자료: 五十嵐重次, 1937, 「京仁間の交通問題(二)」, 『朝鮮鐵道協會會誌』 10월호, 26~27쪽.

그 밖에 <표 9-6>에 나타난 서울 철도역의 여객 이동 농도를 보면 다음과 같다. 경성과 소사 사이의 왕래가 각각 4만~5만 명, 영등포에서 상인천으로 가는 여객이 3만~4만 명, 경성에서 용산 또는 오류동으로 가는 여객이 각각 2만~3만 명, 용산에서 소사 또는 인천을 왕래하는 여객이 각각 2만~3만 명, 상인천에서 영등포로 가는 여객이 각각 2만~3만 명이었다. 경인선상의 승객 왕래에서 서울에 있는 철도역이 압도적으로 빈번함을 알 수 있다.

다음에는 <표 9-7>을 참조하면서 경인선상의 각 철도역이 화물의 발착에서 차지하는 비중을 검토해 보자. 1931년 경성역의 발송량은 188,680톤, 도착량은 26,350톤, 1935년의 발송량은 314,124톤, 도착량은

33,218톤이었다. 발송량이 도착량을 7~8배나 능가했다. 또 도착량의 증가폭은 별로 크지 않은 반면에 발송량의 증가 폭은 컸다. 이것은 경성역이 경인선의 화물수송에서 재발송의 역할을 담당하였기 때문이다.

<표 9-7> 경인선 각 역의 화물 발착(1931~1935년, 톤)

연도 / 발착 / 역	1931		1932		1933		1934		1935	
	발	착	발	착	발	착	발	착	발	착
경성	188,680	26,350	211,228	25,134	259,274	28,158	272,293	34,349	314,124	33,218
용산	50,152	11,368	55,000	14,861	57,479	18,590	91,604	16,680	120,596	23,487
노량진	2,659	3,379	321	4,092	2,584	3,124	3,752	6,545	6,198	6,440
영등포	12,392	4,082	21,964	8,747	40,171	8,846	39,382	10,913	72,330	12,384
오류동	718	3,252	553	12,699	1,277	7,400	617	998	610	3,776
소사	5,599	4,524	5,237	4,578	8,248	5,853	10,855	6,392	8,696	7,267
부평	2,208	2,470	2,398	3,131	2,193	4,068	3,376	3,424	4,601	2,480
주안	11,077	2,000	16,482	3,729	14,774	2,778	12,932	1,019	19,157	1,452
인천	11,755	11,837	7,953	8,629	13,104	7,651	17,039	7,932	20,758	10,460
상 천	425,473	300,540	443,471	297,111	507,693	334,639	654,520	365,331	774,164	357,301

* 참고자료: 五十嵐重次, 1937, 「京仁間の交通問題」(三), 『朝鮮鐵道協會會誌』 11월호, 10~11쪽.

용산역과 영등포역에서도 그러한 경향이 나타났다. 용산역의 발송량은 1931년 50,152톤에서 1935년 120,596톤, 도착량은 같은 해에 각각 11,368톤에서 23,487톤으로 늘어났다. 영등포역의 발송량과 도착량은 1931년에 각각 12,392톤과 4,082톤에서 1935년 72,330톤과 12,384톤으로 증가했다. 각 역에서 발송량이 도착량을 훨씬 능가한 이유는 이곳에서 벽돌 등의 생산이 많았기 때문이다. 반면에 그렇지 못한 노량진역에서는 도착량이 발송역보다 많았다.

2) 전 노선상의 역세

여기에서는 범위를 철도의 모든 노선으로 넓혀서 1930년대 서울의 각 철도역이 기록한 발송량과 도착량 그리고 그 비중을 살펴보기로 한다.

먼저 <표 9-8>을 근거로 하여 발송 실태를 보자. 1933년의 서울 철도역 전체의 화물발송 총량 319,850톤 중에서 경성역은 112,746톤(35.2%)을 차지하였다. 용산역이 103,323톤(32.3%)을 기록하여 그 뒤를 바짝 좇고 있다. 경성역과 용산역은 끝까지 선두그룹을 유지했다. 나머지 역 중에서 서빙고역이 53,997톤으로 영등포역의 30,960톤을 앞선 것이 눈에 띈다. 만주사변의 여파로 군사용품의 발송이 많았기 때문으로 보인다. 그렇지만 1935년을 전후하여 서빙고역의 발송량은 줄어들고 영등포역의 그것은 큰 폭으로 증가하여 역세가 역전되었다. 그러나 1939~40년에 서빙고역의 발송량은 다시 영등포역을 능가했다. 서빙고역의 발송량은 용산역을 바짝 뒤따를 정도로 많았다. 그 까닭은 중일전쟁을 계기로 하여 군사용품의 발송이 많아졌기 때문이다.

1930년대 중반까지 화물의 발송에서 경성역이 차지하는 양은 많고 비중도 높아져 갔다가, 그 이후에 양은 많아지지만 비중에서는 감소하는 현상이 나타났다. <표 9-8>에서 보듯이, 1934년 135,348톤(39.8%), 1936년 160,388톤(40.3%), 1938년 193,379톤(30.4%), 1940년 271,154톤(27.5%)이었다.

이 시기에 용산역은 1938년까지 절대량이 105,451톤에서 203,567톤으로 2배 정도 늘어나고 비중은 30% 정도를 유지했다. 그러나 1939~40년대는 절대량이 답보상태였음에도 불구하고, 비중은 20%대로 떨어졌다. 그리하여 경성역과의 격차가 크게 벌어졌다.

반면에 영등포역(南京城驛)은 절대량과 비중의 양면에서 급속하게 증대되어 갔다. 1934년 38,869톤(11.4%)에서 1940년에는 179,944톤(18.3%)을 차지했다. 청량리역의 추세는 1933년에 9,197톤(2.9%)이었던 것이 1936년에 12,359톤(3.1%)으로 증가하고, 1940년에는 24,864톤(2.5%)이 되었다.

청량리역의 발송량은 상당히 늘어났으나, 그 비중은 감소하는 경향을 보여주었다. 경경선이 아직 개통되지 않았고, 경춘선의 발송량은 성동역으로 집계되는 점을 감안할 필요가 있다. 그렇다 하더라도 왕십리역에 비해 청량리역이 밀리게 된 것은 도심과 멀다는 불리함을 아직 극복하지 못한 것으로 보인다. 왕십리역의 발송화물은 1933년 6,501톤(2.0%)에서 계속 증가하여 1940년 40,546톤(4.1%)으로 청량리역을 훨씬 능가했다. 그 밖의 서울 소재 철도역의 성적은 미미했다.

<표 9-8> 서울 철도역의 화물 발송량과 그 비중(1933~1940년)

연도 / 화물 / 역	1933		1934		1935		1936		1937		1938		1939		1940	
	톤수	%	톤수	%	톤수	%	톤수	%	톤수	%	톤수	%	톤수	%	톤수	%
경성	112,746	35.2	135,348	39.8	144,884	35.6	160,388	40.3	175,566	35.2	193,379	30.4	225.419	29.4	271,154	27.5
용산	103,323	32.3	105,451	30.9	148,411	36.4	124,331	31.3	171,384	34.6	203,567	30.2	190,740	24.8	219,821	22.3
노량진	2,584	0.8	3,752	1.1	6,198	1.5	6,111	1.5	6,350	1.3	7,703	1.2	5,400	0.8	12,247	1.2
영등포	30,960	9.7	38,869	11.4	52,471	12.9	61,998	15.6	84,033	16.9	100,918	15.9	123,243	16.0	179,944	18.3
서빙고	53,997	16.9	29,004	8.5	24,894	6.1	21,378	5.4	29,086	5.3	87,416	13.7	152,554	19.9	212,319	21.6
왕십리	6,501	2.0	11,380	3.3	11,513	2.8	6,281	1.6	14,071	2.8	17,181	2.7	31,677	4.0	40,546	4.1
청량리	9,197	2.9	10,120	2.9	13,714	3.4	12,359	3.1	12,140	2.4	20,258	3.2	27,487	3.5	24,864	2.5
원정																
당인리			188		1,112	0.3	185		88		239		415		894	0.1
서강			24		19		13		3		17		82		57	
동막			7,589	2.2	3,655	0.9	4,201	1.1	4,188	0.8	4,300	0.7	5,098	0.6	11,471	1.1
신촌	542	0.2	459		383		285		513	0.1	562	0.1	738	0.1	2,036	0.2
성동													3,237	0.4	6,981	0.7
합계	319,850	100.0	340,184	100.0	407,254	100.0	397,537	100.0	498,423	100.0	635,538	100..	766,090	100..	982,228	100.0

* **참고자료** 朝鮮總督府鐵道局, 名年度, 『鐵道局年報』; 京城商業會議所, 各年度各月, 『經濟月報』.

서울소재 철도역의 발송량과 그 비중의 변화는 한국 철도네트워크의 재편과정을 반영하는 것이라고 볼 수 있다. 1927년부터 이른바 '朝鮮鐵道 12個年計劃'이 실행됨에 따라 1930년대에 들어서 새로 건설하거나 매수한 철도노선이 다수 등장하였다. 서울에 거점을 두지 않은 철도망이 늘어나자 화물의 분산 형상이 나타난 것이다. 그런 가운데 영등포역의 발송량과 비중이 급격하게 증가한 것은 1930년대 중반 이후 그 주변에서 공업생산이 급속하게 증대되었기 때문이다. 용산역과 서빙고역의 발송량이 크게 늘어난 것은 전시체제기에 각종 군수물자나 병참수송의 증가를 반영한 것으로 보인다.

<표 9-9> 서울 철도역의 화물 도착량과 그 비중(1933~1940년)

연도 / 화물 / 역	1933		1934		1935		1936		1937		1938		1939		1940	
	톤수	%	톤수	%	톤수	%	톤수	%	톤수	%	톤수	%	톤수	%	톤수	%
경성	599,044	59.9	657,183	58.0	730,900	54.5	806,471	55.7	736,885	47.4	772,885	44.9	812,686	41.3	908,785	40.1
용산	246,769	24.7	138,384	21.0	262,543	19.5	264,259	18.2	365,994	23.6	397,365	23.1	430,935	21.9	495,730	21.9
노량진	3,124	0.3	6,545	0.6	6,440	0.5	7,401	0.5	9,748	0.6	8,634	0.5	20,260	1.0	21,510	0.9
영등포	63,416	6.3	67,002	5.9	114,287	8.5	151,687	10.5	188,354	12.1	242,424	14.1	295,843	15.0	377,776	16.7
서빙고	14,530	1.5	20,474	1.8	13,278	1.0	18,081	1.2	20,929	1.3	21,668	1.2	25,315	1.2	19,893	0.9
왕십리	34,717	3.5	47,710	4.2	61,596	4.6	65,689	4.5	67,753	4.4	89,130	5.2	109,213	5.5	113,636	5.0
청량리	32,987	3.3	36,137	3.2	70,385	5.3	48,363	3.3	73,397	4.7	122,234	7.1	174,961	8.9	205,984	9.1
원정			631		544		666		245		246		303		785	
당인리			26,697	2.4	43,533	3.2	36,045	2.5	44,239	2.8	5,774	0.3	4,026	0.2	6,885	0.3
서강			53		77		81		9		83		142		114	
동막			28,050	2.5	28,536	2.1	45,010	3.1	43,121	2.8	55,475	3.2	73,451	3.7	61,568	2.7
신촌	5,609	0.6	4,855	0.4	8,075	0.6	4,384	0.3	3,416	0.2	5,134	0.3	7,290	0.3	22,840	1.0
성동													9,433	0.4	44,655	2.0
합계	1,000,195	100.0	1,133,730	100.0	1,340,164	100.0	1,448,137	100.0	1,553,825	100.0	1,721,052	100.0	1,963,859	100.0	2,264,268	100.0

* 참고자료 : 朝鮮總督府鐵道局, 名年度, 「鐵道局年報」 ; 京城商業會議所, 各年度各月, 『經濟月報』.

<표 9-9>는 서울소재 각역에 도착한 화물량과 비중을 표시한 것이다. 이 표에서 보듯이 경성역을 비롯한 주요 역은 발송량에서보다 도착량에서 더욱 중요한 역할을 하였다. 그것은 서울이 대체적으로 소비형 도시인데다가 경성역이 서울의 한복판에 있어서 사방으로부터 물자가 몰려들었기 때문이다. 그런데 앞에서 살펴본 경인선의 화물 수송에서는 발송량이 도착량보다 훨씬 많았던 사실을 감인하면 화물에 따라 수송 방향에 큰 차이가 있었다는 것을 시사한다.

1933년 서울소재 각역의 총 도착량은 1,000,195톤이었는데, 그 중에서 경성역은 599,044톤(59.9%)를 차지하였다. 이것이 1936년 806,471톤(55.7%), 1938년 772,885톤(44.9%), 1940년 908,785톤(40.1%)으로, 절대량에서는 증가했지만, 비중에서는 감소하는 경향을 보였다. 그 까닭은 앞에서 설명한 것처럼 한국철도망의 확충으로 경성역 一極主義가 완화된데다가, 경인지역의 공업발흥으로 영등포역과 청량리역의 수송수요가 증대하였기 때문이다.

용산역의 도착량과 비중은 1933년 246,769톤(24.7%), 1936년 264,259톤(18.2%), 1940년 495,730(21.9%) 이었다. 1930년대 중반에 일시적으로 감소했다가 후반에 다시 증가했음을 알 수 있다. 특히 1937년 이후 도착량이 크게 늘어난 것은 중일전쟁 등을 계기로 일본군의 사단사령부가 있는 용산에 군수물자나 병참이 집중되었기 때문이다.

영등포역의 도착화물은 1933년 63,416톤(6.3%)에서 1936년 151,687톤(10.5%), 1940년 377,776톤(16.7%)로 급증했다. 영등포 지역의 공업화가 그만큼 빨리 진척되었기 때문이다.

청량리역의 도착화물은 1933년 32,987톤(3.3%)에서 1936년 48,363톤(3.3%), 1940년 205,984톤(9.1%)로 늘어났다. 왕십리역의 성장도 눈여겨볼만하다. 왕십리역의 화물도착량은 1933년 34,717톤(3.5%), 1934년

47,710톤(4.2%), 1936년 65,689(4.5%)톤으로 청량리역보다 많았다. 아무튼 동서울의 개발이 활발하여 청량리역과 왕십리역에 도착하는 화물이 증가했다고 볼 수 있다.

그 밖의 서울 소재 역 중에서 동막역의 성적이 비교적 양호하고, 1940년 이후에는 성동역이 그 뒤를 쫓게 되었다.

화물의 발송과 도착을 막론하고 경성역은 시종 가장 중요한 역할을 수행하였다. 그 다음이 용산역이었다. 경성역에 화물이 많이 도착하고, 또 이곳을 통해 각지로 다시 발송되는 주요 품목들은 쌀, 콩, 조, 과일, 장작, 목탄, 목재, 석탄, 소금, 금속, 종이, 비료, 술, 담배 등이었다. 이것은 서울이 한국 최대의 소비도시이자 생산도시이며, 또 정치 · 경제 · 문화의 중심지라는 현실을 간접적으로 말해주는 증거라고 할 수 있다.[52)]

참고로 1935년 京城府의 무역액을 살펴보면, 輸移出額 25,736,890원, 輸移入額 28,134,886원으로서, 輸移入額이 더 많았다. 1932년 滿洲國이 수립되고 그곳에서 일본군과 일본인이 증가함에 따라 쌀, 간장, 된장 등의 식료품 수출이 증가했다. 반면에 東京, 大阪, 神戶로 가는 쌀, 소가죽, 콩 등의 이출이 늘어났다. 신규 사업의 증가로 목재, 기계류, 胡麻子, 滿洲粟의 수입이 늘어난 반면, 大阪, 東京, 神戶, 名古屋, 下關에서 면포, 면직물, 견직물, 모직물 등의 이입이 증가했다.[53)]

1935년에 경성역에 도착한 주요화물의 톤수는 다음과 같다. 석탄 67,547톤, 시멘트 20,154톤, 소금 8,201톤, 목재 21,512톤, 비료 2,038톤, 금속 10,055톤, 맥 3,718톤, 금속기류 6,532톤이었다.[54)] 1936년에 철도를

---

52) 철도수송의 각 화물별 구성과 그 역사적 의미에 대해서는 鄭在貞, 1992, 「日帝下國有鐵道의 運輸營業과 物資輸送」 『西巖趙恒來教授華甲記念, 韓國史學論叢』; 정재정, 1993, 앞의 논문을 참조.

53) 鄭在貞, 1992, 앞의 논문, 61~64쪽.

54) 五十嵐重次, 1937, 「京仁間の交通問題(三)」, 『朝鮮鐵道協會會誌』11월호, 11~13쪽.

통해 서울에 입하된 미곡은 약 50만 석, 트럭 · 우마차 · 배 편을 통해 반입된 미곡이 약 40만 석이었다. 이들 중 70만석은 국내에서 소비되고, 나머지 20만 석은 타지역으로 轉送되었다.[55]

내친김에 1930년대 이후 영등포역, 청량리역, 노량진역의 운수 추이를 좀 더 부연하자면 다음과 같다.

1930년대 후반 영등포역에 도착한 주요 화물은 쌀, 벼, 장작, 목재, 식탄, 자갈, 모래, 시멘트였다. 그리고 주요 발송화물은 벽돌이었다. 1939년과 1940년의 경우를 보면, 영등포역의 주요 발송 화물은 맥주, 철도용품, 군수품, 면직물, 연탄, 면사, 금속, 소맥분, 연와 등이었다. 이런 화물구성은 영등포가 농업중심지를 탈피하여 공업중심지로 변모하였음을 보여주는 것이다. 한편, 영등포역에 도착하는 주요 화물은 석탄류, 목재, 맥류, 면류, 금속, 기계 등이었다. 이 화물들 역시 영등포가 공업지역으로 성장함에 따라 수요가 늘어난 원료품이자 소비재였다.

1933~40년까지 급성장해 가는 영등포의 역세를 서울에 있는 다른 역과 비교하면, 발송화물에서는 영등포역이 서울소재 모든 역의 10~18%로서, 경성역, 용산역에 이어 3위를 차지하였다. 도착화물에서는 서울소재 모든 역의 6~17%로서, 역시 경성역, 용산역에 이어 3위를 차지하였다. 이것은 영등포역이 서울의 남쪽 관문으로서 확고히 자리 잡아 갔음을 잘 말해 주었다.

1930년대 영등포역에서 발착하는 화물을 월별로 구분해 보면, 발송에서는 3~6월과 8~12월이 두드러지고, 도착에서는 8~12월이 괄목할 만했다. 이것은 화물의 이동이 농산물의 수확기, 김장과 땔감을 마련하는 越冬準備期에 증가한다는 사실을 반영한다. 그렇지만 화물량의 월간 편

55) 京城商工會議所, 1937.4, 『經濟月報』 255號, 30~31쪽.

차는 후기에 갈수록 줄어들었다. 이것은 영등포가 공업지역으로 탈바꿈해가고 있음을 보여주는 징표였다. 화물운수에서 뿐만 아니라 여객운수에서도 영등포역의 지위는 확고하였다. 여객이 폭주하는 구간은 영등포와 용산, 소사, 경성의 왕복구간이었다.

1938년 5월 1일부터 사용한 남경성역이라는 호칭은 1942년 6월 1일 이후 영등포역이라는 이름으로 돌아갔다. 지역주민에게 익숙한 역명을 되찾은 셈이다.

서울의 물자유통에서 차지하는 청량리역의 비중은 1930년 중반부터 높아지기 시작했다. 1930년대 중반 이후 청량리역의 물자이동 상황은 대체로 다음과 같다. 먼저 철도화물의 발송톤수를 보면, 1937년 12,140톤, 1940년 24,864 톤으로, 3년 만에 2배로 증가했다. 그리하여 경성부내 철도역의 총 발송톤수에서 청량리역이 차지하는 비중은 1937년 2.4%, 1938년 3.2%, 1939년 3.5%로 증가했다. 1940년에 그것이 2.5%로 감소한 것이 조금 특이했다. 대체로 발송량에서 청량리역은 경성역 · 용산역 · 영등포역 · 서빙고역에 이어 5번째 순위를 차지했다.

도착화물량에서 차지하는 청량리역의 비중은 발송량보다는 좀 더 높았다. 1937년의 도착화물톤수는 73,397톤, 1940년의 그것은 205,984톤으로 3배가량 증가했다. 그리고 경성부내 철도역의 총 도착톤수에서 차지하는 비중도 1937년 4.7%, 1940년 9.1%로 2배 가까이 높아졌다. 순위에서는 경성역 · 용산역 · 영등포역 다음이었다. 따라서 화물수송에서 청량리역의 역할은 발송보다 도착이 더 많았다고 할 수 있다. 이것은 강원도 · 경기도 · 함경남북도 지역의 물자를 서울로 흡수하는데 청량리역이 중요한 기능을 담당하고 있었음을 말해준다.

조선총독부 철도국은 청량리역의 중요성을 감안하여 청량리역의 명칭을 1938년 5월 1일자로 東京城驛으로 개칭했다.[56] 이때 경부선의 영등포역도 남경성역으로 개칭하였다. 그러나 원래의 명칭으로 되돌릴 것을 요구하는 지역주민들의 반발도 심하여, 동경성역은 1942년 6월 1일자로 청량리역으로 환원되었다.57)

6 · 25전쟁 때 청량리역은 크게 파괴되어 철도역사로서의 기능을 담당할 수 없는 지경이었다. 청량리역사의 복구공사가 완료 된 것은 1959년 가을이었다. 같은 해 11월 6일 오후 1시에 성대한 준공식이 거행되었다.

오늘날 청량리역은 중앙선 · 경춘선의 주요 발착역으로서 뿐 아니라 수도권전철역으로서의 기능까지 담당하고 있다.

노량진역의 여객운수는 1920년대에 감소 추세를 보이다가 1930년대에 들어서서 증가하여 1930년대 말에는 격증하였다. 화물의 경우도 비슷한 경향을 보였다. 1938년의 경우, 여객에서 승차 104,843명, 하차 116,783명, 화물에서 발송 8,623톤, 도착 11,465톤, 여객수입 58,051원, 하물수입 41,637원이었다. 이 시기에 노량진역에서 발송하는 주요 화물은 자갈, 모래, 벽돌 등이었다. 그리고 도착화물은 쌀, 장작, 석탄류, 시멘트 등이었다.58)

56) 財團法人 鮮交會, 1986, 『朝鮮交通史 資料編』, 30쪽.
57) 財團法人 鮮交會, 위의 책, 34쪽.
58) 노량진역의 운수영업은 정재정, 1989, 「철도 · 통신」 『永登浦區誌』, 서울특별시 영등포구, 456~457쪽을 참조할 것.

10장 철도의 국제운수와 서울의 지위

1. 국제운수체계의 형성과 붕괴

1) 국제연락운수의 확대

철도시시설의 정비와 열차운행의 가속화는 국내외 연락운수의 발달을 촉진하였다. 연락운수는 주관자를 달리하는 철도 상호간, 혹은 철도와 선박간의 직통 운수를 의미한다. 연락운수가 여객 및 貨主에 주는 이익은 접속역 승차권구입, 수하물탁송의 교체, 탁송변경 등의 이중의 번잡을 피할 수 있고, 또 화물의 파손이나 유실을 막고, 적은 비용으로 신속하게 운송할 수 있다는데 있다.[1)]

경부선과 경의선이 국내철도와 처음 연락운수를 시작한 것은 釜山軌道會社線(1910년), 全北輕便鐵道會社線(1914년), 호남선 · 경원선(1914년) 등이었다.[2)] 그리고 1907년부터 경부선과 경의선은 철도와 연안항로는 주요 역과 항구를 매개로 하여 연락운수를 시작하였다. 한반도의 연안항

1) 日本鐵道院, 1916,『本邦鐵道の社會及經濟に及ぼせる影響』上卷, 99쪽.
2) 朝鮮總督府鐵道局, 1929,『朝鮮鐵道史』, 514~520쪽.

로는 일본정부와 조선총독부의 특별보호를 받는 日本郵船會社·大阪商船會社·朝鮮郵船會社 등이 독점적으로 장악하였다. 철도와 선박의 연락운수는 그 후 확대되어갔지만, 철도의 부설이 지연되고 있던 함경도 지방과의 연락운수가 특히 중시되었다.[3)]

국제간의 연락운수는 주로 日-韓-滿을 기축으로 하여 전개되었다. 경부선은 영업 개시와 더불어 關釜連絡船을 통하여 일본의 주요 철도인 九州鐵道·東海道鐵道·山陽鐵道와 연락운수를 시작하였고, 경의선과 같은 운임으로 일반영업을 개시한 1908년부터 일본철도의 全線各驛으로 연락운수를 확대하였다. 1909년부터 남만주철도의 주요 역과 여객 및 화물의 연락운수도 개시되었다.[4)]

日-韓-滿의 연락운수에 있어서 신기원을 이룩한 것은 1911년 11월 1일 압록강철교의 준공이었다(<사진 1-1> 참조). 이로써 京城에서 출발하는 급행열차가 만주의 長春까지 직행하고, 경부선과 경의선은 만철의 모든 역 사이에 화물의 연락운수를 시작했다.[5)] 다음 해에는 급행열차의 운행이 釜山-長春으로까지 확대되어 열차운행에 관한 한 한만국경이 허물어진 셈이었다. 경부선과 경의선의 연락운수는 1915년 이후 만철뿐만 아니라 중국의 국유철도인 京奉線·京綏線·京漢線·津浦線·扈寧線·扈杭線으로까지 확대되었다.[6)] 또 만철을 경유하여 우스리철도 및 시베리아철도와도 연락운수를 실시하였다.[7)] 그리하여 경부선과 경의선은 유라시아대륙을 잇는 간선철도로서 기능하게 되었다.

---

3) 朝鮮總督府, 1913,『朝鮮總督府施政年報』, 132~133쪽 참조.
4) 朝鮮總督府鐵道局, 1940,『朝鮮鐵道四十年略史』, 부록 연표.
5) 南滿洲鐵道株式會社, 1928,「國境列車直通運轉ニ關スル日支協定」, 滿鐵關係條約集』, 131~134쪽.
6) 日本鐵道省, 1918,『日支聯絡運輸規程集』, 1~2쪽.
7) 朝鮮總督府鐵道局, 1929,『朝鮮鐵道史』, 514~520쪽.

일본의 만주점령과 중일전쟁의 도발은 日－韓－滿 의 연락운수를 강화시켰다. 1935년 10월 1일부터 한국철도와 만주국의 鐵路總局線 각역 사이에, 1936년 3월 20일부터 鐵道省線(일본)－鐵道局線(한국)－鐵路總局線(만주) 사이에 연락운수가 시작되었다. 1939년 9월 20일부터 철도국선과 華中鐵道 사이의 연락운수가 개시되어 日－韓－中의 교통에 획기적 진전을 가져왔다.[8)]

중일전쟁이 격화되어 한국철도의 군사적 성격은 강화되고 이것의 안전한 보호가 주요과제로 떠올랐다. 한국내의 각 교통관계 단체들은 1940년 11월 13일에 '국민총력조선교통연맹'을 결성하였다. 조선총독부 철도국, 각 사설철도회사, 조선운송주식회사 등 25개 단체가 가입한 이 단체는 교통을 통한 軍需의 수송, 산업의 진흥, 신자원의 개발, 문화의 흥륭 등을 목표로 내걸었다.[9)]

또 철도연선에서는 조선총독부의 지시로 철도애호단이 조직되어 철도 수호에 임하였다. 철도애호단은 철도역이 속한 面民을 단원으로 하고, 단장에는 면장이나 면내 유력자, 부단장에는 철도의 電氣區長이나 역장이 취임했다. 그리고 현지의 경찰서장이 고문을 맡았다.[10)] 철도국이 철도애호단을 조직한 것은 식민지지배에 염증을 느끼고 있던 연선주민들이 철도를 파괴하거나 열차운행을 방해하는 것을 미연에 방지하고, 연합국의 철도공격을 연선주민들을 동원하여 막겠다는 술책이었다.

중일전쟁 도발 직후부터 일본은 아시아대륙 전체를 집어삼키기 위해 소위 '大東亞鐵道網'의 구축을 시도하였다. 이 新幹線의 건설에 필요한 예산

---

8) 朝鮮總督府鐵道局, 위의 책, 94~96쪽.

9) 朝鮮鐵道協會, 1940.12, 「國民總力朝鮮交通聯盟の結成」『朝鮮鐵道協會會誌』, 38~40쪽. 이들이 내건 강령은, "단체의 本義에 기초하여 內鮮一體의 實을 거두고, 각기의 지역에서 멸사봉공의 誠을 바쳐 협심교력 전조선교통총력의 발휘에 노력함으로써, 국방국가의 완성・동아신질서의 건설에 매진할 것을 기함"이었다.

10) 本憲治, 1941.11, 「京城地方鐵道局訪問記」, 『朝鮮鐵道協會會誌』.

안은 1940년 1월 16일 제75회 제국의회에서 통과되었다. 이 계획은 자원개발과 수송력의 증강을 위해 釜山－北京－漢口－랑군에 이르는 7,169 km의 철도와 釜山－北京－漢口－昭南島에 이르는 8,323 km의 철도를 새롭게 건설한다는 것이었다. 일본은 이들 新幹線과 일본열도를 직접 연결시키기 위하여 국내의 東海道線과 山陽線을 표준궤간으로 신축하고, 대한해협에 博多－唐津－呼子－加唐島－壹岐－對馬－釜山을 경유하는 총 연장 200 km의 터널(해저부는 약 130 km)을 굴착하고자 했다. 이렇게 구축된 철도망에는 당시 용어로 '彈丸列車'를 달리게 할 예정이었다.[11]

일본이 구상한 이와 같은 '大東亞交通體系'는 일본의 패망으로 실현을 보지 못하였다. 그렇지만 1960년대에 들어서서 일본 내에 신간선이 건설되고, 오늘날 釜山－下關 사이의 해저터널 굴착이 심심찮게 거론되고 있는 것은 위와 같은 교통정책의 맥을 잇는 것이라고 볼 수 있다.

2) 관부연락항로의 확충

한반도와 일본열도의 철도를 연결해주는 것이 바로 관부항로였고, 그 바닷길을 운행하는 것이 관부연락선이었다(<사진 1－5> 참조). 이 항로는 일본에게 생명선이나 마찬가지였다. 그렇기 때문에 대륙과의 연락이 빈번해질수록 관부연락선의 종류와 척수도 늘어났다. 여객을 수송한 관부연락선의 유형, 탑승인원, 취항기간 등을 간략히 제시하면 다음과 같다.

壹岐丸 I 型(客船, 317명) : 壹岐丸(1905.9~1922.10), 對馬丸(1905.11~1923.8)
高麗丸型(客貨船, 603명) : 高麗丸(1913.1~1931.5), 新羅丸(1913.4~1942.6, 1945.4~1945.5)

---

11) 原田勝正, 1989, 「「大東亞」交通體系と東アジア鐵道網」, 『アジア研究』 6, 4~7쪽.

景福丸型(客船, 949명) : 景福丸(1922.5~1944.10), 德壽丸(1922.11~1943.7),
昌慶丸(1923.3~1943.7)
金剛丸型(客貨船, 1,746명) : 金剛丸(1936.11~1945.5), 興安丸(1937.1~1945.6)
天山丸型(客貨船, 2,048명) : 天山丸(1942.9~1945.7), 崑崙丸(1943.4~1943.10)

관부연락선의 운항속도는 시간이 지남에 따라 향상되었다. 1940년 10월 현재 관부연락선은 240 km의 항로를 7시간 30분에 주파했다(<사진 10-1> 참조). 아시아·태평양전쟁이 격화됨에 따라 관부항로의 연락선만으로 폭주하는 여객을 소화할 수 없어서 九州의 博多와 부산 사이에 博釜連絡船이 새로 운행되었다(1943.7.15).[12)]

일본열도에서는 下關-東京 사이에 국제열차가 달렸다. 1911년 11월 1일 압록강철교가 준공되어 조선과 만주 사이에 직통 급행열차가 운행되자 일본에서도 이와 연락하기 위해 1912년 6월 일본 최초의 특별급행이 이 구간에 투입되었다. 下關-東京의 소요시간은 25시간 8분이었다. 1929년 9월에는 공모를 통해 '후지(富士)'라는 愛稱을 얻은 특급열차가 下關-東京 구간을 달렸다. 最速 소요시간은 22시간 40분이었다. 1934년 12월에는 이 시간을 18시간 30분으로 단축했다. 협궤철도로서 시속 60 km 정도를 내는 것은 대단한 실력이었다. 표준궤를 채택하고 있던 歐美에서는 당시 시속 96 km까지 스피드 업을 실현하고 있었다.[13)]

일본제국주의의 세력 아래 포섭된 동북아시아의 철도교통은 1941년을 전후하여 가장 왕성한 모습을 보였다. 전쟁의 확대로 인간과 물자의 이동이 급격히 늘어나고 빈번했다. 반면에 일본의 敗色은 아직 동북아시아 지역에 영향을 미치지 않고 있었다.

---

12) 広島鉄道管理局, 1979, 『関釜連絡船史』를 참조할 것. 관부연락선과 민족의 이동에 대한 전반적인 개관은 최영호 등, 2007, 『부관연락선과 부산』, 논형을 참조할 것.
13) 寺本光照, 2002, 『國鐵·JR列車名大事典』, 中央書院, 500쪽; 老川慶喜, 1996, 『日本史小百科-近代-鐵道』, 東京堂出版, 241쪽.

3) 국제운수체계의 붕괴

동북아시아의 철도네트워크는 1942년을 경계로 하여 붕괴의 길을 걷기 시작했다. 일본의 敗色이 짙어지고 제국이 무너져감에 따라 국제직통 여객열차는 잇달아 폐지되었다. 1943년 4월 1일 부산–봉천 사이의 직통 여객열차 1왕복을 폐지했다. 또 각 열차의 연결차량수를 늘려서 운행속도가 현저히 감소되었다. 같은 해 10월 9일에는 경성–부산을 운행하던 특별급행열차 '아까쯔끼' 1왕복을 休止했다. 같은 해 11월 25일에는 부산–북경 구간을 운행하던 급행열차 중 왕복 1회를 경성–북경으로 변경했다. 대신에 관부연락선에 접속하여 부산–경성을 왕복하는 급행열차를 설치했다. 1944년 2월 1일에는 부산–신경의 '노조미', 경성–북경의 '대륙', 경성–목단강의 급행열차 등 각각 1왕복을 폐지했다. 관부연락선의 夜行便이 미국의 공격을 회피하기 위해 폐지됨으로써 부산에서 출발하는 급행 또는 특급 열차는 모두 야간으로 변경되었다. 경성–부산의 소요시간은 12시간 전후, 경성–신의주의 그것은 23시간 정도로 지연되었다.[14]

1944년 2월 15일 일본 閣議는 급기야 '決戰非常措置要綱'을 결정했다. 이에 따라 조선철도에서는 轉嫁貨物을 수송하기 위해 여객열차를 화물열차로 대체하는 경우가 많이 생겼다. 그래도 부족한 차량은 만철과 화북교통에서 빌려서 사용했다. 국제연락의 직통 급행열차라도 차량의 연결대수를 늘인 데다가 화물열차를 먼저 통과시키느라 대피시간이 길어져서 운행속도는 부산–안동이 2년 전보다 6시간 정도 늦어졌다.[15]

---

14) 高成鳳, 2006, 『植民地の鐵道』, 日本經濟評論社, 83~84쪽.

15) 財團法人 鮮交會, 1986, 『朝鮮交通史 資料編』, 37~38쪽. 전가수송의 주요 화물은 鐵鋼石, 銑鐵, 石炭, 大豆粕, 油料種實, 非鐵金屬, 鹽, 大豆 등이었다. 1944년의 전가수송은 연간 650만 톤이었지만, 조선철도의 연간 수송능력은 500만 톤에 불과하여 대단한 重荷였다, 조선총독부는 1943년 12월 1일 철도국을 교통국으로 확대 개편

雪上加霜으로 미군의 폭격과 잠수함 공격 등으로 관부연락선도 큰 피해를 입었다. 崑崙丸 침몰(1943.10.5), 新羅丸 침몰(1945.5.25), 天山丸 침몰(1945.7.29), 昌慶丸 침몰(1945.7.30), 興安丸 운휴(1945.4.1), 金剛丸 좌초(1945.5.27) 등이 잇달았다. 그리하여 1945년 6월 20일 관부연락선의 운행은 마침내 종지부를 찍게 되었다. 간신히 파괴를 모면한 관부연락선은 한반도 동북지역의 '북선루트'와 新潟, 敦賀, 舞鶴을 잇는 동해항로로 옮겨 배치되었다.

일본열도의 철도에서는 이보다 앞서 1944년 4월 특별급행 '富士'가 決戰非常措置의 일환으로 운행을 중지하였다. 이때부터 경성을 거쳐 한반도를 종관하던 국제열차는 日－朝－滿－中의 연락기능의 상당 부분을 상실하게 되었다.[16] 이에 따라 철도교통을 통해 왕성했던 경성의 외연은 축소되고 내포는 부실해졌다.

2. 국제열차의 운행과 서울의 발착 시간

1) 국제열차의 운행계통

서울의 철도교통을 논할 때 반드시 함께 살펴봐야 할 요소는 국제열차의 운행이다. 제 아무리 훌륭한 철도망이 깔려있더라도 열차운행이 시원치 않으면 철도교통은 半身不隨이기 때문이다. 국제열차의 운행을 입체적으로 파악하기 위해서는 운행시설의 실태, 연락운수의 체계, 운임정책의

하여 海事, 항공, 세관 등의 업무도 일괄하여 맡도록 하였다 (高成鳳, 2006, 위의 책, 64~68쪽). 중국 화북에서 전개된 일본의 수송전쟁에 대해서는 임채성, 2012, 『중일전쟁과 화북교통』, 일조각을 참조할 것.

16) 財團法人 鮮交會, 1986, 앞의 책, 38쪽; 広島鉄道管理局, 1979, 앞의 책을 참조할 것.

추이, 열차운행의 속도 등을 아울러 검토해야 할 것이다. 그런데 앞의 세 부문에 대해서는 다른 논문에서 상세히 다룬 바 있기 때문에,17) 여기에서는 주로 국제열차의 운행과 서울의 지위 등에 대해서 살펴보겠다.

국제열차의 운행범위는 일본제국주의의 세력 확장과 밀접한 관련을 맺고 있었다. 그리고 국제열차의 운행시스템은 일본세력권내의 네트워크 강화와 긴밀히 연동되었다. 따라서 국제열차의 운행범위와 운행시스템은 일본제국주의의 외연을 확대하고 내포를 농밀하게 만드는 데 대단히 큰 기여를 한 셈이었다.

<그림 10-1>은 1940년 현재 동북아시아 철도네트워크의 상황을 시간과 공간의 측면에서 형상화한 것이다. 그리고 <그림 10-2>는 1934~40년에 동북아시아에서 운행된 국제열차의 계통을 간명하게 그림으로 표현한 것이다. 각 항로와 철도에서 운행된 기선과 열차, 그리고 기선과 열차 또는 열차와 열차의 환승은 당시 가장 빠른 편을 상정하였다.

먼저 <그림 10-2>를 참고하면서 한국철도의 열차운행 계통을 개략적으로 살펴보겠다. 일제는 일본의 수도 東京을 중심으로 하여 동북아시아의 철도네트워크를 운영하였다. 이에 따라 한반도의 철도시각표도 일본에서 출입하는 승객의 편의를 최우선으로 고려하여 關釜連絡船의 發着時間에 맞춰 편성하였다. 그리하여 <그림 10-2>에서 보듯이 한반도를 종관하여 만주를 왕래하는 모든 급행열차는 관부연락선과 접속하는 釜山棧橋에서 發着했다. 일본중심주의가 극단으로 심화되어 경성에서 부산으로 가는 열차를 上行, 부산에서 경성으로 가는 열차를 下行으로 부를 지경이었다. 열차운행처럼 제국과 식민지의 상하관계를 적나라하게 표현하는 방법이 또 있을까?

---

17) 정재정, 2005,「역사적 관점에서 본 남북한 철도연결의 국제적 성격」,『東方學志』 129, 연세대학교 국학자료원을 참조할 것.

그러면 <그림 10-2>의 열차번호와 색깔표시를 잘 구별하면서 열차 운행의 계통을 따져보자. 부산잔교에서 발착하는 급행 '興亞'(주황색 노선 ①, 열차번호 3 · 4)는 北京, 급행 '히까리'(남색 노선 ②, 열차번호 1 · 2, <사진 10-4> 참조)는 新京, 특급 '아까쯔끼'(청색 노선 ③, 열차번호 17 · 18, <사진 10-2> 참조)는 京城, 급행 '대륙'(녹색 노선 ④, 열차번호 9 · 10, <사진 10-3> 참조)은 北京, 급행 '노조미'(진분홍색 노선 ⑤, 열차번호 7 · 8)는 新京을 왕복했다. 보통열차(청색 노선 ⑥, 열차번호 5 · 6)는 奉天을 왕복했다. 부산역에서 발착하는 보통열차(붉은색 노선 ⑦, 열차번호 43 · 48)도 奉天을 왕복했다. 이상의 열차들은 모두 대구, 대전, 경성, 평양, 신의주, 安東을 경유했다. 보통열차(옅은 밤색 노선 ⑧, 열차번호 301 · 302호)는 광주 · 대전을 거쳐 목포와 경성을 왕복했다.[18]

다음에는 경성에서 한반도의 동북 국경지대인 청진 · 웅기 · 나진과 만주를 왕래하는 열차 등을 살펴보자. <그림 10-2>에서 보듯이, 급행 열차번호 507 · 508호(짙은 밤색 노선 ⑨)는 웅기, 보통 열차번호 301 · 302호와 303 · 304호(녹색 노선 ⑪), 305 · 306호(주황색 노선 ⑫), 307 · 308호(옅은 보라색 노선 ⑬)는 청진을 왕래했다. 특별히 주목하고 싶은 것은 급행 열차번호 309 · 310호(붉은색 노선 ⑩)가 만주의 牧丹江을 왕복한 것이다. 목단강은 시베리아철도 상에 위치한 도시로서 철도교통의 결절지라는 점에서는 경성과 비슷한 성격을 지녔다. 경성을 왕래하는 열차들은 노선에 따라 원산 · 함흥 · 청진 · 회령 · 상삼봉 · 남양 · 도문 · 웅기 · 나진 등을 거쳤다.

<그림 10-2>에 표시된 동북아시아 철도네트워크의 계통도에서 또

18) 한반도를 중심으로 한 동북아시아의 국제열차의 운행에 대해서는 다음 논문을 참조할 것. 정재정, 2013, 「일제하 동북아시아의 철도교통과 경성」, 『서울학연구』 52, 서울시립대학교 서울학연구소.

하나 중시해야 할 것은 청진 · 나진에서 발착하는 열차가 新京과 佳木斯를 왕복했다는 사실이다. 급행 '아사히'(청색 노선 ㉘, 열차번호 201 · 202)와 보통열차(주황색 노선 ㉚, 열차번호 205 · 206)는 나진과 新京을 왕래했다. 반면에 보통열차 103 · 104호(녹색 노선 ㉚)와 101 · 102호(보라색 노선 ㉛)는 나진과 佳木斯를 왕복했다. 이처럼 1930년대 중반부터 동북아시아의 간선 교통로에서는 이른바 '북선루트'(<지도 1-1>의 ⓕ · ⓒ · ⑤ · ⑥ · ⓜ · ⓝ과 ⓖ · ⑤ · ⑥ · ⓜ · ⓝ)가 '한반도종관루트'(ⓐ · ② · ① · ⓚ · ⓙ)와 '황해루트'(ⓑ · ① · ⓙ)의 경합노선으로 부상했다.[19)]

<그림 10-1>에서 一目瞭然하게 알 수 있듯이, 東京을 기점으로 볼 때 일본제국주의 세력권내에는 크게 보아 5개의 주요 교통로가 존재했다. 일본 서부지역을 횡관하여 관부항로(주로 관부연락선)를 경유하고 부산에 상륙해 한반도를 종관하여 경성 · 안동을 거쳐 만주로 가는 노선, 일본 중부지역을 세로 질러 동해항로(주로 日本海汽船會社)를 통해 나진 등의 '북선3항'에 상륙하고 '북선철도'를 경유하여 남양 · 도문을 거쳐 만주로 진입하는 노선, 일본 서부지역을 가로질러 황해항로(주로 大阪商船會社)를 통과하고 대련에 상륙하여 봉천 · 신경 · 합이빈(하얼삔) 등지의 만주로 들어가는 노선, 일본 서부지역을 가로질러 동중국해항로(주로 大阪商船會社)를 지나 基隆에 상륙하여 대북(타이뻬이)을 거쳐 臺灣을 종관하는 노선, 일본 동북지방과 홋카이도를 종관하여 稚泊航路를 지나 樺太南部를 종관하는 노선 등이다. 각 노선의 너머에는 중국과 소련 등의 유라시아대륙 또는 동남아시아가 펼쳐있었다.

일본은 동북아시아의 국제철도 중에서 東京-下關-부산-경성-奉天-新京-哈爾濱의 노선을 連京線(新京-大連) 못지않게 중시했다. 그리하여

19) '북선루트'에 대해서는 정재정, 2015, 「일제하 '北鮮鐵道'의 경영과 日朝滿 新幹線의 형성」, 『역사교육논집』 54, 역사교육학회를 참조할 것.

한반도 종관 노선의 열차운행에 대해서는 러일전쟁 전후부터 40여 년 동안 끊임없는 개량과 지원을 아끼지 않았다. 경부선의 개통 당시(1905.1.1) 서울－부산의 열차운행은 30여 시간이나 소요되었다. 선로의 개축과 정비로 1년여 만에 소요시간은 11시간으로 단축되었다(1906.4.16). 그리고 통감부가 한국철도를 일괄하여 관리하게 된 후 처음 운행된 직통 급행열차 '隆熙號'는 부산－신의주를 26시간에 주파했다(1908.4.1).

일본은 한반도를 식민지로 강점하고 곧 만주와의 연락을 강화하기 위해 압록강철교를 준공하였다(1911.11.1, <사진 1－1> 참조). 이에 맞춰 남대문－長春에 1주일에 3편의 朝滿 직통 급행열차가 운전을 개시했다. 그리고 부산－奉天에도 직통 급행열차가 달렸다(1912.6.15). 일본은 부산항에 본국에도 없는 최신 설비의 棧橋를 건축했다(1913.4.1, <사진 1－5> 참조). 이후 부산에서 발착하는 국제열차는 모두 이 잔교에서 바로 관부연락선과 접속하였다.

本州와 北海道를 잇는 青函航路(青森－函館)의 경우, 青森港에 연락선이 접안할 수 있는 시설이 만들어진 것이 1924년, 關釜航路의 下關에 잔교가 축성된 것은 1936년이었다. 부산의 船車連絡은 동시대 일본의 어느 海陸接續보다도 빠르고 편리했다. 그리하여 한반도를 관통하는 국제열차의 운행속도는 점점 더 빨라지고 연락운수의 체계는 더욱 원활하게 되었다.[20)]

일본이 만주사변을 일으켜 만주를 단숨에 석권하고(1931.9.18), 만주에 괴뢰인 만주국을 세운 것은 국제열차의 운행에 큰 전환점이 되었다(1932.3.1). 한반도와 만주가 사실상 일본의 세력권 속에 통합되어 연락운수가 매우 원활하게 이루어졌기 때문이다. 1933년 4월 1일 부산－奉

20) 高成鳳, 2006, 앞의 책, 47～49쪽.

天에 직통 급행열차인 '히까리'(ひかり, <사진 10-2> 참조)가 운전을 개시했다. 한반도를 종관(부산-신의주)하는 시간은 4시간 단축되었다. 소요시간은 17시간 전후였다. 이와 더불어 경성-인천을 비롯한 경성 근교의 열차편수가 증가하여 경성의 도시화가 진전되고 내포가 충실해졌다.[21)]

<그림 10-1>과 <그림 10-2>는 가볍게 보고 넘기기에는 아까울 정도로 많은 정보를 담고 있으므로, 이 자료를 참고하면서 한반도와 만주의 직통열차 운행을 좀 더 자세히 살펴보자. 만주국의 성립으로 일본과 조선에서 만주열풍이 불어, 일본-조선-만주를 왕래하는 인간과 물자의 수송이 빈번해지자 부산-奉天에 직통 급행열차 '노조미(のぞみ)'[22)]가 새로 투입되고, '히까리'는 新京까지 연장 운행되었다(1934.11.1). 이와 동시에 滿鐵에서는 大連-新京 사이 704 km를 8시간 30분에 주파하는 직통 특별급행열차 '아시아(あじあ)'가 운행을 개시했다.

조선총독부는 이에 자극을 받아 2년 후에 부산-경성 450 km를 시험주행 6시간 45분에 주파하는 특별 급행열차 '아까쯔끼'(あかつき, <사진 10-3> 참조)[23)]를 운행하기 시작했다(1936.12.1). 이 열차는 한반도에서

---

21) 『朝鮮中央日報』 1933.3.29 ; 『鐵道省編纂汽車時間表』 1934년 12월호.

22) 'のぞみ'는 1934년 11월부터 1942년 2월까지 일본의 식민지 조선과 괴뢰국 만주 사이를 왕복했던 국제 급행열차의 이름이다. のぞみ는 원래 미래, 꿈, 희망(望)을 뜻하는 말이다. 조선과 만주를 달린 'のぞみ'는 과연 누구의 꿈을 실어 날랐을까? 'のぞみ'라는 열차 이름은 1992년 3월 14일 일본의 新幹線 東京-新大阪 구간을 달리는 초특급열차로 부활했다. 이 구간을 비행기보다 빠르게 주파한다는 슬로건을 내걸었다. 일본에서 가장 빠르고 쾌적하며 요금도 제일 비싸다. 寺本光照, 2002, 앞의 책, 431쪽.

23) 'あかつき'는 일제시기 한반도에서 운행된 유일한 특별 급행열차였다. 급행보다 한 수 위인 이 열차를 경성-부산 구간에서만 운행하고 만주로 진입시키지 않은 것은 만철과 경쟁 또는 대항하려는 조선총독부철도국의 傲氣를 보여준 것이라고 할 수 있다. 'あかつき'는 원래 曉, 곧 태양이 뜨기 전의 어슴푸레한 새벽이라는 뜻이다. 'あかつき'는 무엇을 알리는 새벽이었을까? 이 열차를 타고 부산에서 해맞이를 했을지도 모르지만, 공교롭게도 이 열차가 운전을 개시한 지 1년 후에 일본은 중일

달린 유일한 특급으로서, 종래의 급행열차보다 경성–부산 사이 소요시간을 1시간가량 단축했다. 만주와 조선에서 경쟁적으로 추진된 열차운행의 속도향상은 당시 세계 최고 수준의 스피드에 접근하였다.[24]

만주사변과 중일전쟁의 발발(1937.7.7)은 동북아시아의 철도교통에 또 다른 轉機가 되었다. 같은 해 연말까지 중국으로 출동하는 일본의 병력은 17개 사단 50만 명에 달했고, 全線에 걸쳐 이들에 대한 특별수송이 실시되었다. 조선철도도 8월 4일부터 9월 30일까지 임시 군용열차를 운행하여 병력과 물자를 수송했다. 그리고 1941년에는 '관동군특별대연습'을 실시하여 부산, 마산, 여수 등에서 揚陸한 군대와 군수품을 경부선과 경의선을 통해 만주로 보냈다.[25]

중일전쟁의 확대로 일본–조선–만주의 연관이 더욱 깊어짐에 따라 국제열차의 운행은 더욱 긴밀해졌다. 부산–봉천을 달린 '노조미'는 新京까지 운행구간을 연장했다(1938.10.1). 그리고 부산–新京에서 운행되던 '히까리' 중 한 열차는 哈爾濱까지 직통했다(1942.8.1).

다음에는 경성에서 분기하여 한반도의 동북부지역을 종관하여 만주와 연결되는 국제열차를 살펴보자. 부산–봉천에 '히까리'가 운전을 개시한 것과 더불어 경원선과 함경선에도 급행열차가 신설되었다(1933.4.1). 그

전쟁을 도발하여 아시아 태평양전쟁의 나락으로 빠져 들어간다. 그리고 이 전쟁은 곧 제국 일본의 패망으로 연결되었다. 'あかつき'는 이것을 알리는 새벽이었을 것이다. 일본이 패전한 후 'あかつき'라는 열차 이름은 세 차례 부활했다. 제1대(東京–大阪 부정기 급행, 1958.10.1~1961.10.1), 재2대(東京–大阪 부정기 급행, 1962.6.10.~1964.10.1), 제3대(新大阪–西鹿兒島・長崎, 1965.10~현재). 이상은 寺本光照, 2002, 앞의 책, 50쪽을 참조할 것.

24) 朝鮮總督府鐵道局, 1940,『鐵道省編纂時間表』.

25) 高成鳳, 2006, 앞의 책, 60~62쪽; 중일전쟁과 조선철도의 전반적인 관련에 대해서는 林采成, 2005,『戰時經濟と鐵道運營–「植民地」朝鮮から「分斷」韓國への歷史的經路を探る』, 東京大學出版會를 참조할 것.

리고 만주 동북부의 개척이 추진됨에 따라 경성－牧丹江, 평양－吉林 사이에도 직통여객열차가 운행되었다(1940.10.1). 경성－목단강의 직통 여객열차는 늘어나는 여객 수요를 감당하기 위해 곧 增設되었다(1942.5.1). 경성－청진에는 보통열차도 운행되었다.

'북선3항'과 '북선철도'를 활용하여 만주로 진입하는 노선에서도 국제열차가 운행되었다. 두만강 兩岸인 남양－도문 사이에 도문교가 준공되자(<사진 1－2> 참조) 웅기에서 도문교를 건너 신경에 이르는 직통열차가 운행되었다. 청진에서 발착하는 급행열차는 상삼봉－개산둔 사이의 상삼봉교를 건너 장춘(신경)을 왕복했다(<사진 1－3> 참조). 나진이 개항장으로 지정된 후 나진－新京에 직통 급행열차 '아사히(あさひ)'[26]가 운행되었다. 나진－佳木斯 사이에 직통 급행의 국제열차가 운행을 개시한 것은 앞에서 언급한 바와 같다(1935.11.1). 청진－신경, 나진－가목사에는 보통열차도 운행되었다.

중일전쟁에서 기선을 잡은 일본이 세력을 화북지역까지 확대하자, 그곳과 증대되는 교통수요를 충족시키기 위해 부산－북경 사이에 직통 급행열차가 운행을 개시하였다(1938.1.1). 이 열차는 이듬해 부산－북경에 직통 급행열차 '興亞'가 增設되자 '大陸'으로 命名되어 존속되었다(1939.11.1, <사진 10－4> 참조).

한반도를 경유하는 국제열차의 운행계통을 <그림 10－2>를 되돌아보면서 간결하게 정리하면 다음과 같다. 국제열차의 대부분은 부산에서 발착했다. 북경을 왕복하는 직통 급행열차는 '흥아'와 '대륙'이었고, 신경

26) 'あさひ'는 아침에 솟는 태양의 밝은 빛(朝日 또는 旭)이라는 뜻이다. 'あさひ'는 패전 후 일본에서 두번 설정되었다. 제1대(仙臺－新潟 준급행, 1960.11.1.~1982.7.1), 제2대(大宮－新潟 신칸센 특급, 1982.11.15~1994.7.15. 이후는 東京－新潟 신칸센 특급, Maxあさひ로 바뀌었다). 이상은 寺本光照, 2002, 앞의 책, 66~67쪽을 참조할 것.

을 왕복하는 직통 급행열차는 '히까리'와 '노조미'였다. 그중 일부는 합이빈(하얼빈)까지 연장 운행되었다. 봉천까지는 보통열차도 운행되었다. 경성에서 소만 국경지대인 목단강 사이로 급행열차가 운행되었다. 또 청진과 나진에서도 新京을 왕래하는 급행열차와 '아사히' 보통열차가 달렸다. 나진과 가목사 사이에도 보통열차가 운행되었다.

경성에서 볼 때 특기할 만한 또 하나의 사실은 경성-부산에 '아까쯔끼'라는 직통 특별급행열차가 운행되었다는 점이다. 급행보다 빠른 특급이 한국에서만 운행된 것은 식민지 수도로서 경성이 체면을 세웠다는 의미를 내포하고 있다. 그밖에 경성에서 경원선-함경선-'북선철도'를 거쳐 '북선3항'인 청진 · 웅기 · 나진을 왕래하는 급행열차와 보통열차가 있었다는 점도 중요하다. 경성-목포에는 보통열차가 운행되었다.

2) 서울의 국제열차 발착

앞에서 살펴본 국제열차의 운행 계통을 염두에 두고, 여기에서는 경성을 경유하는 국제열차의 소요 시간을 따져보자. <그림 10-1>과 <그림 10-2>에서 보듯이, 부산에서 출발하여 한반도를 관통하는 국제열차는 경성을 결절지점으로 하여 서북부와 동북부로 분기한다. 이것은 일본과 만주를 연결하는 데 있어서 경성이 가진 지정학적 장점을 잘 보여준다. 경성은 만주 중앙지역은 물론이고 만주의 서남부와 동북부 지역 모두에 빠르게 직통할 수 있는 철도교통의 요충이었다.

<그림 10-1>을 좀 더 자세히 살펴보자. 東京에서 15시에 특급(특별급행) '후지(富士)'[27]에 몸을 실은 승객은 東海道線과 山陽線을 달려 18시

27) '富士'는 일본에서 처음 등장한 특별급행열차이다. '富士'라는 말은 일본인들이 聖山으로 떠받드는 富士山에서 따온 것이므로, 이 열차에 대한 일본인들의 기대는 만만치 않았다. '富士'라는 이름이 정식으로 붙은 것은 1929년 9월 15일이지만, 이와

간 25분 만에 1,097 km 떨어진 下關에 도착했다. 차 속에서 첫 一泊이다. 下關에서 부산까지 대기와 승선에 걸린 시간은 8시간 35분. 1,337 km 떨어진 부산에 상륙한 것은 18시. 동경－부산의 소요시간은 27시간이다. 이곳에서 급행 '히까리(ひかり)'[28]를 타고 경부선을 달려 동경에서 1,788 km 거리의 경성에 도착한 것은 2시 47분. 차속에서 두 번째 날짜가 바뀌었다. 사람들이 대부분 잠든 최악의 시각에 경성에 들어온 것이다. 열차 시각은 제국의 수도 동경을 위주로 편성되었기 때문에 식민지 수도 경성의 편의 따위는 고려할 여지가 없었다. 부산－경성의 소요시간은 8시간 47분. 동경－경성의 소요시간은 35시간 47분이었다. 2박 3일인 셈이다.

경성역을 출발한 '히까리'(<사진 10－2> 참조)는 곧바로 경의선을 북상하여 한만국경선을 통과하고 안봉선과 연경선을 달려 2,868 km 떨어진 만주국의 수도 신경에 22시 12분에 도착했다. 경성－신경의 소요시간은 18시간 25분. 동경－신경의 소요시간은 54시간 12분이었다.

동일한 계통의 열차는 일본에서 3번 설정되었다. 제1대(新橋～下關, 1912.6.15～1944.4.1), 제2대(新橋－神戶, 1961.10.1～1964.10.1), 제3대(東京～大分, 1964.10.1～현재). 제1대의 탄생은 압록강철교의 준공(1911.11.1)으로 朝滿鐵道가 직접 연결된 것에 대응하기 위한 것이었다. 일본이 세계 강국으로 부상하고 동아시아의 제국으로 군림하게 된 것을 상징하는 열차였다. 이 특별급행열차는 下關에서 관부연락선의 승객을 받아 19시 10분에 출발하여 다음날 20시 25분에 新橋에 도착했다. 25시간 15분이 걸렸다. 역 방향으로는 25시간 8분이 소요되었다. 제1대 '富士'를 이용한 승객은 주로 정부 고관, 육해군 장군, 재계 거물, 외국인 관광객이었다. (寺本光照, 2002, 앞의 책, 500～501쪽).

28) 'ひかり'는 식민지 조선에서 처음 등장한 급행열차로서(1933.4.1), 부산에서 한반도를 종관하여 괴뢰 만주국의 新京・哈爾濱을 왕복했다. '빛'이라는 뜻(光)에 걸맞게 당시 조선에서 최고속도를 자랑했다. 패전 후 일본에서 'ひかり'라는 이름의 열차는 두 번 부활했다. 제1대(博多－別府 급행, 1958.4.25～1964.10.1), 제2대(東京－新大阪 新幹線 초특급, 1964.10.1～현재). 이상은 寺本光照, 2002, 위의 책, 474쪽을 참조할 것. 일본이 식민지와 괴뢰국 사이에서 운행한 국제열차의 이름을 패전 이후 다시 사용한다는 것은 침략과 지배의 사실에 둔감한 일본인의 역사의식을 상징하는 사례라고 볼 수 있다.

이곳에서 보통열차로 바꿔 타고 京濱線을 달리면 이튿날 6시 20분에 동경에서 3,110 km 거리의 哈爾濱에 내릴 수 있다. 차 속에서 세 번째 날짜가 바뀌었다. 新京－哈爾濱의 소요시간은 8시간 8분. 동경－哈爾濱의 소요시간은 62시간 20분이었다. 3박 4일이었다. 이곳에서 시베리아철도로 갈아타면 모스크바와 파리까지도 갈 수 있다.

경성은 이처럼 한반도뿐만 아니라 동북아시아 나아가서 유라시아대륙의 철도교통에서 아주 중요한 결절지점이었다. 실제로 경성에서는 북경(1,617 km) · 동경(1,788 km)뿐만 아니라 모스크바(8,972 km)나 파리(12,000 km)에 가는 열차표도 판매했다(<사진 10－5>, <사진 10－6> 참조). 당시 東京에서 유럽까지 수에즈운하를 경유할 경우 아무리 빨라도 40～60일 걸렸던 점을 감안하면, 경성을 통과하는 한반도 철도를 통해 2주 만에 유라시아대륙을 횡단한다는 것은 대단한 혁신이었다. 유라시아대륙 횡단 열차의 주요 승객은 정치가, 문화인, 군인, 외교관, 재계 요인 등이었다. 1936년 베를린올림픽에 참가한 일본 선수단도 이 노선을 이용했다. 유럽 쪽의 유라시아대륙 횡단열차는 1941년 6월 22일 獨蘇 開戰으로 운행을 정지했다.[29]

<그림 10－1>은 동북아시아 철도네트워크 상의 주요 도시 간의 거리, 소요 기간, 발착 시각 등이 기재되어 있다. 이 정보들을 활용하면 무궁무진한 이야기를 할 수 있다. 그 중에서 필자는 東京－下関－부산－경성－新京－哈爾濱 노선에 관해서만 일부 살펴보았다. 그 밖의 노선에 대해서는 독자 여러분이 직접 해보기 바란다. 재미난 이야기를 아주 많이 만들어 낼 수 있을 것이다.

동북아시아 철도네트워크의 중핵인 급행열차와 특별 급행열차를 합쳐서 우등열차라고 부르기로 한다. 여기서는 동북아시아의 철도 네트워크

---

29) 高成鳳, 2006, 앞의 책, 157～159쪽.

속에서 서울의 위상을 좀 더 실감나게 이해하기 위해서 경성역을 위주로 한 주요 역의 우등열차 발착시각을 구체적으로 살펴보겠다.

1941년 10월 1일 현재, 경성을 경유하여 한반도를 종관하는 급행열차와 특별 급행열차의 發着時間과 所要時間을 당시의 열차시간표를 근거로 하여 摘示하면 다음과 같다. 각각의 노선에는 물론 보통열차도 운행되고 있었다. 일반 서민들은 아마도 이 열차를 더 많이 이용했을 것이다. 여기에서는 지면의 제약도 있어서 급행열차와 특별 급행열차의 예만을 들기로 하겠다. 이 발착시간표를 보면, 경성이 철도교통을 통해 동북아시아의 주요 도시와 어떻게 연결되어 있었는가를 알 수 있을 것이다.

① **급행 '興亞'**[30]

4열차(상행, 北京→釜山棧橋)

北京 19:30發→奉天 (翌日) 10:50발→安東 17:30발→平壤 21:55발→**京城** 23:05발→大田 (翌日) 05:10발→大邱 08:19발→착10:35 釜山棧橋 12:00발→(관부연락선 2便)→着19:30 下關 20:30발→(특급 富士)→東京 (翌日) 15:25착

상행이란 당시 제국 일본의 세력이 미치는 지역에서 수도 동경으로 올라간다는 것을 의미했다. 북경에서 경성까지 약 27시간 35분, 경성에서 동경까지 약 40시간 20분 걸렸다. 북경에서 동경까지 소요된 시간은 약 67시간 55분이었다. 상행 '흥아'는 경성에서 밤 11시경에 발착하는 열차였다.

3열차(하행, 부산잔교→북경)

東京 13:30발→(특급 櫻)→착(翌日) 08:00 下關 10:30발→(관부연락선 1便)→착18:00 釜山棧橋 19:20발→大邱 21:48발→大田 (翌日) 01:02

30) 朝鮮總督府鐵道局, 1941, 『朝鮮鐵道時間表 內地 · 滿支連絡時間表』, 秋季號(1941년 10월 1일 訂補), 1~3쪽을 참조함.

발→**京城** 03:37발→平壤 08:24발→安東 13:15발→奉天 19:40발→北京 (翌日) 12:50착

하행이란 제국 일본의 수도 동경에서 그 세력권 안에 있는 지방으로 내려간다는 것을 의미했다. 동경에서 경성까지 약 38시간 7분, 경성에서 북경까지 약 34시간 13분이 걸렸다. 동경에서 북경까지는 72시간 20분이 소요되었다. 경성에서 하행 '흥아'의 발착은 새벽 3시 30분경이었다.

② 급행 '히까리(ひかり)'[31)]

2열차(상행, 新京→釜山棧橋)

新京 07:40발→奉天 12:11발→安東 18:20발→平壤 22:42발→**京城** (翌日) 03:20발→大田 05:56발→大邱 09:18발→착11:20 釜山棧橋 12:00발→(관부연락선 2便)→下關 19:30착, 下關 20:30발→(특급 富士)→東京 (翌日) 15:25착

신경에서 경성까지 약 19시간 40분, 경성에서 동경까지 약 37시간 5분 걸렸다. 신경에서 동경까지 모두 56시간 45분이 소요되었다. 경성에서 상행 '히까리'의 발착은 새벽 3시 20분경이었다.

1열차(하행, 부산잔교→신경)

東京 13:30발→(특행 櫻)→착 (翌日) 08:00 下關 10:30발→(관부연락선 1便)→착18:00 釜山棧橋 18:50발→大邱 21:06발→大田 (翌日) 00:19발→**京城** (翌日) 02:54발→平壤 07:32발→安東 12:15발→奉天 17:37발→新京 22:16착

동경에서 경성까지 약 37시간 24분, 경성에서 신경까지 약 19시간 22

---

31) 朝鮮總督府鐵道局, 1941, 위의 책.

분 걸렸다. 동경에서 신경까지 모두 56시간 46분이 소요되었다. 경성에서 하행 '히까리'의 발착은 새벽 2시 50분경이었다.

③ **특급 '아까쯔끼(あかつき)'**[32]
18열차(상행, 경성→부산잔교)
京城 15:50발→大田 18:08발→大邱 21:08발→착23:05 釜山棧橋 23:45발→(관부연락선 8便)→착 (翌日) 07:15 下關 08:45발→(급행 14열차)→東京 (翌日) 06:55착

경성에서 부산까지 약 7시간 15분이 걸렸다. 경성에서 동경까지는 모두 31시간 50분이 소요되었다. 상행 '아까쯔끼'의 경성에서 출발하는 시각은 오후 3시 50분이었다.

17열차(하행, 부산잔교→경성)
東京 23:00발→(급행 7열차)→착 (翌日) 21:05 下關 22:30발→(관부연락선 7便)→착 (翌日) 06:00 釜山棧橋 06:50발→大邱 08:48발→大田 11:45발→**京城** 14:05착

부산에서 경성까지 약 7시간 15분 걸렸다. 동경에서 경성까지는 약 39시간 5분이 소요되었다. 하행 '아까쯔끼'의 경성 도착 시각은 오후 2시 5분이었다.

④ **급행**[33]
508열차(상행, 나진→경성)
나진 15:15발→함흥 (翌日) 06:55발→원산 09:10발→**경성** 14:15착

32) 朝鮮總督府鐵道局, 1941, 앞의 책.
33) 朝鮮總督府鐵道局編纂, 1938, 『朝鮮列車時刻表附連絡時刻 · 自動車發着表』(1937년 4월 1일 訂補), 25~26쪽을 참조함.

나진에서 경성까지 약 23시간 걸렸다. 경성에는 오후 2시 15분에 도착했다.

507열차(하행, 경성→나진)
경성 15:50발→원산 20:44발→함흥 22:57발→나진 (翌日) 14:35착

경성에서 나진까지 약 22시간 45분 걸렸다. 경성에서 출발하는 시각은 오후 3시 50분이었다.

⑤ **급행**[34]
310열차(상행, 牧丹江→경성)
牧丹江 10:30발→함흥 (翌日) 06:57발→원산 09:17발→**경성** 14:12착

목단강에서 경성까지 약 27시간 42분이 걸렸다. 경성에 도착하는 시각은 오후 2시 12분이었다.

309열차(하행, 경성→목단강)
경성 15:55발→원산 20:43발→함흥 22:58발→牧丹江 (翌日) 19:00착

경성에서 목단강까지 약 27시간 5분이 걸렸다. 경성에서 출발하는 시각은 오후 3시 55분이었다. 이 노선에 신설된 직통 급행열차(1940.10.1)는 1942년 5월 1일 1왕복을 증설할 정도로 성황이었다.

우등열차의 발착시간표를 보건대, 경성과 동북아시아의 주요도시는 꽤 긴밀하게 연결되어 있었다는 것을 알 수 있다. 경성에서 북경은 30시간 전후, 동경은 40시간 전후, 신경은 20시간 전후, 목단강은 27시간 전

34) 朝鮮總督府鐵道局, 1941, 앞의 책, 25~28쪽을 참조함.

후, 나진은 23시간 전후, 부산은 7시간 전후면 갈 수 있었고, 거꾸로 비슷한 시간을 걸려 상대방 도시에서도 경성에 올 수 있었다.

오늘날 비행기를 이용하면 서울에서 동북아시아의 도시들은 대개 2시간 전후에 갈 수 있다. 문자 그대로 날아가기 때문이다. 철도교통은 기본적으로 땅위를 달려갈 수밖에 없는 한계를 안고 있다. 그럼에도 불구하고, 1941년을 전후하여 경성과 동북아시아의 주요 도시들은 철도교통을 통해 일일생활권은 아니지만 2~3일 정도의 생활권으로 묶여 있었다고 볼 수 있다.

또 하나 주목하고 싶은 것은 열차의 성격에 따라 경성에서의 발착시간대가 전혀 다르다는 점이다. 곧 일본(동경)－조선(경성)－만주(신경)－중국(북경)을 연락하는 데 최우선을 둔 열차의 경우에는 경성에서의 발착시간이 새벽 2~3시 전후이다. 경성에서 승강하는 승객에게는 대단히 불편한 시간대이다. 반면에 동경의 승객에게는 아주 편리한 승강시간을 제공하고 있다. 다만 경성을 발착 기점으로 삼고 있는 열차의 경우에는 오후 2~3시 전후에 승강할 수 있는 시간표를 편성하고 있다. 동경을 위주로 한 열차시간표의 설정은 상행·하행 등과 같은 열차운행 방향의 표시와 더불어, 제국 일본의 철도운영에서 본국과 식민지, 수도와 지방 사이에 차별과 서열이 엄격하게 존재했다는 것을 보여주는 좋은 예라고 할 수 있다.

3. 철도여행과 서울의 위상

1) 애국관광의 성행

동북아시아에서 일본제국주의의 팽창은 국제철도망의 확장을 가져왔고, 국제철도망의 확장은 일본제국주의를 팽창시켰다. 이에 따라 인간,

물자, 정보, 문화 등도 국제철도네트워크를 따라 순환하고 유통하는 시스템이 형성되었다. 여기에서는 인간의 이동, 특히 여행(관광을 포함함)에 초점을 맞춰 한반도와 경성이 동북아시아 철도네트워크 속에서 지닌 위상을 김도하겠다.

동북아시아에서의 여행은 국제철도망의 형성과 마찬가지로 러일전쟁과 만주사변을 계기로 확산되었다. 여행의 목적이 異國體驗과 더불어, 제국 일본의 偉業을 현장에서 체감하고, 그곳을 탈취하기 위해 희생한 선조의 넋을 기리며, 皇國民으로서 忠君愛國의 신념을 깊게 아로새기는 데 있었기 때문이다.[35] 일본이 한반도와 만주를 세력권에 편입하고 국제연락의 철도망을 운영함으로써, 안전하고 편리하게 여행할 수 있는 공간이 넓어지고 시간이 단축된 점이 동북아시아 여행에 크나큰 매력으로 작용했던 것이다.

그런데 최근의 한 연구는 동북아시아 여행이 전시 내셔널리즘과 소비주의가 교묘하게 결합한 1940년에 절정을 맞았다고 밝혀 홍미를 끌고 있다. 일본은 건국신화를 사실로 둔갑시켜 1940년을 기원 2600주년이라고 선포했다. 그리고 몇 년 전부터 본국은 물론이고 그 세력권 전체에서 대대적인 참배여행과 기념행사를 기획하여 추진하였다. 1940년에 제국 일본의 1억 5천만 명 臣民(그 중 일본인은 7천 3백만 명)은 천황과 관련된 1만 2천여 건의 축하행사와 근로봉사에 참여했다.[36]

기원절을 3년 정도 앞두고 일본이 戰時體制로 접어들자 관광을 둘러싼

35) 이에 대해서는 우선 임성모, 2006, 「팽창하는 경계와 제국의 시선－근대 일본의 만주여행」『일본역사연구』 23 ; 임성모 외, 2008, 『동아시아 역사 속의 여행 2』, 산처럼을 참조할 것.

36) Kenneth J. Ruoff, 2010, 『Imperial Japan at its zenith : the wartime celebration of the empire's 2,600th anniversary』(木村剛久 訳, 2010, 『紀元二千六百年ー消費と観光のナショナリズム』, 朝日新聞出版, 17~36쪽).

논의의 핵심은 경제적 이익에서 애국주의 촉진으로 이동했다. 정부와 군부는 관광이 국민의 자각을 육성하는 요소를 가지고 있다고 옹호했다. 그리하여 관광사업은 고도국방국가 건설, 대동아공영권 확립이라는 최고 국가 목적과 긴밀하게 결합하여 조직되고 지도되었다.

기원 2600주년은 제국 일본의 세력권 전체에서 空前의 애국여행 붐을 일으킨 절호의 기회였다. 예를 들면, 1940년에 일본 천황의 내력이나 치적과 관련이 깊은 나라(奈良)를 방문한 여행객은 3천 8백만 명이었다. 나라에서 하룻밤 이상 묵어간 여행객은 조선에서 1만 8천 명, 만주에서 7천 명, 사할린에서 5천 명, 타이완에서 1천 명이었다. 조선에서 온 사람들이 모두 일본인이라고 한다면 40명 중에 1명이 나라를 방문한 셈이었다. 일본정부와 지방행정기관의 방침에 충실히 준수하며 애국관광을 선도한 것은 신문사, 백화점, 철도였다. 전시의 내셔널리즘이 소비주의를 자극하고, 소비주의가 또 내셔널리즘을 부추긴 것이다.[37]

2) 여행의 필수 경로 서울

제국 일본이 주도한 동북아시아의 철도여행에는 여행자의 처지와 취향에 따라 각양각색의 경로가 존재했다. 그렇지만 당시 일본, 조선, 만주, 중국 등의 여행사나 신문사 또는 관청이나 학교 등이 주선한 단체여행이나 수학여행을 보면 동북아시아의 철도여행에는 크게 보아 네 가지 코스가 성황을 이루고 있었다.

> ① 부산에 상륙하여 한반도를 종관하여 조선이나 만주를 돌아보는 경로. 곧 한반도를 왕복하는 코스이다.

37) Kenneth J. Ruoff, 2010, 앞의 책, 159~161쪽.

② 황해항로를 지나 大連에 상륙하여 만주를 관광하고 한반도를 거쳐 부산을 통해 귀국하는 경로. 이것의 逆 방향 코스도 이것에 해당한다.

③ 동해항로를 통해 '北鮮三港' 등에 상륙하여 '北鮮鐵道'를 거쳐 만주를 돌아보고 한반도를 종관하여 부산을 통해 돌아가는 경로. 이것의 逆 방향 코스도 존재했다.

④ 동중국해를 지나 上海 등에 상륙하여 중국을 돌아보고 만주로 북상하여 관광한 다음에 한반도를 종관하여 부산을 통해 귀국하는 경로. 이것의 逆 방향 코스도 이에 해당한다.[38]

일본에 출입하는 항구는 下關, 門司, 博多, 長崎, 敦賀, 新潟 등인데, 下關이 압도적 비중을 차지했다.

①~④의 여행경로는 주로 만주와 조선을 둘러보는 데 초점이 맞춰 있었다. 그리고 일본열도 안에 거주하는 일본인을 여객의 주요 손님으로 상정한 것이다. 물론 조선, 만주, 중국에 거주하는 사람들은 자기의 처지에 맞는 여행코스를 적절히 선택하고 조합했다. 그들은 출발과 귀착의 지점이 서로 다르기 때문에, 각종의 여행안내서가 담고 있는 정보를 활용하여 ①~④와 비슷하게 여행경로를 설계했다. 따라서 ①~④의 경로만을 분석해도 동북아시아의 철도여행과 경성의 상호관계를 파악하려는 이 글의 의도는 충분히 달성하리라고 생각한다.

①경로는 주로 조선을 관광하는 경우에 많이 이용했다. 예를 들면, '11일간 조선왕복여정', '13일간 금강산탐승여정' 등의 이름이 붙은 코스다. 전자는 東京→下關→부산→**경성**→평양→신의주→安東→대구→부산→下關→東京이고, 후자는 東京→下關→부산→**경성**→평양→長安寺→溫井

38) 일제 강점기에는 일본, 조선, 만주, 중국 등에서 수많은 여행안내서가 발행되고 유통되었다. 관광사업의 중추를 맡고 있던 철도당국이 그 주체였다. 朝鮮總督府鐵道局, 1935, 『朝鮮旅行案內』 등이 그 예이다.

里→長箭→원산→경성→부산→下關→東京이다.[39] 후자의 코스를 설정한 1923년 당시는 아직 금강산전기철도가 개통되지 않았다. 그래서 원산을 경유한 것이다. 아무튼, 한반도 왕복의 여행경로는 조선총독부의 적극적인 관광객 유치 정책에 힘입어 철도연선을 따라 확대되어갔다.

조선에 거주하는 일본이나 조선인은 ①경로의 역방향을 따라 일본열도나 만주를 여행했다. 특히 조선에서는 식민지화 이후 해마다 방대한 숫자의 여행객과 시찰단이 일본을 방문했다.[40] 1937년 경성도시산업시찰단의 주요 경로를 보면, **경성**→부산→下關→別府→高知→神戶→大阪→名古屋→東京→大阪→神戶→下關→부산→**경성**이었다.[41] 조선의 중학교 이상에서는 재학 중에 일본과 만주에 수학여행을 다녀오는 것이 교과과정의 일부로 받아들여질 정도로 보편화되어 있었다.

②경로는 일본에서 가장 많이 활용되었다. '十二日間滿鮮周遊旅程', '十五日間滿鮮周遊旅程' 등의 이름이 붙은 코스였다. 예를 들면, 東京→下關→부산→**경성**→평양→安東→奉天→撫順→奉天→大連→旅順→大連→下關→東京이었다. 이 코스는 長春(新京), 哈爾濱, 大石橋 등이 추가되면 18일, 22일 여정으로 연장되었다.[42] 실제로 大阪大學의 전신인 舊制 浪速高等學校는 1934년 7월 12일부터 7월 27일까지의 수학여행에서 한반도를 경유하여 조선·만주를 견학하고 황해항로로 귀국하는 코스를 다음과 같이 운용했다. 大阪→下關→관부연락선→부산(급행)→**경성**→평양(급행 '히카리')→安東→渾河(換乘) ›撫順→奉天)→新京→哈爾濱→新京着→奉天着→周水子着(환승)→旅順(자동차)→大連('우랄, うらる丸')→門司寄港→

39) 滿鐵鮮滿案內所, 1923, 『鮮滿支那旅程と費用概算』, 滿鐵鮮滿案內所.

40) 이에 대해서는 趙成雲, 2011, 『식민지 근대관광과 일본시찰』, 경인문화사를 참조할 것.

41) 京城府, 1938, 『內地都市産業視察報告』, 京城府, 1쪽.

42) 滿鐵鮮滿案內所, 1923, 앞의 책.

神戶(三宮發)→大阪.[43] 대단히 빽빽하고 힘든 일정이었다.

③경로는 새로 형성된 '북선루트'를 활용하는 코스였다. 이용객 중에는 일본이 강압적으로 추진한 北滿開拓團이나 蘇滿國境에 배치되는 군대 등이 많았다. 그런데 특이하게도 奈良女子高等師範學校는 1939년 8월 21일부터 9월 7일까지 18박 19일 동안 이 경로를 따라 수학여행을 실시했다. 그 코스는 다음과 같았다. 奈良→京都→米原→敦賀→동해항로('哈爾濱, はるびん丸')→청진→圖們→牧丹江→哈爾濱→新京→大連→旅順→大連→奉天→撫順→奉天→安東→평양→**경성**→대구(환승)→경주→불국사→부산→관부연락선(金剛丸)→下關→大阪→奈良.[44]

④경로는 '三十日間津浦線經由日中周遊旅程', '三十日間京漢線經由日中周遊旅程' 등의 이름이 붙은 코스였다. 예를 들면, 東京→下關→부산→**경성**→奉天→大連→旅順→大連→奉天→撫順→奉天→北京→天津→濟南→青島→濟南→浦口→南京→蘇州→上海→杭州→上海→門司 · 下關→東京 등이었다.[45] 물론 이 경로는 중국에서 출발하는 여행객이 조선과 일본을 관광할 때도 택할 수 있는 여정이었다.[46]

그런데 1930년대 중반 일본 東京에서 만주 新京까지 가는데 소요되는 거리, 시간, 시속, 경비 등을 고려하면 경성을 경유하는 노선이 결코 유리하지 않았다. <표 10-1>을 근거로 삼아 따져보면, 부산에 상륙하여 경

---

43) 浪速高等學校의 여행 코스와 발착시간은, 関谷次博, 1997, 「戰前期中国 · 朝鮮への旅行と鉄道 －1929~35年の旧制浪速高等学校修学旅行の記録より－」, 『鉄道史学』 24, 57~58쪽을 바탕으로 하여 필자가 수정 보완한 것이다.

44) 奈良女子高等師範學校의 이 수학여행에 대해서는 다음의 논문을 참조할 것. 정재정, 2010, 「植民都市와 帝國日本의 視線－奈良女子高等師範學校 生徒의 朝鮮 · 滿洲 修學旅行(1939년)－」, 『일본연구』 45, 한국외국어대학교 일본연구소.

45) 滿鐵鮮滿案內所, 1923, 앞의 책.

46) 중국에서 출발하는 여행에 대해서는, 박경석, 2008, 「근대 중국의 여행인프라와 이식된 근대 여행」, 『동아시아 역사 속의 여행』, 산처럼을 참조할 것.

성을 지나는 노선(㉣)은 요금이 가장 비쌌다. 요금이 싸고 시간이 덜 걸리는 노선은 동해를 거쳐 '북선철도'를 이용하는 코스였다(㉮, ㉯). 두 노선에 비해 경성 경유 노선이 3~5시간 더 걸리고 4~6원 더 비쌌음에도 불구하고 경성 노선에 여객이 몰린 것은 대가에 비해 효용이 그만큼 더 컸기 때문이었다.

<표 10-1> 동북아시아 철도네트워크의 거리 · 시간 · 시속 · 요금 비교(1937년)

㉮ 東京(上野) → (철도, 332.1 km, 9시간 14분, 36 km, 4圓 11錢) → 新潟 → (선박, 903.8 km, 40시간, 22.6 km, 15圓) → **청진** → (철도, 660.5 km, 18시간 17분, 36.1 km, 11圓 6錢) → 新京 : 합계(1,896.4 km, 67시간 31분, 28.1 km, 30圓 71錢)

㉯ 東京 → (철도, 494.4 km, 12시간 5분, 40.9 km, 5圓 5錢) → 敦賀 - (선박, 872.3 km, 40시간, 21.8 km, 15圓) → **청진** → (철도, 660.5 km, 18시간 17분, 36.1 km, 11圓 6錢) → 新京 : 합계(2,027.2 km, 70시간 22분, 28.8 km, 32圓 1錢)

㉰ 東京 → (철도, 589.5 km, 14시간 32분, 40.6 km, 6圓 21錢) → 神戶 → (선박, 1,599 km, 68시간, 23.5 km, 19圓) → **大連** → (철도, 701.4 km, 16시간 20분, 42.9 km, 10圓 9錢) → 新京 : 합계(2,889.9 km, 98시간 52분, 29.2 km, 36圓 11錢)

㉱ 東京 → (철도, 1,097.1 km, 27시간 50분, 39.4 km, 9圓 57錢) → 下關 → (선박, 240 km, 7시간 30분, 32 km, 3圓 55錢) → **부산** → (철도, 1,530.4 km, 37시간 50분, 40.5 km, 23圓 72錢) → 新京 : 합계(2,867.5 km, 73시간 10분, 39.2 km, 36圓 85錢)[47]

47) 참고자료 : 都築藤一郎, 1937, 「日滿最捷路の意義と新潟 · 北鮮航路問題に就いて」, 『港湾』 15-1.

이상에서 살펴본 것처럼 한반도와 경성은 동북아시아의 주요 철도여정에 거의 대부분 포함되어 있었다. 한반도의 종관철도가 동북아시아 국제철도의 중추인데다가, 경성은 식민지 조선의 수도로서 관광의 명소였기 때문이다. 이 점은 당시뿐만 아니라 오늘날의 동북아시아에서 한반도의 철도와 서울의 위상을 논의할 때도 참고할만한 來歷이라고 여겨진다.

4. 서울관광의 여정과 효용

1) 서울의 관광코스

경성은 일본본토의 3분의 2에 해당하는 광대한 식민지 조선의 首都로서 정치 · 경제 · 사회 · 문화뿐만 아니라 자연환경과 지정학적 측면에서도 한반도의 중심이었다. 그리고 동북아시아 각 국의 수도인 東京, 新京(長春), 北京을 잇는 중심축의 한가운데에 있어서, 일본제국의 세력이 강화되면 될수록, 철도교통이 발전하면 할수록 경성의 위상은 높아지게 마련이었다.

경성은 앞 절에서 언급한 ①~④의 여행경로에 반드시 들어 있는 중간寄着地이자 관광명소였다. 한반도의 철도가 각 여행경로의 중심축인데다가, 경성이 한반도의 역사와 문화를 일목요연하게 보여주는 살아있는 박물관이자 식민통치의 전시관이었기 때문이다.

대부분의 단체여행은 경성에서 1박 2일 또는 2박 3일의 旅程을 보냈다. 물론 한나절을 관광하고 당일에 경성을 떠나는 경우도 있었다. 京城府 京城觀光協會가 만든 『京城案內』(1940年)는 경성의 관광행정으로서 아래와 같은 코스를 소개하고 있다.

半日 여정

① 전차를 이용할 경우

경성역→(전차)→남대문→(버스)→조선신궁→(버스)→남대문→(전차)→창경원→(버스)→조선총독부→(도보)→경복궁→(전차)→덕수궁→(전차)→**경성역**

② 자동차를 이용할 경우

경성역→남대문→조선신궁→남산공원→박문사→동대문→경학원→창경원→조선총독부→경복궁→덕수궁→**경성역**

一日 여정

① 전차를 이용할 경우

경성역→(전차)→남대문, 상공장려관→(버스)→조선신궁→(도보)→남산공원→경성신사→은사과학관→(도보)→영락정→(전차)→장충단공원, 박문사→(전차)→동대문→(전차)→종로통사정목(버스)→(도보)→경학원→(도보, 버스)→창경원(동식물원, 비원)→(버스)→조선총독부→(도보)→경복궁, 박물관-(전차)-덕수궁→(도보)→삼월→(도보)→본정→여관

② 자동차를 이용할 경우

①의 행정 이외에 파고다공원, 종로통, 청량리, 한강, 명수대, 노량진 방면까지 일순[48]

각 행정에 들어있는 서울의 구경거리는 일본의 치적을 자랑하는 관청 건물이나 시설, 일본의 위세를 떨친 인물의 사랑이나 신사, 조선의 역사와 문화를 상징하는 궁궐이나 유적, 일본인의 융성을 보여주는 상점이나 거리 등이었다.

<지도 10-1>은 1920년대 후반 경성의 철도, 전차, 버스 노선, 명소,

48) 京城府 京城觀光協會, 1940, 『京城案內』.

명산, 유명 여관, 건물, 상점 등을 간명하게 표시하고 있다. 그리고 관람해야 할 명소와 유적은 네모 속에 별도로 기재하여 쉽게 찾아갈 수 있게 만들었다. 경성의 주요 명승고적이나 관청시설 등은 대체로 18 km의 성벽으로 둘러싸인 시내에 있으므로, 여행객들은 이 안내서를 들고 걷거나 전차와 버스를 활용하면서 周遊할 수 있었다.

일제 강점기 관광행정을 담당하고 있던 조선총독부 철도국은 철도연선 특히 경성의 관광안내 팸플릿이나 책자, 그림엽서 등을 아주 다양하게 발행했다. 이것들이 장려한 경성의 주유코스는 경성관광협회의 그것과 대체로 유사했다. 경우에 따라서는 시내와 교외의 名所舊蹟을 아래와 같이 좀 더 자세하게 소개한 것도 있다.

一日 시내관광순서

① 전차를 이용하는 경우

경성역→(도보)→상공장려관→남대문→(도보)→조선신궁→(도보)→남산공원－(도보)→은사과학관→(영락정)→(전차)→창덕궁, 창경원(점심식사)→(전차)→파고다공원→(전차)→총독부→경복궁→(도보)→미술품제작소→(도보)→조선은行(저녁식사 후 본정 야경 관람)

② 자동차를 이용하는 경우

경성역→상공장려관→남대문→조선신궁→남산공원→은사과학관→미술품제작소→총독부→경복궁→파고다공원→창덕궁, 창경원→중앙시험소→장충단, 박문사→청량리(진전하릉)→임업시험소→(장충단에서 돌아와 저녁식사 후 본정 야경 관람)

③ 유람자동차를 이용하는 경우

경성시내의 名所舊蹟를 빠짐없이 巡遊할 수 있는 유람승용차를 이용하면 시간과 비용의 측면에서 경제적이고 편리하다. 부인 안내인이 첨승하여 명쾌하고 친절하게 설명해준다.

시내인 경우, **경성역**, 상공장려관, 남대문, 조선신궁, 남산공원, 본정, 조선호텔, 덕수궁, 경성방송국, 미술품제작소, 경복궁, 총독부박물관, 조선총독부, 보신각, 파고다공원, 창덕궁, 창경원, 경학원, 경성제대, 동대문, 장충단공원, 독립문, 박문사, 용산, 한강이 관람 대상이다. 교외인 경우에는 청량리, 동구릉, 금곡릉, 우이동, 망월사, 마포, 봉산공원, 세검정, 북한산, 벽제관 등을 돌아볼 수 있었다.[49)]

앞에서 소개한 浪速高等學校 수학여행단은 1934년 7월 13일 부산 발 급행열차로 17시에 경성역에 도착하여 일박한 후 하루 동안 경성을 견학했다. 그리고 14일 22시 25분에 경성역을 보통열차로 출발하여 평양으로 향했다. 그들이 사진에 담은 경성의 명소유적은 경성역, 경회루, 남대문, 경성신사, 창경원 식물원, 근정전, 경복궁 광화문, 남산공원, 조선신궁 등이었다.[50)]

奈良女子高等師範學校 생도는 1939년 9월 3일 평양 발 보통열차로 18시 30분에 경성역에 도착하였다. 경성에서 일박한 후 4일 하루 종일 경성을 견학했다. 다시 일박한 후 9월 5일 7시 40분 경성 발 보통열차를 타고 대구로 향했다.

나라여자고등사범학교 생도들은 京城에서 남대문, 동대문, 경학원, 창경원, 비원, 총독부, 덕수궁 李王家博物館, 조선호텔 등을 돌아봤다. 특히 사범학교 생도의 수학여행답게 南山에 있는 朝鮮神宮(天照大神－開國의 시조, 明治天皇－한국병탄의 성취), 京城神社(宇佐八幡, 天照大神, 稻荷大明神), 乃木神社(乃木希典－러일전쟁의 지휘), 倭城臺(曾田長盛－임진왜란의 장수), 大谷本願寺(石田三成－임진왜란의 장수) 등과 장충단공원에

49) 朝鮮總督府鐵道局, 1935,『朝鮮旅行案內』.
50) 関谷次博, 1997, 앞의 논문.

있는 博文寺(伊藤博文－초대 한국통감) 등을 참배했다.

남산 기슭의 각 신사와 절에는 괄호 속에 기재한 바와 같이 일본의 건국신화에 등장하거나 조선을 침략하고 지배하는 데 앞장선 인물들이 신으로 모셔져 있다. 생도들은 이 신들이 조선의 발전을 지켜보고 있다고 여겼다. 그리고 남대문을 구경하면서는 임진왜란 때 加藤清正이 小西行長과 앞을 다투어 이 문을 통해 들어와서 陣을 친 유래가 있다는 사실을 되새겼다.[51]

2) 서울관광의 매력

경성관광협회나 조선총독부 철도국이 장려한 경성의 관람 대상은 주로 조선왕조의 문화유적, 일본통치의 근대시설, 일본 현창자의 神社寺院, 공원, 조선왕조의 역사박물관, 일본세력의 상징인 관청, 일본인 쇼핑가, 경성 주위의 景勝과 名所 등이었다. 조선의 역사와 문화를 감상하면서 일본의 식민통치가 이룩한 성과를 확인할 수 있도록 짠 코스였다. 新舊의 대조, 곧 쇠락한 과거와 융성하는 근대를 선명하게 인식할 수 있도록 여정을 짠 것이다.

일본인 관광객인 경우에는 일본인이 경영하는 숙소에서 묵고 일본음식점에서 식사했다. 쇼핑도 일본인이 경영하는 상점이나 백화점을 이용했다. 만나서 이야기를 나누는 사람도 일본인이었다. 따라서 그들의 여행에서 진정한 의미의 異國體驗은 없었다고 해도 지나친 말은 아니다.[52]

---

51) 奈良女子高等師範學校, 『昭和十四年度大陸旅行』, 『昭和十四年度大陸旅行ニ関スル書類』; 旅行案內社, 1940, 『汽車汽船旅行案內』, 1940년 1월호.

52) 조선이나 경성을 여행한 일본인들이 무엇을 느끼고 생각했는지를 분석하는 것은 이 논문의 主旨와는 다르기 때문에 더 이상 언급하지는 않겠다. 이것은 별도의 차원에서 접근해야 할 작업이다. 이에 대한 선행연구로는 우선 다음과 같은 것을 들 수 있다. 荒山允彦, 1999, 「戰前期における朝鮮・満州へのツーリズム:植民地視察

일본인이 경성을 관광하는 이유는 경성에 조선의 전근대 문명이 남아 있었기 때문이다. 이것은 관광과 동화가 반드시 양립하지 않는다는 것을 의미한다. 황국신민화를 강요하는 식민지 질서에는 동일성과 차이성이 모두 필요했다. 동화와 차별, 일본화와 異鄕化는 식민지의 양면이었다. 제국 일본은 조선에 자신의 문명을 보급시키려고 했지만, 다른 한편으로는 일본과의 차이를 유지시키려는 욕구도 있었다. 양자가 부딪치는 곳이 바로 경성이었다.

일본인은 경성에서 마음대로 유유자적했다. 지배 권력이 철저하게 치안을 확립해주었다. 그러므로 경성은 여행의 이상향이라고 할 만한 장소였다. 일본인 관광객은 이곳에서 특권계급의 일원이 되었다. 조선인과 교류할 필요도 없었다. 일본인은 경성의 문화를 안전하게 탐험한 후 잘 정비된 일본풍 여관과 요리점, 백화점과 영화관 등에서 위안과 오락을 유유히 즐겼다. 그 설비는 일본열도의 문화 환경과 별로 다를 바 없었다.[53]

일제하의 동북아시아에서 국제연락의 철도교통이 정비되고, 한반도의 간선철도가 이에 중추적 역할을 수행함에 따라 그 핵심에 있는 경성은 국제철도의 주요 결절지점이 되었다. 이에 힘입어 경성은 동북아시아 철도여행의 필수코스에 포함되었다. 경성이 지닌 역사와 현실의 콘텐츠는 각계각층의 여행객을 끌어들이는 데 손색이 없었기 때문이었다. 그리하여 경성의 外延은 확대되고 內包는 두터워졌다. 동북아시아의 국제연락 철도교통이 가장 왕성했던 1941년 진후가 그 정점이었다(<지도 10-1> 참조).

の記録『鮮滿の旅』から」, 『関西学院史学』 26 ; 다카사키 소지, 2004, 「日本知識人의 朝鮮紀行」『한국문학연구』 27 ; 정재정, 2010, 앞의 논문 ; 서기재, 2011, 『조선 여행에 떠도는 제국』, 소명출판 ; 임성모, 2011, 「1930년대 일본인의 만주 수학여행-네트워크와 제국의식-」, 『東北亞歷史論叢』 31 ; 孫科志, 2013, 「중국인 여행자가 본 식민통치하의 경성」, 『서울학연구』 50, 서울시립대학교 서울학연구소.

53) Kenneth J. Ruoff, 2010, 앞의 책, 171~176쪽.

제3부

철도의 역할과 서울시민의 근대 체험

11장 철도의 정치 기능－지배와 저항의 상극

1. 전쟁과 군사수송

1) 러일전쟁(1904~1905년)

식민지기의 한국철도는 창설로부터 종언에 이르기까지 일제의 침략전쟁에 필요한 거대 규모의 군대와 물자를 수송했다. 한국철도의 군사적 역할은 평시와 전시를 막론하고 시종일관한 것이며, 태생적 · 본질적 사명이었다. 일본의 군사수송에서 한국철도는 계속 중추적 위상을 차지했다. 그 중에서 경부선과 경의선은 일본과 아시아대륙을 가장 빠르게 연결하는 첩경으로서, 항만이나 국경과 접속하는 최강의 수송 시설을 갖추고 있었다. 여기에서는 坂本悠一과 林采成의 연구 등을 참고하면서 일제가 벌인 각 전쟁에서 한국철도가 담당한 군사수송을 개관해보겠다.[1)]

---

1) 坂本悠一, 2006, 「植民地期朝鮮鉄道における軍事輸送と釜山－シベリア出兵 · 満州事変を中心として－」, 『九州大学社会文化研究所紀要』, 九州大学社会文化研究所 ; 林采成, 2005, 『戦時経済と鉄道経営一「植民地」朝鮮から「分断」韓国への歴史的経路を探る一』, 東京大学出版会. 두 필자께 감사한다. 정치사의 시각에서 한

먼저 한국철도의 창설 당시인 러일전쟁 초기의 군사수송을 살펴보자. 일본이 러시아에 선전을 포고하기 이틀 전인 1904년 2월 8일 저녁, 한국임시파견대, 곧 제12사단 보병 제23여단의 주력은 衛戍地인 小倉과 佐世保에서 승선하여 인천에 상륙했다. 그중 일부는 경인선을 이용하여 다음 날 서울에 도착했다.

일본해군이 2월 8~9일에 旅順港을 기습 공격하여 황해의 안전이 확보하자, 육군의 주력부대는 상륙지점을 당초의 마산에서 인천으로 변경했다. 그리고 제12사단의 주력은 1904년 2월 16~27일 인천(일부는 해주)에 상륙하여 서울과 개성 방면으로 전개했다.

러일전쟁에서는 경인선이 주로 군사수송의 역할을 담당했다(<사진 11-1> 참조). 경부선은 全線 개통을 눈앞에 두고 있었고, 경의선은 착공에 돌입한 상황이었기 때문에 막상 군사수송에는 별로 도움이 되지 않았다. 러일전쟁에 참가한 일본군은 약 100만 명(군속 5만 명을 포함함), 치중병은 약 26만 명이었다.[2]

2) 시베리아 출병(1918~1925년)

한국철도가 일본의 군사수송에서 크게 각광을 받은 것은 이른바 시베리아 출병 때였다. 시베리아 출병은 일본을 포함한 각국 군대가 러시아 혁명의 혼란을 틈타 1918년 동해에 면한 항구 블라디보스토크에 침투하면서 시작됐다. 그리고 일본군이 사할린 북부로부터 완전히 철수한 1925년에 종결되었다.[3]

국철도와 전쟁의 관계를 훑어본 책으로는 다음과 같은 것이 있다. 윤상원, 2017, 『동아시아의 전쟁과 철도–한국철도의 정치사』, 도서출판 선인.

2) 坂本悠, 앞의 논문, 5쪽.

3) 시베리아 출병의 전체 모습과 최근의 연구 성과에 대해서는 麻田雅文, 2016, 『シベ

일본이 한국철도를 활용하여 바이칼 호 이동의 시베리아와 만주 북부로부터 연해주 및 사할린에 이르는 지역에 군대를 집중적으로 파견한 것은 1918년부터 1922년까지였다. 이 시기에 한국철도는 함경북부선(<지도 1-2>의 ⑤, 길주 이북)을 제외한 모든 노선에서 일본의 군사수송을 담당했다. 특히 1918년 9월 9일부터 약 2주일 동안은 10개 열차 중 8개 열차를 군용에 충당하는 대규모 수송이었다. 한국과 만주를 대상으로 한 군사수송은 경부선과 경의선 및 安奉線을 경유하여 이루어졌다. 이 때 남만주철도주식회사가 한국철도를 경영하고 있었기 때문에 군사수송도 이 회사의 관리 아래 수행되었다.

시베리아 출병 수송은 경부선의 발착지인 부산이 주요 거점이었다. 군수품의 추가 수송, 파견부대의 교체에 따른 신규 파견 및 귀환 수송, 傷病者의 환송 등이 군사수송의 주요 내역이었는데, 대량의 군대와 물자가 부산에 집중한 것은 8월 말부터 9월 하순에 걸친 1개월간이었다.

부산에 상륙한 일본의 장병에게 부산은 外地임과 동시에 일본영토 안에서 지내는 마지막 숙영지였다. 열기와 흥분에 젖은 그들은 유곽이나 요리점 등의 화류계에서 객고를 풀었다. 유곽은 晝夜로 만원이었는데, 한국인 遊女는 하루에 34인, 일본인 유녀는 27~28명의 손님을 상대했다.[4)]

일본육군은 원래부터 한국철도의 만철 위탁 경영을 강하게 지지했다. 그러던 차에 시베리아 출병에서 만철의 관리 아래 一貫 군사수송을 실현함으로써 일본육군의 꿈이 이루어진 셈이었다.

시베리아 출병 때의 군사수송은 운수, 교통, 통신에 큰 영향을 미쳤다. 여객교통에서, 1919년 9월 9일부터 1일 2편의 부산 발 경부선 급행열차(奉天 행)가 운전을 중지하고, 서울(남대문역) 행 보통열차 중 1편은 부정

リア出兵』, 中央公論新社를 참조할 것.
4) 坂本悠一, 앞의 논문, 15쪽.

기적으로 운행되었다. 이것마저 부산에서 서울까지 20시간 이상이나 소요되어 급행의 2배보다 더 걸렸다. 일반승객의 관부연락선 연계수송도 나빠져, 야반에 부산에 도착한 船客은 반드시 부산에서 1박하지 않으면 안 되었다.[5)]

3) 만주사변(1931~1937년)

일본은 1930년 戰時鮮滿鐵道運用規定을 제정했다. 이에 따르면 부산, 마산, 진해, 여수, 목포, 인천, 大連, 청진, 나진, 웅기를 揚搭港으로 지정하고, 부산, 마산, 인천 각 항에는 군수품집적장용 引入線施設을 정비하게끔 되어 있었다. 이듬해부터 시행된 만주사변기의 군사수송(1931.9~1937.7)은 이 규정 등에 따른 것이었다.

1931년 9월 18일 柳條湖 사건을 빌미로 개시된 일본의 만주 침공은 단기간에 만주 전역으로 확대되었다. 關東軍은 원래 關東州와 滿鐵附屬地의 수비를 임무로 삼고 있었기 때문에 이 부대만으로는 도저히 만주 침공을 감당할 수 없었다. 관동군사령부는 인접한 조선군에 지원을 요청했다. 조선군사령부는 이에 즉시 응답하여, 같은 날 서울에 본부를 두고 있던 제20사단에서 추출한 혼성 제39여단의 만주 파견을 명령했다. 이 파견은 당초 일본정부와 참모본부의 승인을 받지 않은 채 조선군사령관의 독자적 판단으로 강행되었다. 그리하여 일본 근대사에서 유명한 '越境事件'이 발생하였다.

한국철도가 조선군의 월경에 이용된 정황은 다음과 같다. 혼성 제39여단(장병 2,980명, 馬匹 516두)이 승차한 제1열차는 1931년 9월 19일 11시 50분에 경부선 용산역을 출발했다. 그런데 일본군 참모본부의 제지를 받아 신의주역에 일시 정차하지 않으면 안 되었다. 이틀 후 그들은 다시 조

---

5) 坂本悠一, 앞의 논문, 9~14쪽.

선군사령관의 명령을 받고 21일 13시 20분부터 30분 간격으로 압록강철교를 도하했다. 열차 편수는 5~7편으로 추정된다.

그 후 일본군 참모본부도 방침을 바꿔 조선군의 월경을 명령했다. 이에 따라 1931년 12월 말까지 혼성 제38여단(나남에 본부를 둔 제19사단에서 추출), 1932년 4월까지 간도임시파견대(제19사단에서 추출)가 '북선철도'(<지도 1-2>의 ⑭ · ⑮)를 통해 만주를 침공했다.

다음에는 만주에 파견됐던 조선군의 귀환수송을 살펴보자. 신의주를 경유하는 경우, 경의선 · 경부선을 달리는 군용열차는 남만주철도와 한국철도를 직통으로 활용했다. 군사수송 열차는 군인이 승차하는 객차(일부는 有蓋 화차)와 대포 · 마필을 적재하는 화차 등 20~30량을 연결한 혼합편성이었다. 소요시간은 奉天에서 용산(<지도 1-1>의 ⓐ · ②)까지 28시간 정도로서, 급행여객열차의 18시간보다 훨씬 더 많이 걸렸다. 일부 부대는 만주 동부를 행군하여 간도지방을 지나 함홍으로 귀환하는 경우도 있었다. 열차를 이용할 경우는 간도 쪽에서 협궤인 天圖鐵道를 타고 와, 그 對岸인 회령에서 표준궤인 함경선으로 갈아타야만 했다(<지도 1-1>의 ⓒ · ⑤). 이런 곤란을 겪은 일제는 나중에 천도철도를 표준궤로 개축하여 만주를 종단하는 표준궤노선인 吉會鐵道와 연결시키는 사업을 추진한다.[6]

일본본토에서 한국철도와 만주철도를 경유하는 군사수송의 내력을 좀 더 개관하면 다음과 같았다. 1931년 12월 하순 혼성 제8여단의 보병 1개 대대와 포병 1개 중대는 2개 열차를 통해 수송되었다. 대한해협을 건너는 수송선은 부산항 제2부두에 접안하고, 군대는 여기에서 내려 부산역까지

6) 일제가 '북선철도'를 부설하고, 이 철도를 일본-한국-만주를 연결하는 최단거리 직통노선으로 활용해가는 과정은 정재정, 2015, 「일제하 '北鮮鐵道'의 경영과 日朝滿 新幹線의 형성」, 『歷史教育論集』 제54집, 역사교육학회를 참조할 것.

걸어와 제1 · 2홈에서 열차를 탔다. 荷物은 제2부두 5번 引入線에서, 포차와 마필은 동 부두까지 끌어온 도착 홈에서 열차에 실렸다.

열차편성을 보면, 보병부대는 객차 · 수하물차로 구성된 여객열차 11량으로서, 장교는 2등 객차, 하사관과 사병은 3등 객차에 승차하고, 대포는 무개화차에 실었다. 열차는 한국 내의 給養 정차장에 머물기도 하면서 운행했기 때문에 부산에서 안동까지 23 또는 30시간 걸렸다. 보통열차와 비슷한 속도였다.

1932년 12월 16~18일 부산 착발로 실시된 제6사단(사령부 소재 熊本, 인원 5,399명, 마필 627두, 대포 42문, 각종 차량 55대, 기타 荷物)의 대규모 만주 파견 수송은 다음과 같이 수행되었다. 선박으로는 수송선 4척(門司에서 3척, 鹿兒島에서 1척, 육군운수본부가 관장) 이외에 관부연락선 4척(참모본부가 관장)이 사용되었다. 이와 연계하여 부산에서는 모두 8편의 임시군용열차가 운행되었다. 여기에 사용된 객화차는 모두 200량 이상이었다. 수송 인원이 과다한 까닭으로 좌석을 떼 낸 객차 3량을 연결하여 운행했다. 주로 경부선과 경의선을 경유하여 만주로 이동했다. 열차편성은 객화차 합계 18~31량이었다(<그림 11-1> 참조).

제 6사단 수송은 앞에서 언급한 혼성 제8여단의 경우보다 장대하여, 부산역 여객 홈을 벗어난 경우도 있었다. 임시군용열차의 운행시간은 부산에서 안동까지 23 또는 27시간으로서, 혼성 제8여단 수송보다 약간 단축되었다. 임시군용열차는 1일 7편이 운행되었다.[7]

4) 중일전쟁과 관동군특종연습(1937~1941년)

1937년 7월 7일 盧溝橋 사건을 계기로 중일전쟁이 시작되었다. 일본군

7) 坂本悠一, 앞의 논문, 15~16쪽.

의 침공은 중국 전역으로 확대되고, 한국철도와 만주철도는 만주사변을 훨씬 능가하는 군사수송을 담당했다. 그 후 일본이 아시아 태평양전쟁에서 패전하기까지 제국의 모든 지역에서 국가총동원체제를 가동함에 따라 그 중추에 해당하던 한국철도는 직접 간접으로 군사수송의 동맥으로서 점점 더 각광을 받게 되었다.[8]

한국국철은 철도동원계획에 따라 대륙을 향해 집중 군사수송에 임했다. 1937년 7월 21일까지 부산 발 15편, 안동 발 10편의 임시군용열차를 편성했다. 부산에는 정박장사령부, 정차장사령부, 야전철도사령부출장소, 임시병참사령부지부 등이 설치되었다. 한국국철은 임시열차운용태세를 갖추고 7월부터 9월까지 2개월간에 3차에 걸쳐 연인원 약 16만 명의 군대와 약 4만 5천 두의 군마, 기타 군수품을 집중 수송했다. 그것들의 대부분은 일본의 門司, 廣島(宇品), 神戶, 大阪, 名古屋 등의 항구에서 徵用船을 이용하여 부산에 보내지고, 경부선 · 경의선을 경유하여 華北의 전장으로 수송되었다(<지도 1-1>의 ⓙ · ⓚ · ① · ② · ⓐ · ⓘ).

제3차 수송에서는 支那駐屯軍이 北支那方面軍으로 재편됨에 따라 군인 약 9만 명, 군마 약 2만 7천 두를 수송하게 되었다. 이에 좀 더 정확한 군사수송을 위해 서울의 용산에 關東軍野戰鐵道司令部가 설치되어 철도 업무를 담당했다. 한국철도의 위탁 장교가 그 지부장을 맡았다. 이에 따라 군사수송의 명령계통은 관동군야전철도사령부의 본부와 지부의 관계로 일원화되었다.

한국철도는 중일전쟁 발발 직후부터 새로 작성된 임시변경시각표에 기초하여 열차를 운행했다. 일반 열차의 운행 편수를 줄이고, 보유 화차의 8할을 군사수송으로 돌리는 한편, 1937년 8월 4일부터 생활필수품 및

8) 중일전쟁에서 태평양전쟁에 걸친 한국철도의 군사수송은 林采成의 앞의 책을 많이 참조했다. 여기서 특별히 각주를 붙이지 않은 기술은 이 책을 참조한 것이다.

석탄 · 광석 이외는 원칙상 受託을 제한하는 조치를 취했다. 한국철도는 해마다 실시했던 暑中半休(7월 21일~8월 31일)를 폐지하고, 철도국직원부인회를 동원하여 일본군의 송영 · 구호 · 위문과 應召職員家族의 생활안정방법을 강구했다. 또 객화의 폭주를 완화하기 위해 국원 가족의 철도이용을 제한하고, 가능한 한 객차와 화차를 혼합 연결하는 한편, 급행열차 이외의 식당차 연결을 금지했다. 이것들도 군사수송에 대응하는 조처였다.

군사수송은 곧 화물의 정체를 초래했다. 중일전쟁 직후에도 滯貨가 10만 톤이었는데, 연말에는 30만 톤으로 불어났다. 수송제한으로 인한 물자부족으로 상공업자의 고통이 커졌고 자원배분의 기능도 상당히 저해되었다.

중일전쟁 초기의 군사수송이 끝나감에 따라 수탁제한도 서서히 해제되어, 9월 10일부터 경부선 · 경의선 · 경원선 · 함경선에 각각 2편의 정기 화물열차가 운전을 재개했다. 군사수송이 시작된 지 2개월 만에 표면상 정상으로 돌아온 것이다. 군사수송을 통해 한국철도가 국방의 강화, 산업의 개발에서 일본제국의 생명선이라는 점이 재삼 확인되었다.

그런데 중일전쟁이 장기화됨에 따라 한국에서도 국가총동원체제가 수립되었다. 그리하여 한국철도는 전장으로의 군대 · 물자 수송을 넘어 파견부대의 귀환(傷病兵, 유골을 포함함) 및 교체수송이라는 역방향의 군사수송을 아울러 짊어지게 되었다. 그리고 점령지로부터 자원을 일본으로 환송하는 새로운 임무가 부여되었다. 그리하여 한국의 주요 도시, 항만, 종관철도 등에는 수송 곤란이 집중적으로 나타났다. 1938년의 경우를 예로 들면, 한국종관철도는 일본과 중국을 연결하는 교통량 중에서 여객의 70.3%, 화물의 10.5%를 수송했다. 그 후에도 경부선 · 경의선의 중요성은 나중에 더욱 증가하여 관부연락항로는 병목현상을 나타냈다.

그리하여 부산항은 일본본토로 향하는 移出米의 3~4할 정도밖에 실어 내지 못했다.

한국철도는 1938년부터 군사적 가치가 높아진 경경선(경성－경주, 중앙선, <지도 1－2>의 ⑨, <지도 7－1>)의 부설을 추진하고, 경성－평양 사이의 복선화 공사에 착수하는 등 종관철도의 강화에 나섰다.[9] 물자와 인력의 부족에 직면한 한국철도는 개량을 主로 하고 건설을 從으로 하는 방책을 채택했다. 곧 기존 시설을 보완함으로써 수송의 효율을 꾀하는 것이었다. 이에 따라 수송회로, 자동폐색기, 자동신호기 및 연동장치, 대피선 등의 신호보완설비를 새로 설치했다. 그리고 선로 구배 및 곡선의 완화, 선로용량의 증가, 차량의 대형화와 궤조의 중량화, 교량개축, 정차장 유효장의 연장, 구내시설의 확충 등을 통해 수송단위는 장대화되고 수송량 증가했다.

중일전쟁시기에 지방행정기구인 읍 · 면을 기본단위로 하여 철도사고방지회가 급속히 결성되었다. 1938년 말 전국에서 결성된 철도사고방지회는 53개나 되었다. 이 조직은 '무사고 철도보국', '선로의 애호는 국민의 의무'라는 구호 아래 연선주민의 선로 통행, 선로 베고 자기, 우마의 방광 등을 방지하기 위해 계몽과 단속을 펼쳤다. 사소한 교통위반도 열차의 운행을 방해하여 군사수송에 지장을 초래하기 때문이다. 조선총독부와 철도국이 원조와 지도에 나선 것은 물론이다. 이것은 곧 연선주민에 대한 통제의 강화였다.

그럼에도 불구하고 연선주민이 선로를 침입하여 일어난 철도운전방해사고는 1939년에 1,064건이나 발생했다. 이에 한국철도는 사법경찰권을 발동하여 단속하지 않으면 안 된다는 결심을 굳혔다. 그리고 연선주민을

9) 경경선의 부설과 한반도종관철도 강화정책 등은, 정재정, 2016.8, 「일제 말기 京慶線(서울－경주)의 부설과 운영」, 『서울학연구』제64호, 서울시립대학교 서울학연구소를 참조할 것.

직접 처벌하고, 요주의 구간에 檢査隊를 출동시켜 선로 통행자 및 규정 위반자를 '拔本的으로 붙잡아서 처벌'했다.

한국철도는 出貨를 통제하여 연간 수송의 평균화를 꾀하는 한편, 화물 수송에 우선순위를 매겨 수송의 분배를 실행했다. 한국철도는 화물 수송의 대상을 중요화물, 일반화물, 不要不急貨物로 나누었다. 여객에도 비슷한 조처를 취했다. 중일전쟁을 도발한지 2~3년이 지나자 그때까지 여객 유치, 관광진흥의 목적으로 장려해온 벚꽃구경, 피서 및 유람 등에 대해 '불요불급여행' 이라는 이름을 붙여 일차적으로 통제하였다. 또 國策으로서 실시되는 단체수송을 우선하고 일반여객수송에는 제한을 가했다. 예를 들면 1939년 3~5월 중 약 10만 명에 이르는 滿洲移植農民과 西北朝鮮行勞務者를 대량으로 수송한 때는 한국 안에서 서로 발착하는 단체수송은 4월 1일부터 5월 10일까지 원칙상 받아주지 않았다. 1940년 12월에는 '新旅客輸送規則'을 시행하여 3등침대차 연결을 정지하고 급행승차권의 발매를 제한했다.

경성역은 혼잡도를 줄이기 위해 무리한 방법을 동원했다. 먼저 승차권의 발매 매수, 다음에는 발매 시간을 제한했다. 그런데 기대한 효과를 보지 못하자, 1941년 2월부터 역 구내 입장권의 발매를 철폐하고, '교통도덕'을 부쩍 강조했다. 그리하여 소비적 여행은 감소하는 경향을 보였다. 반면에 배급제도가 실시되어 생활용품이 부족해지자 물건을 사러 나가는 새로운 수송 수요가 나타났다.

1939년 일본에서 전시경제의 '뇌신경'인 물동계획이 실행되자, 한국에서도 기획부가 새로 설치되어 경제운영의 계획화를 추진했다. 한국철도는 통감부 철도관리국 설치(1906년 7월) 이래 현업 제1선인 역, 區 등과 중앙통제기관인 본국 사이에 약간의 지방적 감독기관인 사무소 등을 설치하는 3단계제를 기본조직으로 유지해왔다. 그런데 철도사무소 및 철도공장의 업무량이 증가하고, 노무·화물·육운 등에서 새로운 통제가 발생하여 본국 등의 업무량이 포화상태에 이르자 대대적인 조직개편을 단행했다. 1940년 12월 업무운영과 군사수송에서 樞要한 부산, 경성, 함흥에 지방철도국을 신설하고 2천여 명에 달하는 인사이동을 단행했다. 본국은 신설된 지방철도국에 실행사무를 이관하고, 본국은 오로지 계획수립과 통제사무에 전념했다.

지방철도국의 관할구역은 다음과 같았다. 경성지방철도국은, 경부선의 부산 기점 332.4 km(金東−金義 사이) 이북과 경인선 포함, 경의선, 경원선의 용산 기점 122.7 km(平康−福溪 사이) 이남, 경경북부선(<지도 1−2>의 ⑨, 청량리−단양), 평원서부선(<지도 1−2>의 ⑪, 서포−관평), 만포선(<지도 1−2>의 ⑫)을 관할한다. 부산지방철도국은, 경부선의 부산 기점 332.4 km 이남과 대구선(<지도 1−2>의 ①, 대구−영천) 포함, 호남선(<지도 1−2>의 ③), 전라선(<지도 1−2>의 ⑦), 동해남부선(<지도 1−2>의 ⑧, 부산진−울산), 동해중부선(<지도 1−2>의 ⑧, 포항−울산), 경경남부선(<지도 1−2>의 ⑨, 영천−단양), 光麗線을 관할한다. 함흥지방철도국은, 경원선의 용산 기점 122.7 km(平康−福溪 사이) 이북, 함경선, 동해북부선(<지도 1−2>의 ⑧, 안변−포항, 부분 개통), 평원동부선(<지도 1−2>의 ⑪, 관평−고원), 혜산선(<지도 1−2>의 ⑬), 백무선(<지도 1−2>의 ⑭), 會雄線(<지도 1−2>의 ⑮·⑭·⑯)을 관할한다.

조선총독부는 1940년 2월 육운통제령을 공포했다. 이에 따라 한국철도는 1940년 4월부터 생활필수품과 석탄, 광석, 비료, 시멘트 등 일부 생산력확충물자에 대해, 수급관계를 고려하여 관련업자의 조합과 협의하여 계획수송을 부분적으로 실시했다. 1930년 4월에 설립된 조선운송주식회사도 1941년 2월 소운송통합을 완료했다.

일본은 1941년 7월 2일 제국국책요강을 결정했다. 이에 의거하여 참모본부는 만주 北邊의 안정을 확보하고 對蘇戰에 대비하기 위해 12개 사단 약 30만 명의 관동군 전력을 16개 사단 약 85만 명으로 증강하는 관동군 특종연습(관특연으로 약칭함)을 실시했다. 이와 더불어 야전중포병연대를 중심으로 하는 포병화력의 倍增, 渡河 연습, 통신 · 철도관계 부대의 강화를 꾀하고, 25사단 분의 팽대한 병참을 수송 등을 실시하게 되었다.

한국철도는 이에 부응하여 1941년 7월 하순부터 9월에 걸쳐 군인 40~50만 명, 군마 7.5~9.5만 두, 탄약 18개 사단 분, 자동차 연료 8만 *kl*, 식량 800개 사단 분 등의 대규모 부대와 군수품을 한국종관루트(<지도 1-2>의 ① · ②), '북선루트'(<지도 1-1>의 ⑤ · ⑥), 대련루트(<지도 1-1>의 ⓛ · ⓑ)를 통해 일본본토에서 북부만주로 수송하게 되었다.

관특연은 극비였기 때문에 한국철도가 수행한 집중수송의 내역은 잘 알려져 있지 않다. 한국철도의 수송총량에서 군사수송이 점한 비율을 통해 그 규모를 짐작할 수 있을 뿐이다. 군사수송의 비중은 1940년 총톤수의 5%이었는데, 1941년에는 11%로 배 이상 늘어났다. 수송톤 km도 6%에서 20%로 세 배 이상 급증했다. 이것으로 미루어보건대 관특연의 군사수송은 중일전쟁 초기의 집중수송을 대폭 상회했다고 할 수 있다.

한국철도는 1941년부터 전시열차편성을 적용했다. 이 때문에 비군사수송은 일시 정지되는 등 물자유통에 동맥경화현상이 나타났다. 한국철도는 일본본토 발 관부연락선 경유 화물을 1일 200톤으로 한정하고, 화물수송은 1940년도 실적의 30%, 1941년도 예상의 40%를 감축했다. 이로 인해 제철, 비료 등을 제외한 건축 재료 등의 수송은 거의 정지되었다. 여객수송은 더욱 제한하여 1940년도 실적의 36%, 1941년도 예상의 50%를 감축했다. 단체여객의 할인, 대절여객의 취급, 입장권의 발매를 폐지하고, 승차권의 발매 매수를 한정했다.[10)]

5) 아시아 · 태평양전쟁(1941~1945년)

일본은 아시아 침략에 머물지 않고 1941년 12월 아시아 · 태평양전쟁에 돌입했다. 태평양전쟁 시기에는 만주와 중국으로부터 한국철도를 경유하여 일본으로 운반 화물수송, 곧 '대륙전가수송'이 폭증하여 한국철도의 중요성은 계속 높아졌다. 이와 더불어 출화통제와 계획수송은 더욱 강화되었다.

경성지방철도국을 예로 들면, 미곡과 신탄의 수송은 매월 운수부 화물과장과 관내 각도의 농무과장, 산림과장 등이 협의하여 다음 달 수송계획을 결정하고, 전 달의 수송실적을 평가했다. 그러나 그 실행은 용이하지 않았다. 1942년 9월 서울에는 70여개의 배급통제단체가 설치되었는데, 기구는 그럴듯하게 갖춰있었지만 독자의 창고를 확보한 것은 20곳도 되지 않았다. 그리하여 도착화물의 수취 지연이 생겨 구내 시설의 효율성을 떨어뜨렸다. 서울중심주의는 물자를 생산지에서 소비지로 직접 수송하고 배급하는 데 지장을 초래했다. 화물을 일단 서울을 경유하여 우회수송하면 수송력의 방대한 손실이 발생했기 때문이다.

일본은 1942년 7월 14일 '철도군사이용에 관한 칙령'(제613호)을 발포했다. 골자는 철도는 육군관헌의 요구에 따라 군사수송을 실시할 것, 군사수송은 육군대신의 지휘감독을 받을 것, 육군대신은 차량과 수송물자 및 철도직원을 해당 局所 이외의 군사수송에 사용 또는 종사시킬 수 있을 것, 육군대신은 위의 직권을 육군관헌에 위임할 수 있을 것 등이었다. 해군도 물론 이런 권한을 공유했다. 1942년 11월 1일에는 대동아성관제가 마련되어, 한국철도의 감독권이 척무대신에서 철도대신으로 바뀌었다. 그렇지만 실권은 일본군 참모본부가 행사했다.

---

10) 林采成, 앞의 책, 39~89쪽.

한국철도는 중국－만주－조선 사이의 교류물자와 더불어 대륙화물을 安東口, 滿浦口, 圖們口에서 받아 경의선(<지도 1－1>의 ②), 만포선(<지도 1－1>의 ⑨), 함경선(<지도 1－1>의 ⑤)을 경유하여 서울에 집중시킨 후 남해안 각항을 거쳐 일본본토로 수송했다. 鮮滿接續地인 위 3口의 화물량을 보면, 1940년에 한국행이 40만 8천 톤, 만주행이 39만 2천 톤이었는데, 1943년이 되면 대륙교류화물만으로 한국행이 174만 6천 톤, 만주행이 93만 8천 톤이었다. 게다가 대륙과 일본의 중계수송이 169만 5천 톤이나 되었다.

일본은 1942년 12월 임시육운대책위원회를 설치하고, 1943년 4월 제1회 대륙철도수송협의회를 개최하여 수송방침, 월별 수송량 및 도착 항만, 차량상호융통계획, 인원원조계획, 시설개선계획 등을 마련했다. 한국철도의 수송력 확보와 증강이야말로 아시아 · 태평양전쟁 시기 일본의 戰力과 불가분의 관계에 있었기 때문이다.

한국철도의 군사수송체계를 정비하는 데는 철도방위가 긴급한 과제로 떠올랐다. 교통도덕의 교양을 내걸고 활동해온 철도사고방지회는 철도애호단으로 개편되었다. 철도애호단은 면장이나 면내 유력자를 단장으로 삼고, 철도복구작업이 가능한 연선주민 50~100명으로 구성되었다. 철도애호단의 수는 1941년 10월 30개 정도였는데, 1943년에는 군사수송의 간선인 경부선, 경의선, 경원선, 함경선 등의 연선에만도 200여 개로 늘어나고, 단원은 2만여 명이나 되었다.

사고방지도 중요한 과제였다. 1941년 2월 운수개선협력회가 설립되고, 荷物사고방지총력주간, 정차장화물구내취체규칙 등이 제정되어 시행되었다. 그렇지만 운전사고는 1942년 7,004건에서 1943년 12,761건으로 증가했다. 사고의 규모도 커지고 사상자수도 늘어났다. 사고원인은 대체로 종업원의 부주의, 사소한 태만이었다. 과중한 업무와 설비의 혹사가 빚은 부작용이었다. 한국철도는 사고자에 대한 엄벌, 공로자의 승격, 사명감의 고취 등으로 대응했다.

아시아 · 태평양전쟁이 막바지로 치닫자 조선총독부는 '철도는 兵器이다, 생산은 수송이다'라는 슬로건을 내걸고 수송통제를 극단까지 밀어 올렸다. 한반도 종관철도의 복선화와 항만능력의 고양이 예정대로 진행되지 않아 수송량이 한계에 도달했기 때문이다. 조선총독부는 궁여지책으로 열차운행을 조정할 수밖에 없었다. 그리하여 여객열차와 화물열차의 비율은 1942년 12월의 시간표 개정에서 50:50에서 45:55로, 1943년 1월의 시간표 개정에서 31:69로, 1943년 10월의 시간표 개정에서 23:79로 조정되었다. 점점 더 화물을 우선하는 방향으로 나아간 것이다.

1944년 2월 1일 조선총독부는 철도의 貨物超重點主義를 채택하고 '노조미' · '대륙' 등 국제직통여객열차의 운행정지나 축소를 단행했다. 여객수송순위는 공용여행, 중요산업관계여행, 통근통학, 노무자집단수송, 기타 긴급용무, 일반여행으로 명기했다. 국민총력조선연맹은 애국반을 중심으로 여객억제를 선전하는 국민운동을 전개하여 철도의 군사수송을 원호했다.

조선총독부는 결전비상조치요강(1944.2.25)의 제정에 부응하여 철도의 여객수송을 더욱 제한했다. 1944년 4월 경성역의 여객증명서제도에 따르면 社用, 병문안 등이 가장 많고, 다음으로 수험입학, 轉地療養, 사무인계, 결혼, 공무출장의 순이었다. 경성부는 1944년 4월 1일부터 관공서, 학교, 은행 및 백화점 등 시차 통근통학제도를 실시했다. 그리고 화물의 수송을 돕기 위한 궁여지책으로 화물전차도 운행했다. 다른 지역에서도 화물중점주의가 취해졌음은 물론이다.

일본은 1944년 11월 21일 여객운송전시특례를 실시했다. 이에 따라 조선총독부는 軍務旅行, 병역관계여행, 應徵旅行, 공무여행, 公用 · 社用旅

行, 기타 순으로 철도의 여행수송을 배분했다. 조선총독부는 일본역내에서 가장 엄격하게 화물중점주의를 실천하고, 여객수송에 대해서도 가장 강력하게 통제했다. 한국에서 통제의 영역은 철도뿐만 아니라 소운송, 화물자동차, 짐 우마차, 자가용 자동차까지 확대되었다.

일본은 1945년 1월 20일 제국육해군작전계획대강을 결정하고, 이른바 皇土決戰 수송을 실시했다. 일본군은 작전의 중점을 關東, 九州, 한국남부(제주도 포함)에 두고, 조선군을 제17 방면군으로 개편했다. 그리고 한국종관철도, '북선철도', 두만강 요점의 방위에 진력했다.

황토결전 수송에 따라 1945년 1월 대륙에서 제18사단, 제71사단, 전차 제1사단 등이 한국철도를 경유하여 일본본토로 이동했다. 또 1945년 3월 20일 決7號作戰準備要綱이 결정되자 4월에서 5월에 걸쳐 제25사단, 전차 제8사단 등 여러 부대원 약 7만 명과 군수품 약 11만 톤이 부산을 거쳐 일본본토로 운반되었다. 한국철도가 이러한 군사수송을 담당했음은 물론이다.

한국을 통과한 군사수송 이외에 대륙에서 여러 부대가 한국으로 전입하여 제17 방면군은 대폭 증강되었다. 그리하여 한국에 주둔하는 병력은 32만 7천여 명에 이르렀다. 결7호작전준비요강에 의거하여, 연합군이 제주도를 공략하여 北九州 방면에 상륙하거나, 한국해협을 돌파하는 전진기지로 삼는 것을 막기 위해, 편성 직후의 제96사단, 관동군에서 轉入된 제111사단과 제121사단 등이 속속 목포와 여수 등을 통해 제주도에 파견되었다. 이로써 제주도의 병력은 1945년 1월 1천여 명에서 8월 7만 5천여 명으로 증가했다.

일본의 패전을 목전에 두고 조선총독부는 '自活自戰'의 태세를 확립하기 위해 1945년 7월 10일 교통국결전기구강화대책요강안을 만들고, 철도시스템의 분권적 운영을 꾀했다. 이때를 전후하여 조선총독부는 국민총력조선연맹을 해산하고 국민의용대를 설치했다. 조선총독부 산하의 교통국도 이에 호응하여 업무조직과는 별도로 交通局隊와 교통의용대를 조직했다. 그 수는 869개였다. 교통국, 지방교통국, 부대본부에는 대조직에 준하는 班制度가 만들어졌다. 한국철도가 아예 군사수송을 담당하는 군대조직으로 변모한 것이다.[11)]

2. 순종 황제의 遊幸

1) 嘉仁 황태자 영접(1907년)

선진 여러 나라에서 철도는 국토를 통일하고 국민을 통합하는 기능을 수행했다. 이른바 근대 국민국가의 수립이다. 사방으로 뻗은 철도가 국가의 통치력과 지배력을 구석구석까지 확산하고 강화하는 데 절호의 利器로 활용되었기 때문이다.

철도를 이용하여 근대 국민국가를 만드는 데 일익을 담당한 사람들은 군대, 관료, 상공업자, 언론인 등이었지만, 상징적이고 절대적 역할을 한 것은 최고 권력자 또는 지도자였다. 나라마다 대통령, 수상, 황제 등으로 명칭은 달랐지만 최고 권력자, 지도자는 철도 위를 달리는 특별열차를 타고 전국을 순시 또는 시찰, 巡幸 또는 行幸하면서 국민을 직접 만나고 국책을 전파함으로써 국가를 통일하고 국민을 통합하는 데 지대한 역할을 수행하였다. 다만 이것은 어디까지나 자국이 주체가 되어 철도를 건설하고 운영한 나라에서 나타난 현상이었다.

그렇다면 일본의 정책 아래 일본의 자본과 기술에 의해 철도가 부설되

11) 林采成, 앞의 책, 90~178쪽.

고 운영된 한국의 경우는 어떠했을까? 한국철도의 역할은 선진 여러 나라와 공통된 측면도 있었지만, 전혀 상이한 측면도 많았다. 한국철도는 오히려 국가와 국민을 분열시키고 제국주의 침략을 선도하고 확산하는 역할을 한 것이다. 열차를 타고 대한제국의 중추를 누빈 순종 황제의 순행이나 행행 또는 행차도, 본인의 바람은 어땠든 간에, 그렇게 악용되었다. 일본이 순종 황제의 열차 여행을 모두 기획하고 연출했기 때문이다. 아래에서는 原武史와 이왕무 등의 연구 성과를 바탕으로 철도를 이용한 純宗의 행행이나 순행의 복잡한 성격을 살펴보겠다.

한국에서 철도가 처음 부설되고 운행된 것은 대한제국 시기였다. 그렇다면 대한제국의 황제는 언제 어떤 목적으로 어느 열차를 타고 어디를 거둥했을까? 순종 황제는 1907년 10월 16일 황실 전용 특별열차를 이용했는데, 얄궂게도 일본의 嘉仁 황태자(나중에 大正 천황으로 즉위함)를 마중하기 위해 경인선의 남대문역에서 특별열차를 타고 인천역까지 왕복하였다. <지도 11-1>의 ①이 그것이다. 이때 황태자 李垠을 대동했다. 일본이 만들고 운영한 한국철도의 식민지적 성격을 상징하는 사건이었다.[12)]

일본은 1907년 7월 20일 고종 황제가 몰래 헤이그에 특사를 보내 대한제국의 독립을 만국회의에 청원했다는 것을 꼬투리 잡아 그를 황제에서 몰아내고, 그 후임으로 순종을 즉위시켰다. 내친김에 일본은 7월 25일 대한제국에 이른바 정미7조약(제3차 한일협약)의 체결을 강제하고, 일본인을 대한제국 각 부처 관료로 임용하여 행정권과 사법권을 완전히 장악하였다. 그리고 8월 1일 한국군대를 해산하고 경찰권을 장악함으로써 한국을 완전히 허수아비 국가로 만들었다. 한국 방방곡곡에서 의병투쟁이 요

---

12) 嘉仁 황태자의 한국 방문과 순종 황제의 응대에 관한 기술에서 각주가 없는 부분은 주로 原武史, 2001, 『可視化された帝国ー近代日本の行幸啓』, みすず書房, 168~179쪽을 참조했다.

원의 불길처럼 타오르고, 일본의 의병 학살이 전국을 피로 물들였다. 이후 3년 동안 살해된 의병 수만 17,688명이나 되었다. 일본군은 철도를 타고 의병의 토벌에 나섰다.[13)]

일본의 한국 식민지화 정책을 현지에서 주도면밀하게 실행한 伊藤博文은 '한일친선'을 명목으로 순종 황제와 明治 천황의 재가를 얻어 새 황태자 李垠의 일본 유학을 주선했다. 새 황태자가 일본에 유학하며 문명 교육을 받아야 한다는 명목이었지만, 속셈은 한국 황실을 일본화시키는 데 있었다. 순종은 그러한 伊藤에게 황태자를 지도하는 太子太師의 중책을 맡겼다. 伊藤는 이은 황태자 유학의 마중물 행사로서 일본 황태자 嘉仁의 한국 啓行도 아울러 추진했다.[14)]

伊藤博文은 일본의 통감정치에 저항하는 고종 황제를 퇴위시키고 순종 황제를 즉위시킨 여세를 몰아, 일본 황실을 모델로 삼아 대한제국 황실을 개혁하려고 시도했다. 황제나 천황이 외국을 방문한 전례가 없는 한국과 일본에서 그 代行으로서 황태자의 유학과 방문을 추진한 속내는 여기에 있었다.

伊藤博文은 일본에서 소기의 임무를 마치고 1907년 10월 3일 한국에 돌아왔다. 그리고 嘉仁 황태자가 서울에 도착하기 4일 전인 10월 12일 순종 황제가 서울 교외 청량리에 있는 洪陵(明成皇太后 陵)과 裕陵(純明皇后 陵)을 행행하도록 일을 꾸몄다.

조선왕조에서도 왕이 궁궐을 벗어나 선왕의 능을 참배하는 일은 수백 년 계속된 盛事였다. 왕의 거둥은 백성의 큰 볼거리였고, 노비까지도 왕

13) 고종의 퇴위와 순종의 즉위 등 일련의 사건과 일본 통감 정치의 실상은 다음의 책을 참조할 것. 서영희, 2003, 『대한제국 정치사 연구』, 서울대학교 출판부 : 운노 후쿠쥬 지음, 정재정 옮김, 2008, 『한국병합사연구』, 논형.

14) 金正明 편, 1966, 『日韓外交資料集成』 VI－2, 646~647쪽.

에게 소원을 直訴하는 일도 일어났다. 일본에서는 상상할 수 없는 일이었다. 이른바 一君萬民의 통치이념을 실현하는 정치 이벤트였던 셈이다. 고종 황제도 1898년부터 1900년 4월까지 홍릉을 참배하는 등 몇 차례 거둥했다.

그런데 1907년 10월 12일 순종 황제의 행행은 종래의 거둥과 많이 달랐다. 순종은 마차를 타고 경운궁을 나와 동으로 종로를 지나 동대문을 거쳐 청량리로 나아갔다. 연도에 동원된 생도들은 복장을 갖추고 질서정연하게 행렬을 맞았다. 정렬한 사람들은 순종이 탄 마차를 향해 깊숙이 허리를 굽혀 경례를 했다. 그리하여 일본에서 천황이 행행할 때나 황태자가 行啓할 때와 같은 모습의 질서공간이 연출되었다. 통감부가 일본풍의 奉迎儀式을 한국에 도입하여 일본형의 시각적 지배를 관철하려고 시도한 것이다. 순종의 청량리 행행은 嘉仁 황태자의 서울 입성을 앞두고 이루어진 일본식 봉영 스타일의 예비연습이라는 의미도 내포하고 있었다.

嘉仁 황태자는 1907년 10월 10일 10:29 황실 특별열차를 타고 東京의 新橋를 출발했다. 그의 복장은 육군 소장 군복이었다. 有栖川宮, 東鄕平八郎, 桂太郎 등이 동행했다. 황실 특별열차는 東海道線을 경유하여 14:46 靜岡에 도착했다. 그는 靜岡의 御用邸에서 宿泊했다. 황실 특별열차는 10월 11일 7:20 靜岡을 출발하여 동해도선과 山陽線를 경유하여 16:54분 舞子 도착했다. 그는 有栖川宮의 別邸에서 숙박했다. 10월 12일 그의 복장은 해군 소장의 군복으로 바뀌었다. 황실 특별열차는 8:30 舞子를 출발하여 山陽線을 경유하여 16:25 宇品에 도착했다. 그는 宇品港에서 군함 香取로 갈아탔다. 香取 함상에서 숙박했다.

군함 香取는 1907년 10월 13일 6:30 宇品港을 출발하여 豊後水道를 항행했다. 일본해군은 밤에 구축함의 연습을 시행하고 조명등을 밝혔다. 군함 香取는 10월 16일 12:15 인천항에 들어왔다. 순종 황제와 이은 황태자가 嘉仁 황태자를 마중했다. 일행은 14:30 인천역에서 황실 특별열차를 타고 경인선을 달려 15:40 서울의 남대문역에 도착했다. 嘉仁 황태자는 마차로 바꿔 타고 16:50 남산의 북쪽 기슭에 자리 잡은 통감 관저에 도착했다. 그곳에서 숙박했다.

嘉仁 황태자는 1907년 10월 17일 육군 소장 군복으로 바꿔 입고, 10:00 통감 관저에서 한국의 각 대신을 만났다. 그는 마차를 타고 가서 12:00 경운궁의 惇德殿에서 순종 황제와 황후(계비)를 알현했다. 그는 13:00 통감 관저에 돌아왔다. 그곳에서 전 황제 고종을 알현하고, 숙박했다.

嘉仁 황태자는 10월 18일 10:30 걸어서 남산의 북쪽 기슭에 있는 한국 주차군사령부 好道園에 가서 막료관사를 둘러보고, 교련과 공격 연습을 견학했다. 그 후 근처에 있는 통감부와 왜성대공원(남산공원)을 순시하고 시가를 전망했다. 통감 관저에서 숙박했다.

嘉仁 황태자는 10월 19일 순종 황제와 이은 황태자를 통감 관저에 초대하여 점심을 함께 들었다. 그는 14:30 마차를 타고 창덕궁에 가서, 도보로 후원(비원)을 순람했다. 그 후 마차를 타고 16:10 광화문에 도착하여 경복궁을 둘러봤다. 그는 16:30 경운궁 돈덕전에서 순종 황제와 이은 황태자를 만났다(<사진 11－2> 참조). 17:30 마차를 타고 통감 관저에 돌아와 숙박했다.

嘉仁 황태자는 1907년 10월 20일 해군 소장 군복으로 바꿔 입고, 9:40 마차로 통감 관저를 출발하여 남대문역에 도착했다. 그는 황실 특별열차를 타고 10:20 남대문역을 출발하여 경인선을 달려 11:30 인천역에 도착했다. 순종 황제와 이은 황태자가 그를 배웅하기 위해 동승했다. 그는 13:00 군함 香取에 승선하여 인천항을 출발했다. 이로써 4박 5일의 서울 방문을 무사히 마친 셈이다. 그는 경상남도 진해항에 기착하여 항내를 순람한 후 長崎縣 對馬로 향했다.

嘉仁 황태자는 한국에서 군복을 입고 군사지도자로서 행동했다. 남산의 한국주차군사령부를 방문하여 교련과 공격 연습을 견학했다. 그곳은 일본이 한국 군대를 해산하고 점령한 장소였다. 그는 서울에서 일본의 정부기관이나 공공시설을 둘러봤다. 한국의 황궁은 방문했지만, 한국의 정부시설이나 공원은 찾지 않았다. 한국의 일반인은 아무도 만나지 않았다. 그는 교통수단으로서 인천–서울은 기차, 시내는 마차를 이용했다. 그는 순종 황제와 서로 사진(御眞)을 나눠가졌다. 이때 순종은 처음 사진을 찍어 학교와 관청에 내려보내 걸도록 지시했다. 백성이 황제를 우러러볼 수 있도록 可視的 조처를 취한 것이다.

순종 황제와 이은 황태자가 嘉仁 황태자를 마중하고 배웅하기 위해 경인선 기차를 타고 서울–인천을 왕복한 것은 특이한 일이었다. 伊藤博文은 순종 황제가 왕릉을 참배하기 위해 청량리를 행행한 직후 일본 황태자를 마중하고 배웅하기 위해 행행하도록 연출함으로써 일본이 우월한 지위에 있다는 현실을 만방에 보여주었다. 순종 황제와 이은 황태자는 이때 황실 전용 특별열차를 타보고 그 장대하고 화려함에 놀랐다(<사진 11–3> 참조).[15]

순종 황제와 嘉仁 황태자 일행을 영접하고 환송하는 경인선 연선의 풍경은 질서정연했다. 일본에서도 황실 특별열차를 타고 천황이 순행하거나 황태자가 계행할 때 비슷한 광경이 펼쳐졌지만, 이번 경인선 연선의 모습은 다음 두 가지 점에서 일본과 달랐다.

첫째, 황실 특별열차가 달리기 20분 전에 똑 같은 속도의 '파이로트 열차'(나중의 '지도열차')가 직원만을 태우고 먼저 운행되었다. 경호에 만전

---

15) 대한제국 황실이 발주한 궁정열차는 1899년 8월부터 1900년 말까지 東京 平岡공장에서 제작한 목제 차량이었다. 일본이 처음으로 만든 표준궤용 객차이자 수출 1호품이었다.(『鐵道ピクトりアル』, 1969.8.1, 19쪽).

을 기하기 위해서였다. 嘉仁 황태자의 방한을 앞두고 한국에서는 불온한 풍설이 퍼졌다. 그리하여 경인선 연선 양측에는 약 100 m 마다 일본군의 水兵과 騎兵이 배치되어 엄중히 경계했다. '파이로트 열차'가 운행된 것은 선로의 안전을 확인하고 嘉仁 황태자의 암살을 목적으로 하는 열차사고를 미연에 방지하기 위해서였다.

둘째, 통감부가 '봉영주의사항'을 발표하여 경인선 연선에서 만세와 기미가요 제창을 금지했다. 한국인이 연선에 운집하는 것을 배려한 조처였다. 당시 일본에서는 여학생만이 기미가요를 제창했다. 한국에서 嘉仁 황태자를 영접하고 환송할 때 취한 이런 조처들은 나중에 일본이 역으로 도입하여 시행하게 되었다.

嘉仁 황태자가 서울 시내에서 이용한 교통수단은 마차였다. 마차의 통행을 위해 남대문에서 통감 관저에 이르는 길이 새로 확장되었다. 그리고 도성 안팎을 출입하기 위해 남대문 양측의 성벽을 철거했다. 그때까지 서울은 완전한 성벽도시로서 사대문에서 인마의 통행을 제한했다. 이때 처음 성벽의 일부가 훼철되어 서울의 경관은 크게 변하게 되었다. 그리하여 嘉仁 황태자의 서울 방문을 계기로 오랜 세월 성벽으로 둘러싸였던 왕도 서울은 일본세력의 거점 도시로 변모하는 제1보를 내딛게 되었다.

嘉仁 황태자가 서울 시내를 왕래하는 연도에는 한일의 학생과 친일단체 일진회원을 비롯한 시민이 정렬하여 환영의 뜻을 표했다. 그들의 질서정연하고 정숙한 풍경은 순종 황제의 청량리 行幸 때 학습한 것을 재현하는 것처럼 보였다. 嘉仁 황태자가 탄 마차의 전후는 伊藤博文과 有栖川宮이 탄 마차가 에워쌌다. 그는 면밀하게 짜인 스케줄에 따라 행동했다. 순종 황제와 고종 태황제에게 정해진 질문을 하고, 돈덕전에서는 순종 황제와 이은 황태자의 유학시기 등을 협의했다. 천황을 대신한 역할을 한 셈이다. 그는 10살에 불과한 이은 황태자와 함께 카메라를 함께 들여다본다

거나 대화를 나눴다. 한국어에도 관심을 표명했다.

한국의 언론은 嘉仁 황태자의 방한을 期待 半 憂慮 半으로 보도했다. 『황성신문』은 1907년 10월 12일 '한일양국의 交誼親密'이라는 사설을 게재했는데, 이번 일을 계기로 한일 國交의 情誼가 점점 친밀해질 것을 믿는다고 기대했다. 황제나 황태자의 상호 방문은 歐美 각국에서는 자주 있는 일인데, 우리나라에서는 그런 일이 없었기 때문에 이번에 疑懼를 표명하는 풍설이 난무했다는 말도 빠트리지 않았다.[16]

반면에 『대한매일신보』는 10월 27일 기사에서 한국인들의 불편한 心氣를 전했다. 유럽에서는 나라와 나라가 조약을 맺으면 후세까지 그것을 지키겠다는 의지의 표현으로서 賓客이 서로 왕래하여 本心을 주고받는다. 일본 황태자의 우리나라 방문도 이런 의향에 따른 것이다. 일본은 우리나라와 2년 전에 '을사조약'(제2차 한일협약), 금년에 '정미조약'(제3차 한일협약)을 맺었는데, 이것들이 열국 간에 맺은 조약과 똑 같이 충실하다는 점을 과시하고 싶었다. 그러나 우리나라 인민은 분명히 이 조약들을 기뻐하지 않는다. 이에 일본은 이 조약들이 견고하게 지켜져야 한다는 점을 강조하기 위해 嘉仁 황태자를 파견한 것이다. 『대한매일신보』는 일본이 한일 간에 맺은 일련의 조약이 부당하다는 것을 은폐하고 한국에 대한 우월적 지위를 각인시키기 위해 嘉仁 황태자, 순종 황제, 이은 황태자를 열차에 태워 행행과 행계의 연극을 펼치도록 연출했다는 점을 간파했다.[17]

'한일친선'을 빙자한 伊藤博文의 통감 정치에 불만을 품고 있던 대륙낭인 內田良平(1874~1937년)도, 관점은 전혀 다르지만, 嘉仁 황태자, 순종 황제, 이은 황태자를 정치적으로 이용하는 처사에 대해 비판적 의견을 피력했다. 그 골자는 다음과 같았다.

16) 『皇城新聞』, 1907.10.12, 「韓日兩國의 交誼親密」.
17) 『대한매일신보』, 1907.10.27, 별보.

이번행사를 통해 한국의 많은 사람들은 일본이 황실을 존중하는 모습을 보았다. 거기에 한국의 황제와 황태자가 서울도성 밖으로 행차함으로써 그때까지 황제와 황태자의 모습을 본 적이 없는 사람들까지 점차 황실을 존중하는 것을 알게 되고 스스로 愛君의 신념을 갖게 되었다. 한국인에게 忠君愛國을 가르치면 일본의 보호 아래 있는 것보다 독립하는 것이 더 낫다고 여기게 된다. 그렇게 되면 일본이 바라는 '한국병합'과는 정반대의 길로 나가게 된다.

內田良平는 이런 속내를 드러내면서 伊藤博文의 통감정치를 비판했다. 이런 그의 논조는 1909년 1월과 2월 순종의 국내 행행에서도 되풀이 개진되었다.[18]

2) 남 · 서 순행(1909년)

(1) 남 순행

순종 황제는 1908년 10월 2일 경부선 편으로 수원에 있는 華山御陵(영조와 정조의 융건릉)을 참배하고, 권업모범농장도 시찰했다. 순종 황제의 行幸을 위해 남대문역－大皇橋(수원에 설치한 임시 정차장) 사이에 황실 전용 특별열차가 운행되었다.[19] 순종 황제가 털도를 이용하여 지방을 行幸한 좋은 사례이지만, 본격적인 철도 순행은 이듬해 초에 이루어졌다.

순종 황제는 1909년 1월 7일부터 13일까지 6박 7일 동안 경부선과 삼마선(삼랑진－마산)을 타고 한국의 남동부를, 그리고 1909년 1월 27일부터 2월 3일까지 7박 8일 동안 경의선을 타고 한국의 서북부를 순행했다.

---

18) 葛生能久, 1930, 『日韓合邦秘史』, 黑龍會出版部, 354~355쪽.
19) 財團法人 鮮交會, 1986, 『朝鮮交通史 資料編』, 연표 참조.

사료 상에서는 전자를 南巡幸, 후자를 西巡幸으로 표기하고 있다. 순종의 순행은 주로 기차를 타고 경기도, 충청북도, 충청남도, 경상북도, 경상남도, 황해도, 평안남도, 평안북도를 돌아다닌 것이다. 조선왕조 개창 이래 최초이자 최대의 순행이었다.

伊藤博文이 기획한 흔적이 농후한 순종 황제의 순행은 일본에서 지난 40년 가까이 행해져온 明治 천황의 순행과 嘉仁 황태자의 行啓를 본 딴 것이었다. 근대 국민국가로서 발돋움하는 일본은 국가의 최고 권위인 그들이 몸소 전국을 돌며 국민을 직접 만남으로써 국가를 통합하고 국민을 계몽하는 효과를 거두도록 했다. 천황을 중심으로 일치단결하여 부국강병을 이룩하려고 획책한 것이다.

그렇지만 일본의 철저한 통제 아래에 놓여 있던 대한제국에서 순종 황제의 순행은 오히려 그 반대의 효과를 노린 프로젝트였다. 곧 순종의 순행에 伊藤博文이 붙어 다니고 일본식의 奉迎行事를 치밀하게 연출함으로써 일본의 지배력과 문명화를 국내외에 각인시키는 효과를 노린 것이다. 당시 대한제국에서는 의병투쟁이 전국으로 번지고, 자강개혁을 부르짖는 애국계몽운동이 불을 뿜고 있었다. 일본은 이들을 가혹하게 탄압하고 살육했다. 일본의 만행은 외신을 타고 세계에 알려졌다. 伊藤는 험악해진 한국의 항일감정을 완화하고 국제사회의 대일비난을 무마시키는 방법으로 순종 황제의 순행을 기획했다.[20] 이처럼 철도는 좋든 나쁘든 국가의 통치와 지배에서 절호의 도구로 사용되었다. 아래에서는 이왕무와 原武史의 연구를 바탕으로 철도를 활용한 순종의 순행을 개관해보도록 하겠다.[21]

---

20) 春畝公追頌會, 1940,『伊藤博文傳』III, 800~801쪽.

21) 순종의 남 순행에 관한 기술에서 각주가 없는 부분은 주로 이왕무, 2007,「대한제국기 純宗의 南巡幸 연구」,『정신문화연구』제30권 제2호, 한국학중앙연구원 ; 原武史, 2003,『直訴と王権一朝鮮 · 日本の「一君万民」思想史』, 朝日新聞社 등을 참조했다. 이왕무는 순종 황제의 순행과 行幸에 대해 잇달아 소중한 논문을 발표했

먼저 순종 황제의 순행 일정을 살펴보자. <지도 11－1>의 ②에서 보듯이, 순종은 서울 남대문역에서 한일 국기를 교차로 내건 황실 특별열차를 타고 대구－부산－마산－대구를 거쳐 남대문역으로 돌아왔다.

> 1909년 1월 7일 6:40 창덕궁의 敦化門을 出御하여 罷朝橋→鐵橋→鍾路→黃土峴→新橋→布德門前路→大漢門을 지나 덕수궁에 들러 고종 태황제에게 순행의 인사를 올렸다. 7:30 大漢門 出御, 8:10 남대문 정차장 발차, 충청남도 대전에 잠깐 정차, 15:25 경상북도 大邱 도착, 도 청사에서 經宿.
>
> 1월 8일 9:10 대구 정차장 발차, 도중 청도에서 5분간 정차, 11:45 경상남도 釜山 도착, 교외의 東萊 방문, 부산항에 정박 중인 일본 제1함대 旗艦 吾妻 견학.
>
> 1월 9일까지 부산에서 체재 經宿 駐蹕.
>
> 1월 10일 9:00 부산 정차장 발차, 9:59 삼랑진 도착, 10:05 삼랑진 출발, 11:25 경상남도 馬山 도착, 교외의 창원에서 특산물 관람, 마산항에 정박 중인 일본 제2함대 旗艦 香取 견학, 11일까지 마산에 체재 經宿 駐蹕.
>
> 1월 12일 8:45 마산 정차장 발차, 삼랑진과 청도역에서 각각 5분간 정차, 11:45 대구 도착 經宿. 시내의 달성공원 견학, 학교생도의 운동을 참관.
>
> 1월 13일 8:00 대구 정차장 발차, 15:10 남대문 정차장 도착, 16:40 덕수궁에 가서 고종 태황제께 문안, 창덕궁으로 귀환.[22]

순종 황제의 순행을 수행한 사람들은 황실과 정부의 요원이었다. 궁내부 41명, 내각 42명, 통감부 13명으로 모두 96명이다. 이중 한국인은 68명이고 일본인은 28명이었다. 순행의 沿路는 內部가 警衛했고, 철도연선

다. 이 절의 기술은 대부분 이왕무의 연구에 의존했다. 특별히 감사한다.

22) 이왕무, 위의 논문, 63쪽.

은 일본 헌병이 5~10리 간격으로 擔銃別立하여 경호했다.

순종 황제는 순행에서 기차, 마차, 기선 등 근대적 교통기관을 이용했는데, 그 중 대표적인 것이 황실전용으로 만든 宮廷列車였다. 궁정열차는 순행 일정에 맞추어 임시로 운행되었다. 궁정열차는 7량으로 편성되었는데, 기관차－緩急車－1 · 2등－1등 · 식당－1 · 2등－玉車－3등－화차 등의 순서였다. 열차의 선두부터 탑승자들을 보면, 1 · 2등에는 判任官과 음악대, 1등에는 勅奏任官, 1 · 2등에는 親任官과 勅奏任官, 3등은 判任官 등의 수행원이었다.

궁정열차의 탑승객들은 통감부 철도관리국에서 교부한 證票를 휴대했다. 탑승객은 황족과 관원, 女官과 승무원을 합쳐 모두 111인이었다. 승차증명서의 앞면 제1행에 "明治 42년 1월", 2행에 "宮廷列車乘車證", 3행에 "統監府通信管理局"이라고 썼고, 후면에 해당인의 관직과 성명을 기재하였다. 궁정열차의 관리와 배정은 통감부 鐵道管理局長官 大屋權平이 주관하였다. 철도관리국은 궁정열차의 배차를 위해 다른 열차의 시간을 변경하는 등 시간표를 새롭게 조정했다. 순종이 이처럼 긴 일정에 걸쳐 많은 수행원을 대동하고 장거리 순행을 할 수 있었던 것은 대량의 승객과 화물을 안전하고 정확하게 원거리까지 운반할 수 있도록 만들어진 철도의 덕택이었다.

순종 황제가 순행에서 활용한 궁정열차는 단순한 교통기관이 아니라 해당 지역주민에게 새로운 시간과 공간을 실감하고 적응하게 만든 문명의 傳令이었다. 관계당국은 궁정열차의 통과시간과 도착시간을 해당 지역주민에게 미리 알려주었다. 그래서 철도연선의 주민들은 궁정열차가 몇 시 몇 분에 통과 혹은 정차하는지 알 수 있었다. 그들은 궁정열차를 奉迎하기 위해 정확한 시각에 맞춰 철도연선이나 정차장에 운집했다. 새로운 시간관념과 공간의식이 지역주민에게 침투한 것이다.

순종 황제의 순행을 기획한 당국은 순종을 맞이하기 위해 철도역 구내에 입장할 수 있는 사람과 그렇지 못하는 사람을 엄격히 구별하였다. 그리하여 지역사회에서는 한국인과 일본인, 유력자와 일반인 등의 계층적 질서가 공개적으로 형성되었다. 이런 모든 것을 이런 모든 것을 통제하는 것은 중앙 권력, 특히 일본 세력이었다.

권력에서 한일 간의 차별은 연도주민의 눈에 확 띄는 마차나 인력거에서 두드러지게 나타났다. 1월 10일 순종이 마산역에서 행재소로 이동할 때 사용한 인력거의 배치를 보면 일본인들이 우선순위를 차지했다. 村田 少將←外波 少將←古谷 秘書官←國分 秘書官←小松 書記官←中山 書記官←小山 技師←藤波 通譯官←義陽君←李 總理大臣 순이었다. 일본인 고위 장성과 통감부 요원이 먼저였다. 村田 少將과 外波 少將은 군인이라서 그렇다 하더라도, 황족인 義陽君을 9번째, 총리대신 이완용을 10번째로, 일본인 비서관, 서기관, 기사, 통역관 등보다도 뒤에 배정한 것은 일본인의 우위를 보여주려는 의도였다고 볼 수 있다. 행재소를 설치하고 환영회를 베풀 때도 일본인 우선을 확인할 수 있다. 이것은 일본이 순종의 순행을 주도했다는 것을 보여주는 증거이기도 하다.

순종 황제는 순행의 여정에서 성대한 환영을 받았다. 뿐만 아니라 통과 지역의 관찰사와 이사관 등의 관원, 유학자와 상공인 등의 주민을 수시로 접견하였다. 대구와 부산의 거리에는 궁정열차가 도착하는 연도에 한일 국기가 내걸리고 연도에는 만세 소리가 울려 퍼졌다. 부산역에는 부산항에 입항한 일본 군함의 장교들과 官衙員, 지방유지 등 수 만 명이 영접하여 지극히 성대한 광경을 연출했다. 密陽, 三浪津, 龜浦 등의 역에도 많은 奉迎 인파가 몰렸다.

순종 황제는 정차장에서 행재소까지 마차로 이동했는데, 연도에서 수만 명의 인파가 만세를 외치며 환영하는 광경을 목도했다. 야간에도 환영

인파가 운집하여 만세를 외치며 행재소 앞까지 제등행렬을 펼쳤다. 서울에서는 문무관, 공사립학교 생도, 한일 국민이 남대문역에서부터 창덕궁까지 길가에 배열하여 한일 국기를 흔들고 만세를 외치며 순종의 무사 환어를 봉영하였다. 수 만 명의 인파가 대한제국의 황제를 눈앞에서 직접 환송하고 환영하는 모습은 근대 국민국가의 기운이 꿈틀거리고 있다는 것을 보여주는 일대 壯觀이었다.

순종 황제는 1월 13일 남 순행에서 돌아올 때 원래 대전역에서 정차하지 않고 15:30 남대문역에 도착할 예정이었다. 그러나 급히 궁정열차의 還御 시간을 조정하여, 아침 8:00 대구를 출발하여 11:26 대전역에 도착하였다. 대전역에서 순종은 은퇴한 정2품 宋道淳, 정3품 宋鍾奎, 宋秉學, 金德洙, 宋鐘國 등을 만나 훈시하고 칙서를 내렸다. 이 칙서에서 순종은 이런 취지의 말을 했다.

> 짐이 이번에 지방을 돌아보는 것은 백성들의 실정을 살펴보자는 것이다. 경들은 내 칙서를 보았을 텐데, 아직도 이전의 모습을 고치지 못하고 있다. 현시대를 맞아 새롭게 일신할 생각이 없으면 앞으로 어떻게 하겠는가. 경들은 짐이 직접 사상을 개발하는 것을 보아야 할 것이다. 짐이 모든 백성들에게 다 지시하지 못하지만 경들은 대대로 벼슬살이를 해온 집안으로서 나라와 고락을 같이할 의리가 있으므로 먼저 직접 만나서 지시하는 바이다.[23)]

순종은 송도순 등이 구습에 젖어 시세의 변화를 따라가지 못한다고 강하게 꾸짖었다. 당시 송도순 등은 흑단령에 상투를 튼 차림으로 순종을 알현했다.

순종 황제가 6박 7일 동안 근대문물의 상징인 기차를 타고 남부 지방을

---

23) 『內閣日記』, 권7, 1월 13일.

순행한 것은 순행에 앞서 1월 4일에 발표한 조서에서 보듯이, 곤궁에 빠진 백성의 고통을 헤아리고 항일의병투쟁을 진정시키며, 정부가 추진하고 있던 문명개화와 식산흥업의 의지를 구석구석까지 전파하기 위함이었다.[24] 순종은 순행 과정에서 일본 함대의 장대함과 신식 문물의 이로움을 목격하고 체험했다. 순종이 송도순 등에게 위와 같이 칙유한 것은 통감부와 친일관료의 의사를 대변한 점도 있겠지만, 대한제국이 나아갈 바를 천명한 것이라고 볼 수 있겠다. 그것은 곧 일본식의 근대화 방향이기도 했다.

순종 황제와 대한제국의 신민이 어울리는 모습은 순행 과정의 여기저기에서 나타났다. 伊藤博文은 순종의 권위를 빌려 통감부의 한국 지배를 강화할 생각이었는데, 대한제국의 황제와 신민이 하나로 뭉치면 일본에게는 독이 될 수 있었다. 伊藤博文은 이 점을 간파하고 이른 곳마다 연설하면서 민심을 일본 편으로 끌어들이도록 애썼다.

순종 황제의 남 순행을 기획하고 주도한 伊藤博文 등 일본 측은 이번 행사를 통해 의병투쟁과 계몽운동 등으로 통감부의 지배에 저항하는 한국인들에게 일본의 위력을 과시하고 문명의 진보를 체감시킬 궁리를 하였다. 그들은 대한제국 황실의 위엄을 빌어 남한 지역의 민심을 안돈시키고 싶었기 때문에, 일본에서 明治 천황이 순행할 때 갖춘 격식에 준하여 순종의 순행을 추진했다.

순종이 1월 7일 남대문역을 출발할 때 일본군육은 남산 기슭에서 21발의 烟花를 打揚했나. 궁성열차가 대구역과 부산역에 들어설 때도 각각 烟花 21발을 打揚했다. 일 해군은 천황의 지시를 받고 제1함대를 부산항에, 제2함대를 마산항에 파견했다. 순종과 통감 일행은 부산과 마산에서 旗艦을 방문했다. 일본해군은 갑판에서 한국과 일본의 국가를 연주하며 분

---

24) 『순종실록』, 1909.1.4.

위기를 띄우고, 각종 선상 훈련과 전투 수법 등을 선보였다. 순종 일행이 마산을 출발할 때는 제1 · 2함대는 각각 예포 21발을 발사하여 경의를 표하였다.

伊藤 통감은 1월 7일 오후 7시 순행의 첫 여정지인 대구 達城館에 운집한 한일 국민을 향해 다음과 같은 취지의 연설을 했다.

> 한국 황제 폐하가 지방의 민정을 시찰한 것은 전례를 찾을 수 없는 일이다. 관광이나 유람이 아니다. 오로지 한일 국민의 親和를 親察하기 위함이다. 폐하의 聖意는 지방 민심이 평화를 회복하고 각자가 본분에 근면하여 한국의 부강을 이루는 데 있다. 그러니 한국 국민은 殖産興業과 교육발전에 힘써야 할 것이다. 일본이 한국을 滅却한다는 소문이 있는데, 사실은 한국 신민의 행복을 증가시키고자 한다. 정치는 인심의 安靖이 우선이니 폐하의 순행에 맞추어 그 聖意를 받들어 따를 것을 바란다.[25]

1월 8일 부산 守谷舘에서도 伊藤는 아래와 같은 내용의 연설을 하였다.

> 본인은 한일 양국의 황제가 조인한 조약에 의거하여 한국의 외교를 담당하고 내정을 감독하는 통감에 부임하였고, 천황은 통감에게 한국을 도와서 문명세계로 나가도록 지도 개발하라고 지시하였다. 한일 양국이 힘을 합해 동양평화를 이룩하면 세계평화에 기여하는 것이니 한일 양국의 친화는 동양평화와 세계평화의 달성에 공헌하게 된다.[26]

伊藤博文은 이르는 곳마다 이와 유사한 내용의 연설을 하였다. 1월 10일 마산 望月舘에서는, '일본은 극동에 위치한 한국의 위치를 보호하기 위

---

25) 『內閣日記』, 권7, 1월 7일 ; 春畝公追頌會, 앞의 책, 818쪽.
26) 『內閣日記』, 권7, 1월 8일.

해 노력할 것이니 한일 국민은 화합하여 우의를 다지고 생업에 종사하기 바란다'고 당부했다. 1월 12일 대구 이사청에서는 다음과 같이 역설했다.

> 儒生 제군은 지방의 중류 이상의 인민으로 학식이 있는 자들이니 군주의 뜻에 迎合해야 한다. 지금은 지구상의 여러 제국이 相通하는 시대로 서양제국이 동양을 침략하는 상황에서 그대들이 존경하던 支那는 한심한 상황으로 되었지만 일본은 서구 세력과 대등한 관계를 가지고 있다. 그러니 支那의 상태를 잘 생각하면 일본과 交通하고 합심하여 문명국으로 나아가서 서구 세력으로부터 자신을 보호하는 것이 좋은 일이다. 그런데도 과거에 얽매여 구태를 지키면서 문명국과 交通하지 않아 무력으로 타국의 침략을 받지 않았는가? 오늘날 일본이 한국에 바라는 것은 구습을 버리고 교육과 식산흥업에 힘써서 일본과 文明恩澤을 함께 누리기 위해 合力하는 것이다. 이에 통감은 한국의 형세 전환을 위해 노력하고 있으며 황제 폐하의 부탁으로 황태자 전하를 일본에 유학까지 시켰으니 어떻게 내가 한국을 멸망시킬 목적이 있겠는가? 제군들은 황제 폐하에 복종하면서 지방의 縉紳者로 인민을 선도하길 바란다.[27]

伊藤博文이 말하는 한일의 친화는 통감 지배에 순응하는 것이고, 한국의 부강은 일본의 지도를 수용하는 것을 의미했다. 그는 순종 황제의 순행이 일본의 지배 세력을 전국으로 확산시키는 계기가 되기를 기대했다.

순종 황제가 남 순행에서 이용한 행재소는 대부분 이사청이나 일본식 여관이었다. 지방 관찰사의 숙소도 이용했지만, 통감이 순종을 배종했기 때문에 일본인에게 편리한 숙소를 우선했다고 볼 수 있다. 특히 일본인 수행원들은 일본인이 경영하는 여관에만 체류했다. 부산과 마산에 일본식 여관이 많았기 때문에 그들에게는 전혀 불편함이 없었다.

---

27) 『內閣日記』 권7, 1월 12일 ; 春畝公追頌會, 앞의 책, 818~820쪽.

통감부는 인쇄물을 통해 순종 황제의 순행이 합당함을 선전하고, 민심의 동양을 세밀히 파악했다. 통감부에 보고된 문건 중에는, '지방의 한 양반은 신문을 통해 순종의 순행 소식을 듣고 단발을 감행하고, 500여 년 동안 없었던 지방 순행을 내세워 통감이 순종을 일본으로 납치한다고 생각했는데, 오해를 풀고 순행을 환영하게 되었다'라는 내용도 있었다. '東萊에서는 結髮의 구습을 지키던 사람들이 순종의 散髮 모습을 보고 크게 놀라고, 구습을 타파하려는 聖意를 받들어 散髮하는 자가 많았다'고 했다.

순종 황제는 대전역에서 전직 관료가 상투를 틀고 전통 관복을 착용한 것을 보고 시대에 뒤떨어진 짓이라고 혹평하며 문명으로 나가라고 호령했다. 순종은 이러한 칙어를 순행도중 여러 번 발표했다. 단발에 서양식 제복을 입은 순종이 근대문명의 대표주자인 기차를 타고 지방을 돌아다니며 전래의 풍습과 제도를 야만이라고 매도하고, 일본에서 변용된 서구의 풍습과 제도를 문명이라고 호평하는 것은 일본을 통한 근대화 곧 통감부 지배를 정당화하는 것으로 받아들여졌다. 伊藤博文 등이 明治 천황을 흉내 내어 순종 황제의 순행을 추진한 노림수가 바로 여기에 있었다.[28]

(2) 서 순행

순종 황제는 1909년 1월 27일부터 2월 3일까지 7박 8일의 일정으로 서 순행에 나섰다. 불과 2주일 전에 끝난 남 순행보다 1일이 더 길었다. <지도 11—1>의 ③에서 보듯이, 서 순행은 서울의 남대문역에서 임시로 편성한 궁정열차로 출발하여 평양→의주→신의주→평양→개성 등지를 거쳐 돌아오는 여정이었다. 서 순행의 일정은 1월 20일에 확정되었고, 관보와 호외로 반포되었다. 서 순행의 주요 일정과 연도의 풍경을 종합하여

28) 이왕무, 앞의 논문, 79~84쪽.

기재하면 다음과 같다.[29)]

1월 27일 6:30 창덕궁 敦化門 出御, 罷朝橋→鐵橋→鍾路→黃土峴→新橋→布德門前路→大漢門을 거쳐 덕수궁에 들러 고종 태황제에게 문안 인사, 7:45 대한문 出御, 8:00 南大門驛 승차 출발, 통감부 철도관리국장이 선도함, 8:06 경기도 용산역에 잠깐 정차, 警視總監 若林賚藏이 하직 인사를 함, 경의선을 타고 북상하여 경기도의 개성과 황해도의 신막에 잠깐 정차, 15:45 평안남도 平壤驛 도착, 평안남도 청사에서 숙박, 학도 수만 명이 정차장에서 평안남도 청사까지 꽉 메우고 서서 순종의 행렬이 통과할 때까지 정숙하게 허리를 깊이 숙여 경례하고, 만세를 연호했다. 도내의 양반 儒者, 고령의 남녀, 각종 단체, 실업가 등 10여만 명이 봉영함.

1월 28일 9:00 평양역 발차, 15:45 新義州驛 도착, 經宿.

1월 29일 마차를 타고 평안북도의 중심지 의주에 가서 청사에서 관찰사로부터 지방정치의 실정을 듣고 특산물을 견학. 도 청사에서 숙박.

1월 30일 마차를 타고 신의주로 돌아옴. 신의주에서 숙박.

1월 31일 9:00 신의주역 發車, 경의선을 따라 남하하여 12:20 평안북도의 定州驛 도착, 13:20 정주역 發車, 평안남도의 신안주에 잠깐 정차, 16:45 평양역 도착, 經宿.

2월 1일 평양 駐蹕. 평양시내 대동강 서안의 북쪽에 있는 낮은 언덕 萬壽臺를 관람함.

2월 2일 9:30 평양역 발차, 10:35 黃州驛 도착, 11:35 황주역 發車, 15:55 開城驛 도착, 經宿.

2월 3일 고려 왕도 유적지를 관람, 13:00 개성역 發車, 15:10 남대문역 도착.[30)]

---

29) 순종의 서 순행에 관한 기술에서 각주가 없는 부분은 주로 이왕무, 2011, 「대한제국기 순종의 西巡幸 연구 – 『西巡幸日記』를 중심으로」, 『동북아역사논총』 31호, 동북아역사재단을 참조해서 작성했다.

30) 이왕무, 위의 논문, 296~297쪽.

관계당국은 순종 황제의 순행이 시작되기 전인 1월 25일 궁정열차에 탑승하는 호송원들에게는 乘車證票와 시간표를 발급했다. 승차증표에는 사용자의 이름을 기재하여 流用의 폐단을 방지하고, 행동에 통제를 기하였다. 순행의 호종원은 모두 279명으로, 궁내부 201명, 내각 49명, 통감부 29명이었다. 남 순행보다 3배 가까이 늘어났다. 이 중 한국인은 198명, 본인은 81명이었다.

서 순행에서 순종 황제는 기차, 마차, 인력거, 가마 등 다양한 교통수단을 이용했는데, 그중 대표적인 것은 남 순행과 마찬가지로 궁정열차였다. 서 순행은 원거리 행차인 동시에 한파가 몰아치는 음력 정월에 거행되었으므로, 근대적 편의시설이 갖춰진 궁정열차가 아니면 어려운 일이었다. 더욱이 남 순행을 마친지 불과 2주일 만에 서 순행을 할 수 있던 것도 사전에 열차를 이용하여 각지와 연락하며 각종 준비를 할 수 있었기 때문이었다. 궁정열차는 황실의 특별 임시열차로 순행에 맞추어 임시로 편성되었다.

궁정열차는 기관차-緩急車-1등 · 2등-식당 · 1등 · 2등 · 1등-玉車-3등-화차 등 7량의 객실로 편성되었다. 열차의 선두부터 1등에 判任官, 2등에 음악대, 1등과 2등에 勅 · 奏任官, 1등에 親 · 勅任官, 3등에 승무원과 수행원 등이 탑승하였다. 순종 황제가 탑승한 玉車에는 궁내부대신, 시종원경, 시종무관장, 총리대신, 각부대신, 궁내차관, 시종, 시종무관, 예식관, 女官, 통감비서관 등이 동승하였다. 玉車에 탑승한 관원들은 모두 대례복을 착용했으며, 순종이 앉은 자리에서 우측에 親 · 勅任官과 통감, 좌측에 시종과 시종무관, 完順君이 자리 잡았다. 식사는 지위별로 정해진 시간에 제공되었다.

서 순행의 준비는 남 순행보다 더 세밀하고 철저했다. 선발원이 먼저 순행지에 가서 경호 상황을 점검하고, 열차가 정차하는 역과 환영 장소 및 행재소를 정비했다. 마차와 인력거도 마련했다. 남 순행도 겨울에 진행했지만, 서북지방은 위도상이나 지형상 훨씬 더 추운 데다가, 만주와 대륙에 접해 있어서 경호 문제가 무척 민감했다. 따라서 방한구의 장만에서부터 경찰병력의 배치에 이르기까지 엄밀하게 준비할 필요가 있었다.

순행을 기획하고 관리한 일본 측은 호종원들에게 열차 안의 이동에서 의례에 이르기까지 16개의 주의사항을 하달하여 지키도록 했다. 그중 몇 개는 다음과 같았다.

> 복장이나 행동을 整齊하여 인민에게 엄숙함을 보일 것, 순종이 승하차할 때 음악대가 먼저 승하차하여 애국가를 연주할 것, 궁정열차가 수분 간 정차할 때는 차관, 대신, 통감의 상의를 거친 자만 알현하도록 할 것, 玉車에 외부의 찬 공기가 들어오지 않도록 하기 위해 부득이한 경우가 아니면 예식관의 출입을 금할 것, 玉車 안에서 오찬이나 다과를 할 때 통감 옆에 통역 1인이 侍立할 것, 각 지역의 陛見者 명단은 미리 작성하여 예식관에게 제출할 것, 행재소에 문안 서명록을 비치하고 매일 거행할 의식은 관보에 게재할 것.[31]

순종 황제의 순행 행렬이 지나가는 철도연선 각 지역의 民戶들에는 한일의 국기가 게양되었다. 그리고 철도연선 10~20리 사이에 순사와 헌병보조원이 배치하여 경호에 임했다. 야간에도 제등행렬과 만세제창으로 순종의 지역 방문을 환영하였다. 환영 행사는 사전에 조율한 것이었다. 순종의 평양 도착을 환영한 인파는 무려 6만여 명에 달하였다. 환영 행사의 규모가 얼마나 성대했는지를 짐작할 수 있을 것이다.

순종 황제는 단발에 신식 군복 차림으로 순행에 나섰다. 이 사실을 미리 알고 있던 지역의 유지들은 구식을 고수하며 황제를 逢迎하는 것이 臣民의 자세가 아니라면서 일제히 단발하여, 그 수가 수천 명에 이르렀다. 1

31) 『西巡行日記』 부록, 「西巡行時禮式上注意件」.

월 31일 신의주에서 평양으로 남하하던 궁정열차는 12시 20분에 定州驛에 잠시 정차하였다(<사진 11－4> 참조). 이때 순종은 정주군의 전현직 관리와 父老縉紳 33명을 만나고 侍從院卿 尹德榮을 통해 칙서를 내렸다. 그 취지는 다음과 같았다.

> 짐의 이번 지방 순찰은 백성들의 실정을 두루 살펴보기 위한 것이다. 지금 너희를 보니 아직도 옛날의 모습을 고치지 못하고 있다. 지금 이 시대에 와서 새롭게 일신할 생각이 없다면 앞으로 어떻게 하겠는가. 너희는 짐이 직접 나서서 새로운 사상을 계발시키는 것을 보아야만 한다. 짐이 모든 백성들을 다 깨우쳐주지 못하지만, 너희는 모두 대대로 벼슬하는 집안이기 때문에 먼저 깨우쳐주는 것이다.[32]

순종 황제는 남 순행 때와 거의 같은 내용의 칙유를 하였다.

2월 1일 15:00에 평양의 箕陽俱樂部에서 열린 한일 관민 환영회는 총리대신 이완용의 선창에 따라 순종 황제와 일본 천황을 위한 만세삼창으로 시작되었다. 이어서 伊藤博文이 연설했는데, 그 골자는 다음과 같았다. 한국의 미약한 처지를 일본이 부조하여 문명적으로 많은 발전을 이룩했다. 동양평화를 견지하기 해서는 한일 양국이 공동으로 노력해야 한다. 순종 즉위 이후 한국의 조세 총액이 증가하고, 殖産興業에 주력하여 경제가 발전하였다.[33]

이완용도 순행의 정당성을 피력한 후, 일본 거류민이 선진국의 선각자로서 한국을 잘 지도해주길 바란다고 말했다. 그리고 천황폐하만세를 외쳤다. 평양의 縉紳과 민인 수 천 명은 순종의 행렬을 맞이하는데 조선식 예복을 입는 것은 신하의 도리가 아니라면서 단발을 감행하고 양복을 입었다.

---

32)『內閣日記』 권7, 1월 31일.
33)『內閣日記』 권7, 2월 1일.

순종 황제는 1909년 2월 3일 개성 滿月臺의 고려 옛 궁궐터전을 돌아보고, 義親王과 漢城府民會長 유길준을 만나 뒤 개성역을 출발하여 15:30 10만여 명의 인파가 환영 나온 남대문역에 도착했다(<사진 11-5> 참조). 순종은 덕수궁에 들러 고종 태황제에게 문안하고, 창덕궁 인정전 동쪽 행각에 나가 서 순행에 참여한 관원들과 만찬을 했다. 그리고 2월 6일 순종은 통감 관저를 방문하여 오찬을 하면서 伊藤博文의 노고를 다음과 같이 치하했다.

> 짐이 이번에 지방 백성들의 실정을 친히 살피기 위하여 서쪽 지방과 남쪽 지방의 각지를 순행할 때 伊藤 통감은 많은 나이와 병든 몸을 아랑곳하지 않고 추위를 무릅쓰고 앞뒤에서 호위하며 나를 도와주었다. 또 가는 곳마다 우매한 백성을 열심히 깨우쳐주어 세상물정을 환히 알게 하고 누구나 기쁘게 만들었다. 그리고 거류하는 일본인들도 함께 달려와서 같은 마음으로 환영하여 화락한 기운이 무르녹게 하였는데, 이것은 모두 伊藤 통감이 평소에 한국과 일본을 위하여 성심성의를 다한 결과이다. 그래서 짐이 오늘 방문하여 수고를 위문하고 감사한 마음을 표하는 바이다.[34]

1909년 초 한국에서 伊藤博文의 통감정치는 완성기를 맞고 있었다. 그가 보건대 施政改善은 착실히 이루어지고 무력토벌로 인해 의병투쟁은 쇠퇴하고 있었다. 한국에서 저항보다는 체념이 퍼져가는 듯했다. 그런 가운데 순종 황제가 남서를 순행한 것이다. 伊藤博文은 明治 천황의 순행을 본보기로 삼아, 한국의 황제가 지방의 실정을 관찰하고, 민심의 일신을 기하기를 바랐다. 1907년 10월 嘉仁 황태자의 啓行 때 서울-인천 사이에서 전개된 질서공간을 한반도 전체로 확대 재현함으로써 한국의 倂呑에

34) 『西巡行日記』 2월 6일, 「御訪臨」.

대비하는 것이 궁극적인 목표였다.

伊藤博文이 기대했던 대로 순종 황제가 순행한 철도연선의 여러 도시에서는 1907년 10월과 같은 광경이 펼쳐졌다. 궁정열차가 통과하는 각 역에서는 지방의 유력자와 학생 등을 비롯하여 한일 국민이 반듯하게 열을 짓고 대체로 정숙하게 순종 황제를 맞았다. 때로는 만세도 제창했다. 대구와 평양 등 순종 일행이 열차에서 내린 도시에서는 역전으로부터 幸在所까지 도로가 정비되고 白沙가 뿌려졌다. 다수의 사람이 연도에서 질서정연하게 봉영했다.

그런데 지역에 따라서는 순종 황제의 순행을 환영하는데 성의가 거의 없고, 냉담한 표정을 감추지 않았다. 일본 측의 강청으로 어쩔 수 없이 순행을 함께 준비하고 종사하는 듯이 보일 뿐이다. 정열의 규율이나 경례의 방법이 사전에 가르친 대로 지켜지지 않고 혼잡한 곳도 있었다. 오히려 민심을 자극하는 각종 유언비어가 난무했다.

안성에서는 일본이 순종 황제를 납치하여 東京에 유폐시키든가, 제주도에 謫居시키려 한다, 그를 위해 일본은 부산항에 군함 두 척을 정박시켰다 등의 소문이 돌았다. 대구에서는 伊藤博文이 순종을 扈從하는 것은 황제를 일본으로 끌어가기 위해서라고 수군거렸다. 경주에서도 일본이 황제를 납치하여 끌어가려 한다고 하여 민심이 격앙되었다. 이런 민심은 한국 병탄을 획책하는 일본의 의도를 간파한 측면이 있었다.

순종 황제를 맞은 각 도시에서는 일본의 그림자가 아른거리는 순행에 항의하는 決死 행동이 속출했다. 대구의 協成學校 생도들은 철도선로의 침목에 집단으로 드러누워 열차의 통행을 저지하려고 했다. 부산에서는 시민이 부두에 야숙하면서 항구로 통하는 길을 막거나, 작은 배 60척에 나눠 타고 순종이 타려는 군함 吾妻를 에워싸고 진행을 방해했다. 마산의 제등행렬에서 일본인이 한국인보다 앞서 가는 것을 본 한국생도가 일본

국기를 찢어버렸다. 평양의 봉영에서 경찰과 관찰사의 설득에도 불구하고 생도가 '히노마루' 들기를 거절했다. 의주에서 시민 전원이 순종에게 허리를 깊이 숙여 경례했지만 伊藤博文에게는 공립보통학교 생도만 절을 했다. 순종의 권위에 대해 충절을 맹서한 반면, 일본의 지배에 대해서는 단호하게 반대했다.[35)]

순종황제의 순행에서 나타난 역효과는 순행을 기획한 伊藤博文에게는 전혀 예상치 못한 상황이었다. 일본의 한국침략을 선도한 대륙낭인 內田良平은 이 점을 간파하였다. 그는 흑룡회원에게 보낸 서한 중에서 다음과 같이 썼다.

> (순종이) 2,3백년 이래 한 적이 없는 삼남 순행을 일부러 감행하고, 통감 이하 다수의 일본 관리를 호종시킨 것은 한국인이 점점 황제를 존경하고 신뢰하게 이끈 반면, 통감을 가볍게 여기도록 만들었다. 한국 황실을 일본 황실과 대등하게 취급하려는 태도를 취하고 있는 일본인(伊藤博文)을 결코 용납할 수 없다.[36)]

순종 황제의 순행을 계기로 한국인들에게 一君萬民 사상이 널리 퍼져간 반면에 일본에 대한 저항의식도 고조되는 현상이 나타났다.[37)] 이런 배경에서 1909년 10월 안중근 의사는 통감에서 물러난 伊藤博文을 하얼빈에서 사살했다. 이 사건을 계기로 일본은 한국의 병탄에 박차를 가했다. 그 과정에서 山縣有朋의 두터운 지지를 받은 육군대신 寺內正毅가 통감에 취임했다. 그는 순종을 압박하여 '한국병합에 관한 조약'(한국병합조약, 1910.8.22)을 체결하고 대한제국을 폐멸시켰다. 일본은 통감부를 총

35)『대한매일신보』, 1909.2.7.,「조국정신」.
36) 葛生能久, 1930,『日韓合邦秘史』下, 53쪽.
37) 原武史, 2003, 앞의 책, 211~216쪽.

독부로 바꾸고 통감 대신 총독을 파견해서 한국을 식민지로 지배했다. 그리하여 한국에서 일군만민의 정치는 사라지고 일본에 의한 본격적인 동화가 시작되었다. 이에 따라 일본이 지배하는 질서와 통제의 그물이 철도망을 따라 전국에 촘촘히 쳐졌다.

3) 함흥 · 東京 行幸(1917년)

(1) 함흥 행차

합의를 가장한 강요에 의해 체결된 '한국병합조약'은 애초부터 한국인들에게 정당성을 인정받지 못해 새로운 차원의 독립운동을 불러일으키는 계기가 되었다. 그렇지만 현실에서 한국병합조약은 일본이 한국의 지배를 관철시키는 권력의 원천이 되어 한국에서는 황제를 대신한 총독의 통치가 펼쳐졌다. 이에 일본은 한국 황실의 저항을 완화하기 위해 여러 가지 보장과 장치를 마련했다. '한국병합조약'의 제3조에서, '일본국 천황은 한국의 황제, 태황제, 황태자와 그 후비 및 후예에게 그 지위에 따라 상당한 존칭, 위엄, 명예를 향유하도록 하고, 그것을 보지하는 데 충분한 세비를 공급할 것을 약속'했다. 그리고 제4조에서는, '일본국 황제는 전조 이외에 한국의 황족 및 후예에 대하여 각각 상당한 명예 및 대우를 향유케 하고 또 이를 유지하는 데 필요한 자금을 공여할 것을 약속'했다.[38)]

일본은 '한국병합조약'에서 명기한 위와 같은 약속을 실행하기 위해 대한제국이 폐멸된 지 사흘 만인 1910년 9월 1일(음력 7월 28일) 창덕궁 인정전에서 순종 황제를 李王으로 책봉하는 의식을 거행했다. 일본 궁내성이 파견한 천황의 칙사가 이 式典을 주도했다. 칙사인 궁내청 式部官 稻葉

38) '한국병합조약'의 체결과 내용 및 성격 등에 관해서는 다음의 저서를 참조할 것. 운노 후쿠쥬 지음, 정재정 옮김, 2008, 앞의 책.

正繩은 천황의 조서와 함께 하사품을 이왕에게 전달했다. 이로써 고종 태황제와 순종 황제, 이은 황태자와 그 형제 李堈 · 李熹 및 그들의 배우자 등 대한제국 황실의 구성원은 일본이 새롭게 만든 王公族으로 편입되어 일본 황실에 준하는 대우를 받게 되었다. 일본황실의 일원이면서도 격은 떨어지는 묘한 위상이었다. 이에 따라 고종은 덕수궁 이태왕, 고종의 배우자는 太王妃, 순종은 창덕궁 이왕, 순종의 배우자는 李王妃라고 칭했다. 황태자 李垠은 왕세자, 그의 배우자는 왕세자비로 불린다. 순종의 至親인 이강과 이희는 公, 이들의 배우자는 公妃라고 불렀다. 이들에게는 모두 殿下라는 경칭이 붙었다.[39]

일제가 한국을 강점한 이후 대한제국의 황제와 황족은 일본황실에 속한 王公族으로 재편성되었지만, 그때까지 지속해온 황실의 의례와 행사를 계속 거행했다. 그것들은 조선왕조가 개창 이래 집행해온 국가통치의 典範이었다. 순종은 이왕으로 격하된 이후에도 선대왕의 신위가 모셔져 있는 종묘와 선대왕이 묻혀 있는 陵園廟 등을 수시로 참배했다. 왕실의 기일이나 축일 등의 행사를 주재하기 위해 자유롭게 궁궐 밖으로 거둥했다. 1910~17년 사이에 종묘를 17회, 건원릉을 1회, 융건릉을 1회, 홍릉을 21회, 함흥궁릉을 1회, 기타 능을 5회 참배했다. 1914년 11월 19일 순종이 수원에 있는 융건릉에 행행할 때는 남대문역에서 8:30 출발의 궁정열차를 이용했다. 역 광장에는 새로 설치된 조선귀족들이 운집하여 鞠躬하는 장관을 연출했다.

순종은 남산 북쪽 기슭의 조선총독부와 용산의 총독관저에도 매달 1회 이상 행차했다. 창덕궁은 나서는 순종의 행렬은 선두에 경부, 좌우에 순사

39) 일본의 '한국병합'과 대한제국 황실의 처우, 곧 조선 王公族의 설치와 운영의 전모에 관해서는, 新城道彦, 2015, 『朝鮮王公族－帝國日本の準皇族』, 中央公論新社를 참조할 것.

와 헌병, 순종의 마차, 수행 마차, 순사와 서장의 순서로 구성되었다. 황제 시절보다는 간편해졌지만 나름대로 엄중한 경호가 펼쳐졌다. 순종의 행행이나 거둥은 언론을 통해 일반인에게도 널리 알려졌다. 그러므로 순종은 나라가 망한 이후에도 얼마 동안 한국인의 정치적 상징으로서 존재했다고 볼 수 있다.

그중에서도 순종이 1917년 5월 경원선을 타고 조선왕조의 조상과 관련이 깊은 함흥에 행행하여 대한제국 황제의 의례로써 宮陵廟에 제사를 지낸 것은 황실의 존재를 부각시킨 획기적 행사였다. 일제는 이름뿐인 왕이라고 여기던 순종이 황제의 의장을 갖추고 선조들을 경배하도록 허용함으로써 한국인들이 자발적으로 일제의 통치체제에 순응하도록 유도했다. 그리고 순종으로 하여금 곧이어 東京에 가서 일본의 천황을 뵙도록 함으로써 일본에 병합된 나라의 허수아비 왕이라는 엄연한 현실을 내외에 보여주었다. 아래에서는 이왕무의 연구 등을 바탕으로 하여, 순종의 함흥 행차를 철도의 이용에 초점을 맞춰 살펴보도록 하겠다.[40]

순종의 함흥 능행은 本宮參拜라는 이름으로 언론에 공개됐다. <지도 11-1>의 ④에서 보듯이, 황실 특별열차를 타고 경원선을 북상하여 원산에 도착한 이후 기차와 자동차를 갈아타고 함흥을 왕복하는 800여 리(편도 약 320 km)의 일정이었다. 행행에는 이강을 위시한 왕족, 이왕직 고관, 이완용 등의 귀족 87명이 동행했다.

1917년 5월 9일 순종은 육군대장 군복을 입고 아침 8시에 창덕궁을 나와 남대문역에서 8:20 출발하는 특별열차에 탑승했다. 청량리역에서 홍릉의 능관이 紗帽冠帶를 하고 拜禮祗迎을 했다. 특별열차가 지나는 역마

40) 순종의 함흥 행차에 관한 기술에서 각주가 없는 부분은 주로 李旺茂, 2014, 「1910년대 순종의 창덕궁 생활과 行幸 연구」, 『朝鮮時代史學報』 69, 조선시대사학회를 참조했다.

다 지역의 관민이 운집하여 봉영했다. 동두천을 지나 10:20 연천역을 통과할 때는 군수와 군청 직원, 소학교와 보통학교 생도가 역내에 정렬하고 정차장 뒤에는 수천 명의 남녀노소가 모여 봉영했다. 철원역에는 연천역보다 두 배의 인원이 모였다. 이들은 황실 특별열차가 지날 때 만세를 외치며 순종을 祇迎했다. 철원을 지난 특별열차는 14:55 원산에 도착했다. 원산역에는 2개 보병중대가 도열하고 각 학교의 생도와 관민 1만여 명이 봉영했다. 5월 9일 원산에서 숙박한 순종 일행은 갑자기 내린 폭우로 열차 운행이 지연되어 10일에도 원산에 머물렀다.

5월 11일 순종은 원산역에서 9:00 출발의 특별열차를 타고 막 부설하기 시작한 함경선을 북상하여 10:00 문천역에 도착했다. 문천에서는 우천으로 인해 祭官이 대신 익조대왕비의 淑陵을 참배했다. 순종은 14:05 영흥역에 도착했다. 영흥역에서 함흥까지는 18대의 자동차로 14리(약 5.6 km)의 길을 달렸다. 함흥에서는 인근의 신흥, 풍신 등에서 모인 10만의 인파가 순종을 환영했다. 순종은 申應熙 함경남도 장관의 관사에 묵었다.

순종은 폭우로 도로가 파손되어 귀족과 이왕직 관원에게 德安陵, 智陵, 淑陵, 義陵, 純陵, 璿源殿 등에 酌獻禮를 섭행하도록 했다. 순종은 함흥 관내의 관리와 공직자들을 인견하고, 閔丙奭 이왕직 장관에게 만찬을 베풀도록 했다. 12일로 예정했던 작헌례는 폭우로 인해 연기되었다. 제관이 각 능의 제향을, 덕원군수 李載華이 선원전의 제사를 섭행하도록 했다.

5월 13일 순종은 오전에 知樂樓에 올라 함흥 시가와 인근 풍경을 조망했다. 오후 1시 40분 순종은 익선관과 곤룡포 차림으로 자동차를 타고 출발했다. 본궁에서는 면류관과 면복으로 갈아입었다. 그리고 黃玉轎를 타고 黃洋傘의 시위 아래 배종원을 데리고 2시에 홍담요 위를 지나 제사를 올렸다. 함흥 본궁, 定陵, 和陵의 순서로 작헌례를 거행한 것이다. 함흥 본궁 선화당에는 황색 장막을 치고, 서울에서 운반한 금색 용상과 의장을 설치했다. 순종은 지역의 종친과 유명인사의 무덤과 사당에도 致祭를 하도록 하고, 함흥과 영흥의 璿源契에 400원을 하사했다. 여정의 다른 지역에서와 마찬가지로 학교와 관공서, 인민에게 하사금을 내렸다.

순종이 함흥에서 영흥으로 갈 때 연도에 운집한 사람들은 대부분 黑笠白衣의 차림이었다. 그들은 자동차를 처음 목도했기 때문에, 동행한 기자들은 순종의 행행이 미개한 곳에 문명의 빛을 전한다는 식의 기사를 썼다.

5월 15일 순종은 영흥역에서 석왕사역까지 열차로 이동했다. 18:30 행궁인 석왕사에 도착하여 보명당에 만들어진 임시 숙소에 체류했다. 순종의 행장은 옥색 주의와 중절모에 단장을 짚은 차림이었다. 순종은 석왕사 경내에서 列聖御筆과 태조가 심은 소나무를 친견하고, 佛閣과 魚場, 온천, 약수처 등을 순람했다. 陵幸路로 이어진 금강산 도로를 수선한 공을 기려, 金剛山保勝會에 1천 원, 장안사와 표훈사 및 각 여관에 300원을 하사했다.

5월 16일 순종은 13:00 석왕사를 출발하여 18:25 남대문역에 도착했다. 역내에서 총독과 종친 등을 접견하고 덕수궁에 가서 고종을 문안했다.

순종은 일제의 지배 아래서도 대한제국의 행행 의례를 거행했다. 조선왕조의 전통은 그만큼 소중하고 강인한 것이었다. 반면에 일제는 순종의 행행에 일본식의 의례와 의식을 가미했다. 한국인에게 뿌리 깊은 一君萬民의 忠誠忠君을 일본의 통치에 활용하려는 속셈이었다. 순종의 행행은 그 접점에서 이루어진 이벤트였다.

(2) 東京 행차

순종은 함흥의 본궁참배에서 돌아온 지 3주일 정도 지나 東京에 가서 천황을 친견하는 장거리 행차에 나선다. 1917년 6월 8일부터 28일까지

21일간에 걸친 긴 거둥이다(<지도 11-1>의 ⑤를 참조할 것). 이것은 충효를 중시하던 한국인들에게 천황→순종→한국인으로 이어지는 새로운 군신관계를 각인시킴으로써 천황을 향한 尊崇을 유도하겠다는 일본의 속셈을 반영한 행사였다. 그렇다면 순종의 본궁참배 함흥 행차는 천황친견 동경 행차를 성공시키기 위한 반대급부 또는 예비행사의 성격을 띠고 있었다고 볼 수 있다.

일제는 한국민족의 정체성을 짓밟는다는 비판을 듣지 않는 범위에서 순종을 천황과 한국인을 신민관계로 연결시키는 매개로 활용하고 싶었다. 순종의 東京 행차는 일제 시기 한국에서 가장 많은 인원을 동원한 최대 행사였다. 아래에서는 이왕무의 연구를 참고하면서 순종의 東京 행차에서 철도가 어떤 역할을 했는지를 살펴보겠다.[41]

순종의 東京 행차는 일본이 정한 절차와 의례, 시간과 장소에 따라 실행되었다. 순종의 행차에는 최신의 교통통신수단이 이용되고 신문기자가 동행했기 때문에 근황이 거의 실시간으로 일반에게 전달되었다. 언론은 순종의 천황 방문을 天機奉伺, 御東上, 行啓 등으로 불렀다. 봉사는 인사를 드린다, 동상은 東京에 올라간다, 행계는 황태후 · 황후 · 황태자 등이 궁 밖을 출입한다는 뜻이었다. 행행은 황제나 천황이 궁 밖을 출입하는 것을 지칭하는 황실용어였다. 조선총독부는 순종의 행차에 12만 원의 예산을 배정했고, 이왕직 직원, 조선귀족(후작 윤택영, 자작 이재곤, 장석완, 이연용), 경찰(警視 橋本水平, 警部 三六治) 등이 동행했다. 순종을 맞는 지역에서는 토목공사와 건축, 내부 장식과 시설 수리, 물품 구입 등이 활발했다. 군대와 학생 등을 동원한 환영행사도 성대하여 경제 효과가 컸다.

41) 순종의 東京 행차에 관한 기술에서 각주가 없는 부분은 주로 李旺茂, 2014, 「1917년 순종의 일본 행차(東上)에 나타난 행행의례 연구」, 『韓國史學報』 57, 고려사학회를 참조했다.

러시아 황족에 준한 대우라는 소문이 돌았다.

순종은 육로에서 기차, 자동차, 마차, 인력거를, 해로에서는 전함 肥前을 이용했다. 肥前은 12,900톤급으로, 러시아가 1902년 미국에서 만들어 태평양함대에서 사용했다. 1904년 12월 旅順港에서 일본군의 공격을 받아 좌초되었다가 일본군에 나포되었다. 나중에 일본군이 肥前을 수리하여 사용했는데, 얄궂게도 순종이 이 군함에 승선한 것이다. 비행기가 대형화되기 이전 군함은 가장 안전하고 신속했다.

일본에서 순종이 이용하는 숙소와 설비는 궁내성이 담당했다. 순종은 침대가 아닌 요와 이불을 이용하고 한국요리를 들었다. 식재, 솥, 아궁이, 침구, 변기는 한국에서 가져왔다. 순종은 행차 중 고종에게 수시로 전보로 상황을 보고했다.

1917년 6월 8일(금) 날씨는 쾌청했다. 일본 육군대장 군복 차림을 한 순종은 7:30 마차로 창덕궁을 나와 종로를 거쳐 남대문역으로 향했다. 호위경찰, 조선귀족, 이왕직 직원 등이 탑승한 마차가 행렬을 이뤘다. 남대문역에는 조선총독, 조선군사령관, 고등문무관, 조선귀족, 외국 영사단, 서울시민, 관공사립학교 생도 등이 奉送을 위해 도열했다. 순종은 이들에게 답례하고, 총독과 함께 황실 특별열차에 올랐다. 남산기슭에 위치한 육군 포병대가 황족의 의례에 따라 21발의 皇禮砲를 발사했다.

특별열차는 조선총독부가 무상으로 대여했다. 식사와 숙박은 이왕직이 부담했다. 이강, 이완용, 조중응 등이 부산까지 동승했다. 연선의 각도지사, 경무부장이 편승했다. 특별열차는 7:50 남대문역을 출발하여 17:40 부산역에 도착했다.

순종이 탄 특별열차가 지나는 연선과 역에서 성대한 환영이 펼쳐졌다. 특별열차가 정차한 수원, 대전, 대구의 각역에서는 해당 지역 육군 대대장의 지휘 아래 보병중대가 군기를 받들고 플랫폼에 도열하여 봉영식을 거행했다. 순종은 열차에서 내려 군기에 경례했다. 특별열차가 초량역을 통과할 때 肥前 함에서 21발의 황예포를 발사했다. 肥前 함은 황족기를 게양했다. 부산역에는 문무고등관, 肥前 함장, 해군의장대, 각급학교 생도, 관민이 도열하여 환영했다. 순종은 부산철도호텔에 투숙했는데, 일본 육군 의장병이 경비했다. 부산 시내에서는 순종을 환영하는 煙火를 쏘고, 부산 항내에서는 肥前 함과 구축함이 조명을 발사했다. 순종은 23:30 취침했다(<지도 11－1>의 ⑤ 참조).

6월 9일(토) 쾌청. 순종은 6:30 기상. 호텔에서 부산항잔교까지 10분 동안 걸었다. 연도에 육해군이 도열했다. 순종은 잔교에서 肥前 함의 수뢰정을 타고 가서 肥前 함에 올랐다. 肥前 함은 佐世保에서 구축함 2척의 호위를 받으며 부산항에 들어와 있었다. 肥前 함은 황예포를 발사했다. 肥前 함은 8:30 부산항을 출발, 호위함 朝霧와 村雨이 수행했다. 18:30 下關港 도착. 關門 해협에서 汽艇 수십 척이 나타나 煙火를 올리고, 군함 富士가 奉迎하며 황예포를 발사했다.

순종은 肥前 함장과 함께 神風丸을 타고 下關에 상륙했다(<지도 11－1>의 ⑤ 참조). 궁내성의 式部次長, 山口·福岡 현 지사 등이 봉영했다. 순종은 下關 연도에 중포병이 도열한 가운데를 지나 春帆樓에 투숙했다. 春帆樓는 伊藤博文이 좋아하는 복요리로 유명한 식당이자 여관인데, 伊藤博文과 李鴻章이 下關條約을 맺어 청일전쟁을 마무리한 장소이다. 일본 외교의 武勇談이 깃들어 있다.

6월 10일(일) 쾌청. 순종은 6:10 御召艇을 타고 下關驛으로 갔다. 육해군이 의식을 하고, 관민과 학생이 도열했다. 순종이 탄 특별열차는 6:30 下關驛을 출발했다. 山陽線 연선에서 군악대가 연주하고 군함에서 황예포를 발사했다. 순종은 18:35 兵庫 현 舞子驛 도착했다. 자동차로 明石町에 가서 有栖川宮 御別邸에 투숙했다(<지도 11－1>의 ⑤ 참조). 관민이 환영했는데, 한국인 거주자들이 봉영의 뜻으로 綠門을 세웠다. 明石 방적 공장에서 일하는 한국인 여성 노동자 120명이 한복을 입고 도열해 순종을 맞았다. 일본인들이 술, 과자, 식료품 등을 헌상했다.

6월 11일(월) 쾌청. 순종은 6:30 기상, 특별열차를 타고 9:30 舞子驛을 출발했다. 각 정차장에는 관민과 학생이 도열하여 봉영했다. 大阪와 京都에서는 사단 병력이 도열하고 황예포를 발사했다. 순종은 11:36 京都驛에 정차하여 문무관의 배알을 받고, 11:42 京都驛 출발했다. 순종은 15:25 名古屋驛에 도착하여 영친왕 이은의 마중을 받았다. 의장병이 도열하고, 황예포와 煙火를 쏘아 올렸다. 수만 명의 인파가 몰렸다. 순종은 15:45 名古屋 離宮에 투숙하고, 영친왕과 만찬을 함께 하며 회포를 풀었다(<지도 11－1>의 ⑤ 참조).

6월 12일(화) 쾌청. 순종은 6:00 기상, 7:40 名古屋 이궁을 나서 8:00 특별열차를 타고 名古屋驛을 출발했다. 영친왕이 동승했다. 연도에는 환영 인파가 운집하고, 황예포를 발사했다. 순종은 17:00 東京驛에 도착했다. 伏見宮 · 梨本宮 등의 황족, 寺內 조선총독, 내각 대신, 육해군 고위 장성이 봉영했다. 순종은 궁내성에서 보낸 의장마차를 타고 창기병의 호위를 받으며 霞が關 이궁에 투숙했다(<지도 11－1>의 ⑤ 참조). 연도에서 군악대가 기미가요를 연주하고, 1만여 東京 시민과 학생이 봉영했다. 지금까지 순종이 거쳐 온 도시들은 화려한 봉영 의식과 행사로 임시휴일 같은 기분을 냈다.

6월 13일(수) 비 온 뒤 갰다. 大正 천황이 순종에게 문안편지(御沙汰書)를 보냈다.

6월 14일(목) 쾌청. 순종은 7:00 기상, 대례복 차림으로 마차를 타고 二重橋를 지나 황궁을 방문하였다, 鳳凰の間(응접실)에서 천황 부처를 대면했다. 1907년 10월 이후 10년만의 상봉이었다. 그때 천황은 황태자였고,

순종은 황제였다. 10년 사이에 황태자는 천황으로 격상되었고, 황제는 이왕으로 격하되었다. 그것도 종주국과 식민지의 상징으로서. 둘의 처지를 이렇게 정반대로 만든 장본인이 바로 천황의 선친 明治였다. 순종의 감회는 어땠을까? 짐작할 수조차 없다. 순종은 賢所를 참배하고, 황태자(나중의 昭和 천황)를 만났다. 그리고 15:20 숙소로 돌아왔다.

6월 15일(금) 쾌청. 순종은 9:30 황족들을 인사차 방문하고, 11:45 숙소로 돌아왔다. 저녁에는 천황이 주최하는 만찬에 참석하고, 舞樂 · 納曾利(나츠소리, 천 년 전 고려에서 전래된 음악으로 쌍룡이 交遊하는 것을 연출) 등을 관람했다.

6월 16일(토) 쾌청. 순종은 9:00 영친왕이 근무하는 근위보병 제2연대를 방문했다. 영친왕이 손수 지휘하는 소대 교련 등을 보고, 10:50에 숙소로 돌아왔다. 순종은 11:30 마차를 타고 赤坂 이궁에 가서 황족 주최의 오찬회에 참석하고, 13:50 숙소로 돌아왔다. 휴식을 취한 후 17:30 영친왕이 주최하는 만찬회에 참석하고, 21:50 숙소로 돌아왔다.

6월 17일(일) 비. 휴일을 보낸 순종은 19:00 전 조선총독 寺內正毅 수상이 주최하는 만찬회 에 참석했다.

6월 18일(월) 쾌청. 순종은 12:00~15:30에 오찬회를 주최하고, 궁내성의 왕공족, 일본 정부의 고등관, 조선총독부의 고등관, 일본군의 장교 등 150명을 인견했다.

6월 19일(화) 쾌청. 순종은 12:00~13:30에 천황이 송별에 앞서 개최한 오찬에 참석했다. 천황은 고종과 순종 부처에게 국화문장의 은제 화병과 병풍 등을 선물했다. 순종은 東京市에 5천 원, 행차 관련자들에게 금시계, 주효료, 나전칠기 등을 하사했다.

6월 20일(水) 쾌청. 순종은 13:30 居所인 霞が關 이궁을 나서, 14:00 東京驛에서 특별열차를 타고 출발했다. 梨本宮 등의 황족과 수상, 문무고관 등이 환송했다. 순종은 17:35 三島驛에 도착하고, 18:00 이은 영친왕의 別邸에 투숙했다. 영친왕과 함께 1시간 정도 성대한 환영식과 제등행렬을 관람했다(<지도 11-1>의 ⑤ 참조).

6월 21일(목) 쾌청. 순종은 별저의 內水亭에서 오찬회를 베풀었다.

6월 22일(금) 쾌청. 순종은 6:40 별저를 나서, 7:00 三島驛에서 특별열차를 타고 출발했다. 연도에 위수대 군대가 도열하여 봉송의 의례를 하고 황예포를 발사했다. 순종은 16:10 京都驛에 도착하여, 八坂神社 뒤편 圓山公園에 있는 長樂館[42]에 투숙했다(<지도 11-1>의 ⑤ 참조).

6월 23일(토) 쾌청. 순종은 9:00 궁내성 관료의 안내로 伏見 桃山에 있는 明治天皇陵을 참배하고, 10:00 숙소로 돌아왔다. 대한제국을 멸망시킨 장본인의 묘를 찾아가는 순종의 심정은 결코 편치 않았을 것이다. 그렇지만 현실은 냉엄했다. 대한제국 황실은 대일본제국 황실의 일부로 편입되고, 황제는 이왕으로 강등되었다. 순종은 자신을 그렇게 만든 明治의 묘를 참배하지 않을 수 없었다. 천황가의 一族으로서 대일본제국에 충성을 바치는 모습을 보여주어야만 했다. 이것이 바로 순종의 東京 행차를 기획한 일본의 의도였다.

6월 24일(일) 쾌청. 순종은 휴일을 맞아 二條城 등의 명소를 관람했다. 연도에 京都 시민이 도열하여 환영했다.

6월 25일(월) 쾌청. 순종은 7:00 특별열차를 타고 京都驛을 출발했다.

---

42) 장락관은 일본인 村井吉兵이 세운 호텔이자 레스토랑이었다. 村井은 일제시기 경상남도에서 농장도 경영했다. 1904년 기공하여 1909년 5월에 완공된 장락관에서는 화려한 집회가 자주 열렸다. 伊藤博文 등 일본 거물 정치인들이 자주 머물렀다. '長樂館'이라는 현판도 伊藤가 썼다. 순종은 개관한 지 얼마 지나지 않은 장락관에 묵으면서 明治천황의 능을 참배하고 京都의 사적을 관람했다. 이에 대해서는 정재정, 2016, 『서울과 교토의 1만년－교토를 통해 본 한일 관계사』, 을유문화사, 377~380쪽을 참조할 것.

16:45 廣島縣 宮島驛에 도착하여 巖惣 여관에 투숙했다(<지도 11−1>의 ⑤ 참조).

6월 26일(화) 쾌청. 순종은 군함을 타고 가서 巖島의 경승을 관람했다. 해군이 예포를 쐈다. 순종은 11:00 특별열차를 타고 宮島驛을 출발하여, 16:30 下關驛에 도착하고, 올 때와 같이 春帆樓에 투숙했다(<지도 11−1>의 ⑤ 참조).

6월 27일(수) 쾌청. 순종은 7:45 春帆樓 나서 올 때처럼 군함 肥前에 승선하고, 8:05 下關港을 출발했다. 군함에서 수행원과 담화와 여흥을 즐겼다. 순종은 18:10 부산항에 도착했는데, 의친왕 李堈 등이 봉영했다. 순종은 올 때와 같이 부산 철도호텔에 투숙했다. 연도에서는 순종을 위한 만세삼창이 그치지 않고, 부산항에서는 군함이 조명을 투사했다(<지도 11−1>의 ⑤ 참조).

6월 28일(목) 쾌청. 순종은 8:00 특별열차를 타고 부산역을 출발하여, 17:40 남대문역에 도착했다. 철도 연선과 도착지에서 성대한 봉영식이 거행되었다. 순종은 수만 명의 인파가 환영하는 서울의 가로를 지나 18:30 덕수궁 함녕전에 들어가 고종에게 귀환인사를 했다. 그리고 18:50 거처인 창덕궁에 돌아왔다.

6월 29일(금) 쾌청. 이왕직 민병석 장관이 조선총독부 정무총감에게 순종의 일본 행차의 여정과 결과를 보고했다. 이로써 21일에 걸친 순종의 멀고 긴 東京 행치는 무사히 끝났다.

伊藤博文은 1909년 1~2월, 강제로 행해진 고종의 퇴위와 군대해산 등에 항일의병투쟁이 격화되는 것을 막기 위해, 순종의 남서 순행을 추진했다. 그리고 순행의 沿路에서 한국인과 일본인이 황제와 통감의 통치에 감복하는 각종 의례와 행사를 연출하였다. 1917년 6월 순종으로 하여금 東京에 행차하도록 기획한 것은 일본의 한국 지배를 역사의 필연이자 善政

으로 국내외에 과시하기 위한 술책이었다. 때마침 淸에서 復辟이 거론되고 한일에서 영친왕과 梨本方子의 결혼이 논의되는 상황을 맞아, 일본과 한국의 두 황족은 한 가족이고 한국은 일본의 한 부분이라는 사실을 국가의례를 통해 국내외에 선전하려는 장대한 프로젝트를 추진한 것이다.

그 후에도 순종은 1918년 4월 22일 인천에 행차하여 군함 霧島艦에서 依仁親王과 오찬을 했다. 1922년 6월 24일에는 일본 제1함대 사령관 博忠王을 방문했다.

3. 조선총독의 순시

1) 寺內正毅 총독(1910~1916년)

일본의 육해군 대장 중에서 임명된 조선총독은 천황에 直隷하여 입법·행정·사법의 3권을 독점하는 등 무소불위의 권력을 가졌다. 실제로 1910년대 총독의 지휘 감독을 받은 헌병경찰은 한국인에게 감시의 눈을 번뜩이고, 언론·집회·결사·출판 등의 자유를 금지했다. 한국인의 저항도 철저히 억압했다. 이런 속에서 조선총독부는 한국인을 일본인으로 동화시키기 위한 교육을 실시하였다. 1911년 제정 공포된 '조선교육령'은 한국어와 한문 수업의 제한, 일본어와 수신의 필수 등을 통해 '제국신민다운 자격과 품성을 기르는' 교육을 표방했다.

그런데 조선총독부에서 일상의 정무를 수행하는 자는 무관 출신의 총독이 아니라 총독을 보좌하기 위해 설치한 내무관료 출신의 정무총감이었다. 총독은 그가 시행한 일을 사후에 승인하는 데 그쳤다. 따라서 조선총독은 대한국국제에 규정된 황제보다는 대일본제국헌법에 규정된 천황과 같은 존재였다. 따라서 조선총독은 권력을 직접 행사하기보다는 권위를 체현하는 자리였다고 볼 수 있다.

1910년대 조선총독 寺內正毅는 明治 천황이 초기에 전국을 순행한 것처럼 한국 각지를 시찰 또는 순시했다. 그는 기차, 자동차, 선박, 인력거, 말 등을 이용하여 구석구석까지 돌았다. 寺內 이후의 다른 총독도 시찰과 순시를 계속했다. 그것이 총독의 주요 임무였기 때문이다. 아래에서는 原武史의 연구와 『매일신보』 등의 기사에 의거하여 寺內 총독의 시찰과 순시 사례를 몇 가지 摘示하여 살펴보고, 그 과정에서 철도가 통치와 지배에 어떻게 활용되었는지를 알아보겠다.[43]

<지도 11-2>의 ①·②·③에서 보듯이, 寺內 총독은 1911년 10월 전라북도 군산, 평안북도 신의주를 돌아봤다. 그리고 1912년 6월 평안남도 평양, 寺洞, 진남포(지금의 남포)을 순시했다. 무연탄 생산과 천일염의 제조를 확인하고 독려하기 위해서였다.[44] 같은 해10월에는 강원도 철원, 11월에는 경상북도 대구와 경주 일대를 시찰했다. 총독으로서 지방의 民政을 살피는 게 목적이었다. 더 큰 노림수는 일본의 지배 세력을 한국의 구석구석까지 침투시키는 데 있었다.

1913년 3월 2일 寺內 총독은 서울을 출발하여 호남선을 타고 전라북도 이리를 거쳐 전주, 군산에 가서 농공은행, 수비대, 공립소학교, 慶基殿, 공립보통학교, 자혜병원, 법원지청, 감옥, 종묘장, 도청, 우편국 등을 시찰했다.[45] 이어 전라남도 광주, 목포를 돌아보고, 光濟號에 승선하여 제주도에 가서 도내를 순시했다. 다시 배를 타고 경상남도 삼천포로 와서 사천,

---

43) 寺內正毅 총독의 순시에 관한 기술에서 각주가 없는 부분은 原武史, 2003, 앞의 책, 211~216쪽을 많이 참조했다.
44) 『매일신보』, 1912.6.11.
45) 『매일신보』, 1913.3.4.

진주, 마산을 시찰하고 부산을 거쳐 경부선 열차로 서울로 돌아왔다(<지도 11-2>의 ④ 참조).[46]

寺內 총독은 1913년 4월 일본에서 조선으로 돌아오는 길에 부산 일대를 시찰했다. 그는 弘濟丸을 타고 17일 오전 6시에 부산항에 들어왔는데, 영접인파는 순종의 지방순행에 못지않았다. 明石 경무총장, 立花 군참모장, 宇佐美 내무부장, 佐佐木 경상남도 장관, 藤田 총독부 醫院長, 兒玉 국장, 若松 부산부윤 등 중요 관민이 출영했다. 寺內 총독은 세관기선 海雲丸을 타고 가서 해운대와 農商工部 輸出牛檢疫所를 시찰했다. 그는 되돌아와 부산 新棧橋에 상륙했는데, 다수의 부산 관민유지, 수비대원, 학교생도 등이 환영했다. 그는 신시가지와 부산진매축회사 등을 시찰하고 大池旅館에 묵으면서 부산 관민을 引見했다.[47]

<지도 11-2>의 ⑤에서 보는 것처럼, 寺內 총독은 1913년 5월 21일 조선총독부 고관을 대동하고 충청남북도 시찰에 나섰다. 그는 7:50 남대문역을 출발하는 임시열차를 탑승했는데, 총독부 각 국장 이하 고등관, 회사와 은행의 중역 등이 정차장에 나와 송영했다. 총독이 지나가는 연선 각역에서는 일본인과 한국인의 관민, 학생 등이 출영했다. 그는 10:40 충청남도 조치원에 도착한 후 자동차와 인력거 20여 대에 분승하고 충청북도 청주로 갔다.

寺內 총독은 21일 오후와 22일 오전에 청주읍내 관아와 학교 등을 순시하고 22일 오후 청주를 출발하여 다시 조치원을 지나 충청남도 공주로 갔다. 그는 공주에서 시찰하며 2박하고 24일 아침 공주를 떠나 부여를 거쳐 논산을 방문했다. 그는 논산에서 호남선 열차를 타고 24일 저녁 서울로 돌아왔다.

---

46) 『매일신보』, 1913.3.1.
47) 『매일신보』, 1913.4.18.

寺內 총독은 청주에서 다수의 한국인과 일본인 출영자들에게 훈시를 했다. 골자는 총독으로서 조선의 進運을 위해 산업개발과 政務進陟에 힘쓸 테니 한국인과 일본인이 협동일치하라는 것이었다. 특히 양반 유생들에게는 작게는 자기의 鄕黨을 위해, 크게는 조선의 隆運을 위해 노력할 것을 당부했다. 외국인 선교사들에게는 당국의 방침에 따르기를 희망한다고 말했다.[48]

寺內 총독은 1913년 6월 21일 7:50 남대문역 발 임시열차로 부산으로 갔다. 그리고 해로를 이용하여 함경남도 원산, 홍남, 함경북도 청진, 회령, 나남, 鏡城, 성진 등을 시찰했다. 원산에서 서울로 돌아올 때는 경원선을 탔다. 7월에는 함경남도 함흥을 순시했다(<지도 11－2>의 ⑥ 참조).[49]

寺內 총독은 1913년 10월 1일 7:10 남대문역 발 임시급행열차로 서북조선지방 시찰에 나섰다. 그는 9:10 개성에 도착했는데, 정차장에는 학생, 동척출장소원, 관리 등이 성대하게 출영했다. 그가 신의주를 왕복하는 연선 각역에는 재향군인회원을 비롯한 학생, 직원, 유지 등이 나와 융숭하게 맞았다.[50] 寺內 총독은 10월 21일 7:15 자동차로 관저를 출발하여 경기도 가평, 강원도 춘천을 시찰했다.[51]

寺內 총독은 조선총독부 고관 특히 철도기사 등을 대동하고 1914년 6월 27일 8:00 남대문역 발 임시열차로 경원선을 따라 북상하여 三防驛에서 내렸다. 그는 洗浦 부근까지 깔린 旣成線路와 架橋工事 등을 시찰하고 21:00 남대문역 도착 열차로 귀경했다.[52]

寺內 총독은 1914년 8월 25일 8:30 남대문역을 출발하는 열차에 탑승

48) 『매일신보』, 1913.5.23.
49) 『매일신보』, 1916.6.22 ; 7.5.
50) 『매일신보』, 1913.10.2.
51) 『매일신보』, 1913.10.22.
52) 『매일신보』, 1914.6.28.

하여 경기도 수원을 방문했다. 石塚, 宇佐美 장관, 立花 경무총장, 岩村 무관, 關屋 학무국장, 上林 전매과장, 大藏 부관, 藤波 통역관 등이 수행했다. 그는 9:37분 수원역에 도착했는데, 本田 모범농사시험장장 이하 관민이 출영했다. 寺內 총독은 농림학교인 실업학교교원 하계강습회 졸업식에 가서 70여 명의 수료자에게 일장 훈시를 하고, 권업모범장에서 점심을 함께 든 후 장내 苗圃 기타를 순시했다. 그는 16:00에 남대문역에 도착하는 열차로 귀경했다.[53)]

<지도 11-2>의 ⑦에서 보듯이, 寺內 총독은 1915년 3월 20일부터 5일 동안 남부지방의 시찰에 나섰다. 森 무관, 大藏 부관, 池邊 비서관, 藤波 통역관, 立花 중장, 佐藤 군의감 등이 수행했다. 총독 일행은 20일 아침 남대문역 출발 경부선 열차를 타고 남하하여 충청남도 조치원, 대전, 충청북도 영동, 추풍령, 경상북도 김천을 순시한다. 김천에서 자동차 또는 말로 갈아타고 경상남도 해인사(대장경판), 진주를 시찰했다. 그들은 진주에서 나와 光濟丸을 타고 해로를 이용하여 전라남도 목포로 갔다. 목포 일대를 시찰한 후 호남선 열차를 타고 귀경하는 일정이었다.[54)] 8월에는 함경남도 원산, 강원도 長箭, 온정리, 금강산 등을 순시했다. 경승을 관람하고 온천에서 휴식을 취하는 것도 순시의 주요 목적이었다(<지도 11-2>의 ⑧ 참조).

<지도 11-2>의 ⑨에서 보는 것처럼, 寺內 총독은 1916년 5월 10일 07:27 남대문역을 출발하는 임시 특별열차를 타고 영등포역에서 하차하였다. 그리고 자동차를 타고 충청남북도와 경상북도 순시에 나섰다. 宇佐美 내무부장, 古海 경무총장, 森 해군무관, 大藏 부관, 國友 경시 등과 경부 약간 명이 그를 수행했다. 남대문역에는 종래와 같이 조선총독부 고관, 井

53) 『매일신보』, 1914.8.25.
54) 『매일신보』, 1915.3.20.

口 조선군 사령관, 立花 제19사단장, 은행과 회사의 중역 등이 송영했는데, 이왕(순종)과 이태왕(고종)의 칙사, 조선귀족 등도 모습을 나타냈다.[55]

寺內 총독은 경기도를 거쳐 충청북도 충주에 가서 일박하고, 5월 11일 연초 경작 상황을 살펴봤다. 그 후 경상북도 상주에 가서 관영 금광을 시찰하고, 김천을 경유하여 대구에 가서 도장관 관사에 투숙했다.[56]

寺內 총독은 5월 12일 14:10 특별열차로 대구를 출발했는데, 역에는 관민 다수가 정렬하여 송영했다. 그를 호송하던 鈴木 경상북도장관, 服部 경무부장 등은 추풍령역에서 하차하고 대신 柳 충청북도장관, 櫻井 경무부장 등이 동승했다. 寺內 총독은 대전역에서 5분간 정차하며 관민의 출영자에게 일일이 인사했다. 18:30 부강역에서는 일본인과 조선인 다수가 정렬하여 정숙하게 그의 도착을 맞았다. 그는 그들을 접견하고 청주에서 출영한 인사들과 함께 8대의 자동차를 나눠 타고 청주로 달렸다. 19:15 청주에 도착하니 관민, 단체, 생도 등이 가로 양측에 정렬하여 환영했다. 그는 출영자에게 인사하고 도장관 관사에 투숙했다.

寺內 총독은 5월 13일 08:00 관사를 출발하여 충북도청, 자혜의원, 恩賜授産場, 경무부, 관공립학교, 면사무소, 지방법원청주지청, 柚林苗圃, 경찰헌병대, 종묘장, 은행, 금융조합, 우편국 등을 시찰했다. 그리고 14:00 청주를 출발하여 조치원을 거쳐 충청남도 공주로 가서 공주 도장관 관사에서 일박했다.

寺內 총독은 5월 14일 오전 경무부, 지방법원, 실업협회, 감옥, 산업전습소, 면사무소, 보통학교, 군청, 소학교, 농학교, 종묘장, 수비대 등을 순시했다. 그리고 12:00 공주를 출발하여 소정리역에서 임시열차를 탑승한 후 저녁 무렵 남대문역에 도착했다.[57]

---

55) 『매일신보』, 1916.5.11.
56) 『매일신보』, 1916.5.12 ; 5.13.

寺內 총독은 시찰 또는 순시할 때 대부분 철도를 이용하였다. 그가 방문한 지역은 처음에 경부선과 경의선 연선에 집중되었다가, 호남선과 경원선이 뻗어감에 따라 그 연선으로 확대되었다. 호남선과 경원선은 1910~1914년에 공사가 끝나는 구간대로 차례로 개통되었다. 寺內 총독은 가끔 두 철도의 개통식에 참석하고, 내친김에 그 인근을 순시했다. 그는 지방행정을 직접 확인하고 지휘한다는 목적으로 각 도청소재지를 자주 방문했다.

寺內는 1916년 10월 長谷川好道(1850~1924년)에게 총독을 물려주고, 일본에 돌아가 내각총리대신 곧 수상이 되었다. 그런데 수상을 사임한 후에도 한국에 와서 1919년 평안북도 신의주, 의주, 정주, 황해도 재령, 해주, 강원도 춘천을 시찰했다. 그는 한국의 13도를 모두 순시했는데, 강원도의 동해안, 제주도, 울릉도, 강계, 慈城, 갑산은 아직 가보지 못해 유감이라고 말했다. 그는 조선왕조의 역대 왕이나 대한제국의 두 황제와도 비교할 수 없을 만큼 방방곡곡을 순시했다.

寺內 총독이 순시할 때, 철도 연선과 도로 연도에는 경유 지역의 유력자, 생도 등이 다수 동원되었다. 1915년 3월의 순시를 보면, 조치원, 대전, 영동, 추풍령 등의 모든 경유지에서 관공리, 지방 유력자, 학교 생도가 정렬하여 그를 환영 환송했다. 1916년 5월의 순시 때는 寺內가 하차한 영등포역전과 수원으로 가는 자동차도로의 연도에서 시흥군수 洪鍾國 이하 郡衙 직원, 지방 유력자, 공립보통학교와 소학교 직원 및 생도, 재향군인 등이 정렬하여 경의를 표했다. 寺內 총독은 그들에게 일일이 친근하게 인사했다. 수원에서는 보병 제79연대 1중대를 비롯하여 농림학교, 공립보통학교, 소학교, 재향군인 등의 단체, 권업모범장, 자혜의원, 군청, 경찰서, 우

57) 『매일신보』, 1916.5.14 ; 5.16.

편국 등의 직원, 道郡 參事, 기타 지방관민 1천여 명이 정렬하여 공손하게 그를 환영했다.

이처럼 1910년대 한국에서는 총독이 시찰 또는 순시할 때마다 일본에서 천황이 행행할 때와 똑같은 광경이 전국 규모로 펼쳐졌다. 조선총독부는 이런 의례와 행사를 되풀이함으로써 한국인들을 모범적인 '제국신민'으로 길들여갔다. 일본의 지배세력이 강고하게 침투해서 그런지 1909년 1~2월 순종의 서남 순행 때 나타난 것과 같은 항일의 움직임은 거의 없었다. 아니 그런 것처럼 보였다.

주목할 만한 점은, 寺內 총독이 한국 전토를 순시한 시기와 지역이 서울에서 지방으로 근대문명이 파급해가는 것과 겹친다는 사실이다. 철도망의 확장이 그 상징이었다. 호남선은 경부선의 주요 역인 충청남도 대전에서 전라남도 목포로 분기하는데, 1911년 10월 대전-連山 구간이 개통되었다. 같은 해 11월 1일에 경의선의 종착역인 신의주와 그 대안인 중국의 안동(지금의 丹東)을 연결하는 압록강철교가 가설되었다(<사진 1-1> 참조). 1912년 10월에는 서울과 원산을 잇는 경원선의 용산-철원 구간이 개통되었다(<사진 5-2> 참조). 寺內 총독은 이 개통식에 모두 참석했다. 1914년 1월 호남선, 같은 해 8월 경원선이 전부 개통되었다. 이에 그는 1915년 3월 호남선 연선을, 8월 경원선 연선을 다시 순시했다. 寺內 총독은 이처럼 새로 부설한 철도의 개통식에 참석하고 그 연선을 순시함으로써 연선 주민에게 문명을 가져다준 은혜로운 통치자로서 인식되기를 바랐다.

寺內 총독의 순시에 맞춰 각 지역에서는 도로와 항만을 정비하고 전기를 점등하는 등 거리 풍경에 큰 변화가 일어났다. 원래 그는 헌병경찰을 지휘하여 한국인을 철저히 지배한 무서운 총독이었다. 그런데 그는 위와

같은 시찰과 순시를 되풀이함으로써 방문한 곳의 사람들에게 강력한 권력자로서가 아니라 문명의 使徒로서 비치게 되었다. 아니 조선총독부가 그렇게 연출함으로써 한국인들의 독립의지를 약화시키려 했던 것이다.

조선총독부는 철도를 활용한 총독의 시찰 또는 순시라는 채찍과 문명의 전파라는 사탕을 교묘하게 번갈아 사용하면서 한국인을 일본으로 동화시켜나갔다. 그것은 겉으로 성공한 듯이 보였다.

그렇지만 1919년 1월 덕수궁에 은거하고 있던 고종이 68세로 死去하자 모든 게 틀어지기 시작했다. '덕수궁 이태왕'이라 불리며 일본 황족의 일원으로 격하되어 있던 고종은 일본 측 기록에 뇌일혈로 사망한 것으로 되어 있었다. 그러나 한국인들 사이에는 일본인이 毒殺했다는 소문이 퍼졌다. 한국인들은 '一君萬民'을 내세워 일본의 보호정치와 통감정치에 저항하던 고종을 잊을 수가 없었다. 풍설은 한국인들의 마음을 움직여 어느새 진실처럼 믿게 되어갔다. 그리고 고종의 장례식이 3월 3일로 정해지자 한국인들은 일본이 부설한 철도를 타고 서울로 몰려들었다.

한국인들은 1919년 3월 1일, 정조가 '일군만민'의 정신에서 백성의 상소와 擊錚을 받던 장소에 인접한 탑골공원에 모여 독립을 선언하고 만세를 불렀다. 3 · 1독립운동이 일어난 것이다. 독립운동은 철도 연선을 따라 평양, 의주, 대구, 개성을 비롯해 전국 각처로 퍼져갔다. 1909년 1~2월에 순종이 궁정열차를 타고 남서를 순행하던 모습이 고종의 서거를 계기로 되살아났다.

일본은 군대와 경찰을 동원하여 '일군만민' 사상에 기초한 민족독립운동을 탄압했다. 그리고 3 · 1운동이 일어난 다음해 경복궁 앞에 새로 조선총독부 청사를 짓기 시작했다. 웅장한 서양풍의 총독부 청사는 한국인들에게서 황궁의 존재를 가려버리기 시작했다. 이에 박차를 가하듯이 조선총독부 청사가 낙성된 이듬해인 1926년 4월 순종이 死去했다. 같은 해 12월 大正 천황도 죽었다.

2) 齋藤實 총독(1919~1927년, 1929~1931년)

(1) 순시 여정

3 · 1독립운동은 일본의 한국지배정책을 변화시켰다. 武斷統治에서 文化政治로의 이행이다. 1920년대 한국에서 이른바 문화정치를 추진한 최고 권력자는 齋藤實 총독이었다.[58] 그는 寺內正毅 총독의 예에 따라 한국 전토를 시찰 또는 순시하며 통치와 지배의 수장으로서 행세했다. 총독으로서의 재임기간이 길고, 또 철도망이 점점 확장되어갔기 때문에, 그가 시찰하고 순시하는 기간과 범위도 늘어났다.

齋藤 총독의 고향인 岩手縣 水澤에는 그의 기념관이 있다. 그 기념관의 벽에 齋藤 총독이 1931년 6월 현재까지 한국 전토를 시찰 또는 순시한 일정을 표시한 지도가 걸려있다. 아래에서는 필자가 齋藤 총독의 기념관에 가서 입수한 지도(<지도11－3>)와 『매일신보』 등의 기사를 바탕으로 하여 그의 시찰 여정을 살펴보겠다. 이 지도에는 당시의 철도망이 그려져 있기 때문에 그가 어떤 철도를 이용했는지를 알 수 있다.[59]

---

58) 齋藤實 총독의 이른바 문화정치의 전모는 강동진, 1980, 『일제의 한국침략정책사』, 한길사를 참조할 것.

59) 齋藤實記念館(岩手縣 水澤市 吉小路 24 소재)에 걸려 있는 이 지도는 손으로 그린 것인데, 1931년 6월 현재 상황을 표시하고 있다. 철도와 경편철도 노선을 표시하고 있어서 순시여정이 이들과 밀접히 관련되어 있음을 한눈에 알 수 있다. 이 지도를 제공해준 관계자께 감사를 드린다. 齋藤實 총독의 순시에 관한 기술에서 각주를 붙이지 않은 부분은 이 지도에 표시된 일정을 근거로 삼았다. 원 지도는 크기 때문에 순시날짜와 철도노선을 확실히 알 수 있다. 이 책의 지도는 그것을 대폭 축소했기 때문에 읽기 어려운 부분이 있다. 양해하기 바란다.

먼저 齋藤 총독의 순시 내역을 파악할 수 있는 범위 안에서 연월일의 순서에 따라 추적해보자. <지도 11-3>에는 斉藤 총독의 순시 날짜가 빼곡하게 기재되어 있다. 아래의 기술은 이 지도의 표기와 『매일신보』 기사에 의거한 것이다.

* 1920년 4월 7~15일에 부산(7), 진해(7~8), 마산(8), 진주(8~10), 사천(10), 삼천포(10), 목포(10~11), 광주(11), 전주(14), 군산(14~15), 인천(15)을 순시했다. 齋藤 총독은 경부선 열차를 타고 부산에 내려갔다가, 마산선(삼랑진-마산)을 타고 진해, 마산에 들러, 마진선(마산-진주)을 타고 진주를 갔다 왔다. 그리고 자동차를 이용하여 사천과 삼천포를 거쳐, 배를 타고 목포에 상륙했다. 목포에서 호남선과 광주선을 타고 광주와 전주를 방문했다. 그 후 철도를 이용하여 군산에 가서 체재하고, 그곳에서 배를 타고 인천에 들렀다. 그리고 경인선을 인용하여 서울로 돌아왔다. 일주일 이상의 긴 순시였다. 齋藤 총독은 순시할 때 기차, 자동차, 배 등을 이용했지만, 주요 동선은 대개 철도 연선이었다.

* 1920년 9월 12일 아침 齋藤 총독은 관료와 경위를 거의 대동하지 않고 남대문역에서 열차를 타고 가서 朱安鹽田을 시찰하고 18:35 남대문역에 도착하여서 歸城했다.[60]

* 1920년 10월 3일 齋藤 총독은 경의선을 타고 개성을 시찰했다. 당일치기였다.

* 1920년 11월 11~16일에 齋藤 총독은 부산(11), 동래(11~12), 울산(12), 경주(12~14), 포항(14), 영천(14), 대구(14~16)를 순시했다. 그는 경부선을 타고 부산에 내려갔다. 당시 부산에서 동래까지는 협궤인 경편철도가 깔려있었다. 齋藤 총독 일행은 동래온천에 묵은 후 자동차로 울산으

60) 『매일일보』, 1920.9.14.

로 이동했다. 일행은 울산에서 8대의 자동차를 나눠 타고 관민 다수의 환송을 받으며 경주로 이동했다.

齋藤 총독은 5월 12일 경주에서 첨성대 등을 巡覽하고 15:30 경주군청에 도착하여 김 군수의 보고를 청취했다. 군청직원, 津末 판사, 河原 검사장, 長澤 우편국장, 笹 경찰서장, 飯沼 재향군인회 분회장, 大阪 보통학교장, 松浦 소학교장, 金 면장, 原 校醫, 諸鹿 학교조합관리자, 野島, 金子, 川地, 古田, 木下, 高田 등 각 학교조합 직원, 崔 학무위원 등을 접견하고, 법원지청, 古蹟品陳列場을 관람한 후 柴田旅館에 투숙했다. 12일은 牛市長이 열려 한국인의 출입이 아주 많았는데, 총독의 威風에 모두 경의를 표했다. 그리고 연도에는 學童이 정렬하여 총독을 환영했다. 13일에 그는 석굴암 등을 구경했다.[61]

齋藤 총독은 5월 14일 경주를 출발하여 포항과 영천을 거쳐 대구에 와서 이틀 숙박했다. 당시 울산-경주-포항-영천-대구에는 경편철도가 운행되고 있었다.

齋藤 총독은 5월 16일 08:00 唯家旅館을 나서 대구 시내를 순시했다. 그 후 대구역에서 관민 다수의 송영을 받으며 滿鐵이 특별히 제공한 귀빈열차를 타고 20:00 남대문역에 도착했다. 남대문역에는 수백 명이 출영했는데, 총독은 삼엄한 경호를 받으며 자동차를 타고 관저로 돌아갔다.

이번 각지의 순시에서 齋藤 총독은 주요 관민을 초치하여 지방의 사정을 들었다. 특히 한국인 유력자와 외국인 선교사와 의견을 교환했다. 촌락에서는 老農의 이야기를 들었다. 대구에서 돌아오는 열차에서는 동승한 신문기자, 政友會 調査員, 代議士 일행과 식민지 통치의 현황 등에 관해 대화를 나눴다.[62]

---

61) 『매일신보』, 1920.11.14.
62) 『매일신보』, 1920.11.18.

* 1921년 1월 30~2월 3일 齋藤 총독은 의주(30~31), 신의주(31), 안동(압록강 건너 만주 입구, 31), 신의주(31~2.1), 평양(1~3)을 순시했다. 경의선을 이용한 여정이었다. 그는 서북의 국경지역인 의주와 신의주 그리고 만주의 안동을 순시했다. 그리고 서북의 중심인 평양에서 그가 긴 시간을 보낸 것은 한국 통치에서 의미가 깊은 일이었다.

* 1921년 2월 13~16일 齋藤 총독은 함흥(13~14), 원산(15~16)을 순시했다. 경원선과 함경선을 이용했다.

* 1921년 6월 8~11일 齋藤 총독은 평양(9), 진남포(9), 겸이포(9~10), 황주(10), 사리원(10), 해주(10~11), 용당포(11), 인천(11)을 순시했다. 그는 경의선, 남포선, 겸이포선 등을 이용했다. 齋藤 총독은 8일 아침 서울을 떠나 황해도 일대 시찰에 나섰다. 총독은 9일 아침 평양역에 출영한 관민에게 인사하고 귀빈실에서 平井 내무부장 등으로부터 상황을 청취했다. 그리고 그는 6:00 발 열차를 타고 진남포로 갔다.[63] 광량만 염전을 시찰한 총독은 진남포로 회항하여 구축함 松을 타고 16:30 겸이포 三菱製鐵所 암벽에 상륙하였다. 그는 松田 제철소장의 안내를 받으며 공장을 자세히 시찰하고 영빈관에 들어 1박했다.

齋藤 총독은 6월 10일 7:00 자동차를 타고 겸이포에 나와 임시열차를 타고 사리원으로 갔다. 당시 사리원에서 해주와 용당포까지는 경편철도가 깔려 있었다. 齋藤 총독은 10일 저녁 해주에서 숙박했다.[64] 그는 해주에서 인천까지는 배를, 인천에서 서울까지는 경인선을 이용했다.

* 1921년 6월 20~27일 齋藤 총독은 원산(20), 서호진(20~21), 신포(21), 차호(21), 성진(21), 청진(22), 나남(22~23), 회령(23~24), 상삼봉(24), 종성(24), 북창평동(24), 온성(24), 웅기(25), 나진(25), 회령(25), 청진

---

63) 『매일신보』, 1921.6.10.
64) 『매일신보』, 1921.6.8 ; 6.11.

(25), 원산(26~27), 세포리(27)를 순시했다. 함경남북도, 특히 국경지대를 일주일이 넘게 순시하는 장기간 여정이었다. 齋藤 총독은 20일 6:20 남대문역을 출발하여 경원선을 이용해 원산에 갔다.

원산에서 블라디보스토크로부터 회항한 구축함 三笠을 타고 성진, 나남, 청진, 웅기를 들러 회령 등을 방문했다.65) 이때 원산에서 회령까지 함경선의 부설공사가 진행 중이어서 그는 부분적으로 개통된 구간을 이용했을 수도 있다. 당시 회령에서 종성 이북까지 경편철도가 깔려 있고, 웅기에서 두만강 하류까지도 철도가 개통되어 있었다.

이번 순시에서 齋藤 총독은 동북지역의 해안을 따라 올라가 두만강변의 국경지대까지 방문했다. 그곳은 정치적 · 군사적으로 중요한 지역으로서 철도부설이 한창 진행 중이었다. 齋藤 총독은 각지에서 주요 관민을 초대하여 지방상황 일반에 관해 의견을 청취했다. 그는 엄격한 통치자로서 뿐만 아니라 인자한 문명의 전파자로서 행동한 셈이었다.

* 1921년 7월 4일 齋藤 총독은 가평과 춘천을 다녀왔다. 자동차를 이용한 당일치기 순시였다. 강원도청에는 관민 유지 다수가 출영했다. 총독은 도지사실에서 초대된 30여 명과 오찬을 함께 들면서 이야기를 나눈 후 각 관청, 학교 등을 순시했다. 그는 昭陽亭에서 잠시 휴식하고 16:30 관민 다수의 송영을 받으며 서울로 향했다. 이번 순시 중 춘천에서 柳 중추원참의가 총독에게 陳情한 골자는 다음과 같다. 강원도에 고등보통학교의 급설, 경성-五里津 도로를 2등 도로로 개수, 강릉과 주문진에 항구 건설, 춘천 新延江에 교량 건설 등.

* 1921년 9월 8~13일 齋藤 총독은 조치원(8), 공주(8`9), 부여(9), 논산(9), 목포(9, 11), 제주(10), 대전(11), 청주(11~12), 온양(12~13), 천안(13),

---

65) 『매일신보』, 1921.6.16 ; 6.21.

성환(13)을 순시했다. 齋藤 총독은 8일 아침 守屋 비서관 등을 대동하고 남대문역을 출발하여 충청남북도와 전라남도의 시찰에 나섰다.[66] 9월 9일 15:48 논산 발 열차로 그가 목포에 가는 도중 정읍, 송정리 등의 주요 역에서 수행하는 고관들이 관할지역의 간부로 교체되었다. 물론 이르는 곳마다 군수와 주요 관민이 그를 출영했다. 열차 속에서 도지사, 경찰부장, 부윤 등이 그에게 관내 상황을 보고했다.

齋藤 총독은 수행원 이외에 전라남도 지사 元應常, 경찰부장 山下, 목포부윤 曾我, 경성일보 지국장 秋山, 목포신보 主幹 長野를 대동하고 9월 10일 6:30 목포를 출발하여 구축함 栢을 타고 제주도로 향했다. 도중 楸子島에 寄港했는데, 그는 함상에서 항내의 상황을 청취했다. 12:00 그가 제주도 山地浦에 도착했을 때 다수의 관민 유지, 학교 생도 등이 출영했다. 그는 해녀들의 작업광경을 살펴보고 걸어서 제주읍내로 들어갔다. 齋藤 총독은 島廳에서 島司로부터 관내 상황을 보고 받고, 주요 직원 및 유지와 기념식수, 사진촬영을 했다. 도청, 경찰서, 지방법원 지청, 공립보통학교, 농림학교, 자혜의원 등을 순시하고 심상고등소학교에 가서 기념식수를 했다.

齋藤 총독은 15:00 제주도를 출발하여 구축함 栢를 다시 타고 다도해를 지나 20:30 목포에 도착했다. 그는 구축함상에서 探海燈을 반사하여 목포 전경을 살펴보고 경비선 松島丸을 갈아타고 상륙했다. 齋藤 총독은 관민 다수의 출영을 받으며 자동차를 타고 三吉野旅館에 투숙했다. 그는 제주도 수행 일동을 초대하여 만찬을 베풀며 수고를 위로했다.

齋藤 총독은 9월 11일 7:20 목포역 출발 특별열차 귀빈실에 탑승하여 북행길에 올랐다. 목포부윤 曾我, 경찰서장 野上, 목포신보 주간 長野, 무안군수 金東佑는 鶴橋驛까지, 전라남도 지사 元應常, 경찰부장 山下는 정

66) 『매일신보』, 1921.9.7.

읍까지, 내무부장 佐佐木은 송정리까지 餞送했다. 그가 정읍에 도착했을 때는 관민 다수가 출영하고, 전라북도 지사 亥角이 서울까지 수행했다.[67]

齋藤 총독은 이번 순시에서 배를 타고 당일치기로 제주를 다녀와서 호남선, 경부선, 충북선을 이용하여 청주를 방문했다. 齋藤 총독은 온양과 성환도 순시했다. 당시 천안에서 온양을 거쳐 대천까지 경남철도(지금의 장항선)가 개통되어 있었다.

* 1921년 9월 18일 齋藤 총독은 하루 만에 경부선상의 성환 목장 등을 시찰했다. 10:00 남대문역 발 열차를 타고 출발했다가, 19:50분 남대문역에 歸着했다.[68]

* 1921년 9월 27~10월 3일 齋藤 총독은 신고산(27), 장안사(27~29), 온정리(29~10.2), 통천(2), 원산(2~3)을 시찰했다. 서울에서 철원까지는 경원선, 철원에서 장안사까지는 금강간전기철도가 운행되었다. 통천을 거쳐 원산까지는 자동차를 이용했다. 원산에서 서울로 돌아온 때는 경원선을 탔다. 그는 내금강 일대를 돌면서 온정리에서 온천을 즐기고 경승을 관람하였다.

* 1922년 4월 22일 齋藤 총독은 수원을 방문했다. 경부선을 이용한 당일치기 순시였다. 그는 부인을 동반하고 11:00 남대문역 발 열차로 수원에 가서 군청에서 휴식을 취한 후 권업모범장에서 점심을 들었다. 그는 고등농림학교, 잠업시험장 동산농장 등을 시찰하고 歸任했다.[69]

* 1922년 8월 5일 밤 齋藤 총독은 남대문역을 열차로 출발하여 평양, 신의주 지방을 시찰하고 9일 歸城했다.[70]

* 1922년 8월 16~20일 齋藤 총독은 석왕사(16), 원산(16~17), 고저

67) 『매일신보』, 1921.9.13 ; 9.14.
68) 『매일신보』, 1921.9.20.
69) 『매일신보』, 1922.4.24.
70) 『매일신보』, 1922.8.7.

(17), 장전(17), 온정리(17~20), 장전(20), 고저(20), 원산(20)을 순시했다. 그는 경원선을 이용하여 원산에 갔다. 그 후 자동차를 타고 동해안을 남하하여 고저, 장전, 온정리를 갔다 원산으로 돌아오는 일정이었다. 이번에 그는 전과는 약간 달리 외금강 일대를 돌면서 온정리에서 온천을 즐기며 경승을 관람하는 일정을 잡았다. 원산에서 서울로 돌아올 때 경원선을 이용했다.

* 1922년 9월 20일 齋藤 총독은 10:00 남대문역을 출발하는 열차를 타고 개성에 가서 군청, 전매국 출장소 등을 돌아보고 당일 귀임했다.[71]

* 1922년 11월 7~13일 齋藤 총독은 조치원(7), 청주(7), 음성(7), 충주(7~8), 단양(8`9), 제천(8,9), 청풍(9), 문경(10), 예천(10), 안동(10~11), 의성(11), 군위(11), 대구(11~13)를 순시했다. 일주일에 걸쳐 한국 남부의 내륙지방을 순시하는 여정이었다. 그는 경부선, 충북선을 이용하여 연선을 돌아봤다. 그리고 자동차를 이용하여 경상북도의 한복판을 돌아 대구로 나오는 여정이었다. 대구에서 서울까지는 경부선을 이용했다.

* 1922년 11월 18~24일 齋藤 총독은 천안(18), 당진(18), 예산(18), 온양(19~19), 천안(19), 대전(19), 이리(19), 전주(19~20), 정읍(20), 목포(20~21), 광주(21), 광천리(21), 순천(21), 여수(21~22), 통영(22~23), 마산(23~24)을 순시했다. 일주일에 걸쳐 한국 남부의 서해안과 남서해안 일대를 도는 여정이었다. 경부선, 경남철도, 호남선, 전라선, 진삼선(진주-삼랑진) 연선이 주요 순시 장소였다. 그는 남대문역을 출발하여 각지를 돌며 온양, 전주, 목포, 여수, 통영, 마산에서 숙박하고 남대문역으로 귀임했다.[72]

* 1923년 4월 10~13일 齋藤 총독은 진영(10), 마산(10), 진해(10-11), 부산(11), 양산(12), 동래(11~13)를 순시했다. 한국 남부의 동남해안을 도

71) 『매일신보』, 1922.10.1.
72) 『매일신보』, 1922.11.18.

는 여정이었다. 그는 경부선과 진삼선을 이용했다. 그가 동래에서 온천을 즐기는 것도 순시 목적의 하나였다.

* 齋藤 총독은 1923년 4월 29~5월 8일에 신안주(29), 구장동(29), 희천(29~30), 강계(30~5.2), 만포진(2~3), 위원(3), 벽동(4), 창성(4~5), 청성진(5), 신의주(5~7), 선천(7), 평양(7~8)을 순시했다. 열흘이 넘게 한국의 서북 내륙지역을 관통하여 압록강 국경지대를 따라 내려오는 대장정이었다.

齋藤 총독은 丸山 경무국장, 松村 비서관 등을 데리고 4월 28일 23:00 발 열차로 경성역을 출발하여 29일 6:00 평양역에 도착했다. 그곳에서 栗田 평안남도 지사, 藤原 경찰부장이 동승하고 8:00에 신안주역에 도착했다. 生田 평안북도 지사, 安藤 경찰부장, 多田 압록강기선회사 사장, 吉田 외무성 서기이 齋藤 총독과 함께 輕便鐵道를 타고 출발하여 10:00 价川에 도착했다. 일행은 관민 유지와 학생들의 환영을 받고 잠시 휴식을 취한 후 9대의 자동차를 나눠 타고 熙川으로 갔다. 비가 내려 자동차 바퀴가 흙에 빠지는 험로였으나, 11:15에 평북과 평남의 경계에 있는 조그만 강을 건너 11:30 球場里에 도착했다.[73)]

齋藤 총독은 희천에서 일박하고 4월 30일 7:30 관민의 전송을 받으며 자동차를 몰아 해발 2천 척의 狗峴嶺을 넘어 17:00 강계에 도착했다. 총독 일행은 5월 1일 10:30 여관을 나와 군청에서 군수로부터 일반상황을 들은 후 관공리와 유력자를 면담하고 공사립 학교를 시찰했다. 외국인이 경영하는 桂禮智리는 병원을 방문하여 빈곤한 환자에게 菓子料를 기증했다. 또 경찰서, 자혜병원, 헌병대, 식산은행, 수비대, 지방법원 지청 등을 둘러본 후 경찰서 문전에서 기념촬영을 하고 고려관에 돌아왔다. 식산은행 지점장은 총독에게 작년 강계의 무역액은 160만 원인데 주로 곡식, 소,

---

73) 『매일신보』, 1923.5.2.

목재 등이라고 보고했다.

齋藤 총독은 저녁에 관민 유지 40명을 초대하여 만찬을 하며 담소했다. 외국인이 2명 끼어있었다. 총독은 이번 시찰의 감상을 이렇게 말했다. 지방에서 무엇보다도 필요한 것은 교통기관의 발달이다. 강계는 평북 일대에서 가장 중요한 곳이기 때문에 교통기관을 정돈하고 산업을 개발해야 한다. 인심이 안온해야 하는데, 도적이 간혹 출몰하는 모양이지만 큰 염려는 없는 것처럼 보인다.

齋藤 총독 일행은 5월 2일 9:00 성대한 환송을 받으며 자동차로 강계를 출발하여 험난한 길을 달려 11:30 만포진에 도착했다. 그들은 경찰서를 먼저 시찰하고 사립보통학교를 구경했다. 전날 밤 강계에서 총독은 늦게까지 수행원과 초청인 등과 술을 마시며 환담했음에도 불구하고 원기를 회복하여 도보로 14:00 수비대를 시찰했다. 그리고 압록강 위에 있는 洗劍亭과 望美亭에 올라 對岸의 풍경을 완상했다. 밤에는 輯安縣 지사 王 씨를 초청하여 만찬을 했다. 국경지대여서 한국인 보통학교에 중국인 아동이 재학하는 경우도 있다.[74)]

만포진에서 하루 밤을 보낸 齋藤 총독 일행은 5월 3일 8:00 鴨綠江輪船會社가 경영하는 飛鳥丸을 타고 남하하였다. 그들은 위원읍에서 1시간 지체하고 초산에 와서 묵었다. 초산은 1923년 1월 한국인 마적(독립군?)이 경찰관 주재소를 습격하여 伊都野 순사부장의 아내를 살해한 곳이다. 齋藤 총독은 배를 타고 순사부장의 아내가 전사한 楚山郡 央土里를 방문하여 조의를 표했다.[75)] 그는 다시 飛鳥丸을 차고 碧潼에 도착하여 강변에 출영한 관민 생도와 기념촬영을 하고 창성으로 왔다. 이곳의 환영도 성대했는데, 총독은 군청, 수비대, 보통학교 등을 순시했다.[76)]

---

74) 『매일신보』, 1923.5.4.
75) 『매일신보』, 1923.5.5.

齋藤 총독의 서북 국경 지역 순시는 주로 경의선을 이용했다. 그렇지만 신안주에서 청천강을 따라 올라가 희천을 지나 강계에 이르고, 만포진을 거쳐 압록강을 따라 신의주로 내려오는 길은 자동차와 배를 이용했다. 희 그는 천, 강계, 만포진, 창성 등의 산간벽지에서 각각 이틀씩이나 머물렀다. 여간한 정성이 아니다. 그는 신의주와 평양에서 객고를 풀며 관광도 했다.

* 1923년 6월 15~18일 齋藤 총독은 대전(15), 논산(15), 부여(15~16), 여산(16), 고산(16), 삼례리(16), 군산(16~17), 이리(17~18), 함열(18), 대전(18)을 순시했다. 충청남도의 남부 지역과 전라북도의 서북 지역을 도는 일정이었다. 그는 경부선, 호남선, 군산선과 자동차를 이용했다. 백제의 고도 부여, 쌀의 고장 군산과 이리에서 각각 숙박한 것이 인상에 남는다. 산미증식계획이 추진되던 시기였으므로 이번에는 모내기철에 쌀의 증산을 독려하기 위한 순시였다.

* 1923년 6월 20~26일 齋藤 총독은 대전(20), 목포(20~22), 대흑산도(22), 팔구포(22~23), 완도(23), 외라로도(23~24), 목포(24~25), 유성(25~26), 대전(26)을 순시했다. 그는 충청남도와 전라북도를 순시하고 하루를 쉬고 나서 다시 전라남도의 서남해안 일대를 돌아보는 강행군을 했다. 호남선을 타고 대전을 거쳐 목포에 내려가 이틀을 머문 후, 배를 타고 대흑산도, 완도 등을 돌아 목포에 나와 다시 숙박하는 일정이다.

6월 22일 9:00 총독 일행은 여관을 나와 자동차를 나눠 타고 해안으로 나가 金剛丸에 승선했다. 수행원은 松村 비서관, 藤波 통역관, 關水 위생과장, 草場, 津田 御用掛, 廣瀨, 小牧 순사, 土師 경찰부장, 古賈 고등과장, 木村 수산과장, 川村 목포신보 기자, 매일신보 특파원 등이었다. 총독 일행은 다도해를 순시하고 목포로 돌아와 호남선 열차를 타고 귀성했다. 齋

76) 『매일신보』, 1930.5.6.

藤 총독은 도중에 유성에 들러 숙박하며 온천도 하고 대전도 순시했다.77) 이로써 그는 한국의 서해안 일대를 또 한 번 돈 셈이다.

* 1923년 10월 13~16일 齋藤 총독은 자동차로 경기도의 광주(13), 이천(13), 문막(13),강원도의 원주(13~14), 대화리(14), 강릉(14~15), 주문진(15), 양양(15), 간성(15), 통천(16), 온정리(15~16), 함경남도의 원산(16)을 순시했다. 광주에서 동남으로 남하하여 원주를 거쳐 중부지역을 횡단하여 동해안에 이르고, 강릉에서부터 주문진, 양양, 간성을 지나 원산으로 북상하는 코스였다. 그는 도중에 외금강으로 들어가 온정리에서 숙박하며 온천을 즐기고 경승을 관람했다. 그는 원산에서 돌아올 때는 경원선을 이용했다.

* 1924년 4월 12~18일 齋藤 총독은 삼랑진(12), 마산(12~13), 창원(13), 진해(13~15), 방어진(15), 감포리(15), 포항(15~16), 경주(16~17), 대구(17~18)를 순시했다. 齋藤 총독은 부인을 동반하고 12일 아침 경성역 출발 열차에 탑승하여 진해를 향했다. 中村 비서관, 田中 통역관이 수행했다.78) 경부선을 타고 내려가 한국의 동남 해안지역을 돌아보는 여정이었다. 그는 군항인 진해에서는 2박을 하고, 지역의 거점이 마산, 포항, 경주, 대구에서는 각각 1박했다. 경주는 신라의 고도였다는 점이 작용했다.

* 1924년 5월 8~17일 齋藤 총독은 평양(8), 강동(9), 성천(9), 양덕(9~10), 원산(10), 함흥(10~11), 홍원(11), 신포(11), 북청(11~12), 풍산(12~13), 창평리(13), 상리(13), 갑산(13), 함정포리(13), 혜산진(13~15), 장백부(14), 신가파진(15~16), 송전동(16), 후창강구(16), 부흥동(16~17), 장흥동(17), 중강진(17~18), 토성동(18), 자성강구(18), 운봉동(18), 만포진(18`19), 고산진(19), 위원(19), 구읍동(19), 벽동(19~20), 창주(20), 구

77) 『매일신보』, 1923.6.20 ; 6.23.
78) 『매일신보』, 1924.4.12.

령포(20), 청성진(20), 의주(20), 다사포(20), 용암포(20), 신의주(20~22)을 순시했다.

齋藤 총독은 5월 8일 8:05 경성역을 출발하는 열차를 타고 평양으로 가서 일박하였다. 그리고 9일 아침 평양을 나서 陽德에서 묵고, 10일 아침 원산으로 나가 함흥으로 갔다. 2주일 가까이 걸려 국경지대를 시찰하는 대장정이었다.[79] 그는 먼저 경의선을 타고 평양으로 가서 자동차로 한국 북부의 허리를 횡단하여 원산에 이르렀다. 그 후 그는 함경선을 타고 북상하다가 자동차를 타고 내륙 산악지대를 종관하여 압록강 상류의 갑산, 혜산진으로 빠졌다. 그리고 그는 자동차를 타고 압록강을 따라 내려와 중강진을 거쳐 위원 등을 지나 의주에 이르렀다.

齋藤 총독은 5월 20일 경비선 鷲丸을 타고 多獅에 가서 축항을 시찰하고 도중에 용암포를 방문했다. 밤에는 평안북도 도청회의실에서 신의주, 안동의 관민 유력자 백여 명을 초치하여 훈시했다. 그는 5월 22일 9:18분 신의주역 출발의 열차를 타고 서울로 향했는데, 역에서 관민 유력자, 생도 등 수천 명이 성대하게 환송했다.[80]

이번의 순시 코스는 한국에서 산세가 매우 험준하고 교통이 가장 불편한 지역이었다. 齋藤 총독은 일부 구간에서 경의선과 함경선을 이용할 수 있었지만, 순시의 목적지인 내륙 산간지역은 자동차에 의존할 수밖에 없었다. 위험이 동반한 강행군이었다.

* 1924년 6월 6일 齋藤 총독은 부인을 대동하고 17:40 경성역 출발 열차를 타고 인천을 방문하고 8일 저녁 귀성했다.[81]

* 1924년 7월 28~31일 齋藤 총독은 부산(28~29), 포항(30), 도동(울릉

79) 『매일신보』, 1924.5.8.
80) 『매일신보』, 1924.5.23.
81) 『매일신보』, 1924.6.8.

도, 30), 경주(30~31), 대구(31)를 순시했다. 齋藤 총독은 오래전부터 東京을 방문하고 있었는데, 29일 關釜連絡船을 타고 부산에 돌아와 잠시 휴식한 후 자동차로 포항에 갔다. 그리고 구축함을 타고 울릉도에 갔다. 경상북도 지사 澤田이 28일 17:00 도착하는 열차로 부산에 와서 총독을 수행했다.[82] 齋藤 총독은 귀로에 경주에서 1박하며 쉬고 대구를 거쳐 열차로 귀성했다. 포항에서 울릉도 도동항까지 험난한 해로를 감안하면 이번 순시로 녹록지 않은 여정이었다. 더구나 그는 관부연락선을 타고 일본에서 돌아오는 길에 순시에 나섰다.

* 1924년 10월 1일 齋藤 총독은 경부선을 타고 당일치기로 김천, 상주, 김천을 순시했다.

* 1924년 10월 4~16일 齋藤 총독은 평강(4), 금화(4), 금성(4), 창도리(4), 장안사(4~6), 온정리(6~8), 원산(8), 함흥(8~9), 북청(9), 이원(9), 단천(9), 성진(9~10), 길주(10), 명천(10), 주을온천(10~11), 종성(11), 청진(11), 나남(11~12), 회령(12~13), 삼봉동(13), 용정촌(만주, 13~14), 회령(14), 청진(14), 원산(15~16), 석왕사(16)를 순시했다. 13일에 걸친 장기간 여행이었다.

齋藤 총독은 경원선, 금강산전기철도 등을 이용하여 금강산 일대를 횡단하였다. 그리고 함경선을 타고 한국의 동북부 지역을 종관했다. 그는 장안사와 온정리에서 각각 2박하며 금강산을 관람하고 온천을 즐겼다. 함경북도 성진에서는 中野 도지사, 野田 경찰부장 등의 안내를 받으며 그는 10월 10일 10:00 여관을 출발하여 군청에서 관민을 접견하고 郡勢를 청취했다. 그는 성진항 축항과 함경선 부설공사 등의 陳情을 듣고 항내를 俯瞰했다. 중식을 마친 후 성진역에 도착하여 함경선 열차 試乘式을 하고

82) 『매일신보』, 1924.7.30.

13:00 성진을 출발하여 길주로 향했다. 14:30 길주에 들렀다가 다시 성진으로 가서 15:00 6대의 자동차를 나눠 타고 18:00 水南驛에 도착했다. 도중 明川 입구에서 관민을 접견했다. 수남에서 온천이 있는 주을로 가서 1박했다. 주을온천은 巖山을 배경으로 溪流가 탕탕 흐르는 絶勝이다.[83]

나남은 제19사단 사령부가 있는 곳이고, 회령은 국경 바위의 요충지였다. 齋藤 총독은 특별하게 상삼봉의 對岸으로부터 천도경편철도가 깔려 있는 간도(만주)의 용정촌까지 순시했다. 용정은 한국인 마을이었기 때문에 일제는 그곳이 독립운동의 근거지가 될까봐 항상 신경을 썼다. 갈 적 올 적에 들른 함흥과 원산은 동해안과 동북지역의 거점 도시였다. 이번의 순시를 통해 齋藤 총독은 동북 지역 국경 안팎의 구석구석까지 파악할 수 있었다.

* 1924년 10월 24~26일 齋藤 총독은 옥천(24), 보은(24), 법주사(24~25), 미원리(25), 청주(25~26)를 순시했다. 경부선과 충북선이 통과하는 한국중부 남쪽의 내륙지방이었다. 齋藤 총독은 부인을 동반하고 24일 7:15 경성역 출발의 열차에 탑승하였다. 그리고 12:20 다수의 관민과 생도가 환영하는 가운데 옥천역에 하차했다. 총독 일행은 오찬을 마친 후 朴 지사의 안내로 13:20 4대의 자동차에 분승하여 새로 개통된 보은-속리 도로를 시찰하며 속리산의 秋色을 감상했다.

齋藤 총독 일행은 리산에서 1박하고, 10월 25일 9:00 자동차를 타고 출발하여 충북연선을 시찰했다. 그리고 米院街道를 달려 명승지 華陽洞에 들어갔다. 그들은 조선의 巨儒 尤庵 宋時烈의 古蹟을 尋訪하고 18:00 무렵 청부로 향했다. 그 후 도지사 관사에서 관민 유지 다수와 만찬하면서 환담한 후 일박했다.

---

83) 『매일신보』, 1924.10.12.

齋藤 총독 일행은 10월 26일 도내 각 관청, 蠶種製造所, 각 학교를 시찰하고 14:35 청주역을 출발하는 열차를 타고 歸城했다.[84] 그들이 법주사와 청주에서 각각 1박한 것은 명찰고적을 관람하기 위해서였다.

* 1924년 11월 17일 齋藤 총독은 7:00 서울을 출발하여 당일치기로 강화를 시찰하고 돌아왔다.[85]

* 1925년 5월 30일 齋藤 총독은 아침에 출발하는 열차로 전라북도에 가서 裡里에서 거행되는 만경강 개수공사 기공식에 참석하고 6월 1일에 귀임하였다. 그의 일정은 다음과 같았다.

5월 30일 17:53 咸悅驛 통과, 18:07 黃登驛 통과, 18:16 이리역 도착 하차, 18:25 이리역 출발, 도중 楸川橋 부근에서 만경강개수공사 현장 시찰, 19:30 전주 도착, 銀杏屋旅館에서 숙박.

5월 31일 8:00 여관 출발 多佳町 慶基殿, 물산진열장 순시, 9:20 白鷗亭에 도착하여 기념식수, 10:00 이리 도착, 만경강 개수공사 기공식 임석, 12:50 군산 도착, 不二干拓地 시찰, 16:00 이리역 도착, 축하회 참석, 17:30 明沃旅館 투숙.

6월 1일 9:00 이리 출발, 논산과 공주를 경유하여 16:07 조치원역 출발 열차로 歸城.[86]

* 1925년 6월 15~16일 齋藤 총독은 사리원(15), 신천(15~16), 재령(16), 사리원(16)을 순시했다. 서울에서 사리원까지는 경의선, 사리원에서 신천까지는 경편철도가 깔려 있었다. 신천은 약수로 유명한 곳이다. 그곳에서 1박하며 휴식을 취했다.

* 1925년 6월 26~7월 2일 齋藤 총독은 복계(26), 평강(26), 철원(26~

84) 『매일신보』, 1924.10.28.
85) 『매일신보』, 1924.11.18.
86) 『매일신보』, 1925.5.29 ; 5.30.

28), 금화(28), 화천(28), 춘천(28~29), 홍천(29), 구성(29), 평창(29~30), 영월(30.), 제천(30), 충주(30~7.1), 장호원리(1), 용인(1), 이천(1), 수원(1~2)을 순시했다. 서울의 동북쪽으로 올라가 남동쪽으로 내려오면서 한국중부의 내륙지방을 한 바퀴 도는 여정이었다.

齋藤 총독은 6월 26일 11:45 경원선 급행열차를 타고 철원을 지나 福溪驛에서 하차하였다. 자동차로 바꿔 타고 철원군수 등의 안내를 받아 평강 · 철원 양군의 상황을 시찰했다. 그는 18:00 철원읍에 도착했는데, 읍내입구인 月下里驛 부근에는 출영자가 2천여 명이나 운집하여 대성황을 이루었다. 일부 사람들은 총독을 환영하는 뜻을 더욱 확실히 표시하기 위해 20:00부터 22:30까지 提燈行列을 하고 煙火를 打揚했다. 齋藤 총독은 여관 현관에서 만세삼창을 하는 군중을 바라보면 喜色이 滿面했다.[87]

한국의 이번 순시 여정 중부지역은 철도망이 제대로 갖춰져 있지 않았기 때문에 齋藤 총독은 주로 자동차를 이용했다. 중부지역에서도 가장 오지이자 교통이 불편한 코스였다. 그는 춘천, 평창, 충주 등에서 각각 1박하며 1주일을 돌아다녔다.

* 1926년 4월 22일부터 8일 동안 齋藤 총독은 호남지방을 순시하였다. 그는 4월 22일 21:55 경성역을 출발하는 열차에 탑승했다. 이번 순시의 목적은 금년부터 실행에 착수하는 2차 산미증식계획과 관련 있는 지역을 살펴보는 것이다. 대전, 四街里, 고창, 芝浦, 정읍, 전주, 남원, 순창, 담양, 광주, 송정리, 보성, 강진, 영암, 나주, 김제, 주전, 남포, 군산, 서천, 천안 등을 둘러볼 계획이었다.[88]

실제로 齋藤 총독은 정읍(23), 줄포(23), 고창(23), 四街里(23), 정읍(24), 임실(24), 전주(24), 남원(24~25), 순창(25), 담양(25), 광주(25), 송정리(25)

---

87) 『매일신보』, 1925.6.30.
88) 『매일신보』, 1926.4.22.

를 순시했다. 이 지역은 호남선, 전군선, 광주선 등이 뻗어 있고 유수의 곡창지대이었다. 그는 광한루로 유명한 남원에서 1박하며 객고를 풀었다.

그런데 4월 25일 오후 齋藤 총독은 순종이 위독하다는 연락을 받고 20:00 급히 송정리역을 출발하여 서울로 돌아왔다. 그렇지만 순종은 이미 절명하여 임종을 지킬 수는 없었다.[89]

* 1926년 6월 23~27일 齋藤 총독은 천안(23), 예산(23), 광천(23), 제천(23~24), 서천(24), 군산(24~25), 김제(25), 이리(26), 나주(26`27), 강진(27), 장흥(27), 영암(27), 영산포(27)를 돌았다. 경남철도와 호남선 연선에 위치한 충청남도, 전라북도, 전라남도의 서쪽 해안지역이다.

齋藤 총독은 6월 23일 7:15 경성역을 출발하는 열차를 타고 천안을 거쳐 대전, 이리, 대천을 들러 25일 군산으로 나온다. 26일 김제에서 영산포로 들어가 28일 7:45 경성역에 도착하는 열차로 돌아올 계획이었다.[90] 그는 도중에 충청북도의 북쪽 오지 제천에 들러 1박했다. 제천은 광업지대였다. 나머지 지역은 곡창지대와 어업기지가 펼쳐있었다. 그가 모내기를 막 끝낸 시점에 군산과 나주에서 1박한 것은 쌀의 증산을 독려하기 위함이었다.

* 1926년 10월 7일 齋藤 총독은 부인을 동반하고 6:00 대구역에 도착하여 도청에서 보낸 자동차를 타고 경주를 방문했다. 이번 시찰은 國賓殿下의 巡覽에 대비한 檢分이었다.[91]

* 1926년 10월 27일 齋藤 총독은 경원선 열차를 타고 북상하여 함경남도 成川江 제방 기공식에 참석했다. 그는 10월 28일 9:00 中野 지사, 함흥군수, 경찰서장, 번영회 간부 등과 8대의 자동차를 나눠 타고 西湖를 시찰

---

89) 新城道彦, 앞의 책, 166쪽.
90) 『매일신보』, 1926.6.21.
91) 『매일신보』, 1926.10.8.

하고 築港 등에 관한 의견을 청취했다. 그는 13:00 도지사실에서 관민 유지의 陳情을 듣고, 14:30 자동차에 올라 심상소학교, 酒造會社 등을 시찰한 후 19:18 함흥역을 출발하는 열차로 歸城했다. 함흥에서는 提燈行列로 不夜城을 이뤘다.92)

* 1927년 11월 1~2일 齋藤 총독은 부산(1), 구포(1), 김해(1), 동래(1~2), 부산(2)을 시찰했다. 경부선 연선이다. 그는 동래에서 온천을 즐기며 휴식도 취했다.

齋藤는 두 번에 걸쳐 총독을 맡았다. 그는 1919년 8월부터 1927년 12월까지 제3대 조선총독, 1927년 8월부터 1931년 6월까지 제5대 조선총독을 역임했다. 제2기의 총독 재직기간은 짧았기 때문에 순시 경력도 제1기에 비해 많지 않았다. 그렇지만 정열적으로 순시를 계속하는 그의 태도는 변함없었다.

* 1930년 6월 4`8일 齋藤 총독은 토성(4), 연안(4), 해주(4~5), 용당포(5), 신천(5~6), 구미리(6), 장연(6), 몽금포(6), 송화(6), 신천(6~7), 은률(7), 장원(7), 안악(7), 재령(7), 사리원(8)을 순시했다. 주로 황해도 일대였다.

총독 일행은 6월 4일 토성, 연안을 순시하고 17:30 해주에 도착했다. 해주 笹旅館에서 1박한 총독은 5일 8:30 해주신사를 참배하고 後山에 올라 시가를 전망한 후 지방법원을 시찰했다. 그는 龍捿浦에 가서 축항의 보고를 받고 해주로 돌아와 관민 학생 다수의 見送을 받으며 조선 巨儒 栗谷 선생의 비석이 있는 石潭으로 가서 기념촬영을 한 후 마산으로 향했다. 그는 마산에서 正愛農場을 둘러보고 옹진군청을 거쳐 18:00 신천에 도착하여 수리조합에 대한 설명을 듣고 온천호텔에 투숙했다.93)

齋藤 총독은 6월 7일 9:00 달천온천을 통과하여 殷栗郡廳에서 관민을

92) 『매일신보』, 1926.10.31.
93) 『매일신보』, 1930.6.9.

접견하고 長連警察署를 신축해달라는 陳情을 들었다. 그는 猪島에 가서 축항에 대한 설명을 듣고 12:40 안악군청에 도착하여 점심을 들었다. 그는 14:30 大兆農場을 시찰하고 재령군청에 도착하여 관민을 접견한 후 기념촬영을 했다. 그는 17:40 호텔로 돌아왔다.

6월 8일 齋藤 총독은 재령, 安寧의 저수지를 시찰하고 16:05 사리원을 출발하는 열차를 타고 歸城한다.[94] 황해도에는 경의선과 경편철도가 깔려 있었지만 주로 자동차를 많이 활용했다. 황해도는 곡창과 철광이 밀집한 평야지대였다. 그는 왕복 도중에 신천에서 각각 1박하면서 약수 등을 마시고 휴식을 취했다.

* 1930년 6월 19일 齋藤 총독은 당일치기로 문산을 시찰했다. 서울 북쪽의 경의선에 위치한 곳이었다.

* 1930년 10월 21일 齋藤 총독이 탄 열차는 1:58 평양역을 통과하여 신의주로 향했다. 그는 10월 22일 7:00 신의주역에 도착하여 관민 다수가 출영한 속에서 철도호텔에 들어가 아침을 먹었다. 그는 8:30 도청에 가서 공직자를 접견하고 지사로부터 관내사정을 청취했다. 그는 9:30 자동차로 다사도를 향해 출발하여 多獅島 축항사업을 시찰한 후 귀로에 不二農場을 둘러봤다. 그는 16:30 신의주 철도호텔에 도착하여 휴식한 후 18:37 신의주역 출발 열차를 타고 23:46 평양에 도착하여 철도호텔에 묵었다.[95]

齋藤 총독은 10월 22일 오전 평안남도 도청에서 園田 지사로부터 관내 상황을 청취하고 관민을 접견했다. 그는 오후에 박물관을 관람했다. 또 대동교에서 경비선을 타고 대동강을 시찰하고, 진남포에 가서 해군저탄장, 어장, 토목출장소, 축항 등을 둘러본 후 평양으로 돌아왔다.

齋藤 총독은 10월 23일 오전에 도립병원, 의학강습소를 시찰한 후 평안

---

94) 『매일신보』, 1930.6.6 ; 6.11.
95) 『매일신보』, 1930.10.22.

수리조합준공식에 임석했다. 그는 14:00 평양으로 돌아와 모란봉, 고구려 유적, 해군사동광업부, 공장 등을 순시하고 23:50 평양역 출발 열차로 서울로 돌아갔다.[96)]

* 1930년 11월 11일 齋藤 총독은 갑자기 7:30 경성역을 출발하는 열차를 타고 충청북도 방면 시찰에 나섰다. 출영객을 피하기 위해 조선총독부 각 부장에게도 알리지 않은 단출한 나들이였다. 그는 조치원에서 하차하여 충북선을 갈아타고 蘇伊驛에 내려 자동차로 충주 牧溪로 갔다. 그는 오래전부터 친교를 맺은 李泰浩 씨를 만나고 충주읍에서 일박했다. 11월 12일 그는 청주를 시찰하고 저녁에 기차를 타고 귀성했다.

이상에서 좀 장황하게 소개했지만, 齋藤 총독의 기념관에 걸린 지도와 신문기사 등에서 확인할 수 있는 그의 순시 사례이다. 물론 전부는 아니다. 누락된 것도 있을 것이다. 실제로 경성부내 시찰은 모두 제외했다. 경성부내를 순시하거나 행사 등에 참석한 일이 많았던 점을 감안하면 조선총독이 얼마나 빈번하게 전국 각지를 구석구석까지 누비고 다녔는가는 이상의 소개만으로도 쉽게 짐작할 수 있을 것이다.

(2) 경유 철도

일본의 明治 천황에서 시작하여 大正 천황과 순종 황제에 이르기까지 지속되어온 순행과 순시의 관례가 조선총독에게도 착실히 계승되었다. 그것을 가능하게 만든 것은 철도를 비롯한 근대적 교통수단과 숙박시설의 보급이었다. 특히 철도는 순행과 순시를 통해 지배 권력과 통치 권위를 전국 방방곡곡으로 확산하는 기제로 활용되었다. 위에서 살펴본 齋藤實 총독의 순시 여정을 교통수단과 지역에 초점을 맞춰 다시 정리하면 다음

96) 『매일신보』, 1930.10.23.

과 같다. 여기에서는 철도의 역할이 좀 더 분명히 드러날 것이다. <지도 11-3>와 <지도 1-2>에 표시한 철도노선을 참조하면 좀 더 이해하기 쉬울 것이다.

* 도문선 연선(<지도 1-2>의 ⑮ · ⑭ · ⑯) : 穩城(1921.6.24), 北蒼坪洞(1921.6.24), 鐘城(1921.6.24), 三峯洞(1921.6.24, 1924.10.13), 나진(1921.6.25), 웅기(1921.6.25), 龍井村(만주, 1924.10.13~14).

* 함경선 연선(<지도 1-2>의 ⑤) : 회령(1921.6.23~25, 1924.10.12~14), 청진(1921.6.22, 25. 1924.10.11, 14), 鏡城(1924.10.11), 나남(1921.6.22~23, 1924.10.11~12), 朱乙(1924.10.10.~11), 명천(1924.10.10), 길주(1924.10.10), 성진(1921.6.21, 1924.10.9~10), 단천(1924.10.9), 이원(1924.10.9), 차호(1921.6.21), 북청(1924.5.11~12, 1924.10.9), 신포(1921.6.21, 1924.5.11), 홍원(1924.5.11), 함흥(1921.2.13~15, 1924.5.10~11, 1924.10.8~9), 서호진(1921.6.20~21).

* 경원선 연선(<지도 1-2>의 ④, <지도 5-1>) : 원산(1921.2.15~16, 1921.6.21, 26~27, 1921.10.2~3, 1922.8.16~17, 20, 1923.10.16., 1924.5.10, 1924.10.8, 15~16). 석왕사(1922.8.16, 1924.10.16.), 신고산(1921.9.27), 세포리(1921, 6.27), 복계(1925.6.26), 평강(1924.10.4, 1925.6.26.), 철원(1925. 6.26~28).

* 금강산전기철도 연선(<지도 1-2>의 ⑧) : 금화(1924.10.4, 1925.6.28), 금성(1924.10.4), 창도리(1924.10.4), 장안사(1921.9.27~29, 1924.10.4~6).

* 동해안일대(동해북부선 예정지 연선,<지도 1-2>의 ⑧) : 高底(1922.8.17, 20), 통천(1921.10.2, 1923.10.16), 장전(1922.8.17, 20), 온정리(1921.9.29~10.2, 1922.8.17~20, 1923.10.15~16, 1924.10.6~8), 간성(1923.10.15), 양양(1923.10.15), 주문진(1923.10.15), 강릉(1923.10.14~15).

* 경기도, 강원도, 충청북도 내륙(한강 수계 연변) : 가평(1921.7.4), 춘천(1921.7.4, 1925.6.28~29), 화천(1925.6.28), 홍천(1925.6.29.), 구성(1925.6.29), 평창(1925.6.29~30), 대화리(1923.10.14), 영월(1925.6.30), 원주(1923.10.13~14), 문막리(1923.10.13), 광주(1923.10.13), 이천(1923.10.13, 1925.7.1), 용인(1925.7.1), 장호원리(1924.7.1), 청풍(1922.11.9), 충주(1922.11.7~8, 9~10, 1925.6.30~7.1), 단양(1922.11.8~9), 제천(1922.11.8, 9, 1925.6.30).

* 경인선 연선(<지도 2-1>) : 인천(1920.4.15, 1921.6.11.), 강화(1924.11.17).

* 경부선 연선(<지도 1-2>의 ①, <지도 2-1>) : 수원(1922.4.22, 1925.7.1~2), 성환(1921.9.13), 천안(1921.9.13, 1922.11.18, 19, 1926.6.23). 조치원(1921.9.8, 1922.11.7), 대전(1921.9.11, 1922.11.19, 1923.6.15, 18, 1923.6.20, 26), 옥천(1924.10.24), 김천(1924.10.1), 대구(1920.11.14~16, 1922.11.11~13, 1924.4.17~18, 1924.7.31), 삼랑진(1924.4.12), 구포(1927.11.1), 부산(1920.4.7, 1920.11.11, 1923.4.11, 1924.7.28~29, 1927.11.1, 2), 동래(1920.11.11~12, 1923.4.11~13, 1927.11.1.~2), 양산(1923.4.12), 김해(1927.11).

* 마산선 연선(<지도 1-2>의 ⑥) : 진영(1923.4.10), 창원(1924.4.13), 진해(1920.4.7~8, 1922.11.23, 1923.4.10~11, 1924.4.13~15), 마산(1920.4.8, 1922.11.23~24, 1924.4.12~13), 진주(1920.4.8~10), 사천(1920.4.10), 삼천포(1920.4.10), 통영(1922.11.22~23).

* 동해남부선 연선(<지도 1-2>의 ⑧) : 영천(1920.11.14), 경주(1920.11.12~14, 1924.4.16~17, 1924.7.30~31), 울산(1920.11.12), 포항(1920.11.14, 1924.4.15~16, 1924.7.30), 방어리(1924.4.15), 감포리(1924.4.15), 도동(울릉도, 1924.7.30).

* 경북선 연선(<지도 1－2>의 ①) : 상주(1924.10.1), 예천(1922.11.10), 안동(1922.11.10~11), 의성(1922.11.11), 군위(1922.11.11), 문경(1922.11.10).

* 충북선 연선(<지도 1－2>의 ①) : 청주(1921.9.11~12, 1922.11.7, 1924.10.25~26), 음성(1922.11.7), 충주(1922.11.7~8, 9~10, 1925.6.30~7.1), 米院里(1924.10.25), 법주사(1924.10.24~25), 보은 (1924.10.24).

* 경남철도(장항선 등, <지도 1－2>의 ②) 연선 : 장호원(1925.7.1), 온양(1921.9.12~13, 1922.11.18~19), 예산(1922.11.18, 1926.6.23), 광천(1926.6.23), 대천(1926.6.23~24), 서천(1926.6.24), 당진(1922.11.18), 공주(1921.9.9~9), 부여(1921.9.9, 1923.6.15~16), 유성(1923.6.25~26).

* 호남선, 전군선 연선(<지도 1－2>의 ③) : 논산(1921.9.9, 1923.6.15), 이리(1922.11.19, 1923.6.17~18, 1926.6.26), 군산(1920.4.14~15, 1923.6.16~17, 1926.6.24~26), 삼례(1923.6.16), 전주(1920.4.14, 1922.11.19~20, 1926.4.24), 고산(1923.6.16), 여산(1923.6.16), 김제(1926.6.25), 죽산(1926. 6.25), 정읍(1922.11.20, 1926.4.23~24), 줄포(1926.4.23), 고창(1926.4.23), 송정리(1926.4.25), 나주(1926.6.26~27), 영산포(1926.6.27), 목포(1920.4.10~11, 1921.9.10~11, 1922.11.20~21, 1923.6.20~22, 24~25), 하로포(1923.6.22~23), 대흑산도(1923.6.22).

* 전남선 연선(<지도 1－2>의 ⑦) : 광주(1920.4.11, 1922.11.21, 1926.4.25), 순천(1922.11.21), 여수(1922.11.21~22), 廣川里(1922.11.21), 남원(1926.4.24~25), 순창(1926.4.25), 임실(1926.4.24), 영암(1926.6.27), 장흥(1926.6.27), 강진(1926.6.27), 완도(1927.6.23), 外羅老島(1923.6.23~24), 제주(1921.9.10).

* 경의선 연선(<지도 1－2>의 ②, <지도 4－1>) : 문산(1930.6.19), 개성(1920.10.3), 토성(1930.6.4), 연안(1930.6.4), 사리원(1921.6.10., 1925.6.15, 16, 1930.6.8), 황주(1921.6.10), 겸이포(1921.6.9.~10), 평양(1921.

2.1~3, 1921.6.9, 1923.5.7~8, 1924.5.8~9), 진남포(1921.6.9), 강동(1924.5.9), 성천(1924.5.9), 양덕(1924.5.9~10), 신안주(1923.4.29), 선천(1923.5.7), 신의주(1921.1.31~2.1, 1923.5.5~7, 1924.5.20~22), 안동(만주, 1921.1.31), 龍岩浦(1924.5.21), 多獅島(1924.5.21).

* 압록강 연변(<지도 1-2>의 ⑫) : 의주(1921.1.30~31, 1924.5.20), 淸城鎭(1923.3.5, 1924.5.20), 九寧浦(1924.5.20), 昌城(1923.5.4~5), 昌州(1924.5.20), 碧潼(1923.5.4, 1924.5.19~20), 舊邑洞(1924.5.19.), 渭原(1923.5.3, 1924.5.19), 高山鎭(1924.5.19), 만포진(1923.5.2~3, 1924.5.18~19), 강계(1923.4.30~5.2), 雲峰洞(1924.5.18), 慈城江口(1924.5.18), 土城洞(1924.5.18), 중강진(1924.5.17~18), 章興洞(1924.5.17.), 富興洞(1924.5.16~17), 厚昌江口(1924. 5.16), 松田洞(1924.5.16.), 新乫坡鎭(1924.5.15~16), 長白府(1924.5.14), 혜산진(1924.5.13~15), 含井浦里(1924.5.13), 갑산(1924.5.13), 上里(1924. 5.13), 倉坪里(1924.5.13), 豊山(1924.5.12~13).

* 청천강 연변(<지도 1-2>의 ⑫) : 球場洞(1923.4.29.), 熙川(1923.4.29~30).

* 황해선 연선(<지도 1-2>의 ⑩) : 載寧(1925.6.16, 1930.6.7), 信川(1925.6.15~16, 1930.6.5~6, 6~7). 해주(1921.6.10~11, 1930.6.4~5), 龍塘浦(1921.6.11, 1930.6.5), 九味里(1930.6.6), 長淵(1930.6.6), 夢金浦(1930.6.6), 松禾(1930.6.6), 殷栗(1930.6.7), 安岳(1930.6.7), 長遠(1930.6.7).

齋藤實 총독은 전국을 순시하는 데 철도, 도로, 해로 곧 열차, 자동차, 인력거, 선박을 지역 교통의 실정을 맞게 적절히 활용했다. 그중에서 철도이 이용이 압도적으로 많았다. 그것은 그가 순시한 지역이 대부분 철도 연선이었다는 점에서도 분명하고, 자주 방문한 도시가 철도노선상에 위치했다는 점에서도 명백하다. 齋藤 총독은 원산을 10회, 대전 · 부산 · 목포를 6회, 회령 · 온정리 · 대구 · 진해 · 평양을 4회, 함흥 · 충주 · 천안 ·

동래 · 마산 · 경주 · 포항 · 청주 · 충주 · 이리 · 군산 · 전주 · 광주 · 사리원 · 신의주 · 신천을 3회 방문했다. 그가 자주 들른 도시들은 다음과 같은 특징을 하나 이상 지니고 있었다.

① 교통의 결절지역이었다. 철도의 분기점이거나 종점 또는 항로의 중점인 항구였다.

② 지역 통치의 거점 또는 군사 도시였다. 각 도청이 소재한 도시거나 육해군의 주둔 지역이었다.

③ 지배정책의 구현을 선도하는 지역이었다. 산미증식계획의 실행을 독려하고 점검할 수 있는 곡창지대, 치안상태를 확인하고 채근할 수 있는 국경도시 등이었다.

④ 온천장이거나 경승지 또는 역사도시였다. 齋藤 총독은 지방을 순시하는 틈을 타서 휴양과 관광도 즐겼다.

4. 독립운동과 의열투쟁

1) 독립운동의 확산

(1) 3 · 1 독립운동(1919년)

반식민지 또는 식민지에서 철도는 침략과 지배의 도구이자 수탈과 억압의 동맥으로 사용되었다. 그렇기 때문에 한국에서 철도는 그 자체가 공격과 파괴의 대상이었다. 이에 관해서는 이미 상세히 究明했으므로 여기에서는 언급하지 않겠다.[97] 다만 철도가 제국주의자의 友軍으로만 기능

97) 철도부설에 동원된 노동자나 철도용지로 토지 · 가옥 · 분묘 등을 수용당한 연선주민 등의 反鐵道 항일투쟁은 이 책의 제1부와 정재정, 1999, 『일제침략과 한국철도

한 것이 아니라 제국주의를 타파하는 수단으로서도 활용되었다는 점을 보여주고자 한다. 국가의 독립과 민족의 해방을 추구하는 운동가들은 철도를 이용하여야 세력을 결집하고 확산했다. 철도를 항일투쟁의 지렛대로서 삼았던 것이다. 이처럼 철도는 사용자의 처지와 의도에 따라 문명의 利器 또는 凶器의 역할을 수행한 카멜레온이었다고 볼 수 있다.

먼저 철도가 의식적이든 무의식적이든 간에 민족운동을 촉발하고 확산시키는 도구로 활용된 사례로 3 · 1독립운동을 들 수 있다. 조선총독부 기관지 『京城日報』 조차 1919년 3월 1일자에서, 마치 3 · 1독립운동을 예견한 듯이, 다음과 같은 취지의 기사를 싣고 있다.

> 고종의 國葬儀가 점점 눈앞에 다가오자, 팔방에서 몰려오는 參列者 拜觀者 때문에 경성은 마치 회오리바람의 중심인 것 같은 모습을 보이기 시작했다. 이것을 입증하는 것은 경성을 중심으로 한 열차 승객의 격증이다. 27일 본지의 석간에서도 기재한 것처럼, 각지로부터의 단체 승차는 도저히 수송 불가능하기 때문에 회사 측에서는 절대로 신청을 거절하고 있지만, 이들 단체가 개인으로 승차한다면 보통열차는 한층 더 혼잡하게 된다. 27일 아침 부산을 출발하여 같은 날 밤 남대문역에 도착한 열차는 전시 군대수송의 광경 그대로였다.[98]

이때는 남만주철도주식회사가 한국철도를 위탁 받아 경영하고 있었기 때문에 '회사'라는 명칭을 썼지만, 철도당국이 승차를 규제할 정도로 고종의 인산에 참가하려는 승객이 각처에서 기차를 타고 서울로 몰려들었다. 3 · 1운동은 이렇게 열차를 타고 서울로 몰려든 한국인들이 일으켰고, 또 열차를 타고 흩어진 한국인들이 전국으로 전파했다.

(1892~1945)』, 서울대학교 출판부, 169~370쪽에 상세히 기술되어 있다.
98) 『京城日報』, 1919.3.1.

3 · 1운동과 철도의 상관관계를 본격적으로 검토한 연구는 아직 찾아볼 수 없지만, 일제 당국이 직접 작성한 지도를 통해 깊은 관계를 충분히 짐작할 수 있다. <지도 11-4>는 1919년 4월 30일 현재 3 · 1운동이 일어난 지역과 일제가 총기를 발포하여 탄압한 지역을 표시한 지도이다. 조선총독부가 직접 제작한 극비문서이다. 이 지도에 의거하여 3 · 1운동과 철도의 관계를 검토해보자.[99]

이 지도를 훑어보면 금방 알 수 있듯이, 3 · 1운동에서 촉발된 독립만세 시위와 항일저항투쟁은 철도연선에서 많이 발생했다. 당시 중요 국유철도로는 경인선, 경부선, 마산선, 호남선, 경의선, 평남선, 경원선 등이 전선 개통하여 영업 중이었고, 함경선은 일부 구간이 완공되어 차례로 영업을 연장해나고 있었다. 또 경기도, 충청남도, 충청북도, 황해도, 함경북도, 제주도 등에는 철도회사가 경영하는 경편철도가 운영되고 있었다.

<지도 11-4>에서 붉게 칠한 작은 동그라미는 독립운동이 발생한 장소를 표시한 것이고, 큰 동그라미는 일제가 총기를 발포하여 탄압한 장를 표시한 것이다. 동그라미가 표시된 장소는 서울과 서울을 둘러싼 경기도에 집중되어 있다. 그리고 경기도와 인접한 충청남도와 황해도가 그 다음으로 많다. 만세시위운동과 이에 대한 일제의 발포가 밀집한 지역은 대개 경부선 · 경의선 · 호남선 · 경편철도의 연선이다. 그리고 부산 · 마산 · 진해 등 동남부 남해안지역, 신의주 주변의 압록강 유역 연안 지역, 함흥 · 길주 · 회령 등 동북해안이나 두만강 연변 지역 등이 그 뒤를 잇고 있다. 이 지역들은 경부선 · 마산선 · 함경선 · 경편철도의 연선이다.

---

99) 「騷擾一覽地圖」라는 이름이 붙어 있는 이 지도(朝鮮總督府, 1919년 4월 30일 현재, 極秘라는 붉은 도장이 찍혀 있음)는 일본의 저명한 일제시기연구자이자 전 조선사연구회장인 宮田節子 씨가 필자에게 제공한 것이다. 이 자리를 빌려 감사의 뜻을 전한다.

이처럼 <지도 11–4> 하나를 보더라도 3·1운동이 철도연선을 따라 확산되어갔음을 일목요연하게 알 수 있다. 이 극비 지도를 자상하고 정확하게 분석하고, 그것을 기술 자료를 통해 보완하는 일은 앞으로 해야 할 과제이다.

(2) 비밀결사운동

일제하에서 국가독립이나 민족해방을 추진했던 운동세력은 철도와 열차를 이용할 때 항상 '위험'과 '효율' 사이에서 고민했다. 일제의 검문검속을 피하는 데는 걸어가는 게 좀 더 안전할 수 있다. 그렇지만 그것은 너무 많은 시간과 체력을 소모해야 한다. 장거리 이동이나 국경을 넘나드는 경우는 더욱 그러하다. 운동의 신속한 결행이나 전파에는 철도만한 교통수단이 없었다. 그리하여 운동가들은 걸어갈 것인가, 기차를 탈 것인가, 곧 '도보론'과 '승차론' 사이에서 언제나 회의하고 망설였다. 윤상원은 최근 이런 사실에 주목하여 철도와 민족해방운동의 상관관계를 추적했다. 아래에서는 그의 논고를 참조하면서 철도가 반제국주의 투쟁의 도구로 활용된 측면을 살펴보겠다.[100]

운동가들에게 철도는 지역 범위를 넘어 전국 연계의 조직과 실천을 구축할 수 있는 연장이었다. 1920년대 초기 사회주의운동가들은 철도를 이용하여 전국에 세포 조직 곧 야체이카나 프락치아를 만들었다. 1924년 1월 출옥하여 서울에 올라온 박헌영은 4월 동아일보에 입사하고 12월 지방부 기자로 발령을 받았다. 그는 이 신분과 철도를 충분히 활용하여 검문검속을 피해 지방을 돌아다니며 일을 꾸밀 수 있었다.

---

100) 민족해방운동과 의열투쟁에 관한 기술에서 특별히 각주를 붙이지 않은 부분은 尹相元, 2014, 「저항의 도구–식민지 민족해방운동과 철도」, 『歷史教育』 129, 역사교육연구회에 의거했다. 감사한다.

1925년 4월 17일 1차 당 대회를 거쳐 창립된 조선공산당은 그해 11월 신의주사건의 발생을 계기로 와해위기에 봉착했다. 11월 29일 밤 조선공산당 중앙위원 유진희, 고려공산청년회 책임비서 박헌영의 검거를 시작으로 검거선풍이 몰아쳐, 김재봉, 주종건, 김약수는 체포되고, 김찬과 조동호는 상해로 망명했다. 당 지도부가 무너지자 후보위원이었던 강달영 등이 새 중앙위원으로 선정되었다. 진주에서 조선일보 지국을 경영하던 강달영은 '至急上京'하라는 전보를 받고 경부선을 이용하여 12월 12일 서울에 왔다. '조선일보 촉탁'의 신분을 내세워 기차역과 열차 안의 검문검색을 통과할 수 있었다. 철도가 없었으면 이렇게 재빨리 대응하거나 이동할 수 없었다. 상해에서 귀국해 고향 부안에 거주하고 있던 김철수도 이리역에서 기차를 타고 호남선을 이용하여 서울로 왔다. 일제의 검문검속만 피할 수 있다면 열차는 전국 어디에서 언제나 운동을 펼칠 수 있는 편리한 도구였다.

조선공산당은 1926년 12월 6일 저녁부터 이튿날 새벽까지 서울 서대문형무소 바로 턱밑에서 당 대회를 개최했다. 불과 일주일 동안에 준비한 회의이었다. 그럼에도 불구하고 연락을 받은 지역 대표들은 첫 열차를 타고 초저녁까지 서울에 와서 밤새 회의를 하고 새벽 열차로 지역으로 흩어졌다. 그들의 활동 지역이 철도연선에 위치한 영동(경부선, 충남북 대표 장준), 이리(호남선, 전북 대표 임혁근), 김해(경부선, 경남 대표 노백용), 광주(호남선, 전남 대표 강석봉), 해주(황해선, 황해도 대표 이인수), 대구(경부선, 경북 대표 정학선) 등이었기 때문이다. 이들은 열차를 이용하여 하루 만에 신속하고 은밀하게 서울에 집결하여 당 대회를 치르고 각자 활동지로 되돌아갔다. 이처럼 철도와 열차는 이전에 고립적 · 분산적으로 이루어지던 민족해방운동을 전국적 · 관련적으로 확산시키는 도구로 활용되었다.

일제하 철도는 국내 상호뿐만 아니라 국외의 민족해방운동까지도 서로 연결시켜주는 매체의 역할을 하였다. 의열단은 만주에서 창립되고 상해 등지에서 활약했다. 그런데 단원들이 목표로 삼은대로 조선총독 · 고위관료 · 친일파 거물 등을 암살하거나, 조선총독부 · 동양척식주식회사 · 매일신보사 · 경찰서 등을 폭파하기 위해서는 국내에 잠입해야만 했다. 의열단원들은 폭탄과 단총 등의 무기는 배를 통해 운반했지만, 본인은 대부분 열차를 타고 입국했다. 김익상은 경의선 열차를 타고 서울에 들어와 조선총독부에 폭탄을 던지고, 다시 경의선 열차를 타고 신의주의 압록강 철교를 건너 북경으로 돌아갔다. 여기에 소요된 시간은 단 일주일이었다. 철도가 없었으면 불가능한 일이었다. 김상옥, 나석주, 김형선 등도 열차를 타고 이동하면서 의거를 감행했다. 이처럼 철도와 열차는 국내외의 민족해방운동을 유기적으로 연결시키는 도구로서 활용되었다.

물론 일제하 한국의 철도와 열차에는 운동가들을 체포하려는 경찰과 헌병의 감시와 검속이 항상 따라붙었다. 1922년 4월 박헌영과 임원근은 상해의 고려공산청년회를 조선으로 이전하는 임무를 띠고 비밀리에 입국하려다 중국 국경 도시 안동에서 체포되었다. 이들보다 먼저 신의주로 잠입했던 김단야는 신의주에서 경의선을 타고 서울로 가는 기차표를 사는 데까지는 성공했지만, 신의주 남쪽에 있는 조그만 정차장인 車輦館에서 신의주경찰서 소속 경찰들에게 체포되었다. 열차 안에서는 이동경찰의 검문검색이 매일같이 이루어졌다. 그리하여 항간에는 열차 안에 승객보나 경찰이 더 많아 여행도 마음대로 하지 못하게 되었다는 푸념이 자자했다.[101)]

특히 만주와 일본에서 잠입해 들어오는 운동가들이 자주 열차 안에서 체포되었다. 그중에서도 만주와 국경을 접하고 있는 평안북도, 함경남도, 함

---

101) 『동아일보』, 1927.1.12 ; 1928.9.1. 이동경찰은 1920년대 열차에 배치된 경찰을 의미한다. 1930년대 후반 이후 철도경찰이라는 이름으로도 불렸다.

경북도에서 검거되는 항일운동가가 많았다. 1920년부터 1940년까지 국경 3道에서 일본 경찰에 체포된 항일독립운동건수의 추이는 다음과 같았다.

1920년 1046건, 1921년 570건, 1922년 242건, 1923년 296건, 1924년 422건, 1925년 241건, 1926년 136건, 1927년 50건, 1928년 142건, 1929년 86건, 1930년 106건, 1930년 106건, 1931년 63건, 1932년 34건, 1933년 29건, 1934년 16건, 1935년 16건, 1936년 23건, 1937년 30건, 1938년 12건, 1939년 3건, 1940년 1건.[102)]

이 통계를 분석해보면, 3 · 1운동 직후인 1920년에 1,046건으로 압도적으로 많았다가 1922년에는 242건으로 급격히 줄어들었다. 1924년에 422건으로 다시 늘어났지만, 그 후 현격히 감소하여 1930년대에 들어서는 두 자리 수 이하가 되었다. 그 배경에는 운동의 열기가 浮沈한 것도 있지만, 일제의 감시와 검속이 더욱 치밀하고 조밀해져 국내로 잠입하는 것 자체가 어려웠기 때문인 것으로 보인다.

아닌 게 아니라, 국경 3도에 배치한 경찰관서와 경찰관 수의 추이는 다음과 같이 늘어났다.

1930년 306개 2372명(그중 한국인 694명), 1931년 312개 2265명(678명), 1932년 320개 2709명(756명), 1933년 350개 2637명(751명), 1934년 348개 2637명(751명), 1935년 346개 2752명(796명), 1936년 348개 3119명(838명), 1937년 375개 3082명(819명), 1938년 361개 3262명(930명), 1939년 379개 3066명(945명), 1940년 385개, 3111명(995명), 1941년 384개 2692명(975명), 1942년 380개 2554명(971명).[103)]

---

102) 松田利彦, 2009, 『日本の朝鮮植民地支配と警察－1905～1945年』, 校倉書房, 334쪽 ; 533쪽. 이 책은 일본이 한국을 지배하기 위해 창설하고 운용한 경찰의 전모를 파악하는 데 아주 좋은 연구서이다.

103) 松田利彦, 위의 책, 536～537쪽.

이 통계를 분석해보면, 1930년에 306개 경찰관서에 2,372명이었던 경찰관 수는 1935년에 346개 2,752명, 1940년에 385개 3,111명으로 급격히 증가했다. 민족별 증가폭에서 보면 한국인보다는 일본인의 증가폭이 훨씬 더 컸다. 일본인의 전시 징용과 징병이 강화된 1941~42년은 경찰관서 수는 크게 줄지 않았지만 경찰관 수는 많이 줄어들었다. 그 빈자리를 한국인이 채웠기 때문에 한국인 경찰관 수는 이 시게에 오히려 늘어나는 추세를 보였다.

이상에서 제시한 국경 3도의 경찰관서와 경찰관의 배치 상황 그리고 검거된 항일독립운동건수의 개괄적 추이를 염두에 두고, 아래에서는 철도와 관련된 몇 가지 사례를 좀 더 구체적으로 살펴보자.

1928년 9월 19일과 20일 참의부원 2명(제2대장 대리 백운파, 5중대 소대장 서윤수)이 한국 안에서 기관을 설립하고 군자금을 모으기 위해 들어왔다. 그들은 경의선 열차 안에서 이동경찰에게 붙잡혔다. 1932년 평안북도 경찰부의 이동경찰이 국경을 넘나드는 열차에서 검거한 813명의 용의자 중에 사상관계자가 140명이었다. 1933년 3월 22일 김창진이 공산주의 운동에 관련된 불온사상 용의자로 검거되었다. 조선공산당 7인 중앙집행위원의 한 명이었던 김약수도 신의주사건의 검거 선풍이 불 때 대구에 도착한 열차 안에서 체포되었다. 반면에 김찬은 용산역에서 열차를 타고 부산역으로 가서 선박을 이용하여 長崎港에 들렀다가 상해로 건너가는 데 성공했다.

철도 정차장 곧 기차역도 검문과 검속을 피하기 어려운 장소였다. 기차역은 중요 시설물로 분류되어 경찰이 상주하고 있었다. 그들은 기차가 역에 도착할 때마다 차 안에 들어와 검문 검색했다. 3 · 1운동이 일어나기 직전 염상섭은 소설 『만세전』에서 기차 안의 풍경을 생생하게 묘사했다. 곧 주인공 이인화가 경부선 열차를 타고 서울로 오다가, '정거장에 도착할 때마다 드나드는 순사와 헌병 보조원'의 검문검색을 진저리치게 경험한 것이다.

> 두 사람이 잠자코 앉았으려니까 차는 심천(深川) 정거장엔지 도착한 모양이다. 새로운 승객도 별로 없이 조용한 속에 순사가 두리번두리번하고 뚜벅 소리를 내며 들어와서 저편 찻간으로 지난간 뒤에 조금 있으려니까, 누런 양복바지를 웅구바지로 입고 작달만한 키에 구두 끝까지 철철 내려오는 기다란 환도를 끌면서 조선사람의 헌병 보조원이 또 들어왔다. 여러 사람의 눈은 또 긴장해지며 일시에 구랄만한 누렁저고리를 입은 조그마한 사람에게로 모이었다. 이 사람은 조그만 눈을 똥그랗게 뜨고 저편서부터 차츰차츰 한 사람씩 얼굴을 들여다보며 이리로 온다. 누구를 찾는 것이 분명하다. 나는 공연히 가슴이 선뜩하였으나, 이 찻간에도 나를 미행하는 사람이 있으리라는 생각을 하니까 안심이 안 되었다. 찻간 속은 괴괴하고 헌병 보조원의 유착한 구둣소리만 뚜벅뚜벅 난다. 그러나 여러 사람의 가슴은 컴컴한 남포의 심짓불이 떨리듯이 떨리었다. 한 사람, 두 사람의 낱낱이 얼굴을 들여다보고 지나친 뒤의 사람은 자기는 아니로구나, 살았구나! 하는 가벼운 안심이 가슴에 내려앉는 동시에 깊은 한숨을 내쉬는 모양이 얼굴에 완연히 나타났다. 헌병 보조원의 발자취는 점점 내 앞으로 가까워 왔다. 나는 등을 지고 돌아 앉았고, 내 앞의 갓장수는 담뱃대를 든 채 헌병의 얼굴을 똑바로 치어다보고 앉았다. 헌병 보조원은 내 곁에 와서 우뚝 선다. 나는 가슴이 뜨끔하여 무심코 치어다보았다. 그러나 헌병 보조원은 나를 본체만체하고 내 앞에 앉았는 갓장수를 한참 내려다보고 섰더니 손에 들었던 종이조각을 펴본다. 내 가슴에서는 목이 메게 꿀떡 삼키었던 토란만한 것이 쑥 내려앉는 것 같았다. 찻간은 고작 헌병 보조원-어린 조선 청년 하나의 한마디로 괴괴하여졌다.
>
> "당신, 이름이 뭐요?"[104)]

104) 염상섭, 1987, 『만세전』, 창작사, 127~128쪽. 『만세전』은 「묘지」라는 제목으로 1922년 『신생활』에 연재되다 중단되었으나, 1924년 『시대일보』에 다시 연재된 바 있다. 이 소설에서 東京에 유학 중이던 주인공 이인화는 아내가 위독하다는 전

『만세전』의 문장에는 공포에 떠는 열차 안의 분위기와 가슴을 졸이는 승객의 심정이 아주 잘 표현되어 있다. 열차 안뿐만이 아니었다. 일제의 경찰이나 헌병은 기차역에 출입하는 인파 중에서도 운동가를 잡아내려고 눈을 부릅떴다. 그런 가운데 폭발물 등을 찾아내는 성과를 올리기도 했다. 1925년 4월 민중운동자대회가 끝난 후 경찰은 주모자들을 체포하기 위해 서울 시내에 수사망을 펼쳤다. 특히 지방으로 돌아가는 운동가들을 검거하기 위해 경성역, 용산역, 청량리역 등에 고등계 형사들을 배치하여 검속에 집중한 결과 14명을 검거했다.

1933년 8월 2일 평양역에 내린 박대선이라는 청년은 발매금지된 불온서적을 소지하고 있다 하여 평양경찰서 고등계 형사에게 붙잡혔다. 1944년 九州에서 일본군을 탈출하여 한국에 밀항해온 김문택은 경부선 · 경의선 열차를 타고 밀양에서 진남포로, 또 진남포에서 경원선 · 함경선 열차를 타고 청진과 무산을 거쳐 만주로 건너갔다. 그는 국경을 넘을 때 가장 두려움을 느낀 곳이 기차역이었다고 술회했다. 기차역에는 일본의 경찰뿐만 아니라 헌병까지 진을 치고 있었기 때문이다.

운동가들은 열차 안과 기차역에서 검문검속을 피하기 위해 여러 가지 방법을 구사했다. 먼저 신원을 확실하게 보장해줄 수 있는 신분증을 소지했다. 박헌영은 고려공산청년회를 조직하기 위해 지방을 돌아다니거나, 조선공산당 책임비서에 취임하기 위해 진주에서 서울로 올 때 동아일보가 발행한 지방주재기자 신분증을 활용했다. 김태준은 사위가 만늘어준

보를 받고 東京－神戶－下關을 기차로, 下關－부산을 연락선으로, 부산－김천－대전－서울을 기차로 이동한다. 주인공이 기차와 연락선에서 보고 느낀 감회는 당시의 시대상황을 이해하는 데 도움을 준다. 당대 한국의 문학인들이 철도와 근대문명을 어떻게 인식했는가는 정재정, 2000, 「20세기 초 한국 문학인의 철도 인식과 근대문명의 수용 태도」, 『인문과학』 제7집, 서울시립대학교 인문과학연구소를 참조할 것.

경성제국대학 조수라는 신분증명서를 빌어서 경의선 열차를 타고 압록강 국경을 통과했다. 배두성은 군수공장의 여행증명서를 입수하여 밀양에서 이동경찰의 검문을 속이고 열차를 탈 수 있었다.

운동가들이 열차 안에서 검문검속을 피하기 위해 사용한 고전적인 수법은 화장실에 숨어드는 것이었다. 앞에서 언급한 김문택과 배두성도 화장실을 자주 활용했다. 아이를 거느리고 있는 아낙네에게 수작하여 일행으로 가장하는 방법도 자주 시도되었다.

1921년 9월 의열단원 김익상은 조선총독부를 폭파하고 조선총독을 암살하기 위해 상해를 떠나 봉천에서 열차를 타고 경의선을 이용하여 국내에 잠입했다. 그는 이때 두어 살 먹은 어린아이를 데리고 앉아 있는 젊은 일본인 여자와 이야기를 나누며 가족인 척 행동함으로써 검문검색의 위기를 넘겼다. 경성역에서는 그 아이를 안고 나옴으로써 당당하게 개찰구를 통과했다. 김익상은 9월 12일 조선총독부에 폭탄을 투척하고 비슷한 방법을 구사하여 유유히 북경으로 돌아왔다.

주요 기차역을 건너뛰고 작은 기차역을 이용하는 것도 한 방법이었다. 김태준, 김사량, 김문택 등은 큰 기차역 대신에 목적지에서 한두 정차장 떨어진 작은 기차역을 출입했다. 김경천과 지청천은 일부러 비싼 운임을 내고 친일고관과 일본인사가 타는 일등실을 이용함으로써 검문검색을 피했다.

2) 의열투쟁의 촉진

(1) 강우규의 서울역 의거(1919년)

철도를 매개로 하여 침략과 저항의 상극관계를 극명하게 보여준 사건으로는 안중근 의사의 伊藤博文 사살을 들 수 있다. 안 의사는 1909년 10

월 26일, 시베리아철도(<지도1－1>의 ⓗ)를 타고 哈爾濱(하얼빈)에 와서 남만주철도(<지도1－1>의 ⓑ · ⓔ)를 타고 북상한 이토 히로부미를 정차장에서 저격한 것이다.

그런데 국내에서 철도와 독립운동 또는 민족해방운동의 관계를 선명하게 보여주는 사례로서는 강우규 의사의 폭탄투척을 빼놓을 수 없다. 곧 부산에서 기차를 타고 경부선(<지도 1－1>의 ①, <지도 3－1>)을 통해 서울에 부임하는 齋藤實 총독에게, 반대 방향인 원산에서 역시 기차를 타고 경원선(<지도 1－1>의 ④, <지도 5－1>)을 이용하여 서울에 잠입한 강우규가 남대문역에서 폭탄을 투척한 사건이다. 지금 서울역 광장에는 강우규의 의거를 기리는 커다란 동상이 서 있다. 기차, 역, 총독, 환영 행사, 폭탄 투척, 체포, 사형 등이 절묘하게 어우러져, 철도가 식민지 지배의 도구이자 독립투쟁의 수단이었음을 한꺼번에 보여준 한 편의 생생한 드라마였다.

강우규의 의거는 당시 천지를 뒤흔든 대사건이었으므로 신문이 상세히 보도하고, 경찰이 자세하게 調書를 작성했기 때문에 그 전모를 정확히 파악할 수 있다. 또 박환 등이 독립운동사의 일환으로 연구서를 상재했다.[105] 아래에서는 이런 자료와 연구를 바탕으로 하여 철도와 의열 투쟁의 상관관계를 짚어보겠다.

1919년 9월 1일 8:30, 신임 총독 齋藤實, 신임 정무총감 水野錬太郎, 비서관 守屋와 伊東, 내무국장 赤池, 식산국장 西村 등 조선총독부의 핵심 관료 일행이 탄 관부연락선 新羅丸이 기적 소리를 울리며 부산항에 도착했다. 부산시민이 환영한다는 뜻을 표시하기 위해 富平 산 위에서 煙穴을 쏘아 올렸다. 國分 조선총독부 법무국장, 佐佐木 지사, 松井 · 本田 부윤, 兒島 헌병대사령관, 藤波 통역관, 田中 李王家 사무관, 大野 참모장, 村田 소

105) 박환, 2010, 『잊혀진 의열투쟁의 전설 강우규의사 평전』, 선인.

위, 이완용 백작 등 300명이 출영했다. 총독과 총감은 갑판 위에서 岡村 부산역장을 선두로 출영자와 일일이 인사를 나누고, 國分 국장 등의 안내를 받아 상륙하여 자동차로 大池 여관에 들어갔다. 齋藤 총독 등은 9월 1일 부산항 내를 시찰할 예정이었는데, 아침부터 비가 내려 일정을 취소했다.[106]

9월 2일 7:30 齋藤 총독 등은 지역 유지와 생도 등의 환송을 받으며 부산역을 출발해 경부선을 타고 서울로 향했다. 조선총독부는 남대문역에 출영하는 사람들에게, 당일 오후 4시 50분까지 남대문역에 와서 화물반출 입구로 입장하여 지정된 위치에 도열할 것, 출영자는 입장하기 전에 접수 계원에게 명찰을 받아 패용할 것, 출영자는 총독 일행이 남대문역을 떠난 후에 퇴장할 것 등을 미리 주지시켰다.

서울의 거리에는 제3대 조선총독 齋藤實과 제2대 정무총감 水野鍊太郎의 부임을 환영하기 위해 내건 일장기가 나부꼈다. 9월 2일 16:00 남대문에서 남대문역 앞까지 서쪽에는 제78연대 長堀田 대좌가 지휘하는 보병 2개 대대가 진을 치고, 동쪽에는 각 町 · 洞에서 동원한 일반 민중이 열 겹 스무 겹의 사람 성을 쌓았다. 남대문역 광장에는 佐藤 중대장이 지휘하는 의장병 1개 소대가 도열하고, 대정친목회원과 실업단체회원을 비롯한 환영객이 몰려들어 역 구역 밖까지 북적였다. 플랫 홈은 귀빈실을 가운데 두고 네 구역으로 나누어 오른쪽에 군인석, 조선귀족석, 왼쪽에 조선총독부와 각 관서 직원석, 일반인 환영석을 설치했다. 환영 나온 사람은 宇都宮 조선군 사령관, 淨法寺 제20사단 사단장, 兒島 조선헌병대 사령관, 芳賀 조선총독부 의원장, 渡邊 고등법원장, 大野 조선군 참모장, 奧田 여단장, 村田 소장, 赤池 내무국장, 河內山 재무국장, 西村 식산국장, 松永 도지사, 金谷 부윤, 青木 서무부장, 이완용 백작, 한창수 남작, 민 이왕직 장관,

106)『매일신보』, 1919.9.2.

國分 이왕직 차관, 嘉納 조선은행 부총재, 각 회사 대표, 각 신문사 관계자, 실업계의 유지인사, 영국 총영사 하례 씨를 비롯하여 무려 일천여 명이나 되었다.

9월 2일 17:00 제121호 기관차가 끄는 임시 급행열차가 천천히 남대문역 구내로 들어왔다. 남산 한양공원 서쪽 성벽 855고지에서 야포병 대대가 발사한 19발의 예포 소리가 은은히 서울과 용산의 하늘에 울려 퍼졌다. 기차에서 내린 齋藤 총독은 흰색의 해군대장 정복을 입었는데, 가슴에서는 勳一等 旭日章이 찬란하게 번쩍였다. 水野 정무총감, 총독과 총감의 부인 등 일행이 총독의 뒤를 따라 내렸다. 출영자는 일제히 모자를 벗고 총독 일행에게 경례하였다. 미소를 띤 총독과 그 일행은 플랫폼을 지나 환영객 앞을 통과하며 정중히 답례했다. 총독은 특별히 중요한 손님, 외국 영사단, 조선귀족 등과는 악수를 하며 인사한 후 귀빈실로 들어갔다.

齋藤 총독은 귀빈실 입구에서 이왕가 어사에 예를 표한 후 낭하를 통하여 남대문역 광장으로 나왔다. 귀빈실 바깥 입구에는 조선총독부에서 보낸 마차와 자동차가 기다리고 있었다. 총독과 부인이 탄 마차가 출발할 때 도열병 일동은 일제히 받들어총을 하고 예총을 발사했다. 이 틈을 타서 남대문역 끽다점 옆에 둔 인력거 뒤로부터 총독의 마차를 겨냥하여 폭탄이 날아갔다. 12 m 가량 떨어진 곳이었다. 폭탄은 총독이 탄 마차 뒤쪽을 7보 앞에 두고 큰 소리를 내며 폭발했다. 일거에 중경상자 29명을 낸 거창한 사건이 발생했다(<그림 11－2> 참조).

齋藤 총독은 군복과 혁대 등 세 곳에 구멍이 뚫렸을 뿐, 무사하였다. 水野 정무총감도 마차가 조금 상한 것 빼고는 아무 일 없었다. 총독은 태연자약하게 미소를 띤 채 의장병의 호위를 받으며 혼잡한 군중 사이를 지나 태평통→황금정→영락정 등 미리 정해진 순로를 따라 왜성대에 있는 총

독 관저에 들어갔다. 齋藤 총독이 관저에 이르러 자세히 살펴본즉, 마차는 5~6 군데 폭탄 조각을 맞았다. 2~3개의 작은 폭탄 조각은 총독의 혁대를 뚫고 옷에 박혔다. 해군의 혁대는 특별히 두터웠기 때문에 망정이지, 총독이 만약 군복을 입지 않았다면 배에 다소간 상처를 입었을 것이다.[107]

齋藤 총독은 9월 2일 밤 이번 폭탄사건으로 부상을 당한 사람들에게 특사를 보내 위문하였다. 부상자의 성명, 직업, 경과 등은 다음과 같았다.

중상자 : 大阪每日新聞 특파원 橘香橘(폭탄 조각 하나가 腹管을 손상시켜 복막염과 폐렴을 일으킴, 11월 1일 사망), 山口諫男(1년여를 앓다가 치사), 本町警察署 서장 小牟田十太郞, 군사령부 전 부관 현 만철 사원 野津要太郞, 고양경찰서 순사 朴齋九, 경기도 순사 末弘又二郞(폭탄 조각이 대퇴부를 뚫고 들어가 외상성 패혈증을 일으켜 9월 11일 사망).

경상자 : 조선총독부 무관 村田 소장, 이왕직 사무관 李源昇, 本町경찰서 경부 權五鎔, 동 순사 박진화, 미국 부인 해리슨, 경성일보 사진부원 武井延太郞, 동 久渡幸太郞, 종로경찰서 순사 安武政, 동 朴完植 등.[108]

9월 2일 밤 종로경찰서에 수찰본부가 차려지고 서울 전역에 일체 수색명령이 내려졌다. 그런데도 강우규는 보름이나 지나서야 9월 17일 시내 누하동에서 本町경찰서 경찰관에게 잡혔다. 강우규는 종로경찰서에서 취조를 받고, 검사국으로 넘겨졌다. 형식적이나마 8개월 정도 재판이 진행되었다. 고등법원은 1920년 5월 27일 강우규의 상고를 기각하고 사형 판결을 확정했다. 그리고 1920년 11월 29일 4:00 서대문 감옥에서 사형을 집행했다. 향년 66세였다. 강우규 아들 중건이 같은 날 시체를 인수하여 서대문밖 공동묘지에 매장했다.[109]

---

107) 『매일신보』, 1919.9.6.
108) 이상의 내용은 주로 『매일신보』, 1919.9.4의 기사에 의거하여 작성했다.
109) 박환, 앞의 책, 73~74쪽 ; 143~146쪽.

그러면 강우규는 의열 투쟁을 감행하기 위해 철도를 어떻게 이용했을까? 강우규는 1919년 6월 11일 연해주 남단 항구 블라디보스토크에서 일본 배 越後丸을 타고 6월 14일 아침 원산에 상륙했다. 그는 1919년 8월 4일, 원산에 머물면서 알게 된 許炯과 함께 원산역에서 경원선 기차를 타고 서울을 향해 떠났다. 그들은 석왕사역에서 내려 朠月旅館에 들어가 1박했다. 다음날 5일 둘은 석왕사역에서 경원선 기차를 타고 서울로 왔다. 강우규는 1919년 8월 7~8일 쯤 다시 경원선 기차를 타고 원산에 가서 知人 최자남 집에 맡겨둔 폭탄을 가지고 서울로 돌아왔다. 그는 齋藤 총독이 9월 2일에 서울에 도착한다는 사실을 알고 8월 26일 남대문역 부근 남대문통 5정목 60번지 여인숙에 투숙했다.[110] 이로써 강우규의 의거가 철도와 불가분의 관계로 얽혀있음을 한 눈에 알 수 있다.

경성지방법원 판결문은 당시 65세였던 강우규가 총독에게 폭탄을 던진 이유를 다음과 같이 말했다고 기술했다.

> 무슨 勝算에서 신임 조선총독은 내임한단 말인가! 이것은 실로 세계의 대세인 민족자결주의에 위배되며, 人道를 무시하고, 동양 평화를 교란하며, 조선 2천만 동포를 궁지에 몰아넣으려는 怨敵이다. 따라서 본인은 목숨을 걸고 신임 조선총독을 살해하여 조선인의 열성을 표명하는 한편, 내외의 同情을 얻어 조선 독립을 승인받고자 한다.[111]

강우규 의사의 외침은 큰 반향을 불러일으켰다. 1920년 2월 16일 21:30 즈음 남대문역 대합실에서 한 청년이, '강우규는 노인임에도 불구하고 齋藤 총독에게 폭탄을 던지고 조선민족을 위해 희생했다, 우리 청년

110) 박환, 앞의 책, 83~90쪽.
111) 박환, 앞의 책, 91~92쪽.

은 더 한층 분기하여 조선독립을 위해 노력하지 않으면 안 된다'고 연설하고, 대한독립만세를 10회 정도 불렀다. 또 참의부 독립군은 1924년 5월 19일 참의부 독립군이 압록강 연안을 순시하던 齋藤 총독을 습격하였다.[112] 그는 5월 19일 만포진, 고산진, 위원, 구읍동, 벽동 등지를 시찰하고 있었다(이 책의 11장 3절 참조할 것).

(2) 이봉창의 櫻田門 의거(1932년)

일제시기 의열 투쟁을 벌인 이봉창 의사도 철도와 밀접한 관련을 맺고 있었다. 배경식의 저서에 따르면, 그는 1932년 1월 8일 11:45 즈음 東京 皇居의 櫻田門 앞에서 昭和 천황이 탄 것으로 보이는 마차를 향해 폭탄을 던졌다. 약 18 m 거리였다. 폭탄이 꽝 하는 소리와 함께 터지면서 마차 행렬이 흐트러지고 연도 사람들이 비명을 지르며 달아났다. 천황을 폭살하는 데는 실패했지만, 한국인의 기개를 내외에 보여준 사건이었다.[113]

이봉창은 1901년 서울 용산에서 이진구의 둘째 아들로 태어났다. 청일전쟁을 계기로 일본군대가 용산에 진입해 병참부를 세우고 일본인 도매상이 들어서면서 용산은 군사도시로 개발되기 시작했다. 이봉창은 1918년 8월쯤 조선총독부 철도국 영업과 화물계 서기 이노우에 사카이치라는 일본인의 소개로 용산역 操車係 試傭夫로 취직했다. 조차계는 기관차나 화물차를 연결하거나 바꿔 달고, 다른 선로에 넣거나 나누는 작업을 하는 부서였다.

이봉창은 정식 직원이 아니라 현장에서 일하는 말단 인부였다. 그는 1920년 1월 4일 驛夫가 되고, 2월 4일에는 轉轍手, 10월 1일에는 連結手

112) 박환, 앞의 책, 95쪽.
113) 이봉창에 관한 기술에서 각주가 없는 부분은 주로 배경식, 2015, 『식민지 청년 이봉창의 고백』, 휴머니스트 출판그룹에 의거했다. 감사한다.

로 승진했다. 1년 2개월 만에 세 계단이나 뛰었다. 빠른 승진은 이봉창이 열심히 일한 결과였다. 역부로 일할 때는 일당 94전을 받았는데, 연결수가 되면서 한 달에 40~48원이나 받았다. 사범학교를 나온 교사나 순사와 같은 월급이었다.

이봉창은 연결수가 된 지 1년이 지나자 다른 사람을 가르칠 정도로 일에 익숙해졌다. 그런데 연결수와 전철수는 사고에 노출되기 쉬웠다. 기관차와 화물차를 연결하려다가 열차에 끼어 중상을 입는 사고가 빈발했다. 일본인은 순서에 따라 승진하여 현장에서 빠져나갔다. 그러나 한국인은 승진이 지체되어 현장에 머물 수밖에 없었다. 이봉창은, '돌대가리라도 일본인으로 태어나야 한다. 같은 인간으로서 왜 이런 차별을 받아야 하는가? 세상이 참 얄궂다'는 불만을 품게 되엇다. 일제는 1922년 조선 호적령을 제정하여 한국인을 따로 관리했다. 한국인에 대한 인간적인 멸시가 일상적으로 행해졌다.

한국철도가 남만주철도주식회사의 위탁 경영으로 이관된 이후 민족차별은 더 심했다. 일본인은 능력이 없어도 1년 또는 1년 반이면 용인에서 고원으로 승진했으나, 한국인은 아무리 착실하게 근무해도 전철수까지도 올라가지 못했다. 월급과 1년에 두 번 받는 상여금에서도 차별을 받았다. 일본인은 본봉의 6할이나 되는 가봉, 사택료, 가족수당 등을 더 받았다. 1920년대 사범학교를 나온 한국인 교사들의 월급은 47원이었는데, 일본인 교사는 각종 수당을 합쳐 75원을 받았다. 이것이 바로 나라를 잃은 식민지 백성의 설움이었다. 이봉창이 세상이 얄궂다고 생각한 이유이기도 했다.

이봉창은 용산역에서 일한 지 5년째를 맞았는데도 아직 연결수이었다. 그는 '한국인 주제에 열심히 해봤자 무슨 소용이 있어'라고 자포자기하는 심정으로 술, 여자, 도박을 가까이했다. 관절염도 앓았다. 그는 고민 끝에

1924년 4월 14일 용산역에 취직한 지 4년 8개월 만에 사직했다. 퇴직금 80원을 받아 빚을 갚는데 썼다. 스무네 살 때의 일이었다.

이봉창은 용산역을 그만두고 놀고 있을 때 한국에서는 차별 대우를 받지만, 일본 본토에서는 오히려 그렇지 않는다는 말을 듣고 그곳에 갈 준비를 했다. 한국인은 관할 경찰서장의 직인이 찍힌 도항증명서를 부산 水上警察署에 제출해야 했다. 일본어를 할 줄 알고, 취직자리가 확실한 사람으로서, 여비 이외에 10원 이상을 소지한 사람만이 배를 탈 수 있었다. 1925년 11월 하순 이봉창은 경부선 기차를 타고 부산에 와서 관부연락선에 몸을 실었다. 그해 연락선을 탄 31만 7851명 가운데 3분의 1이 한국인이었다.

이상의 기술에서 보듯이 이봉창은 태어나서 자라고 활동한 곳이 한국 철도의 메카 용산이었다. 그는 조선총독부 철도국의 현업부서에서 짧은 기간이나마 젊음을 불태우며 승진의 사다리를 탔다. 그렇지만 그는 같은 직장에서 민족차별의 부조리를 심신으로 깨닫고 독립운동의 길로 접어들었다. 조선총독부 철도국 용산역 조차계가 그런 계기를 마련해주었다. 이봉창은 번민 끝에 직장에서 나와 경부선 기차에 몸을 싣고 일본으로 건너갔다. 그 후 이봉창의 행적에 대해서는 앞에서 소개한 배경식의 책을 참고하기 바란다. 다만 철도가 없었다면 이봉창의 생애도 櫻田門 의거도 없었을 것이라는 점만을 지적해두고자 한다.

12장 철도와 대중교통 그리고 서울시민의 생활

1. 대중교통의 개황

1) 대중교통의 도입

일제 강점기에 서울과 서울시민에게 가장 큰 변화와 충격을 준 것은 무엇일까? 철도를 비롯한 대중교통의 도입과 이용일 것이다. 그 전의 교통수단은 사람의 두 다리와 소달구지 그리고 돛단배가 고작이었다. 지체 높은 벼슬아치라면 가마나 나귀를 탈 수 있을 정도였다. 그런데 일제 강점기에는 권력자나 특권층뿐만 아니라 남녀노소 구별 없이 일반대중도 인력거 · 전차 · 기차 · 버스 등을 탈 수 있었다.

1929년 말 현재 서울과 그 주변 고양군의 인구를 합치면 약 53만 명이었다. 그들의 대중교통 이용 상황을 개관하면, 1년 1인 평균 철도 9회 7분, 전차 82회 2분, 자동차 13회 3분, 합계 105회 2분 승차였다. 이것을 서울시민(경성부민) 약 34만 명으로 좁혀 계산하면, 철도 15회 1분, 전차 128회 0분, 자동차 20회 6분, 합계 163회 7분 이용한 셈이었다. 서울시민의 163회는 東京市民의 220회, 런던시민의 476회에 비하면 적은 것이지만, 대중교통이 이미 서울시민의 일상생활과 불가분의 관계로 얽혀있다고 할 수 있다.[1)]

이 장에서는 일제 강점기에 서울에서 철도를 비롯한 대중교통이 어떻게 보급되고, 또 그것이 시민의 생활과 의식에 어떤 영향을 주었는가를 살펴보고자 한다. 먼저 주요 교통수단의 이용실태를 개관하겠다. 비교적 짧은 기간 동안 운행되다가 역사의 뒤안길로 사라져간 인력거 · 객마차 · 자전거 · 오토바이 등에 대해서는 간략히 언급하고, 전차 · 기차 · 버스 · 택시 등에 대해서는 좀 더 자세히 기술하겠다. 다음으로 대중교통의 보급이 서울시민의 생활에 어떤 영향을 미쳤는가를 일상과 여가 그리고 의식과 행동의 측면에서 검토하겠다.[2)]

일제 강점기 서울의 대중교통에 대해서는 『서울교통사』의 근대편[3)], 각 구청에서 간행한 『區誌』[4)] 등에 대강 정리되어 있다. 이혜은[5)], 원제무[6)], 김영근[7)], 최인영[8)] 등의 연구도 그 전모를 파악하는 데 도움을 준다. 다만 대중교통의 발달과 시민생활의 변화를 직접 관련시켜 검토한 논고

1) 大谷留五郎, 1932년 11월호, 「京城附近に於ける交通施設の將來」 『朝鮮鐵道協會會誌』, 5~6쪽.
2) 철도가 지금까지 한국인의 의식과 생활에 어떤 영향을 주었는가를 전반적으로 기술한 최근의 책으로는 다음을 참조할 것. 이송순, 2016, 『한국철도, 추억과 희망의 레일로드』, 도서출판 선인.
3) 서울특별시사편찬위원회, 2000, 『서울교통사』, 서울특별시, 165쪽~457쪽.
4) 예를 들면, 孫禎睦, 1994, 「道路와 自動車」, 『中區誌』(下卷), 서울특별시 중구.
5) 이혜은, 1990, 「전차가 서울시 발달에 미친 영향에 관한 인지연구」, 『문화역사지리』 2.
6) 원제무, 1994, 「서울시 교통체계 형성에 관한 연구－1876년부터 1944년까지－」, 『서울학연구』 2, 서울시립대학교 서울학연구소.
7) 김영근, 2000, 「일제하 서울의 근대적 대중교통수단」, 『한국학보』 26.
8) 최인영, 2014, 『서울지역 전차교통의 변화양상과 의미 (1899~1968)』, 서울시립대학교 국사학과 박사학위 논문.

는 별로 없다. 필자의 논문이 거의 유일하다고 볼 수 있다.[9] 12장에서는 필자의 글을 바탕으로 하여 일제 강점기 한국의 대중교통 상황과 시민생활의 변화 모습을 살펴보겠다.

한국인들은 19세기 말부터 전통적인 교통수단인 가마, 교자, 우차 이외에 자전거, 인력거(1894), 하마차(1904), 마차(1904), 자동차(1911), 전차(1899.5.17), 철도(1899.9.18) 등을 새로운 교통수단으로서 도입하여 이용하였다. 이 중에서 일제 강점기 서울의 교통을 주도한 것은 전차, 철도, 자동차였다. 1911년 당시 기차를 제외한 한국의 교통수단 대수는 자동차 2대, 인력거 1,217 대, 荷車 1,804 대, 荷牛車 38,337 대, 荷馬車 585 대, 客馬車 110 대였다. 1931년에는 그것이 각각 자동차 4,331 대, 인력거 2,631 대, 하차 35,359 대, 하우차 111,791 대, 하마차 3,363 대로 바뀌었다. 객마차는 사라진 것으로 보인다.[10]

위와 같은 사실을 통해 알 수 있는 것은 1930년대 진반까지도 지동차(승용차, 승합차, 화물차 포함)는 많이 증가하기는 했지만 4,331대에 불과하여 오늘날과 같은 대중적 운반수단은 아니었다는 점, 일본에서 도입된 하마차와 전통적인 운반구였던 하우차는 모두 많이 늘어났으나 화물수송은 여전히 하우차가 대종을 이루었다는 점, 인력거는 1920년에 4,950 대까지 증가하여 피크를 이루었으나 그 후 감소하였고, 객마차는 자취를 감추었다는 점 등이다.

1935~40년에 한국의 자동차수는 급격히 증가하여 8,000~10,000여대에 이르렀다. 그러나 전시체제가 강화됨에 따라 교통통제와 물자결핍

9) 정재정, 2001, 「대중교통의 발달과 시민생활의 변천」, 『서울 20세기 생활 · 문화변천사』, 서울시정개발연구원 · 서울시립대학교 부설 서울학연구소, 2001.

10) 眞鍋半八, 1931, 「運搬具の統計的考察」, 『朝鮮總攬』, 朝鮮總督府, 815~824쪽. 이 장에서 각주가 붙어있지 않은 기술은 이 논문에 기재된 서지를 참고하기 바란다.

이 가중되어 해방 당시 자동차 수는 7,300여 대로 감소했다. 그 중에서 반 정도는 화물자동차(트럭)이었고, 나머지는 승용차, 승합자동차(버스), 오토바이 등이었다.[11] 따라서 일제 말기까지도 자동차는 대중이 아무 때나 이용할 수 있는 교통수단이었다고 보기는 어려울 것이다. 오히려 기차가 중장거리의 교통에서는 대중에게 훨씬 더 이용하기 편리했다고 할 수 있다. 기차는 앞 장에서 살펴보았듯이 동북아시아의 육상 국제교통에서도 왕좌를 차지하고 있었다.

2) 대중교통의 추세

다음에는 <표 12-1>를 근거로 하여 1910년대 초부터 1930년대 초까지 서울의 대중교통수단이 어떻게 증감해갔는가를 살펴보자. 서울의 인구증가 추세와 각 교통수단의 증감을 염두에 두고 서로 비교하면 대중교통의 실태를 이해하는 데 도움이 될 것이다. 다만, 이 표에는 대중교통의 대표적 수단인 기차가 빠져 있다. 이 표 자체가 경성부에 존재한 교통수단을 집계한 것이므로 전국을 상대로 운행된 기차가 빠진 것은 당연하다고 할 수 있다.

먼저 서울의 대중교통이 시간의 흐름에 따라 어떻게 변해갔는가를 대략적으로 살펴보면 다음과 같다.[12] 교통수단 별 변화양상은 다음 절에서 상세하게 설명하겠다.

제1기는 1909년부터 1927년까지 경성전기주식회사가 경쟁이 없는 상태에서 전차를 운영한 시기이다. 이때는 도시화가 진전되고 교통량이 늘

11) 孫禎睦, 1994, 「電車의 부설 · 확장 및 철거의 過程」, 『中區誌』(下卷), 서울특별시 중구, 640쪽. 구체적으로는 승용차 1,311 대, 화물차 3,639 대, 승합차 1,156 대, 소형 986 대, 특수 231 대, 합계 7,326 대였다.

12) 中央日韓協會, 1981, 『朝鮮電氣事業史』, 中央日韓協會, 21쪽.

어남에 따라 전차의 궤도와 차량은 서서히 확장 · 증가되었으나 비약적인 발전도 없었다.

제2기는 경성부가 府營 버스를 운영한 1928년부터 1933년까지이다. 이 시기에는 전차와 버스가 여객을 쟁탈하기 위해 치열한 경쟁을 벌였다. 경성부의 버스는 1928년 10대 4개 노선으로 출발하여 1932년 9월 말에는 56대 18개 노선으로 증가했다.13)

경전은 버스에 이기기 위해 수 십대의 대형 전차를 도입하고 러시아워에는 직행전차를 달리게 하는 등 경영 개선에 힘썼다.14) 그리하여 전차와 노선이 대부분 겹치고 있던 버스는 승객의 외면을 받아 적자상태를 벗어나지 못했다.15) 이에 경성부는 1933년 3월 31일 버스에 관련된 일체의 운영권을 경전에 매도했다.

제3기는 1933년부터 1945년까지로 경전이 서울의 육상교통을 거의 독점한 시기였다. 경전은 전차가 다니지 않는 구역에 버스를 투입함으로써 전차의 보조수단으로 삼았다. 그리고 전차와 버스를 換乘할 수 있게 함으로써 경영의 합리화를 꾀하였다.16)

<표 12-1>에서 보듯이 17년 간 경성의 인구는 약 25만 명에서 약 37만 명으로 1.5배쯤 늘어났다. 전체 교통수단의 대수는 약 6천 2백대에서 약 2만 5천 9백 대로 4.2배 증가했다. 인구보다 교통수단의 증가가 빨랐던 것은 서울시민이 대중교통의 이용에 널리 편입되어갔다는 점을 말해준다. 그렇다고 해서 서울의 교통수단이 급격하게 근대화되어갔다고 보

---

13) 당시의 승합자동차 즉 버스는 대부분 포드나 시보레 제품이었고 간혹 일본제 우즈레도 있었다. 8인승이 많았고 14인승도 있었다. (貴島克己, 1933, 『朝鮮に於ける自動車運送事業に就て』, 南滿洲鐵道株式會社, 204쪽).

14) 『東亞日報』 1929.6.3.

15) 『東亞日報』 1931.1.31 ; 1931.8.4.

16) 『東亞日報』 1933.3.5 ; 1933.3.8 ; 1933.3.28.

기는 어렵다. 교통수단의 대종을 차지한 것이 자전거, 손수레, 인력거 등 이었기 때문이다.

<표 12-1> 경성의 인구와 교통수단의 증감 추이(1914~1931년)

교통수단 / 년도	인구수	자동차	사이드카	전차	자전거	인력거	客馬車	荷馬車	손수레	합계
1914	248,260	12			985	1,231	4	565	3,371	6,168
1915	241,085	8		85	2,468	1,186	7	304	2,133	6,191
1916	253,068	16		93	3,953	1,571	8	392	3,594	9,630
1917	253,154	25	14	79	4,485	1,471	6	373	4,066	10,516
1918	250,942	28	12	85	3,593	1,475	6	408	4,064	9,671
1919	248,644	38	12	97	4,096	1,510	6	480	4,344	10,583
1920	250,208	33	12	103	4,096	1,520	5	480	4,344	10,593
1921	261,698	180	22	114	5,673	1,476	5	711	4,811	12,992
1922	271,414	122	33	125	6,979	1,604	5	835	5,542	15,245
1923	288,260	137	36	129	8,235	1,497	14	712	5,043	15,803
1924	297,465	71	31	123	7,713	1,508	13	636	5,194	15,289
1925	336,348	95	35	123	9,455	1,184	6	549	4,830	16,277
1926	306,363	125	53	121	9,440	1,337	6	493	4,430	16,005
1927	315,006	130	68	126	9,930	1,219	3	548	4,956	16,985
1928	321,848		86	126	10,594	1,233	3	601	5,492	18,135
1929	340,290		107	143	12,277	1,143	1	598	5,635	19,904
1930	355,426		144	143	15,769	1,046	–	599	6,130	23,831
1931	365,432		148	143	17,541	955	–	610	6,471	25,868

* 참고자료 : 京城府, 1932,『京城都市計劃資料調査書』, 5~6쪽 및 100~101쪽.

교통수단에서 꾸준하게 대수가 늘어난 것은 자동차, 사이드카, 전차,

자전거, 손수레였다. 그 중에서 자전거와 손수레의 신장이 괄목할 만하다. 그러나 장기적 추세에서 본다면 줄어드는 경향이었다. 반면에 자동차와 전차와 같은 근대적 교통수단이 늘어나는 경향이었다고 볼만하다.[17] 특히 전차의 증가는 중요한 의미를 지니고 있었다. 수송능력이 다른 어떤 교통수단보다 뛰어났기 때문이다. 따라서 일제시기 서울에서 대중교통의 대종은 전차였다고 할 수 있다. 교통수단별 이용실태에 대해서는 다음 절에서 좀 더 자세히 살펴보겠다.

2. 대중교통의 이용 실태

1) 자전거 · 인력거 · 객마차

19세기 말부터 일제 강점기에 서울지역에서 대중교통이 어떻게 이용되었는가를 각 교통수단의 부침을 염두에 두면서 좀 더 자세히 살펴보면 아래와 같다.

자전거는 1895년 윤치호가 미국에서 귀국하면서 지참했다고 하는데, 일제강점기에는 숫자가 가장 많은 교통수단이었다. 1910년대 초에 서울에만 1천여 대가 있었고, 1930년에는 1만 5천여 대로 늘어났다. 서울의 인구 비례로 따지면 20명에 한 대 꼴이었다. 일본인 소유가 3분의 2 정도였다.

일제하에서 양복을 입고 금테 안경을 쓰고 자전거를 타면 가장 앞서가는 모던 보이였다. 자동차가 보급되기 전까지 자전거는 자가용의 총아였다. 자전거는 업무용으로도 많이 활용되었다. 설렁탕 · 냉면의 배달은 물

17) 『朝鮮日報』 1927.6.9.

론이고, 쌀가마 등의 무거운 짐도 운반했다. 그리하여 자전거가 지게를 대체하는 현상도 나타났다. 이렇게 자전거는 놀랄 만큼 신기한 물건에서 편리한 생활도구로 바뀌어갔다.

인력거는 문자 그대로 사람이 끄는, 사람이 탄 수레이다(<사진 12-1> 참조). 인력거는 청일전쟁 중인 1894년에 일본인들이 업무용으로 10 대를 들여왔다. 그 후 인력거 수는 빠른 속도로 늘어나서 1914년 1,231 대, 1922년 1,604 대, 1930년 1,046 대를 기록했다. 1920년대 후반부터 택시 영업이 활발해지면서부터 인력거 수는 큰 폭으로 줄어들었다.

인력거는 좁은 골목길도 달리 수 있었기 때문에 도로가 제대로 정비되지 않았던 1910년대 초만 하더라도 탈것의 우두머리였다. 그러나 도로가 정비되고 자동차가 들어옴에 따라 인력거는 점차 밀려나게 되었다. 속도가 느린데다가 한 두 사람만 탈 수 있어서 인력거를 이용하는 사람들은 점점 줄어들고 그 부류도 한정되어갔다. 요릿집에 불려가는 기생이나 왕진하는 의사 등이 주요 고객이었다.

인력거는 속성상 사양사업일 수밖에 없었다. 인력거꾼들은 조합을 결성하여 생업을 지키기 위해 자주 집회를 열었다. 운임의 반 이상을 가져가는 인력거 소유주에 대한 저항, 택시 · 버스 · 전차 요금을 상대적으로 저렴하게 책정한 당국에 대한 반발 등이었다. 인력거꾼들은 사재를 털고 모금을 하여 대동학교를 세우는 등 사회사업을 추진하기도 했다. '배워야 산다'는 절박한 현실을 누구보다도 잘 아는 처지에서 후세만큼은 제대로 교육을 받아 자신들보다 나은 생활을 할 수 있도록 돕기 위해서였다.

객마차는 여객을 태운 수레를 말이 끄는 탈것이었다. 객마차는 1900년대 초 일본에서 처음 도입되었다. 인력거와 객마차는 한때 서로 경쟁했다. 둘은 택시와도 경쟁관계에 있었다.

1927년 당시 경성에는 130 대의 자동차가 있었다. 그 밖에 사이드카(오토바이) 68 대, 자전거 9,930 대, 전차 126 대, 인력거 1,219 대, 객마차 3 대, 荷馬車 548 대, 손수레 4,430 대가 있었다.[18] 그러나 1929년에 경성에서 조선박람회가 개최된 것을 계기로 인력거와 객마차는 택시에 밀려났다. 박람회를 관람하기 위해 국내외의 여행객이 경성으로 대거 몰려들자 택시 영업자가 속속 등장하였기 때문이다. 경성에서만도 3백여 대의 택시가 운행되었다. 택시 영업을 출원한 자는 모두 일본인이었다.

사람이 끄는 인력거나 말이 끄는 객마차는 기계의 힘으로 굴러가는 자동차 등살에 더 이상 배겨날 수 없었다. 객마차가 서울에 다시 등장하는 것은 해방 직후 대중교통 체계가 붕괴되었을 때 잠깐뿐이었다.

2) 전차

1897년에 출범한 대한제국은 열강세력의 침투로 국가의 자주권에 심한 손상을 입었다. 그렇지만 그 과정에서 함께 들어온 서구문물은 漢城府民의 생활에 큰 변화를 가져왔다. 그 중에서도 1899년 5월에 첫 운행을 개시한 전차의 영향은 막중했다. 전차는 도시의 안팎에 걸쳐 운행되었기 때문에 시민생활과 가장 밀접한 관련을 맺고 있었다.

1898년 미국인 콜브란(Collbran)은 한성전기회사를 설립하여 서대문-종로-동대문-청량리 사이에 8.1 km의 단선 전차 궤도를 부설했다. 고종의 洪陵 행차에 편의를 제공한다는 명목이었다. 이 노선에서 초기에 운행된 전차는 길이 8.7 m, 폭 2.5 m의 40인승 개방형이었다. 전차는 모두 일반용 8대, 황실용 1대였다. 승차권은 창문이 있는 곳에 탈 수 있는 상등, 창문이 없는 곳에 탈 수 있는 하등으로 구분되었다. 전차의 운전사는 京都에

18) 京城府, 1932, 『京城都市計劃資料調査書』, 京城府, 5~6쪽.

서 경험을 쌓은 일본인을 데려다 썼다. 개통 당시 전차궤도에는 지정된 정류장이 없었기 때문에 여객들은 아무 데서나 타고 내릴 수 있었다(<사진 12-2> 참조).[19]

전차는 걷는 것보다는 빠르고 편리하여 새로운 도시교통수단으로서 인기를 끌었다. 러일전쟁(1904~1905년)에서 승리한 일본은 대한제국의 주권을 유린하는 조약의 체결을 잇달아 강요하였다. 이를 통해 일본은 정치 · 외교뿐만 아니라 경제 · 사회의 지배권을 탈취하거나 독점해나갔다. 1909년 일본인들이 대주주로 있던 日韓瓦斯株式會社가 서울의 전차 운영권을 장악한 것도 그 중의 하나였다. 이 회사는 일제가 한국을 강제로 병합한지 얼마 지나지 않은 1915년 경성전기주식회사에 인계되었다.

일본이 대한제국을 폐멸시킨 1910년에 한성부는 京城府로 바뀌고 경기도의 예하로 격하되었다. 당시 경성의 전차 노선은 마포와 남영동까지 확장되어 모두 22.2 km에 이르렀다. 그 후 일본인의 이입 등으로 경성의 圈域과 인구가 팽창함에 따라 전차 노선은 용산 · 왕십리 · 을지로 · 안국동 등지로 뻗어나갔다. 1927년의 전차노선 연장은 30.9 km이었다. 전차의 차량도 75인승 보기식의 상자형으로 바뀌어 수송능력이 2배 가까이 향상되었다. 당시의 신문기사는 경성에서 전차가 대중교통의 중추였다는 사실을 다음과 같이 보도하였다.

> 경성의 교통기관은 전차로써 그 중추세력을 삼고 있다. 경성전기주식회사의 경영인 전차가 그것이다. 자동차가 있고 인력거가 있고 때로는 중국식의 마차도 없는 것은 아니지만 전차가 근간세력을 삼고 있고 인력거도 많이 사용되며 자동차는 돈 많은 사람의 호화로운 생활이나 혹은 부랑배의 유흥을 돕기 위하여 사용되고 그렇지 않으면

19) 원제무, 1994, 앞의 논문, 70쪽.

특수 부류의 사람들의 위세 좋은 「어용(御用)」차로서 사용되는 형편 이었고 일반교통기관으로서는 아직도 널리 사용되지 못하였었다.[20]

전차는 일제 강점 초기부터 경성부민의 주요 교통수단이었다. 그리고 1930년대에는 경성의 대중교통으로서 확고히 자리 잡았다. 1916년부터 1926년까지 전차의 영업거리는 9.6킬로미터 늘어났는데, 차량수는 79량에서 154량으로 2배, 승객 수는 13,822,979명에서 43,557,489명으로 3.2배 증가했다. 시설의 확충보다 이용의 증가가 훨씬 가파르다는 것을 알 수 있다.[21] 일제가 패망하고 대한민국이 수립된 지 10여 년 후인 1950년대 중반까지 전차는 서울시민의 발 노릇을 톡톡히 했다. 전차는 정말로 20세기 전반 내내 서울에서 도시교통의 총아였던 셈이다.[22]

1928년부터 경성부는 교통난을 해소한다는 명목으로 버스를 운영했다. 이것을 못마땅하게 여긴 경성전기주식회사는 전차 노선이 버스 노선과 겹친다는 것을 명목으로 내세워 청량리 · 마포 · 왕십리 등을 운행하는 전차 노선을 폐지하겠다는 방침을 피력하였다. 자신의 독점적 이익에 손상을 가져올지도 모르는 경성부의 조처에 대해 몽니를 부린 셈이었다. 경성부민들도 익숙하지 않은 버스를 위험하고 불편하게 여겼다. 그리하여 경성전기주식회사의 교외 전차선 폐지에 반대하는 여론을 조성하고 집회 등의 운동을 벌였다. 이런 압력에 밀려 경성전기주식회사는 교외 전차선을 유지하는 방향으로 돌아섰다.

1920년대 말부터 몇 년 동안 府營 버스와 京電 전차는 여객 쟁탈전을 치열하게 벌였다. 결국 최후의 승리는 경전이 운영하는 전차로 돌아갔다.

---

20) 『朝鮮日報』 1927.8.26.
21) 大谷留五郎, 1932.11, 앞의 논문, 42~43쪽
22) 최인영, 2014, 앞의 논문 참조.

1933년 경전이 적자에 허덕이던 부영 버스를 인수했기 때문이다. 경전은 전차와 버스 노선의 중복을 피하고 수입의 증대를 노리기 위해 전차가 다니지 않는 지역으로 버스 노선을 재배치하고, 손님들의 불편을 덜어 주기 위해 전차와 버스의 자유로운 換乘을 실시하는 쪽으로 나아갔다. 경성의 대중교통을 독점적으로 장악한 데 대한 반발을 무마하고 승차인원의 증대를 꾀하기 위한 방안이었다.[23)]

경성에서 대중교통을 독점한 경전은 전차 궤도를 노량진 등으로 확장하였다. 그리하여 1936년 무렵 경성의 전차 노선 延長은 39 km로 늘어났다. 1939년의 통계를 보면, 경전이 경성부내에서 운영하는 전차 차량은 1백 99대, 정류장 수는 1백 9개였다. 그렇지만 이후에는 전시체제 아래 물자결핍 등이 심해져서 전차 노선은 더 이상 확장하기 어려웠다. 그 대신에 차량 수가 좀 늘어나서, 절정기에는 257 대의 전차가 하루에 48만여 명의 손님을 실어 날랐다.[24)]

3) 기차

철도는 원래 도시와 도시, 지역과 지역을 연결하는 대중교통수단이다. 서울에서 철도네트워크가 어떻게 형성되어 운영되었는가에 대해서는 이미 자세히 설명했으므로 여기에서는 대중교통으로서 이용된 측면에서 그 개요만을 간단히 언급하겠다. 서울의 대중교통은 철도가 선도했기 때문에 철도의 중요성을 아무리 강조해도 지나치지 않다.

한국정부의 농상공부는 1899년 9월 18일 경인선의 개통을 앞두고 '경인간 철도규칙'을 발포했다. 이것은 '국내철도규칙'(칙령 제31호, 1896.7.

---

23) 孫禎睦, 19944, 앞의 논문, 644~649쪽.
24) 원제무, 1994, 앞의 논문, 105쪽.

15)에 따라 한국에서 처음 제정된 철도운송약관으로서, 『독립신문』에 미리 게재하여, 철도 이용자가 준수하도록 계도했다. '경인간 철도규칙'의 내용은 다음과 같다(현대어 표기로 수정함).

제1조 철도에 운전하는 화륜거를 타는 자는 어떤 사람이든지 먼저 표값을 내고 차표를 사서 차를 타고, 차에서 내린 후에는 차표를 차주에게 내어라.

제2조 어떤 사람이든지 표값을 내지 않고 차를 타거나, 자기가 가진 등급보다 높은 등급 차에 타거나, 차표에 기재된 것보다 더 멀리 타고 가는 자는 그 차표에 정한 찻값 외에 찻값을 리수 원근과 등급의 어떠한 것을 물론하고 한사람에 5전씩 받는다.

제3조 돌림병을 앓은 사람은 승차를 거절한다.

제4조 미치거나 술 취한 자나 난잡한 자는 승차를 거절한다.

제5조 어떤 사람이든지 정거장과 철도소 안에 있는 각종 표지와 기계, 집, 목책, 담을 파손하는 자는 회사에게 적당한 배상을 해야한다.

제6조 차 타는 사람의 손에 든 물건은 따로 운임을 받지 아니하며, 차안에서 물건이 상하거나 차표를 잃어버리더라도 회사에서는 책임을 지지 않으며, 규정에 따라 회사에 맡긴 자는 승객의 의복에 한해 15원까지만 배상한다.

제7조 귀중품이나 금, 은, 그릇, 각종 표문건, 어음, 지전, 구슬, 금덩이, 모피, 상등의복, 단필, 서화 등 귀한 물건은 운송하는 비용이나 보험료를 내지 않으면 회사에서는 그 손해에 대하여 책임이 없다.

제8조 소와 말과 산짐승을 수송하는데 보험료를 내지 않으면 그 손해에 대해서 회사는 책임이 없고, 만일 보험료를 낸 자라도 배상하는 돈은 말은 한 마리에 10원 안이요, 소는 한 마리에 20원 안이요, 다른 동물은 한 마리에 3원 안으로 정한다.

제9조 위험한 물건이라는 것은 화약, 폭발물, 생석회, 석유, 초석산, 당성냥 등 불이 나거나 폭발하여 다른 물건을 해치는 물건은 위험물로 취급한다.

제10조 잃어버리거나 상한 물건에 대한 손해배상은, 회사가 재물을 거둔 후에 혹 관리하는 동안에 회사에서 게을리 하였을 때는 배상하나, 재물주인이 소홀히 하였을 때는 회사에서 책임이 없다.

제11조 물건 임자는 물건을 철도에 부칠 때 운임을 내며, 특별히 후에 내기로 약조한 물건 임자는 정거장에 당도하여 운임을 받고 물건과 교환한다.

제12조 철도소 안에 두는 물건과 차에 실은 물건의 잃은 것과 상한 것은 물건 주인의 책임이요, 철도는 화물을 차에 실은 후 내리기까지만 보호한다.

제13조 차안에 틈이 없고 차가 부족한 때에는 차객과 화물을 거절한다.

제14조 회사에서 정하는 근은 영국 근이니 곧 방이라 하고, 자는 영국 척이니 12촌이요, 리는 영리이니 백윤(百輪)을 일쇄(一鎖)라 하고 80쇄를 리라하며, 톤은 영국 근수로 2천 2백 40근이요, 용적은 2백립 영 척으로 한다.

제15조 차객과 화물의 임자는 이상의 조목을 굳게 지키되, 만일 이 규칙을 준행치 않는 자는 차 타며 화물운송허가를 얻지 못한다.[25]

요컨대 승객은 승차 거리와 열차 등급에 따라, 화주는 화물의 종류와 무게(부피)에 따라 정해진 운임을 내야 한다. 보험을 들지 않은 화물의 손해는 보상하지 않는다. 승객의 과실로 인한 손해도 마찬가지다. 철도 시설을 파손하는 자는 배상해야 하고, 유행병 환자나 위험한 물건을 가진 자는 철

25) 『독립신문』, 1899.9.16.

도를 이용할 수 없다.

'경인간 철도규칙'은 오늘날 우리에게는 익숙한 규정이지만, 철도를 처음 이용하는 사람들에게는 낯설고 까다로운 제약이었다. 서울시민이 이러한 규율에 적응하며 근대문명의 영위자로 성장해가는 치열한 모습은 앞으로 12장과 13장에서 자세히 살펴보겠다.

서울과 인천 사이에 철도가 개통되자 전통적인 교통체계는 전면적인 변화를 겪게 되었다. 이제 서울을 외부와 연결시켜주는 동맥은 한강을 통한 水運에서 철도를 통한 陸運으로 바뀌게 되었다. 특히 1900년 한강철교가 가설되어 서대문역까지 열차가 들어오면서부터 서울은 경인선과 경부선을 통해 지방은 물론 일본 등과도 신속하고 안전하게 교통할 수 있게 되었다(<사진 12-3> 참조).

그렇지만 전차가 미국에 의해 도입되었듯이 철도 또한 일본이 침략의 觸手로서 건설한 것이었기 때문에 철도 노선의 선정과 열차의 운수 영업에는 지배와 수탈의 성격이 강하게 배어 있었다. 서울을 중심으로 하여 한반도의 사방으로 뻗어나간 경인선 · 경부선 · 호남선 · 경원선 · 함경선 · 경경선(중앙선) 등은 모두 항구나 국경 도시를 終端驛으로 삼았다. 이 노선들은 일단 서울을 경유하도록 짜여졌지만, 궁극적으로는 일본과 만주를 어떻게 빨리 연결시켜주느냐에 초점을 맞췄다. 그렇다하더라도 서울의 지정학적 중요성이 한반도의 지형 · 지세 때문에 서울에 철도노선이 집중하는 一極中心主義를 피할 수는 없었다.[26)]

일제 침략기에 서울 철도노선의 개통 시기는 다음과 같다.

경인선 인천-노량진 1899년 9월 18일, 노량진-서대문 1900년 7월 8일, 경부선(초량-영등포) 全通 1905년 1월 1일, 경의선(용산-신의주) 전

---

26) 일제강점기 한국철도 전반에 대해서는 정재정, 1999, 『일제침략과 한국철도(1892~1945)』, 서울대학교 출판부를 참조할 것.

통 1906년 4월 3일, 경원선의 용산-의정부 1911년 10월 15일, 경부선의 영등포-남대문복선 1912년 9월 1일, 경원선(용산-원산) 전통 1914년 8월 16일, 경경선(중앙선) 청량리-양평 1939년 4월 1일, 경춘선(청량리-춘천) 전통 1939년 7월 25일.[27]

이상의 경과에서 알 수 있듯이 일본은 한국을 침략하고 지배하는 전 과정에서 서울을 거점으로 하여 한반도의 사방으로 뻗어가는 방사선형의 간선 철도망을 구축했다. 각 간선철도로부터 내륙이나 항구로 확산되는 지선 철도도 다수 건설되었다(<지도 9-1>, <지도 1-1>, <지도 1-2> 참조).

자동차가 많이 보급되지 않았던 일제 강점기에는 철도가 경성부민의 중요한 교통수단의 하나였다. 1930년대 중반까지 경성부내에 있던 철도역 중에서 압도적 중요성을 지니고 있던 것은 경성역·용산역·영등포역이었다. 1935년 무렵 경인선의 驛勢圈 인구를 보면 경성역 34만 2천 명, 용산역 6만 2천 명, 영등포역 3만 4천 명, 노량진역 2만 명 등이었다.

<표 9-6>에서 보았듯이, 한 해 동안 경인선을 이용한 여객은 경성-상인천이 20만 명 이상, 경성-인천이 10~20만 명, 경성-영등포 8~10만 명, 용산-영등포 5~8만 명, 경성-용산 2~3만 명 등이었다. 경인선의 양 종단역(경성, 상인천)에 여객이 집중한 이유는 일본과의 왕래가 그만큼 많았던 때문일 것이다.[28]

경성역·용산역·영등포역 등이 철도교통의 중심지로서 위세를 떨친 것은 그 곳이 경인선·경부선·경의선·경원선 등이 교차 또는 분기하는 요충이었기 때문이었다. 그렇지만 다른 한 이유로서는 이 역들을 중심으로 일본의 식민통치 기관과 공장 그리고 일본인 거주지가 광범하게 형

---

27) 철도청 공보담당관실, 1999, 「선별 개통 현황」, 『한국철도100년사』, 철도청, 1041쪽~1044쪽.

28) 五十嵐重次, 1937년 9월호, 「京仁間の交通問題(一)」, 『朝鮮鐵道協會會誌』, 52~53쪽.

성되었다는 점을 들 수 있다. 이것은 우연히 이루어진 것이 아니라 일본이 의지를 갖고 조성한 것이었다. 일본은 철도를 부설할 당초부터 정차장 용지로서 경성역 5만 2천여 평, 용산역 50만여 평, 영등포역 4만 1천여 평을 확보하고 이곳에 일본인 상점가와 거주지, 일본군의 주둔지와 군사시설 등을 조성했던 것이다. 그리하여 각 철도역은 명실공히 식민지 지배와 수탈의 거점으로서 기능하게 되었다. 이에 맞서 한국인들이 치열하게 反鐵道 항일투쟁을 전개했던 것은 잘 알려진 사실이다.[29)]

일제말기에 이르면 경성부내에는 크고 작은 역이 13개나 생겨나 철도는 여객뿐만 아니라 화물의 수송에서도 큰 역할을 하였다. 그 역들은 경성 · 용산 · 노량진 · 남경성(영등포) · 서빙고 · 왕십리 · 동경성(청량리) · 元町 · 당인리 · 서강 · 동막 · 신촌 · 성동 등이었다. 경성역은 1923년 1월 1일 이전에는 남대문역으로 불렸다. 1900년 7월 8일부터 영업을 개시했던 서대문역(원래는 경성역)은 1919년 3월 31일에 폐지되었다.

경성역은 한반도 철도교통의 중심이었다. 경성이 식민지 지배의 거점이므로 그 관문의 역할을 하는 경성역이 철도교통의 중심이 된 것은 당연한 일이었다. 경성역은 또 한반도의 주요 간선철도를 이용하여 만주와 중국의 대륙철도로 나아갈 때 반드시 거쳐야 하는 통과역이었다. 그러므로 경성역은 동아시아의 철도교통에서도 무시할 수 없는 중추역이라고 할 수 있다. 실제로 1930년대의 경성역은 중국－만주－조선－일본을 오가는 사람들로 늘 부산했다. 경성이 대일본제국 판도 안에서도 유수의 국제도시였기 때문에 국내외의 여객과 화물의 수송에서 경성역은 그만큼 중요한 역할을 수행했던 것이다.[30)]

29) 鄭在貞, 1986, 「韓末 京釜 · 京義鐵道敷地의 收用과 沿線住民의 抵抗運動」, 『李元淳敎授華甲記念史學論叢』, 교학사.

30) 五十嵐重次, 1937년 10월호, 「京仁間の交通問題(二)」, 『朝鮮鐵道協會會誌』, 26~27쪽.

경성역의 위상은 일제 말기에 이르러 더욱 높아졌다. 전시체제의 陰影이 아직 짙게 드리우지 않았던 시절의 신문 기사는 경성역의 活況을 다음과 같이 보도했다.

> 1940년 경성역의 기쁜 고민, 매일 승하차객 4만 명, 하루 수입 3~4만 원[31]

경성역의 약진을 보도하는 위와 같은 기사는 1930년대 말부터 1940년대 초까지 각종 신문에서 심심하지 않게 등장했다. 경성역 다음에는 일본군 사령부와 철도공장 등이 밀집해 있던 용산역, 신흥공업지대의 중심으로 부각된 남경성역(영등포역), 내륙 오지의 물산이 집중하고 있던 동경성역(청량리역) 등이 객화의 發着에서 중요한 역할을 수행했다.[32]

일제는 전쟁말기에 한국철도를 혹사했다. 특히 1942년 이후 미국의 잠수함 공격으로 해상수송이 어려워지자 일제는 황해항로 등을 통해 이루어지고 있던 중국·만주와 조선·일본의 수송을 한국철도에 轉嫁할 수밖에 없었다. 그리하여 한국철도의 수송량은 기하급수적으로 증가했다. 일제는 한국철도로 폭주하는 객화의 수송 능력을 향상시키기 위해 경부선·경의선 등을 복선으로 증축했다.[33]

4) 택시

오늘날의 관점에서 엄밀하게 말하면 택시는 대중교통이라고 보기 어

---

31) 『東亞日報』 1940.1.8.
32) 鄭在貞, 「鐵道와 서울역」, 서울특별시 중구, 1994, 『中區誌』(下卷), 서울특별시 중구, 703~705쪽.
33) 전시 전가수송에 대해서는 정재정, 1999, 앞의 책, 373~500쪽을 참조할 것.

렵다. 우리나라는 해방 이후 지금까지 대중교통수단을 '일정한 노선과 운행시간표를 갖추고 다수의 사람을 운송하는 데 이용되는 것'으로 정의해 왔다. 따라서 '일정한 노선과 운행시간표를 갖추지 않고 소수의 사람(대개는 한 사람)을 운송하는 데 이용되는' 택시는 대중교통수단이 될 수 없다. 그럼에도 불구하고 이 글에서 택시를 언급하는 것은 택시가 일제강점기에 출현한 교통수단의 하나인데다가, 서울시민들의 일상생활에서 빼놓을 수 없을 만큼 애틋한 추억거리를 많이 생산해왔기 때문이다.

택시가 우리나라에 처음 등장한 것은 일제 강점초기인 1910년대일 것으로 추정된다. 그때의 택시는 오늘날처럼 손님을 태우기 위해 거리를 배회한 것이 아니라 영업소에 대기하고 있다가 호출을 받고 영업에 나섰다. 구황실용과 총독부용으로 자동차가 처음 우리나라에 들어온 것이 1911년이었고, 경성에서 승합자동차라는 이름의 버스 영업이 시작된 것이 1912년이었다. 그 후에도 자동차는 별로 늘지 않았다.

자동차의 통계를 처음 찾아볼 수 있는 해인 1927년에 경성에는 130대의 자동차가 있었다. 1929년에 경성에서 개최된 조선박람회는 택시업계의 발전에 중요한 계기가 되었다. 박람회 관람객을 노리고 일본인들이 택시 영업을 속속 출원하여, 경성에만도 3백여 대의 택시가 생겨났기 때문이다(<사진 12-4> 참조).

택시가 경성에서 처음 영업을 시작했을 당시 요금은 시내 어디를 가든 1원으로 균일했다. 다만 시외로 나갈 경우에는 20% 정도 할증되었다. 1930년대에 들어서서 승객의 좌석이 2개뿐인 자그마한 택시가 출현했다. 이 택시는 요금이 50전이어서 '50전 택시'라고 불렸다. 그런데 아무리 경성 시내라 하더라도 균일 요금은 부당하다는 여론이 일어나자, 1936년 5월 1일부터 택시요금은 미터제로 바뀌었다.

한때 반짝 호황을 누렸던 택시영업은 1930년대 중반 이후 전시체제가 확립되어감에 따라 위기에 처하게 되었다. 일본은 원유 등의 천연자원이 빈곤했다. 이를 타개하기 위해 일본은 동남아시아 등을 침략했다. 이것이 결국 미국을 상대로 전면전쟁을 벌이지 않으면 안 될 상황을 초래했다. 그리하여 1941년 이후 조선에서도 자동차에 필요한 거의 모든 물자가 품귀하거나 품절되었다. 그리하여 택시도 운행을 중단하지 않을 수 없었다. 문자 그대로 자동차 교통사업이 '빈사상태'에 처하게 된 것이다.[34]

5) 버스

서울에서 버스가 언제부터 운행되었는가를 정확히 알 수는 없다. 다만 1913~14년에 경성-장호원, 경성-춘천 등에 버스가 다녔다는 사실로 보아 1910년대 중엽부터인 것으로 추측된다. 그밖에도 1921년경에는 왕십리-뚝섬 등 경성 교외에 버스가 운행되고 있었음을 알 수 있다. 또 1928년의 자료에는 경성에서 경기도 일대와 강원도 영서지방에 버스가 운행되었는데, 수유리 · 정릉 · 용산 · 녹번동 등을 경유한 것으로 나타나 있다. 1928년 4월 당시 京仁버스는 청량리를 기점으로 하여 영등포까지 매일 51회 이상 운행하고, 월미도까지는 매일 3회 운행했다. 청량리에서 한강교 사이는 시내버스와 마찬가지 역할을 했다.[35]

그런데 당시의 버스는 오늘날 우리가 흔히 접하는 크고 쾌적한 모양의 버스가 아니었다. 8인승 또는 14인승의 布帳型 자동차였다. 이름도 승합자동차라 불렀다. 모양은 다르지만, 오늘날의 봉고 자동차 정도의 탑승능력을 가지고 있었다. 그리하여 이 자동차를 버스가 아니라 택시의 前身으로 분류하는 연구자도 있다(<사진 12-5> 참조).[36]

---

34) 대한민국 교통부 편, 1965, 『한국교통60년약사』, 교통교양조성회, 290쪽.
35) 大谷留五郎, 1932.11, 앞의 논문, 53쪽.

경성에서 시내버스가 운행을 개시한 것은 1928년 4월 22일이었다. 이에 앞서 조선총독부는 경성에서 버스를 운영하겠다는 경성전기주식회사 등의 출원을 기각했다. 경성부가 버스를 직접 운영하기 위해서였다. 京城府營 버스는 10대의 흑색 상자형 버스로 시작했다(<사진 12-5 참조>). 처음에는 경성역→남대문→조선은행→경성 부청앞→조선총독부→창덕궁→초동→필동→남학동→저동→황금정→조선은행→경성역의 단일 코스를 운행했다. 그런데 승차 구간의 간격이 길어 불편하다는 여론이 비등하자, 서둘러 10대의 버스를 더 들여오고 운행 노선도 확장했다. 운행 시간은 여름철(4월 1일~10월 31일)에는 오전 6시부터 밤 10시까지, 겨울철(11월 1일~3월 31일)에는 오전 8시부터 오후 7시까지였다.

경성에서 부영 및 경인버스의 영업 노선은 약 48km, 차량수는 약 70대, 1년 승객은 약 500만 명이었다. 이런 상황은 일본의 주요 도시에 비해 손색이 없었다. 오히려 승차요금 5전 균일은 일본 도시의 6전 균일보다 저렴했다.[37]

경성부의 버스 운행은 1천 4백여 명의 인력거부와 2백여 명의 자동차 운전수 · 조수의 생계를 위협하는 일대 사회문제로 받아들여졌다. 그리하여 인력거부들은 새 직업을 구할 때까지 3년 동안 버스 운행을 유예하던가, 아니면 생활보조비를 지급할 것을 경성부에 요구했다. 그렇지만 대중교통수단에서 일어나고 있던 시대의 변화를 인위적으로 막을 수는 없었다. 경성부 직영 버스는 1932년에 56대로 증가하고 노선도 18개로 불어났다. 버스 노선들의 대부분은 전차 노선과 겹쳤다. 그리하여 버스와 전차 사이에 승객 쟁탈전이 치열하게 벌어졌다. 그 결과 경성부영 버스는 1년에 10만 원에 달하는 적자에 허덕이게 되었다. 경성부는 어쩔 수 없이

---

36) 孫禎睦, 1994, 앞의 논문, 640~642쪽.
37) 大谷留五郎, 1932.11, 앞의 논문, 53~54쪽.

부영 버스를 1933년 3월 10일자로 경성전기에 매각하였다.

경성전기는 1933년 4월 1일부터 은색으로 새롭게 도색한 버스를 전차 노선과 겹치지 않는 구간에 재배치했다. 그리고 한 장의 같은 표를 가지고 전차와 버스를 환승할 수 있도록 조처했다. 경성부의 버스 운행은 1930년대 말 일시적으로 호황을 누렸다. 전차와 버스는 모두 만원이었다. 그리하여 차량이 새로 도입되고 규격도 대형화되어 갔다.

1930년대 말쯤이면 경성에서도 '교통지옥'이라는 말이 유행했다. 경성이 이러한 교통난을 해소하려면 3백여 대의 전차가 더 필요한 것으로 추산되었다. 그러나 전시체제 아래 자재 부족이 심각한 현실이었다. 경전은 도저히 전차를 구입할 수 없다고 판단하고, 그 대신 버스를 다수 구입하여 전차와 병행 운전하는 방법을 모색했다. 당시 경전에서 전차 노선과 연결하여 운전하는 버스는 모두 1백 5십 대였다. 경전은 이것을 1백 8십 대로 늘려, 동대문→황금정→경성역, 동대문→종로→광화문→태평동→경성역, 용산→三角地→경성역의 노선에 투입하였다. 그리고 버스와 전차와 환승을 자유자재로 할 수 있게 만들었다. 경전 버스의 하루 운전횟수는 중앙 계통 88회, 남대문 계통 96회였다. 배차 간격은 2분 45초, 평균시속은 30 km였다. 경전 버스는 아침저녁 러시아워에 두 시간씩 모두 4시간을 이런 식으로 운행하여 '교통지옥'을 완화하겠다는 의지를 표명했다.

그렇지만 1941년 말 일제가 미국과 전면 전쟁을 벌이는 등, 전쟁 국면이 악화되어 가솔린 등의 물자난이 심각해지자 버스 운행은 1942년 이후 택시와 마찬가지로 빈사 상태에 빠지게 되었다. 자가용 승용차에 대한 휘발유 공급은 1940년에 이미 일절 중지되고, 버스와 택시도 60%만 공급받을 수 있었다. 그 대용으로서 목탄 혹은 아세틸렌 차가 운행되었다.

전차와 버스가 제대로 운행되지 않게 되자 경성부민은 웬만한 거리는 걸어서 다닐 수밖에 없었다. 대중교통은 마치 몇 십 년 전으로 후퇴한 것 같았다. 일제는 난관을 타개하기 위해, '걷자, 步道는 도시인의 訓練道場'이라는 허울 좋은 구실을 내걸고 경성부민을 상대로 걷기운동을 전개했다. 가끔 교통 비상훈련도 실시했다.

3. 대중교통과 서울시민의 일상

1) 통학과 통근

철도를 비롯한 대중교통의 발달은 사람들에게 이동과 거주의 자유를 증대시킨다. 일제 강점기의 신문에는 '요사이 만주나 몽고로 조선사람들이 男負女戴를 하여 가는 사람이 많아 경성역이 붐빈다'[38] 라는 따위의 기사가 자주 눈에 띈다. 일제 강점기에 일어난 민족 이동은 기본적으로 식민지 지배의 부산물임에 틀림없지만, 철도 등의 대중교통수단이 보급되지 않았다면 대량으로 이어지기 어려운 일이었다.

서울의 주거지역을 교외로 확산시키는 데도 대중교통은 큰 역할을 했다. 서울의 인구가 30만 명을 훨씬 돌파한 1930년대 초에는 서쪽으로 마포 · 東幕 · 아현 · 신촌 등지, 동쪽으로 동대문 일대와 청량리 방면 그리고 광희문 밖 신당리와 왕십리 일대, 남북으로는 서빙고 · 성북동 일대가 培養地로서 급속히 발전해가고 있었다. 이 지역의 인구 · 기관 · 건물이 해마다 늘어난 것은 도심과 이 지역을 연결하는 교외선 전차가 왕래했기 때문이었다. 또 용산 방면이 일찍부터 다른 지역에 비해 토지와 주택값이 뛰어오르고 번창한 것도 이곳과 도심을 왕래하는 전차의 속도가 빠르고

38) 『東亞日報』 1920.4.18.

편수가 많으며 요금이 싼 덕분이었다. 용산은 원래 일본의 군사기지와 철도시설이 집중한 곳이었다. 따라서 이 지역의 대중교통이 다른 지역보다 뛰어났다.

서울의 인구는 1935년에 40만 명에 이르고 그 후 불과 6~7년 만에 100만 명에 육박했다. 1936년 경성부의 행정구역이 대폭 확대되면서 새로 편입된 지역에 토지구획정리사업이 실시되어 도시형 한옥이 대량 건설되었다. 동대문 밖 안암동 · 제기동 · 보문동, 영등포 지역의 도림정 · 상도정 · 번대방정 등이 그것이었다.

경성전기주식회사에서는 서울의 권역이 교외로 확장됨에 따라 1936년 이후 전차 노선을 한강 인도교에서 노량진까지 연장하고, 경인가도의 주요 공업지대인 영등포까지는 일등도로를 개설하여 아스팔트 포장을 했다. 그리고 경성부는 시가지계획에 따라 동대문–신설정–청량리역, 아현정–신촌역 사이에 폭 30미터 이상의 대로를 개수하여 교통의 편리를 꾀하였다. 이 길을 달리는 전차와 버스 등의 대중교통이 서울시민들의 주거를 교외로 확산시키는 역할을 했다.[39]

서울에 근대적 교통기관이 도입된 이래 교통수요의 가장 큰 부분은 통근과 통학이 차지해왔다. 1920년대 아침저녁의 통학 · 통근 때는 벌써 '교통지옥'이라는 말이 유행했다. 특히 서울의 인구가 100만 명을 돌파한 1930년대 말에는 출근 시간에 만원 전차를 놓쳐버리고 10분 이상을 기다린 후에 겨우 올라타는 경우가 다반사였다.

대중교통의 발달로 주거지가 교외지역으로 확산되자 자연히 도심부로의 장거리 통근 · 통학 인구도 증가했다. 일제 강점기인 1920년대 말 전국의 기차 통학생은 1만여 명이었는데, 경성이 383명, 평양이 343명으로 많

39) 전차와 시가지 확장의 상관관계에 대해서는, 염복규, 2005, 『서울은 어떻게 계획되었는가』, 살림출판 등을 참조할 것.

은 편에 속했다. 그 중에는 왕복 30마일이나 되는 장거리 통학생도 있었다. 또 서울의 인구가 100만 명을 돌파한 1930년대 말이 되면 영등포–서울 도심지대 등을 왕래하는 원거리 통근 · 통학 급행버스도 운행되었다.

일제는 서울의 교통 혼잡을 완화하는 방안을 찾기 위해 정밀한 교통량 조사를 정기적으로 실시했다. 1931년의 조사를 보면, 서울의 하루 통행인원은 70만 명이었다. 그중에서 일본인의 상업과 금융업이 집중된 남대문통이 제일 혼잡하여, 자동차 · 마차 · 전차 · 우차 · 사람이 뒤엉켜 물결을 이루었다. 남대문통은 12시간에 4만 8천여 명이 통행했다. 가장 붐비는 시간은 오전 8~9시, 오후 4~6시였다. 이때가 바로 러시아워였다. 자동차도 남대문 근처가 제일 빈번하여 1시간에 183대가 통과했다. 한국인 거리 중에서 제일 번화했던 종로의 혼잡도가 19번째였던 것을 보면 서울의 발전이 일본인 거리를 축으로 하여 진행되었음을 알 수 있다.

서울의 인구가 100만 명 가까이 폭증한 1930년대 이후의 대중교통 상황은 오늘날 러시아워의 지하철 풍경과 별로 다를 바 없었다. '교통지옥' '교통암흑'이라는 말이 당시에도 보통 쓰던 용어였다. 1939년의 신문기사는 영등포와 서울 도심을 왕복하는 버스(30인승)의 승차 풍경을 이렇게 묘사하고 있다.

> 요새 서울장안에는 전차나 버스를 타는 것보다 걸어 다니는 것이 낫다는 소위 시내 교통지옥의 해소를 요망하는 물의가 비등하고 있지만 차라리 구시내보다 구시내와 영등포를 연결하고 있는 노영선(鷺永線) 버스의 교통암흑이 더 심하다. …… 아침저녁의 「러시아워」에는 물론 평상시라도 차를 타려면 팔을 걷고 단판 씨름을 하며 남녀노유간의 염치를 몰각하지 않고는 도저히 탈수 없고 여간해서 탄다고 하더라도 화물차 이상의 초만원으로 질식할 형편인 고로 일반의 비난은 날로 높아가고 있는데……[40]

1930년대 말 영등포 지역의 주민들은 '교통지옥' '교통암흑'을 완화해 달라고 각계에 청원하거나 궐기대회를 자주 개최했다.

그렇다고 하여 서울 시내교통이 원활한 것은 결코 아니었다. 시내교통의 주종을 이루었던 전차의 경우 출근시간에는 차 부족으로 인해 戰時 상태와 같은 殺風景을 연출했다. 그리하여 경전은 고육지책으로서 전차 중간에 승강구가 없는 차체의 좌석 한편을 뜯어 없애고, 그 대신 손님을 두 줄로 세워서 운전하는 방법을 도입했다. 오늘날 서울과 東京의 전철 중에는 러시아워에 전동차의 의자를 전부 또는 일부를 접어 올려 승객을 빽빽이 태우고 달리는 노선도 있다. 혹시 일제 강점기의 서울 전차에서 배운 수법이 아닐는지 모르겠다.

2) 방문과 귀성

한국의 철도는 일본이 한국을 침략하는 도구로서 부설했다. 그리고 부설 과정에서 한국인의 토지와 노동력을 빼앗았다. 그렇기 때문에 한국인은 철도를 문명의 利器가 아니라 수탈의 凶器로 받아들였다. 경인선, 경부선, 경의선의 운수영업 초기에, 한국인은 철도부설 과정에서 문전옥답을 빼앗기고 강제노역에 시달린 아픔이 생생한데다가, 철도로 인해 나라마저 위태롭게 되었다는 사실을 자각하고 열차 이용을 꺼렸다.

그러나 철도의 편리함을 이길 장사는 없었다. 열차가 한반도의 산하를 누비자 한국인은 곧 신체의 왕래와 물자의 운반에서 열차를 이용하는 데 익숙해져 갔다(<사진 2-5>, <사진 12-3> 참조). 1908년 무렵 『대한매일신보』에 실린 「醉生夢死」라는 '계몽가사'는 나라가 망하는 데도 개인의 안일만을 꾀하는 한국인의 얼빠진 세태를 통렬하게 풍자했다. 그중

40) 『東亞日報』 1939.11.14.

에서 국가라 할 수 있는 심장과 내장이 썩어가는 줄도 모르고 편리라는 小利에 취해 다투어 기차를 타는 한국인의 모습을 다음과 같이 묘사했다.

運輸來往 便利키로
瀛차搭乘 爭頭ᄒᆞᆫ다
三處鐵路 볼ᄌᆞᆨ시면
良田美土 盡入이라
目前小利 貪取ᄒᆞ야
心腸大患 不知ᄒᆞ니
乘차客의 醉夢이오[41]

월북 작가 李基榮(1895~1984년)은 장편 소설 『두만강』에서, 등장인물 김 노인과 그의 딸 관옥의 대화를 아래와 같이 기술했다.

"여기 사시는 줄도 안 제가 얼마 안되었지만 나올 짬두 없었고요. 또 빈손으로 올 수가 있어얍지요. 그래 벼르기만 하다가 올부터 애아비의 벌이가 좀 나어지고 해서 '철로'를 타고 왔습지요. 철로만 없었어도 오기가 힘들었을 터인데, 참 빨리 왔구먼요! 서울서 여기를 한나절만에 왔으니요."

관옥이는 신기한 듯이 말을 마친다.

"서울 사는데 철로를 타고 왔단 말이지. 왜놈의 철로도 유익한 때도 있구나! 그눔의 철로를 이 고을로 놓을 때는 백성들을 못살게 부역만 시키더니……"

김노인은 희한한 생각이 들어서 점도록 그 딸을 쳐다보며 좋아한다.

"그럼요. 돈이 들어서 어렵지 철로를 타는 게 여간 편리하지 않답니다. 저두 이번에 처음 타보았에요."[42]

41) 『대한매일신보』 1908.4.10, 「醉生夢死」.
42) 이기영, 1989, 『두만강』 1, 풀빛, 374쪽.

『두만강』은 일본인들이 천안 근처에서 경부철도를 부설하는 장면을 아주 근사하게 묘사했다. 곧 한국인들이 철도공사장에 끌려가서 죽도록 고생하는 모습, 견디다 못한 한국인 노동자들이 들고 일어나 일본인을 공격하고 철도를 파괴하는 경위 등을 생생하게 그려낸 것이다. 그 과정을 경험하고 목격한 바 있던 김 노인은 자기 딸이 기차를 타고 서울에서 천안을 한나절 만에 왔다는 사실에 감탄을 금치 못한다. 김 노인의 놀랍고 즐거운 모습이 손에 잡힐 듯하다. '그놈의 철로'라고 반감을 가졌던 김 노인은 '왜놈의 철로'라도 빨라서 좋다고. 그리고 그 딸 관옥은 운임을 내야 하지만 철도가 대단히 편리하다고 말한다. 이처럼 일본이 한국에서 운영한 철도는 흉기와 이기의 역할을 겸하고 있었다.

그런데 철도는 운임이 비싼 게 흠이었다. 경인철도의 개통 당시 1.6km(1마일) 당 요금은 2전 5리였다. 그때 주막에서 밥 한 끼 먹는 데 5전, 하루 걷는 데 필요한 짚신 한 켤레가 10전이었으니 결코 싼 것이 아니었다. 그리하여 철도당국은 각처에 광고문을 게재하여 손님유치작전을 펴기도 했다. 그러나 승객과 화물은 선전만으로 증가하는 게 아니었다. 그 사회에 합당한 운임체계를 마련하는 것이 중요했다. 그리하여 일제는 한국사회의 실정에 맞게 때로는 요금을 인하하고 때로는 원거리체감법을 도입하는 정책을 구사했다. 또 통학학생에 대해서는 무임승차 또는 할인운임제도를 도입하였다.

전차요금도 서민들에게는 부담이 될 정도로 비쌌다. 그리하여 일본의 군사기지와 공장이 집중되어 있던 용산의 공장 대표들은 당국에 대해 출근시간(오전 6시부터 8시까지)의 전차요금을 내려달라고 요구했다. 당국은 이를 받아들여 두 구역의 요금을 받아 오던 용산지역을 한 구역으로 만들어 5전만 내게 했다.

반면에 일제 당국은 한국인이 많이 살고 있던 마포선 · 청량리선 · 왕십리선의 구역제는 그대로 유지했다. 마포 · 동대문 · 청량리 · 왕십리 지역 주민들은 부당한 차별대우에 대해 강력히 저항했다. 그들은 10년 이상의 세월에 걸쳐 전차요금의 통일과 구역 철폐를 요구하는 운동을 전개했다.

택시는 1912년에 처음 도입되었는데, 한 번 타는데 드는 요금은 쌀 한 가마니 값 정도였으니 서민들에게는 그림의 떡이었다. 1920년대 말에는 9인승 승합택시가 등장하여 구간 균일제로 운행되었다. 요금은 4인 기준 1원으로 비싼 편이었지만, 이용자가 상당히 많았다. 1927년에는 서울에 값싸고 신속한 승합자동차가 많이 생겨나 시내 어디로 가든지 1원 균일의 요금을 받았다. 그리하여 수천 명 인력거꾼이 생계를 잃을 운명에 처했다.

정도의 차이는 있었겠지만 일제 강점기에도 귀성의 풍경은 있었다. 그리고 서울근교의 묘지를 찾아가는 성묘객도 많았다. 1931년을 예로 들면, 경성부영 버스는 추석날 수입에서 신기록을 수립했다. 43대의 비스를 총출동시켜 2만 8천여 명을 실어 날라 1천 3백여 원의 수입을 올린 것이다. 승객은 이태원 · 水鐵里 등지의 묘지에 성묘 가는 사람들이었다.

鄭飛石(1911~1991년)은 단편소설 『寒月』(1942년 2월)에서 설을 맞아 열차를 타고 귀향하는 경성부민의 모습을 이렇게 형상화했다.

> 헌 버선 켤레가 들어 있을 듯싶은 보퉁이와, 비웃이나 명태나 그런 생선일시 분명한 꾸러미들과 또 그와 비슷비슷한 구접지근한 잡동사니 보자기들이 넘쳐흐를 듯이 선반은 어수선하다. 그러고도 유부족이어서 통로에도 좌석 사이에도 보퉁이의 홍수요 꾸러미의 사태다.
>
> ……
>
> 혹은 품팔이꾼으로, 혹은 광부로, 혹은 지게장수로, 혹은 식모로, 혹은 침모로, 어쨌든 기필코 구차한 타향살이임에 틀림없을 그들이 갖은 고초를 그대로 용히들 참고 배겼다는 것은 언제든 한 번은 고향

에 돌아갈 수 있다는 오직 그 기대의 힘이 아니었을까. 생활풍습에 '설'을 설정하였다는 것은 그것을 빙자로 떠도는 무리들이 한번 고향으로 돌아가 보는 단지 그 한 가지 이유만으로도 얼마나 요긴한 것인가에 우리는 다시 한 번 놀라도 좋을 것 같다.[43]

열차 안은 설빔을 갖춰 귀향하는 모습이 무색할 정도로 을씨년스럽다. 사회의 저변에서 육체노동으로 연명하던 서울 거주 한국인들이 옷보타리, 생선꾸러미 등을 마련해서 열차를 타고 고향으로 돌아간다. 그들은 오직 이 날을 위해 타향살이의 고초를 참고 견뎠던 것이다.

3) 여행과 관광

여행은 오늘의 서울시민에게 일상의 하나가 되었다. 이것 역시 대중교통의 발달이 가져다 준 선물이라고 할 수 있다. 일제 강점기에도 서울시민들은 나름대로 관광과 여행을 즐겼다. 1920년대 초의 신문을 보면 개성으로 꽃구경 가는 서울시민들을 위해 경성에서 개성까지 임시열차가 운행되었음을 알 수 있다. 이 열차는 용산에서 8:15에 출발하여 10:35분에 개성에 도착하였다. 또 추석에는 臨時 觀月列車가 운행되었다. 남대문역에서 18:30에 출발한 열차는 수원까지 갔다가 달구경을 마친 후 다시 돌아와 23:00에 남대문역에 도착했다. 열차가 수원의 호반에 멈추면 영화가 상영되고 음악이 연주되어 흥을 돋웠다.

봄을 즐기려는 사람들은 서울 근교에서도 넘쳐났다. 1920년 4월 우이동의 벚꽃이 만개하자 17~26일에는 남대문역과 용산역에서 창동역까지 임시열차가 운행되었다. 왕복운임은 3등 60전, 2등 1원이었으니 서민들에게는 적지 않은 부담이었다. 남대문역에서 8:45에 출발한 열차는 창동

---

43) 정비석, 1986, 「寒月」『親日文學作品選集』 2, 실천문학사, 17~18쪽.

역에 9:40에 도착했다. 이 열차는 꽃놀이를 마친 승객을 태우고 창동역을 16:20에 출발하여 17:30에 남대문역에 도착했다.

또 해마다 정초가 되면 전차 승객이 5만여 명이나 늘어났다. 세배 다니는 사람이 많고, 술잔이나 마시고 새 옷을 입은 김에 호기 있게 전차를 타 보려는 심리가 나들이를 부추겼기 때문이다.

그밖에도 대중교통이 사람들을 나들이로 끌어내는 요인은 여러 가지가 있었다. 1923년 부업공진회가 열렸을 때도 서울로 향하는 열차는 관람객으로 붐볐다. 1926년 순종 황제의 因山을 拜觀하고자 入京한 사람들로 경성역은 대혼잡을 이루었다. 이들을 위해 임시열차가 배정되어 3만 명을 실어 날랐다.

1930년대 전반기의 어느 일요일에는 행락 인파가 10만 명을 헤아렸다. 한강에는 최초로 船遊客이 등장하고, 전차 · 버스는 5천여 원의 수입을 올렸다. 장경원 입장자는 2천 5백여 명, 장춘단공원 · 永道寺 · 清涼寺 등에도 수천 명이 몰렸다. 심지어는 서울 명물의 하나인 창경원 벚꽃을 구경하기 위해 하루 저녁에 4천여 명이 전국에서 경성역에 도착했다. 각지의 여행구락부에서 모집한 관광단이었다. 철도당국은 임시열차를 운행했다. 함경선에는 밤새 서서온 승객이 많았다. 특히 여자 승객은 피곤하여 좌석 밑에 누워 온 사람도 적지 않았다.

일본 사람들의 경제가 호황을 구가하던 1930년대 중반에는 겨울 스포츠를 즐기러 가는 사람들을 위해 철도당국이 임시 스키열차를 운행했다. 스키장행 침대차와 식당차를 연결한 경원선 임시열차는 삼방산역에 1시간을 정차했다. 경성역과 청량리역에서 원산과 함흥을 향해 달리는 임시열차는 스키객들에게 침대차를 무료로 제공했다.

또 일본 등지로 여행하는 원거리 손님도 폭증했다. 그리하여 關釜連絡船과 접속하는 열차는 경성에서 이미 만원을 이루어 입석이 태반이었다.

침대권을 수일 전에 부탁해도 손에 넣기 힘든 실정이어서 임시열차를 운행하기도 했다.

관광과 여행은 대중교통의 보급이 가져온 새로운 풍속도였다. 당국은 여행객들의 환심을 사기 위해 여러 가지 서비스를 제공했다. 1923년 경성역에서는 한국인 승객을 위해 한국음식을 판매하기 시작했다. 당시 한국인 여행객들에게 가장 괴롭고 마음 편치 못한 일은 '배는 고프되 입에 맞는 음식을 사 먹을 수 없는 것'이었다. 인사동 石忠均이라는 사람이 판매허가를 받은 이 식당에서는 보통 밥 한 그릇에 20전, 약밥 한 그릇에 30전을 받았다. 그리하여 한국인 여행객들은 배를 채우기 위해 입에 맞지도 않은 서양음식이나 일본음식을 먹지 않아도 좋게 되었다.

또 1939년 경성역 제2 플랫폼 구내에 喫茶店이 설치되었다. 그리하여 여행객들은 10분간 정차하는 시간을 이용하여 커피 한 잔으로 피로를 풀 수 있게 되었다. 여행에 낭만이 새롭게 가미된 것이다.

그런데 일제강점기 철도여행에서 빼놓을 수 없는 경험 중의 하나는 역에서 파는 도시락을 사먹는 일이었다. 물론 식량이 넉넉하지 않았던 당시에 열차에서 도시락을 먹는 것은 돈 많은 승객에게는 조그마한 낭만이었고, 가난한 승객에게는 모처럼 누리는 호사였다. 한국의 각 철도노선에서는 그 지역의 특산물을 식재료로 쓴 도시락을 만들어 판매했다. <사진 12-6>에서 보는 것처럼, 도시락의 표지는 그 노선상의 경승지나 문화재 또는 열차의 특징을 형상화하여 향수와 호기심을 불러일으켰다. 일본 본토에서 발달한 철도도시락 문화(일본어로는 에키우리벤토=駅売り弁当, 줄여서 에키벤이라고 불렀다. 역에서 파는 도시락이라는 뜻이다)가 한국에도 전파된 것이다. 철도도시락의 용기는 주로 나무나 종이 등으로 만들었고, 간편히 요기할 수 있는 음식에다가 젓가락과 숟가락이 들어 있었다. 큰 역에서는 잠깐 동안에 가락국수를 서서 먹을 수도 있었다.

4) 외출과 쇼핑

대중교통의 발달은 서울시민의 외출과 쇼핑 패턴에도 변화를 가져왔다. 외출의 횟수가 늘어나고 단거리 · 장거리 쇼핑에 나서는 경우가 많아졌다. 전차가 개통된 후 조선초기부터 청계천변에서 우마를 거래하던 세마꾼들은 자취를 감추었다. 종로에서는 여전히 전통시대의 물건을 팔고 있었지만, 일본인과 중국인이 거주하는 남대문통에서는 서양 물건들이 넘쳐나기 시작했다. 양복 · 양동이 · 양은 · 양화 · 양잿물 · 양옥 · 양철 · 양말 · 양식 등에 붙어 있는 '양'자는 단순히 '서양 것'이라는 의미뿐만 아니라 '신기한'이라는 뜻도 들어있을 터였다. 변화의 바람이 격심한 것은 의복과 신발이었다. 1910년대 중반부터 갓 대신 중절모를 쓰고, 唐鞋(가죽신의 일종) 대신 구두를 신은 신사들이 양혜점을 들락거리기 시작한 것이다. 서울시민들은 이렇게 점점 새로운 상품의 구매에 익숙해져갔다.

서양제 · 일본제 상품을 공급하는 거점은 철도역과 전차 정류장이 밀집되어 있는 신흥 도심이었다. 일본은 철도를 부설할 당시부터 정차장 부근에 일본인을 이주시켜 상업기지를 건설할 속셈으로 일부러 광대한 부지를 확보했다. 한국인들은 철도 정차장 구내에 상업기지를 조성하려는 일본의 계획에 반발했지만, 대중교통수단이 일본의 상권을 확산시키는 것을 막을 수는 없었다.

일제는 식민지 지배의 공적을 과시하기 위하여 1915년에 경복궁에서 물산공진회를 열었다. 한국에서 최초로 개최된 이 산업박람회는 백만 명 이상이 관람하여 연일 북새통을 이루었다. 이민족의 식민통치하에서도 상품의 시대가 개막된 것이다. 서울은 온통 기념 아치와 장식으로 뒤덮이고 전시장과 남대문통은 불야성을 이루었다. 청심보명단 등 신상품을 홍보하기 위해서 대규모 악대와 깃발이 동원하였다. 기차가 전국에서 손님을 실어다 서울역에 쏟아놓으면 전차가 이를 받아 박람회장까지 데려갔다.

三井 재벌 계열의 三越百貨店이 서울에 지점을 낸 것은 1910년대 초반이었다. 이 백화점은 1926년 경성부청사가 남대문통에서 태평통으로 이전하자, 그 터를 매입하여 지하 1층, 지상 4층, 연건평 3,000여 평의 대형 건물을 신축했다(1934년 완공). 이때부터 본격적인 영업을 시작한 미츠코시백화점 경성지점은 상품을 쇼케이스에 진열하고 판매하는 영업방식을 도입하여 서울 상업에 커다란 충격을 주었다. 이 백화점은 일본 국내를 제외한 동북아시아에서 최고급의 백화점이라는 평가를 받았다.

1931년 만주사변에서 1937년 중일전쟁에 이르는 7년 간 일본경제의 성장에 힘입어 한국경제도 호황을 보였다. 백화점은 자부들의 구매욕구를 채워주는 전시장이었다. 그리하여 일본인 자본가는 물론이고 한국인 자본가들 중에서도 백화점을 건립하는 경우가 많이 나타났다. 1937년 종로 육의전의 首廛인 立廛 자리에 청년 사업가 박흥식은 지하 1층과 지상 6층에 엘리베이터까지 갖춘 초현대적인 백화점 건물을 완공했다. 이것이 바로 화신백화점이었다. 화신백화점은 종로 한국인 상권의 상징이었다. 서울시민 중에는 三越백화점에 가서 아이쇼핑을 한 후에 화신백화점에 와서 진짜로 상품을 사는 경우도 많았다.

1941년 말부터 일본은 미국을 상대로 무모한 전쟁을 치르면서 총동원 체제를 구축하였다. 모든 자본과 물자가 군수용으로 동원되었기 때문에 민간의 생활용품은 물론 건축자재나 공업용 원료도 만성적인 부족 상태를 벗어나지 못하였다. 그리하여 경성은 사실상 정체된 도시가 되었다.

그렇지만 민중들의 생존이 걸린 영세시장은 끈질기게 존속하였다. 한국인들이 중심이 되어 1916년부터 개시한 종로 夜市는 1940년대까지 거의 매일 열렸다. 자기 점포를 갖지 못한 영세상인들과 싼값에 일용품을 구하려는 서민들이 밤이면 부나비처럼 몰려들었다. 주로 전차나 버스를 타고 왔다. 1935년 종로에 가로등이 설치되면서 야시장의 풍경도 한층 더 다채로워졌다. 전시체제하의 생활필수품에 대한 통제가 강화되고 배급제가 실시되면서부터 야시에서 암거래가 이루어지기도 했다.

5) 차별과 억압

선진국에서 대중교통은 원래 개방 · 자유 · 민주 · 평등 등의 개념과 어울리는 교통수단이었다. 철도만 하더라도, 정해진 요금만 내면 누구나 열차를 탈 수 있고, 1등 또는 3등의 등급도 요금의 가격에 따라 결정되었다.

그렇지만 한국의 대중교통 수단은 대부분 일제가 침략하고 지배하는 과정에서 도입된 것이었기 때문에, 그것들의 운영이나 승객에 대한 대접이 반드시 민주적이고 평등한 것은 아니었다. 특히 장거리 운행을 하는 철도의 경우에는 한국인과 일본인에 대한 차별 대우가 심하였다. 최남선이 『경부철도가』에서 묘사한 것처럼, "內外親疎가 다 같이 익혀 지내"는 교통기관만은 아니었다.

일본인은 한국인을 멸시하고 차별하였다. 한국인은 일본인을 무서워하고 적대시하였다. 철도당국은 한국인이 일본인과 같은 요금을 내고 탑승했음에도 불구하고 한국인을 개나 돼지처럼 취급을 하는 경우가 많았다. 이광수는 『나의 고백』이라는 글에서 그 광경을 다음과 같이 묘사했다.

> 그때에 내가 부산역에서 차를 타려 할 때에 역원이 나를 보고 그 차에 타지 말고 저 찻간에 오르라고 하기로, 연유를 물었더니, 그 찻간은 조선인이 타는 칸이니 양복 입은 나는 일본 사람 타는 데로 가라는 것이었다. 나는 전신의 피가 거꾸로 흐르는 분격을 느꼈다. 나는 "나도 조선인이오."하고 조선인 타는 칸에 올랐다. 때는 삼월이라 아직도 날

이 추워서 창을 꼭꼭 닫는 찻간에서는 냄새가 났다. 때 묻은 흰옷을 입은 동포들이었다. 그때에는 머리 깎은 사람도 시골서는 흔치 아니 하였고 무색옷을 입은 사람은 더구나 없었다. 실로 냄새는 고약하였다. 그리고 담뱃재를 버리고, 자리싸움을 하고, 침을 뱉고, 참으로 울고 싶었다. 나는 이 동포들을 다 이렇지 아니하도록, 그리고 모두 깨끗하고 점잖게 되도록 가르치는 것이 내 책임이라고 생각하였다. 그러고는 내가 할 수 있는 대로는 말로 몸으로 그들을 도우려고 애를 썼다.[44]

이 글은 이광수가 1910년대 중반 한국인이 탑승한 여객열차의 풍경을 묘사한 것이다. 일제의 철도당국은 한국인을 따로 모아 일본인과는 다른 열차 칸에 몰아넣었다. 일본인은 한국인이 불결하고, 냄새나고, 싸움하고, 침을 뱉는 야만인이라고 보았다. 그리하여 아예 문명인인 일본인과는 격리하여 탑승시켰던 것이다. 철도 역무원은 이광수가 양복을 입고 있었기 때문에 일본인으로 착각하고 다른 열차 칸에 타라고 권했다. 그렇지만 이광수는 민족차별을 하는 일본인에 대한 반발로서 일부러 한국인이 탄 열차 칸에 들어갔다. 그런데 이광수가 목격한 풍경은 일본인의 멸시를 받아도 쌀 정도로 처참했다. 여기서 이광수는 민족을 개조해야겠다는 사명감을 자각하게 되었다.

일본의 선각자 福澤諭吉는 "脫亞入歐"를 주창하며 일본의 한국 침략을 이론적으로 뒷받침한 인물이었다. 그가 발행한 『時事新報』는 열차에서의 한국인과 일본인의 차별 대우를 걱정스런 감정을 섞어 이렇게 보도했다.

한인 승객은 마치 화물과 같은 취급을 받고 있다고 한다. 일본인보다 오히려 조선인을 단골로 하는 철도가 조선인을 화물로 취급하는

44) 김유식, 1999, 『이광수와 그의 시대』1, 솔출판사, 172~173쪽.

것은 잘못된 사태일 뿐만 아니라, 무지한 인민이 항상 이와 같은 취급을 받을 때는, 혹은 반항심을 일으켜 선로에 방해를 시도하던가, 또는 전선을 절단하는 등의 소란을 연출할 우려가 있다.[45)]

이 기사는 일제의 철도당국이 한국인 승객을 화물과 같이 취급하고 있다는 사실을 분명하게 보도하고 있다. 그리고 한국인의 저항을 미연에 방지하기 위해서라도 한국인에 대한 차별 대우를 완화하라고 조언한다. 당시 한국의 철도를 답사했던 한 일본인 고등학생은 민족차별의 정경을 훨씬 더 적나라하게 묘사했다.

그들 한인의 거의 전부는 3등 승객이지만 사실상 4등(만약 있다고 가정하면)에 가까운 대우를 받아, 승차임금은 3등의 定率에 의하고 그 반대급부는 4등에 가까운 것이었다.[46)]

일제 시기 대중교통을 이용한 한국인은 일본인과 같은 요금을 지불했지만, 대접은 그들보다 한 등급 낮게 받았다. 일본인의 눈으로 보아도 오죽하면 한국인이 있지도 않은 4등의 취급을 받았다고 기술했겠는가!

일제 강점기에는 전차의 운전수와 차장에 일본 사람 또는 지방 사람이 많았다. 그들은 서울의 지리를 잘 몰라 승객들에게 내릴 정류장을 가르쳐 주지 못하는 경우도 있었다. 특히 일본인은 민족 차별의 차원에서 한국인 승객에게 거칠게 대하거나 횡포를 부렸다. 승무원들의 불친절한 언사와 불공정한 행동은 이미 여론의 표적이 되었다. 예를 들면 이러했다.

조선 사람이 '전차 좀 태워주오' 했더니 뒷문에 섰던 차장이 '요 다

45) 「京釜鐵道と韓人」, 『時事新報』 1905.4.25.
46) 笹山眞一, 1906, 『韓國鐵道現況調査報告書』, 東京高等商業學校 소장.

> 음 차 타' 라고 반말로 벽력같은 소리를 질렀다. 종업원들은 누런 양복을 입고 표 단 모자를 쓰고 가죽가방에 쇠가위를 들었으니 무슨 고관대작이나 된 줄로 아나, 모두 전기회사를 원망했다.[47]

조선총독부가 직영하고 있던 철도 역무원들의 횡포는 더욱 심했다. 그 위에다 기차에는 이른바 승객을 보호한다는 명목으로 경찰 곧 이동경찰이 승차하였다. 사실 그들은 한국인을 감시하는 임무를 띠고 있었기 때문에, 한국인 여객에 대해 불친절한 행동을 함부로 했다. 특히 국경선에 가까운 신의주 일대는 경계가 심하였다. 이를테면 봉천발 부산행 열차가 신의주를 통과할 즈음에 신의주 경찰서 형사가 여객을 발가벗기고 신체를 수색한다든지, 이루 다 표현할 수 없는 폭언을 하는 것은 다반사였다.

4. 대중교통과 서울시민의 의식

1) 속도와 시간

서울시민들이 근대의 대중교통수단을 접하면서 느낀 가장 큰 충격은 무엇일까? 그것은 사람의 힘이 아닌 그 무엇인가의 힘으로 육중한 기계가 움직인다는 신기함이었을지도 모른다. 그렇지만 그런 복잡한 원리를 생각하기 보다는 오히려 '빠르고 시간이 절약된다'는 속도 감각이 더 강하게 피부에 와 닿았을 것이다.[48]

---

47) 『朝鮮日報』 1921.9.6.

48) 대중교통수단의 도입기인 20세기 초에 한국의 문학인들이 철도 · 도시 · 문명에 대해 어떠한 생각을 가지고 있었는가를 비교 검토한 연구로는 정재정, 2000, 「20세기 초 한국 문학인의 철도 인식과 근대문명의 수용 태도」, 『인문과학』 7, 서울시립대학교 인문과학연구소를 참조할 것. 4절의 기술은 이글에 많이 의존했다.

崔南善(1890~1957년)은 1908년 서울에서 부산까지 철도를 타고 가면서 느낀 素懷를 『경부철도가』[49]라는 노래로 읊었다. 그는 서울역을 출발하여 남으로 달리는 기차의 모습을 이렇게 묘사했다.

> 우렁차게 토하는 기적 소리에
> 남대문을 등지고 떠나 가서
> 빨리 부는 바람의 형세 같으니
> 날개 가진 새라도 못 따르겠네[50]

철도가 개통되기 이전 곧 조선시대에 서울에서 부산까지 걸어가는 데는 일주일 이상 걸렸다. 임진왜란 때 부산에 상륙한 일본군은 16일 만에 서울을 함락시킨 바 있다. 이런 형세를 破竹之勢라 불렀다.[51] 최남선이 타고 갔을 隆熙號는 서울과 부산을 11시간에 주파했으니 평균 시속 40 km 정도였을 것이다.[52] 일주일 이상 걸릴 거리를 하루의 반도 안 걸려 달려버렸으니, 기차를 바람과 새에 비유한 것도 무리는 아니었다.

대중교통수단의 진보는 근본적으로 달리는 속도를 높이고 걸리는 시간을 줄이는 것이다. 안락함과 쾌적함의 추구는 나중의 일이었다. 열차의 동력장치가 증기에서 디젤 나아가 전기로 발전한 것은 속도의 향상과 효율의 증대를 우선적으로 추구했기 때문이다.

경부선을 달리는 열차만 하더라도 1905년 1월 개통 당시에는 평균 시

---

49) 『경부철도가』는 1908년에 단행본으로 발행되고 또 『大韓매일신보』 등에도 게재되었다. 이 글에서는 철도청 공보담당관실, 1995, 『철도 100년 가요집』, 철도청에 실려 있는 가사를 인용하였다.

50) 철도청 공보담당관실, 1995, 위의 책, 12쪽.

51) 박재광, 1999, 「壬亂 초기전투에서 官軍의 활동과 권율」, 『임진왜란과 권율장군』, 전쟁기념관, 73쪽.

52) 철도청 공보담당관실, 1994, 『한국철도사』 5(상), 철도청, 770쪽.

속이 26.5 km였다. 서울과 부산의 片道를 가는 데 17시간이 소요되었던 것이다. 그 후 기차의 평균 속도는 점점 빨라져서 일제 강점기에 들어서기 전에 벌써 40 km를 돌파했다. 오늘날의 속도 감각에서 보면 시속 40 km가 별 것 아닌 것처럼 보이지만, 당시로써는 대단한 속도였다.

일제 강점 아래에 들어간 경성부내 대중교통수단의 속도는 어느 정도였을까? 1920년대까지만 하더라도 경성부내 전차의 속도 제한은 약 13 km(8마일), 자동차의 규정 속력은 약 32 km(20마일)이었다. 경성부 당국은 자동차의 규정 속력이 너무 빨라 교통사고를 일으킬 염려가 있다 하여 24 km(15마일)로 하향 조정했다. 이 정도 속도는 당시 마라톤 선수의 주행 속도와 거의 비슷했다. 예를 들면 1926년에 尹昌碩은 평양–경성 간 256 km(160마일)을 12시간 만에 주파(시속 21.3 km)하였다. 당시의 신문들은 이 기록을 조선의 자랑이자 기쁨이요 세계에 드날리는 우리 겨레의 영예라고 大書特筆했다. 따라서 대중은 이 정도의 속도도 대단히 빠른 것으로 인식하였다.

그렇지만 시간이 지남에 따라 대중교통에 대한 서울시민들의 속도감각은 높아만 갔다. 1930년대 이후 서울시민들은 대중교통의 저속 운행에 대해 불만을 토로하게 되고, 그것은 사회문제가 될 정도로 심각해졌다. 대중교통의 속도향상을 요구하는 서울시민의 원성을 고려하여 당국은 교통사고를 방지하기 위한 자동차 속도 제한을 48 km(30마일)로 높였다. 그리고 1940년대에 들어서서 당국은 대중교통의 운영 개선 대책으로서 전차 · 버스 · 자동차가 모두 시속 30 km로 주행하도록 속도를 향상시켰다.

전차와 기차가 출현하기 전의 서울시민들은 속도와 시간을 사람이 걷는 것에 비추거나 해가 뜨고 지는 것에 맞춰 파악하였다. 그러나 전차와 기차가 등장하자 전통적 속도관 · 시간관은 크게 변화하기 시작했다. 도성을 드나들던 4대문과 4소문은 지난 500년 간 종루에서 치는 종소리에 따라 열리고 닫혔다. 서울시민들은 새벽에 치는 종을 罷漏, 밤에 치는 종을 人定이라 불렀다. 그런데 일본세력이 들어오면서부터 아침저녁으로 울리던 보신각종을 대신하여 午砲가 불을 뿜었다. 남산의 일본군 병영에서는 정오에 대포를 쏘아 시각을 알렸던 것이다. 한양의 시각을 알려주던 인경과 파루는 전차 운행과 동시에 폐지되고 말았다.

전차 · 기차와 함께 들어온 근대적 시간은 인위적 시간이었다. 시간은 분 · 초 단위로 쪼개지면서 한성부민의 일상생활을 분할하기 시작했다. 이에 따라 속도감각은 새와 바람을 연상할 정도로 빨라지고 시간관념은 분 · 초 단위로 계산될 만큼 촘촘해지기 시작했다. 한 예로서 1905년 2월에 경인간을 운행한 열차 시각표를 보면, 서울 출발 오전 06:35, 08:50, 인천 도착 오전 08:22, 11:03 등으로 표시되어 있었다. 분 단위로 시간을 분할하여 시각표를 편성한 것이다. 문자 그대로 열차 '시간표'가 아니라 열차 '시각표'인 것이다. 그리하여 서울시민의 사고방식과 일상생활은 점점 더 바빠지고 도시화되어갔다고 할 수 있을 것이다.

해가 뜨면 일어나고 해가 지면 잠을 자던 사람이나, 기껏해야 十二干支에 맞춰 두 시간 단위로 하루를 분할했던 사람에게 열차는 분 · 초 단위로 시간을 관리하도록 만들었다. 철도가 처음 도입되었을 당시 어느 외국의 함대가 인천에 들어와서 대한제국 정부의 대관들을 艦中으로 초대한 적이 있었다. 잡지 『東明』은 그때 일어난 一幕을 이렇게 풍자했다.

> 시간관념이 분명치 아니하신 분은 발차시각 1, 2시 전부터 오신 이도 적지 아니한데, 자신 집의 차부를 부리듯이 어서 발차시키라 하여도 철도란 것은……일정한 시간이 있는 것이라 하여……車夫 노릇하는 위인이 대관의 차비엄령을 항거하는 데 괘씸한 생각이 났었다.[53]

53) 정상우, 2000, 「개항 이후 시간관념의 변화」, 『역사비평』 50, 역사비평사, 192쪽.

이러한 과정을 통해 서울시민의 사고방식과 일상생활은 점점 시간과 규율에 익숙해져갔다. 생활의 도시화는 결국 이런 것이었다.

서울시민이 시간을 황금으로 여기게 되자 전차와 버스 등의 대중교통에서도 승차 시간을 줄이려는 노력이 나타났다. 대중교통 수단의 스피드업(speed up) 만으로는 승차 시간과 승차 거리를 줄일 수 없었기 때문이었다. 승차 시간을 줄이기 위해서는 전차 · 버스 · 자동차의 정차 시간을 줄이는 것도 필요했다.

경성의 전차는 1940년 3월부터 전차의 정차 시간을 화신상회 앞같이 번잡한 곳은 특등급이라 하여 40초로 정했다. 그다음으로는 갑등급 30초, 을등급 20초, 병등급 15초로 차등을 두었다. 승객이 적은 곳은 정차 시간을 줄였다. 또 114개 소의 정차장 중에서 40개 소는 급행전차에 한해서 정차하도록 하여, 정차 회수를 36% 가량 줄였다. 이렇게 하면, 당시 동대문에서 노량진까지 왕복 82분 56초 걸리던 전차의 운행시간은 72분 42초로 단축되어 14%가 더 빨라지는 셈이었다. 기차에서는 이미 시행하고 있던 제도를 경전 전차가 도입한 셈이었다. 이와 유사한 시도는 경전 버스에서도 나타났다. 급행버스는 급행버스끼리 승환하도록 하고, 별도의 순환 노선을 마련했던 것이다.

한편 한반도를 남북으로 종관하여 일본과 대륙을 연결시켜주던 열차의 속도는 더욱 빨라졌다. 1908년 4월 1일부터 부산과 신의주 사이를 운행한 직통 급행열차 '융희호'는 이 구간을 26시간에 주파했다. 1911년 11월 1일에는 압록강 철교가 준공되어 부산에서 봉천(지금의 심양)까지 직통운행을 개시했다. 그리고 1912년 12월 1일에는 부산−장춘(만주국 수립 이후에는 新京, 만주국의 수도) 구간에도 직통 급행열차가 운행되었다.

일본이 만주에 괴뢰 만주국을 세운 다음해인 1933년 4월 1일 부산−봉천 사이에 급행 '히까리(ひかり)'(<사진 10−2> 참조)를 투입했다. 이 열차는 종래의 소용 시간을 4시간이나 단축했다. 1934년 11월 1일에는 '히까리'를 신경까지 연장 운행하고, 부산－봉천 구간에는 직통 급행열차 '노조미(のぞみ)'를 신설했다. 신경－웅기 사이에도 직통열차를 개설했다.

1930년대 이후 일본인의 만주 여행이 급증하게 되자 열차의 속도 향상은 더욱 절실하게 필요했다. 그리하여 수시로 급행열차의 시운전이 행해졌다. 한번은 경성의 용산에서 6:15에 출발한 10량 연결 열차가 8시간 28분 만인 13:43에 안동(신의주의 對岸 도시, 지금의 丹東)에 도착하였다. '히까리'가 보유하고 있던 최단 시간인 10시간 30분에서 2시간을 단축한 것이다. 이대로 가면 당시 부산－안동을 21시간 30분에 달리던 것을 5시간 정도 단축할 수 있게 될 것이다. 실제로 그 回路의 시운전은 곧 성공하여, 8:25에 안동을 출발한 열차가 16: 46에 경성역에 도착했다. 종래 안동발 부산 행 '히까리'가 경성역까지 9시간 20분 소요되었던 점을 감안하면 49분이 단축된 셈이었다.

일제 강점기에 열차의 스피드 업에 큰 획을 그은 것은 1936년 12월 1일에 처음 등장한 특급 '아까쯔끼(あかつき)'(<사진 10－3> 참조) 호였다. 이 열차는 평균 시속 67킬로미터로서 서울－부산을 6시간 45분에 주파했다. 일제 당국은 일본이 철도기술을 자립하여 이룩한 빛나는 쾌거라고 자랑했다. 1938년 10월 1일 부산－북경 사이에 직통 급행열차 운행을 개시했다. 소요 시간은 38시간 45분이었다. 1939년 11월 1일 부산－북경 구간에 직통 급행열차 '興亞' 호를 증설하고, 그 전에 운행해온 직통 급행열차를 '大陸' 이라고 명명했다(<사진 10－4> 참조). 그러나 일제가 미국 등 연합국과의 전쟁에서 패색이 짙어지자, 1943년 10월 9일 직통 급행열차 '아까쯔끼'의 운행을 정지했다. 1944년 2월 1일에는 '노조미' · '대륙' 등의 직통 급행열차도 폐지하고 화물열차로 전용했다.

2) 공간과 경관

대중교통의 발달과 함께 서울시민들의 거리 감각도 크게 바뀌었다. 전통시대의 거리는 주로 주척(周尺) 6척(약 1.8 m)을 1步, 360보를 1里(약 400 m), 30里(약 12 km)를 1息이라 했다. 그리고 10里(약 4 km)마다 小堠, 30里마다 大堠라는 이정표를 세우고 里數와 지명을 새기게 했다. 또 5里(약 2 km)마다 정자를 세워 5리정이라 하고, 30里마다 楡柳를 심어 여행자가 쉬도록 했다. 도로망의 기점은 창덕궁 돈화문이었고, 이곳으로부터 전국 사방으로 9개의 대로가 뻗어 나갔다.[54)]

이러한 도로망은 고려시대에 이미 성립하였다. 그러므로 오늘날 우리가 지방을 여행할 때 村老들로부터 가르침을 받는 십리, 이십 리라는 거리 감각은 그 역사적 전통이 꽤 오래된 것이라고 할 수 있다. 지금도 그들이 말하는 전통적 거리 감각에는 여유가 있다. '한 십리만 더 가면 된다'라든가, ' 한나절만 가면 된다'라는 말을 믿고 걸어가다가는 낭패를 보기 일쑤다. 오늘날 우리가 자동차의 속도와 미터법으로 거리를 가늠하고, 시속 100 km로 달리면 몇 시간 안에 갈 수 있다고 계산하는 데 익숙해진 감각으로는 흉내 낼 수 없는 여유인 것이다.

근대 문명이 도입되면서 이러한 거리 감각은 변할 수밖에 없었다. 1881년에 朝使團의 일원으로서 일본을 시찰하고 돌아온 朴定陽은 동력으로 움직이는 새로운 교통기관과 거리 계산의 신기함에 대해 아래와 같이 보고했다.

> 기구는 모두 화륜과 수륜을 사용하고 배와 기차도 화륜으로 움직이기 때문에 매우 빨라서 100리 단위로 계산한다. 제조기구도 이를 기본

54) 孫禎睦, 1994, 앞의 논문, 618~619쪽.

으로 하므로 길고 짧고, 크고 작고, 넓고 좁고, 높고 낮은 각종 기계들이 다 이를 부착해 움직인다. 이것이 바로 서양에서 들어온 기술이다.[55]

선박과 열차가 증기기관을 동력으로 사용하여 속도가 빨라짐에 따라 거리 감각도 100리 단위로 계산하게 되었다는 것이다. 대중교통이 발달하여 시간을 분 · 초로 쪼개 쓰게 되는 것과 비례하여 인간이 일정한 시간 내에 이동할 수 있는 거리는 점점 더 확장되어 갔다.

거리 감각의 새로운 변화를 상징하는 사건은 일제 강점기에 경성 한복판에 설치한 道路元標일 것이다. 일제는 지배 권력을 전국 방방곡곡까지 전파한다는 뜻도 가미하여 1914년에 '시가지에 있어서 元標 및 1 · 2등 도로표'라는 총독부고시를 발포하였다. 이것은 주요 도시마다 도로의 기점과 1 · 2등 도로를 설정하도록 한 조처였다. 이때 경성에 마련된 도로원표는 황토현 네거리(현재 광화문네거리)의 중앙에 있었다.

도로원표에는 이곳으로부터 전국 주요도시에 이르는 거리가 새겨져 있다. 참고로 몇 군데만 살펴보면, 인천 42 km, 광주 352 km, 목포 439 km, 대구 320 km, 부산 477 km, 평양 270 km, 신의주 505 km, 원산 247 km, 청진 783 km 등이었다. 도로원료에 새겨진 거리는 추상적인 것이 아니었다. 서울시민들은 이 거리를 시속 40~60 km의 기차로 몇 시간이면 갈 수 있다고 환산하였다. 전국 방방곡곡을 언제든지 갈 수 있는 현실적 거리로서 생각했던 것이다.

대중교통의 발달은 서울시민의 경관과 공간에 대한 개념을 바꿔 놓았다. 그것은 1898년의 전차부설공사부터 시작되었다. 그 당시만 하더라도 남대문 앞길에서 광통교를 건너 종로에 이르는 길은 나라에서 가장 넓은

---

55) 허동현, 1999, 『일본이 진실로 강하더냐』, 도서출판 당대, 185쪽.

대로였다. 길가의 좌우로는 행랑이 즐비하게 늘어서 있고, 길 한복판에는 소달구지가 한가롭게 지나다녔다. 그런데 전차궤도를 놓으면서 길가의 假家는 철거되었다. 전찻길을 따라 전신주가 일정한 간격으로 꼿꼿이 세워져 가로변의 대표적인 경관요소가 되었다. 전차와 자동차가 다니도록 곧게 뻗은 도로는 황도 한성이 식민지 거점 경성으로 바뀌는 상징이 되었다.

전차는 한 푼이라도 더 벌기 위해 각종 광고판을 매달고 다녔다(<사진 12-2> 참조). 전차 위에 빽빽하게 올라탄 흰 치마저고리의 승객과 전찻길 옆을 지나는 삿갓 쓴 땔나무 장수들, 그리고 말 탄 일본인 순사와 초가지붕 너머로 검은 연기를 내뿜고 있는 동대문화력발전소의 굴뚝 등은 전통과 근대가 혼재하는 경성의 도로 공간을 극명하게 대비시켜주었다.

서울의 근대 대중교통은 일본의 한국 침략 과정에서 도입되었다. 아니 철도와 전차 등의 근대적 교통수단은 오히려 일본의 한국 침략을 선도하는 역할을 했다고 보는 게 맞다. 그러므로 근대교통의 발달은 자연히 일본인의 이입을 촉진하고, 일본인의 증가는 곧 경성의 공간 구조를 일본풍으로 바꿔놓았다. 러일전쟁(1904~1905)을 핑계 삼아 일본은 용산 일대에서 330만 ㎡(100만 평) 이상의 광대한 토지를 군용지라는 명목으로 거의 무상으로 점유하였다. 여기에는 일본군 병영과 군속의 주택 및 일본인 용달상인의 상가 등을 설치했다. 이와는 별도로 일본은 용산역 부지로서 166만 6,500 ㎡(50만 5천여 평)을 수용했다. 이곳에는 철도국 관사와 철도국 공작창 등을 건립했다. 그리하여 신시가지 용산은 일본의 군사기지이자 철도거점으로서 서울시민을 위압하고 수탈하였다. 그밖에도 일본이 철도부설 과정에서 서울의 주요 정거장 부지 명목으로 점탈한 토지는 남대문역 17만 1,600 ㎡(5만 2천여 평), 영등포역 13만 5,300 ㎡(4만 1천여 평) 등이었다.

최남선은 『경부철도가』에서, 기차가 용산역을 지날 때 역 주변이 일본인 거리가 되어 가는 모습을 보고 이렇게 노래했다.

關王廟와 蓮花峯 둘러보는 중
어느 덧에 용산역 다달았도다
새로 이룬 저자는 모두 일본집
이천여 명 일인이 여기 산다네[56)]

철도연선이 이렇게 일본인의 공간으로 탈바꿈하게 된 것은 일본이 국권을 침탈하고 철도운영을 독점했기 때문이었다. 최남선도 그것을 무척 안타깝게 생각했다. 그리하여 『경부철도가』의 마지막에서 두 번째 連에는 다음과 같은 구절을 집어넣었다.

食前부터 밤까지 타고 온 기차
내 것 같이 앉아도 실상 남의 것
어느 때나 우리 힘 굳세게 되어
내 팔뚝을 가지고 굴려 볼거나[57)]

최남선은 지금 자기가 새처럼 빠르게 타고 온 기차가 내 것 같아도 실은 남의 것이라는 사실을 잘 알고 있었다. 그리하여 한국인이 빨리 힘을 길러 언젠가는 철도를 자주적으로 운영할 수 있기를 희망했다.

그런데 최남선이 기차 안에 앉아서 『경부철도가』를 지을 무렵 서울시민들을 비롯하여 연선주민들은 기차 밖에서 목숨을 내건 반철도 · 항일투쟁을 전개하고 있었다. 하나의 예를 들면, 1904년 8월 27일 김성삼 · 이춘근 · 안순서 등은 서울 근교의 고양군에서 경의철도의 열차운행을

56) 철도청 공보담당관실, 1995, 앞의 책, 12쪽.
57) 철도청 공보담당관실, 1995, 위의 책, 17쪽.

방해했다는 죄목으로 일본군에 체포되었다. 그들은 9월 10일 일본 군법 회의에서 사형선고를 받고 이튿날 마포 산기슭에서 총살당하였다(<사진 4-2> 참조).[58]

일제는 또 한국을 강점한 직후부터 서울의 도로에 대한 전면적인 改修에 착수했다. '京城市區改修'라는 이름의 이 작업으로 서울의 면적은 2배 이상 늘어나고 전통 도로망은 근대적으로 재편되었다. 그렇지만 이와 함께 서울의 역사적 전통과 권위도 파괴되었다. '시구개수'와 함께 속속 들어선 새로운 건물은 대개 식민통치권력의 위엄을 과시하기 위한 것이었다.

경성의 도시 공간이 일제 권력의 주도 아래 형성된 것이기는 했지만 그것의 裏面에는 식민지 자본주의 경제가 꿈틀대고 있었다. 경성에 정착한 일본인들은 자본주의 시장경제 시스템을 들여왔고, 그것은 대중교통수단을 중심으로 한 근대적 유통망의 확장을 가져왔다. 그리하여 일본인이 세력을 장악한 지역에서는 식민지적 색채가 농후하면서도 겉으로는 근대적 도시의 면모를 갖추게 되었다.

李光洙(1892~1950년)는 그의 소설 『무정』에서 근대문명의 이름 아래 식민지 수도로 변모해가는 서울의 모습을 묘사했다.

> 차가 남대문에 닿았다. 아직 다 어둡지는 아니하였으나 사방에 반짝반짝 전기등이 켜졌다. 전차 소리, 인력거 소리, 이 모든 소리를 합한 도회 소리와 넓은 플랫폼에 울리는 나막신 소리가 합하여 지금까지 고요한 자연 속에 있는 사람의 귀에는 퍽 소요하게 들린다.
>
> 도회의 소리? 그러나 그것이 문명의 소리다. 그 소리가 요란할수록에 그 나라가 잘된다. 수레바퀴 소리, 증기와 전기기관 소리, 쇠마차 소리…… 이러한 모든 소리가 합하여서 비로소 찬란한 문명을 낳는

---

58) 한국인들의 反鐵道 투쟁에 대한 전반적인 상황에 해서는 정재정, 1999, 앞의 책, 305~370쪽을 참조할 것.

다. 실로 현대의 문명은 소리의 문명이다. 서울도 아직 소리가 부족하다. 종로나 남대문통에 서서 서로 말소리가 아니 들릴이만큼 문명의 소리가 요란하여야 할 것이다. 그러나 불쌍하다. 서울 장안에 사는 사십여만 흰옷 입은 사람들은 이 소리의 뜻을 모른다. 또 이 소리와는 상관이 없다. 그네는 이 소리를 들을 줄을 알고 듣고 기뻐할 줄을 알고, 마침내 제 손으로 이 소리를 내도록 되어야 한다.

저 플랫폼에 분주히 왔다갔다하는 사람들 중에 몇 사람이나 이 분주한 뜻을 아는지. 왜 저 전등이 저렇게 많이 켜지며, 왜 저 전보 기계와 전화 기계가 저렇게 불분주야하고 때깍거리며, 왜 저 흉물스러운 기차와 전차가 주야로 달아나는지…… 이 뜻을 아는 사람이 몇몇이나 되는가.[59]

이광수는 서울의 번성하는 거리 풍경을 아주 잘 그려냈다. 그는 일본에 의한 서울의 공간 변화를 그대로 문명화 · 근대화로 이해했다. 그리고 도시화의 의미를 깨닫지 못하는 한국인 특히 서울 사람들에게 경멸과 연민에 가까운 시선을 보냈다.

일제는 1919년부터 1930년까지 제2기 경성도로개수 공사를 시행했다. 도로개수는 서울에 근대도시의 외양을 만들어주기는 하였지만, 시종일관 차별적으로 진행되어 한국인의 원성을 샀다. 특히 남대문통은 일찍부터 일본의 금융과 기업이 터를 잡았다(<사진 12-7> 참조). 1920년대 후반에 도로는 보도와 차도가 구분되고 아스팔트와 블록으로 포장되었다. 그리고 도로변에는 가로수를 심고 가로등을 세웠다. 조선총독부청사-경성부청사-남대문-경성역-용산으로 이어지는 거리는 가장 화려하고 근대적인 모습으로 치장되어 일본의 정치 · 경제 · 군사 지배를 상징하는 길이 되었다.

반면에 전통적으로 한국인들의 거리였던 마포 일대와 서대문 전차길 주

---

59) 이광수, 1917, 『무정』, 175~176쪽.

변은 퇴락한 모습을 그대로 간직했다. 특히 그 전부터 서울의 중심적 가로였고 전차길이 놓이면서 가장 먼저 근대화의 바람을 탄 종로는 식민지로 전락하는 순간부터 철저하게 방치되었다. 남대문통과 本町 도로가 포장되고 도로시설물이 늘어나는 동안에도 종로는 구태를 벗지 못했다.

종로에 본격적인 변화의 물결이 닥친 것은 1926년 조선총독부 청사가 경복궁 자리에 들어서면서부터였다. 그 후 부터 종로 길가에는 2~3층 규모의 양식 건물이 들어서기 시작했고, 인도와 차도도 구분되었다. 그러나 차도는 여전히 포장되지 않은 채였고 인도는 가로수나 가로등을 갖지 못했다. 종로거리에는 1935년에 가서야 가로등이 설치되었다. 일본인들은 상대적으로 땅값이 싼 점을 노려 점차 한국인 거주 지역으로까지 파고들었다.

3) 질서와 규율

대중교통수단의 보급은 자연히 그에 따른 부작용을 해소하기 위한 각종 법령이나 규칙을 만들어냈다. 이것들은 대개 대중교통수단을 이용하는 사람들이 지켜야 할 규율 곧 교통법규였다. 여기에서 그러한 법령이나 규칙을 일일이 분석해볼 여유는 없지만, 근대의 초입부터 교통이 가장 혼잡했던 남대문통의 도로관리에 대한 경찰의 훈령을 살펴보면 서울시민들이 어떻게 대중교통시대에 걸맞은 행동규범을 익혀갔는지 짐작할 수 있다.

1905년 9월에 경무청에서 서남 兩署에 내려보낸 훈령은 아래와 같았다.

> ① 궤도변에 상품의 진열을 금하여 北便 가옥으로부터 不過하게 할 事, 또 南署 관내에는 一間半 이내로 할 사.
> ② 도로 중앙에 지게, 기타 물품을 置함과 교통에 방해될 者를 금할 사.
> ③ 수표교상에 出店을 금할 사.

④ 남대문가로에는 우측으로 왕래하게 할 사.
⑤ 門內 좌우벽에 광고, 기타 게시를 금할 사.
⑥ 문내외 부근에 방황함을 금할 사.
⑦ 전차는 문 10間 이외에 停立하게 할 사.
⑧ 상품진열구역은 남대문으로부터 大觀亭 後 角四街까지로 할 사.
⑨ 右를 관리하기 위하여 오전 5시로부터 仝 9시까지 西署로부터 權任 1명 · 巡檢 6명과 南署로부터 권임 1명 · 순검 2명을 파송할 사, 또 남대문 교통정리 순검은 오후 10시 반까지 同門 출입 兩口에 2명씩 근무할 사.[60]

도로사용규칙이라고 할 수 있는 이 훈령에는 장사꾼들이 함부로 도로변에 상품을 진열하지 못하도록 한 것은 물론이고 통행인은 우측으로 왕래할 것을 장려하고 있다. 교통정리를 위한 경찰도 배치되었다. 서울에 전차가 처음 운행됐을 때 손님은 아무데서나 타고 내릴 수 있었다. 그렇지만 교통이 혼잡해지자 곧 정류장이 생기고 손님들은 지정된 장소에서만 오르고 내리지 않으면 안 되게 되었다. 비슷한 시기에 철도규칙, 인력거규칙, 우마차규칙 등도 제정되어 시행에 들어갔다. 이렇게 하여 근대적 규율은 서울시민들이 일상에서 지켜야 하는 규범이 되어갔다.

근대적 규범과 규율은 교통을 원활하게 하고 사고를 방지하기 위해서 꼭 필요한 장치였다. 특히 교통사고는 서울에 전차가 도입되어 20여 년이 지난 시점에서도 줄어들기는커녕 늘어나는 추세였기 때문에 서울시민의 안전을 위협했다. 그리하여 조선총독부와 경성부 당국은 물론 언론 등도 수시로 교통사고 예방운동을 벌렸다. 그 중에는 전차를 이용하는 시민들에게 보내는 다음과 같은 호소문도 있었다.

60) 『皇城新聞』 1905.9.2.

① 우선 아무리 급한 일이 있고 뛰어내리고 뛰어오를 만한 자신이 있더라도 한 걸음 더 건거나 한 차 뒤지는 것을 꺼리어서 뛰어내리고 뛰어오르는 것을 일절 하지 말 일.
② 전차궤도 가까이 걸어갈 때에 항상 궤도로부터 3~4척 멀리 나서서 다닐 일.
③ 아이들이 전차에 매달리는 장난을 금할 일과 어린아이를 전차길 앞에 내어놓지 말 일.
④ 전찻길을 건너가고자 할 때에는 좌우를 돌아보아서 전차가 10여 간통 내에서 진행 중일 때는 다 지나가기를 기다려서 지나간 뒤에 건너가되 약 5~6간통을 지나간 뒤에 건너갈 일.
⑤ 도로를 통행할 때에는 반드시 인도가 있는 때에는 인도로 통행할 것이요 인도가 없는 곳에서는 항상 양측으로 바짝 붙어서 통행할 일 등이라 하겠으니 이것은 우리 시민의 주의는 물론이요 그보다도 더욱 시민을 보호하는 경찰에서도 충분한 노력을 할 것이며 전차과에서도 십분의 주의를 해야 할 것이다.[61]

위에 열거한 주의사항들은 오늘날의 관점에서 보면 유치한 것처럼 보이지만, 실제로는 지금도 반드시 지켜야 할 교통규범의 기초이다. 서울시민들은 확실히 대중교통수단을 이용함으로써 신속함과 편리함을 얻었지만, 교통사고라는 전에 없던 봉변에 걸리지 않도록 평소부터 주의하고 훈련하지 않으면 안 되게 되었다. 그것은 교통 혼잡이 거의 없었던 농경사회의 행동에서 벗어나 대중교통을 항상 이용해야 하는 도시사회의 행동으로 진입하는 과정에서 거치지 않으면 안 되는 학습이었다고 할 수 있을 것이다.

서울에서 오늘날과 같은 교통법규나 교통관행이 정착된 것은 그리 오래된 일이 아니다. 일제 강점기만 하더라도 운전수가 네거리(교차로)를 지날 때는 손으로 방향을 지시했다. 곧 바른편으로 돌고자 할 때는 오른쪽 손을 들고, 왼편으로 꺾고자 할 때는 왼쪽 손을 들었다. 앞으로 직행하고자 할 때

61) 『朝鮮日報』 1921.9.10.

는 팔을 바로 들고, 순사 앞에 서고자 할 때는 경적을 두 번 울렸다.

보행자는 1921년 12월 1일 이전까지는 우측통행을 했으나, 그 이후부터 사람과 전차 모두 좌측통행을 하게 되었다. 교통질서에 대한 계몽활동과 위반자에 대한 단속도 활발했다. 차도를 통행하는 보행위반자 중에는 하급 계급의 사람들보다는 중류 계급, 특히 관리들이 많았다. 권력을 가진 사람들이 법규를 어기는 것은 그때나 지금이나 마찬가지 풍조였나 보다. 교통안전에 대한 계몽활동도 활발하여 일요일 등을 교통안전데이로 설정하여 캠페인을 벌이는 경우도 많았다.

서울시민이 새로운 교통규범을 학습하는 것은 쉬운 일이 아니었다. 서울시민의 행동에는 전통과 습관이 짙게 배어 있었기 때문이다. 1920년대 초의 신문기사는 전차사고의 원인 중의 하나가 한국 사람의 굼뜬 행동에 있다고 보도했다. 곧 한국 사람은 대륙적 기질을 가지고 있기 때문에 잽싸게 동작하는 사람에 대해서는 경박하다고 아주 질색한다. 그리고 군자라면 점잔을 빼야 한다고 생각하여 전차가 와서 경적을 울려도 빨리 피하려 하지 않고 느릿느릿 피하는 폐단이 있다. 이것이 사고를 유발하는 주요 원인 중의 하나라는 것이다. 좀 비과학적인 분석처럼 보이지만, 대중교통과 도시생활에 익숙해지기를 꺼려하는 한국 사람들의 모습이 잘 그려져 있는 기사라고 할 수 있다.

그런데 치열한 생존경쟁에 내몰려 있는 도시생활 속에서 서울시민의 대중교통에 대한 적응은 민첩하였다. 일제 말기에 이르면 전차는 이미 콩나물시루가 되어 '교통지옥'을 방불케 했다. 그리하여 승객은 빨리 타고 내리는 데 익숙하지 않으면 아예 전차를 이용하기 어려웠다. 전차의 정차시간이 보통 정류장은 15초, 가장 번잡한 정류장이 40초였으니 어쩔 것인가! 따라서 대중교통의 발달은 서울시민들에게 규범준수의 정신을 심어주는 것과 동시에 민첩하게 행동하는 기동성을 길러주었다고 할 수 있다.

서울시민이 학습하고 체득해야 했던 교통질서와 교통규율 등에 대해서는 다음 장에서 좀 더 자세하게 살펴보겠다.

4) 개방과 평등

앞에서 우리는 대중교통을 이용하는 과정에서 일본인이 한국인을 차별했다는 것을 실감나게 살펴보았다. 그런데 근대의 교통수단은 합당한 요금을 지불하는 한에서는 남녀노소 · 빈부귀천의 구별 없이 누구나 공평하게 이용할 수 있다는 게 기본원리이다. 그렇기 때문에 전차와 기차 그리고 버스에는 처음부터 장옷을 쓴 여인과 갓을 쓴 남자가 한 의자에 앉아 있었다. 전차와 기차 그리고 버스가 남녀노소의 구별과 양반상놈의 차별을 무너트리는 예기치 않던 현상을 가져온 것이다.

선각자들은 대중교통이 몰고 온 개방과 평등의 풍조를 높게 평가했다. 최남선은 『경부철도가』에서 기차 안의 경이로운 풍경을 감탄하는 어조로 이렇게 읊었다.

> 늙은이와 젊은이 섞어 앉았고
> 우리 내외 외국인 같이 탔으나
> 內外親疎 다 같이 익혀 지내니
> 조그마한 딴 세상 절로 이뤘네[62]

남녀노소와 國內外人이 섞여서 함께 타고 가는 기차 안은 분명히 모든 사람이 평등한 열린 사회였다. 조선시대만 하더라도 가마라 통칭되었던 탈것은 신분에 따라 명칭 · 구조 · 장식이 달랐음은 물론이고 부리는 사람 수에서도 차이가 났다.[63]

---

62) 철도청 공보담당관실, 1995, 앞의 책, 12쪽.

그러나 기차는 돈을 내고 차표만 끊으면 누구나 탈 수 있다. 양반과 상놈, 어른과 아이, 남자와 여자, 한국인과 외국인의 차별이 없다. 그들이 한 기차 안에서 서로 마주보거나 어깨를 비비면서 함께 여행을 하는 것이다. 이 얼마나 자유롭고 개방적이고 국제적이며 민주적인 평등한 "딴세상"인가!

다만 기차는 요금의 많고 적음에 따라 1등 · 2등 · 3등처럼 서비스의 질을 달리했다. 그렇지만 이것은 어디까지나 '요금에 따른 대접의 구별'일 뿐이지 '신분과 국적 또는 성별에 따른 차별'은 아니었다. 이처럼 대중교통은 개방과 평등으로 표상되는 근대사회를 선도한 셈이었다.

대중교통의 평등성 · 개방성은 가끔 美風良俗을 해치는 것으로 비쳤다. 그리하여 철도당국은 단속의 채찍을 휘둘렀다. 1920년대 초 철도당국은 기차 통학생의 풍기가 문란하므로 남녀학생의 열차 칸을 분리하겠다고 나섰다. 철도당국은 철도로 경성에 통학하는 중등 이상 학생들에게 다음과 같은 으름장을 놓았다. 통학생을 위해 삼등차 2량 이상을 연결할 경우에는 남학생은 앞 열차로, 여학생은 뒤 열차로 승차한다. 1량을 연결했을 경우에는 남학생은 앞으로, 여학생은 뒤로 각각 좌석을 구분하여 승차한다. 학생들이 이를 지키지 않았을 경우에는 위반자의 소속 학교와 이름을 적어 철도국 수사과에 보고해야 한다 등을 천명한 것이다.

어디선가 많이 들어본 이야기 같다. 최근 서울의 만원 지하철에서 성희롱 사건이 빈발하자 당국은 러시아워에 여성전용 칸을 배치하여 운행했다. 그런데 승객의 호응이 좋지 않자 결국 흐지부지되고 말았다. 일제강점기 서울의 대중교통은 이래저래 오늘날의 서울시민에게 역사의 묘미를 느끼게 만든다고 할 수 있다.

---

63) 정연식, 1998, 「조선조의 탈것에 대한 규제」, 『역사와 현실』 27, 한국역사연구회.

13장 서울의 교통재난과 민관의 대응

1. 교통대란과 교통사고

1) 교통대란의 개황

오늘을 사는 서울특별시민을 괴롭히는 가장 심각한 도시문제는 무엇일까? 아마도 통근과 통학 길에서 겪는 교통 혼잡과 교통사고도 그 중의 하나일 것이다. 질풍노도와 같은 '압축 성장'의 과정에서 서울시민은 가스 폭발, 아파트 · 백화점 · 교량 등의 건조물 붕괴, 화재, 홍수, 대기 오염 등을 직접 또는 간접으로 경험해왔다.[1] 이러한 도시재난은 서울시 당국이

---

1) 동대문시장 대화재(1958.12), 남대문시장 대화재(1959.5), 양동 대화재(1960.12), 창신동 대화재(1962.12), 세운상가 대화재(1969.3), 신설동 판자촌 대화재(1969.12), 와우아파트 붕괴(1970.4), 대연각호텔 화재(1971.12), 남대문시장 대화재(1975.6), 남대문시장 대화재(1985.3), 14개 동 도시가스 연쇄 폭발(1985.5), 수도권 일대 대홍수로 망원동 일대 침수(1997.7), 성수대교 붕괴(1994.10), 아현동 도시가스 지하 저장탱크 폭발(1994.12), 삼풍백화점 붕괴(1995.6), 공덕동 지하철공사장 가스폭발(1997.4) 등은 지금도 서울특별시민의 기억에 새로운 대형 도시재난이었다고 할 수 있다.

지속적으로 추진해온 주거와 상업 환경의 개선, 건설과 감리의 강화, 기반시설의 정비 등으로 발생빈도와 그 피해범위를 상당히 줄일 수 있었다. 그렇지만 콩나물시루와 같은 만원 지하철과 버스에 짐짝처럼 실려 통근·통학을 해야만 하는 일반서민의 설움만큼은 아직도 풀리지 않고 있다. 흔히 말하는 교통대란이 아직도 서울에서는 매일같이 벌어지고 있는 셈이다. 이와 더불어 교통사고도 자주 발생하고 있다.

국민안전처 등의 발표에 따르면, 2015년 서울의 교통사고 사망자 수는 370명이었다. 하루에 1명 이상 죽은 셈이다. 20년 전의 통계인 1996년에 서울에서 발생한 교통사고건수는 46,031건, 사망자 789명, 부상자 60,643명이었다. 교통사고로 인해 하루에 2.2명이 죽고, 166명이 다친 셈이다.[2] 이렇게 보면, 최근 20년 동안 교통사고는 대폭 줄어들었다고 할 수 있다. 그렇지만 보행사망자 비율은 아직도 OECD국가 중에서 가장 높다고 한다.

일제 강점기에도 규모와 정도의 차이는 있었지만, 경성과 경성부민은 교통대란과 교통사고로 몸살을 앓았다. 경성부민은 문명의 혜택을 누리는 것 못지않게 고통과 슬픔을 맛보아야만 했다. 그리하여 대중교통수단에 대한 서울시민들의 인상도 편리하다든가 쾌적하다는 것과는 거리가 멀었다. 전차에 대해서는 '달리는 흉기'라는 이미지가 강했다. 그리고 버스에 대해서는, 여차장이 불친절하고 신경질을 잘 부리며, 짐을 들거나 허름한 옷차림을 한 한국 부인에 대해서 승차를 거부한다는 인상을 가지고 있었다.[3] 당대의 유명한 문필가 李光洙조차 버스가 '不潔하고 醜하고 까불고 낮다'고 묘사하였다.[4] 이런 상황에서 '위험한 도회', '슬픈 도회',

---

2) 서울에서 발생한 교통사고를 시기별로 살펴보면, 마이카 붐이 막 불붙었던 1979년부터 1991년까지가 피크였다. 이 시기에는 하루 평균 교통사고로 죽는 사람이 3~4명, 부상당하는 사람이 83~217명이었다. 이 통계에 대해서는 다음 책을 참조할 것. 교통관리실 교통기획과, 1998, 『통계로 본 서울교통(1998)』, 교통관리실 교통기획과.

3) 『新東亞』 1936.1, 79~81쪽.

'무서운 도회', '저주스런 도회'등의 논의가 널리 퍼져갔다.[5]

염상섭은 東京에서 서울까지 열차를 타고 왕복하면서 보고 느낀 것을 『만세전』이라는 소설에서 생생하게 묘사했다. 그가 그린 1920년 전후 경부선 야간열차 안의 모습은 다음과 같았다.

> 석유불을 드문드문 켠 써늘한 기차 속은 몹시 우중충하고 기름 냄새가 코를 찌른다. 외투를 벗어서 눈을 털었으나 몸은 구중중하고, 컴컴한 석유불을 볼수록 조선은 이런 덴가 싶어 새삼스럽게 을씨년스럽다. ……몇 번이나 눈을 떴다 감았다 하며 편치 못한 잠을 잔 둥 만 둥하고 눈을 떠보니까 긴긴 밤도 흐지부지 훤히 밝았다. 으스스하기에 난로 앞으로 가서 불을 쬐며 옆 사람에게 물어보니 始興에서 떠났다 한다.[6]

승객에 대한 서비스를 중시하는 오늘의 관점에서 보면 일제 강점기의 대중교통은 승객에 대한 배려나 봉사 등과는 거리가 멀었다. 그러하니 경성부민들이 대중교통에서 안락함이나 쾌적함을 바라는 것은 오히려 사치스러운 일이었다. 승객들은 짐짝 취급만 받지 않아도 다행이라고 여겼다. 또 언제 교통사고를 당할지 모른다는 불안에 떨기도 했다.

경성부민은 이미 1920년대부터 만원전차에 시달리기 시작했다. 전차의 수가 부족한데다가 잦은 고장과 정전으로 배차 간격이 5분 또는 10분 이상씩 늘어지다 보니 승객이 한꺼번에 몰려 전차는 항상 발디딜 틈이 없었다.[7] 게다가 1930년대에 들어서서 서울의 권역이 넓어지고 경제가 호

---

4) 李光洙, 1932, 「나의 하루」, 『東光』.
5) 大谷留五郎, 1932년 11월호, 「京城附近に於ける交通施設の將來」, 『朝鮮鐵道協會會誌』, 67쪽.
6) 염상섭, 1922, 『만세전』, 109쪽, 126~127쪽.
7) 『東亞日報』 1924.11.12.

전되자 승객은 급격히 늘어나서 교통 혼잡의 정도가 날로 심해졌다.

1930년대 중반 이후 서울의 대중교통은 경성전기주식회사가 독점했다. 설상가상으로 1930년대 후반부터 전시체제의 강화로 사회 분위기가 교통시설의 확충을 등한시하게 되자 경성부민들은 미증유의 '交通大亂'을 겪게 되었다. 당시의 신문들은 이러한 상황을 '사바세계의 阿修羅'[8], '교통지옥'[9] 등의 제목으로 연일 보도하였다.

<표 13-1> 경성 전차의 운영 실태 비교(1909년, 1945년)

내역 \ 연도		1909년	1945년	
		하반기	상반기	하반기
서울 인구	(인)	265,249	1,100,000	1,100,000
궤도영업선	(m)	22,160	39,906	39,906
보유차대수	(대)	37	257	257
운행일수	(일)	184	183	182
운행대수 연	(대)	3,864	25,124	12,145
하루 평균	(대)	21	137	68
운전킬로수 연	(m)	462,976	3,991,288	1,566,894
하루 평균	(m)	2,516	21,810	8,927
승차인원 연	(인)	1,298,975	70,022,330	98,186,290
하루 평균	(인)	7,060	482,636	539,485
수입 총계	(원)	64,949.00	6,964,233.00	12,491,057.20
하루 평균	(원)	353.00	38,055.92	68,632.18

* 참고자료: 서울특별시 중구, 1994, 『中區誌』(下), 725쪽.

<표 13-1>을 참조하면서 일제 강점 말기 서울의 교통상황을 좀 더 자세히 살펴보자. 경전은 1945년 상반기에 257대의 전차를 보유하고 하

8) 『東亞日報』 1939.7.1.
9) 『東亞日報』 1939.10.26 ; 『朝鮮日報』 1931.2.6.

루에 48만 3천명의 승객을 실어 날랐다. 전차의 하루 평균 운행 대수가 137대였으므로 1대 평균 3,523명이나 수송했다. 1대가 하루 10회 운행을 한다면 1대 1회 평균 352명 가량을 태운 셈이다. 당시 중형 보기 전차의 승차인원은 50여 명, 대형 보기 전차의 정원은 100명이었으므로 콩나물시루보다 더 빽빽한 전차 속에서 승객들은 날마다 숨을 헐떡여야만 했다. 이러한 '교통대란'이 결국 각종 교통사고를 유발하게 될 것임은 뻔한 이치였다.

서울에서 전차가 운행을 개시한 지 10년째인 1909년에는 하루 평균 21대의 전차가 7천여 명을 실어 날랐다. 이때도 1대가 하루 10회를 운행한다면 1대 1회 평균 34명을 수송한 꼴이다. 30여년 사이에 전차의 수송밀도는 10배 이상 높아졌다. 그만큼 혼잡해졌다는 뜻이다. 1909년 서울의 인구는 26만 5천여 명인데 1939년 상반기에는 110만 명으로 4.2배 증가했다. 반면에 하루 평균 전차 승객은 68배로 증가했다. 궤도영업선의 길이가 22 km에서 40 km정도로 1.8배 늘어난 점을 감안하면 서울의 '교통대란'이 얼마나 심각해졌는가를 알 수 있다.

'교통대란'을 다루는 일제 당국의 대응은 姑息的이었다. 전쟁 수행에 우선권을 두고 있던 일제는 한국인 승객의 편의를 도모하기 위해 궤도의 확장과 차량의 증설에 나설 까닭이 없었다. 경전 武者 專務의 말에 의하면 회사는 전차와 버스를 증차시킬 계획을 가지고 있었지만, 1938년 가을에 공포된 자금조정법에 따른 銅 · 鐵 · 가솔린의 제한 때문에 인가를 받을 수 없었다는 것이다.10) 이에 경전은 기껏해야 전차운행의 횟수를 늘린다는 명목으로 정류장 수를 119개에서 76개로 줄여 전차의 운행 속도를 조금 높고,11) 러시아워에 도심부에 버스를 투입한다는 안을 내놓았다.12)

10)『東亞日報』1939.11.12.

11)『東亞日報』1940.3.27 ; 1940.3.28 ; 1940.4.28 ;『매일신보』1940.3.28 ; 1940.4.28 ;

경성부를 비롯한 일제 당국은 전차승객의 25%에 달하는 학생들 중에서 근거리 통학생은 걸어서 다니도록 장려하고,[13] 매월 7일을 徒步日로 정하여 전차와 버스 안 타기 운동을 전개했다.[14] 더욱 가관인 것은 경전이 손님을 많이 태우기 위해 전차 중간에 승강구가 없는 '뽀-기'차(보기대차라고 부르는 2축 또는 3축을 가진 짧은 대차 2조를 써서 그 위에 차체를 얹은 차) 좌석 한편을 뜯어 없애고 승객을 두 줄로 세워서 운행하는 방안을 도입한 것이었다.[15]

경성부는 교통량이 많은 지역의 도로소통을 편리하게 한다는 명목으로 경전의 기부금을 받아 1942년 2월부터 남대문 지하도 건설에 착수했다.[16] 전시체제였기 때문에 이 지하도는 방공호의 성격을 띠고 있었지만, 서울에서 처음으로 지하공간이 교통로로서 이용되게 되었다는 점에서는 의미가 있었다.

그러나 경전과 일제 당국의 이러한 彌縫策으로 경성의 '교통대란'이 해결될 리가 없었다. 경성부민들은 해방의 그 날까지 전쟁과 共鳴하며 사는 한편으로 지긋지긋한 '교통지옥'에도 시달려야만 했다.

2) 교통사고의 추이

경성부의 교통사고를 時系列에 따라 일목요연하게 정리한 통계표는 아직 찾아내지 못했다. 다만 신문지상에 등장하는 단편적인 통계와 생생한 보도기사 등을 통해 일제하 서울의 교통사고가 대단히 중요한 사회문제

1940.7.30 ; 1940.8.14.
12) 『東亞日報』 1939.9.30.
13) 『매일신보』 1940.6.16 ; 1940.9.5.
14) 『東亞日報』 1940.9.7.
15) 『東亞日報』 1938.12.12.
16) 京田一葉, 1942, 「南大門地下道の竣成を期して」, 『京城彙報』, 25쪽~31쪽.

였음은 충분히 짐작할 수 있다.

신문지상에 보도된 경기도와 경성부의 교통사고 건수를 연도별로 摘記하면 다음과 같다. 1926년은 571건 중에서 경성이 552건으로 경기도의 96.7%를 차지했다. 교통사고의 지역적 분포는 鐘路署 264건, 本町署 96건, 西大門署 37건, 東大門署 83건, 龍山署 72건, 郡部 68건이었다. 피해자별로 보면 한국인 491명, 일본인 105명, 중국인 3명으로, 한국인이 82%였다. 교통수단 별로는 전차 피해자가 242명, 자동차 피해자가 107명이었고, 즉사자 14명, 추후 사망자 17명, 3주일 이상 치료 요망자 55명, 2주일 이상 치료 요망자 44명, 1주일 이상 치료 요망자 145명이었다. 사고 발생 시각은 오후 3~4시가 가장 많아서 57건, 동 4~5시가 56건, 동 6~7시가 50건이었다.[17]

1927년의 경기도내의 교통사고 건수는 자동차 229건, 전차 219건, 자전거 173건, 우마차 43건, 하차 19건, 인력거 4건, 기타 32건으로, 모두 709건이었다. 자동차 사고 사망자는 9명, 부상자는 59명, 전차사고 사망자는 4명, 부상자는 174명, 자전거 사고 부상자는 145명이었다. 이것은 전년에 비해 사망자 1명, 부상자 36명이 증가한 것이었다. 사고가 가장 많이 발생한 달은 꽃놀이와 夜市場 구경이 있는 4월로서 86건이었고, 그 다음이 7월이었다.[18] 모두가 서울 지역에서 일어나기 쉬운 교통사고였다.

1929년에 경기도에서는 모두 1,252건의 교통사고가 발생했는데, 전차 389건, 자동차 587건, 자전거 167건, 기차 35건이었다. 사망자는 전차 9명, 자동차 18명, 마차 2명, 기타 20명으로 모두 49명이었다. 교통사고가 많이 발생한 장소로서는 鐘路三丁目 60명, 鐘路二丁目 56명, 漢江通 68명, 南大門通五丁目 31명, 古市町 50명이었다.[19]

17) 『朝鮮日報』 1927.4.28.
18) 『朝鮮日報』 1928.2.2.

1930년에 경성부에서 발생한 교통사고 건수는 671건이었는데, 즉사 2명, 치료 중 사망자 9명, 3주일 이상 치료자 70명, 微傷者 590명, 물건 파손이 169건이었다. 이러한 수치는 1929년에 비해 575건이 감소하고 인원은 565인이 줄어든 것이었다. 1929년이 더 많았던 이유는 그 해 10월에 개최한 조선박람회 때문이었다. 1931년 이후 경성부의 교통사고는 다시 증가하는 추세를 보였다.[20]

1931년에 경기도 관내에서 발생한 교통사고 건수는 953건으로, 1930년의 837건보다 216건이나 증가했다. 그 중 744건(78%)은 경성에서 발생했다. 교통기관 별로는 전차 183건, 자동차 556건, 자전거 111건, 인력거 1건, 우마차 41건, 하차 11건, 기차 50건이었다.[21]

1936년 전국의 교통사고 건수는 4,076건에 사망 553명, 부상 2,703명이었다. 자동차 사고가 3천여 건으로 70%가 넘었다. 그 중 경기도의 사고 건수는 1,155건으로 사망자는 90명이었다.[22]

<표 13-2> 교통수단별 · 지역별 교통사고의 건수 · 피해 · 내역 일람
(1932년, 조선총독부 경무국 조사)

교통수단	자동차			전차			사설철도			국유철도			계		
피해내역 / 발생지역	건수	사망	부상	건수	사망	부상	건수	사망	부상	건수	사망	부상	건수	사망	부상
경기도	698	34	505	199	2	158	17	1	14	66	24	14	980	61	691
충청북도	53	1	20				9	4	3	16	6	5	78	11	28
충청남도	68	4	37				57	8	3	66	27	9	191	39	49

19) 『朝鮮日報』 1930.1.24.
20) 『朝鮮日報』 1931.10.6.
21) 『東亞日報』 1932.2.6.
22) 『매일신보』, 1937.3.12 ; 1938.5.6.

전라북도	54	6	45							133	18	28	187	24	73
전라남도	428	9	106				77	11	6	54	10	4	559	30	116
경상북도	173	24	104				22	6	2	65	19	19	260	49	123
경상남도	803	14	196	45	3	70				255	20	25	1,103	37	291
황해도	120	5	53				19	9	2	22	9	6	161	21	427
평안남도	306	6	98	46		35	8	1		130	16	13	490	23	346
평안북도	143	11	113							30	18	5	173	29	118
강원도	84	3	64	1		1	3			7	1	5	95	4	70
함경남도	165	4	55				13	2	2	101	28	24	279	34	81
함경북도	62	6	44				2	1		50	16	13	114	23	57
총 계	3,157	127	1,440	291	5	264	227	43	32	995	210	168	4,670	385	1,904

* 참고자료 : 足立正行, 1933, 『朝鮮 滿州 陸運總覽』, 交通評論社, 460~461쪽.

<표 13-2>는 1932년 한 해의 통계이기는 하지만, 경성의 교통사고 실태를 파악하는데 많은 정보를 얻을 수 있다. 특히 교통수단별, 지역별로 나누어 사고 내역을 자세히 집계하여 교통사고의 전모를 분석하는 데 아주 쓸모 있다. 이 표에서 보듯이 1932년 전국의 교통사고 건수는 모두 4,670건이고, 서울이 포함된 경기도가 980건으로 21%를 차지했다. 경기도의 사망자는 61명으로 전국의 16%, 부상자는 691명으로 전국의 36%에 해당했다.

교통사고의 내역을 교통수단 별로 나누어 비교해보면 좀 더 구체적인 사정을 알 수 있다. 전국의 교통사고 건수는 자동차 3,157건, 국유철도 995건, 전차 291건, 사설철도 227건 순이다. 자동차의 보급이 미진함에도 불구하고 사고건수가 많은 것은 차량이나 도로의 상태가 그만큼 불량했다는 것을 의미한다. 철도는 전국에 방대한 노선을 가지고 있었는데도 사고건수가 자동차보다 적은 것은 선로가 대부분 인적이 드문 지역을 통과

하고 승차하의 시설이 일정한 장소에 잘 갖춰진데다가 발착의 시간이 엄격히 준수되었기 때문이다. 단 철도의 경우는 수송능력이 큰 만큼 사고가 발생하면 대형이기 쉬워서 사망사고가 많은 것이 특징이다. 전차는 인구가 조밀한 도회지에서 운행되었으므로 시설의 규모에 비해 사고에 노출되기가 쉬웠다.

경기도의 교통사고 중 대부분이 경성부에서 발생다고 보아도 틀림없다. 특히 대중교통의 대종을 이루었던 전차사고 건수는 경기도가 199건으로 전국의 68%, 그로 인한 부상자수는 158명으로 60%를 차지했다. 전차는 서울에서 운행되었기 때문에 경기도의 전차사고는 곧 서울의 전차사고였다고 볼 수 있다.

서울에서는 전차의 개통 당시부터 사고가 빈발했지만, 궤도가 연장되고 승차인원이 폭발적으로 증가함에 따라 그 폐해는 심각할 정도로 악화되었다. 이에 놀란 신문들은 '日課의 電車事故'[23], '交通施設?－頻頻한 京城電車의 轢人事故'[24], '殺傷機化한 京城電車'[25], '소리내는 사자 電車와 自働車－ 一年間 一道에 死傷 近六百'[26], '전차 또 살인'[27], '교통의 利器냐 脅威냐 사고 많은 京城電車'[28]라는 식의 살벌한 표제 아래 교통사고에 관한 기사를 거의 매일같이 게재하다.

각종 신문기사와 <표 13－2>등에 반영된 교통사고의 내역을 요약하면 다음과 같다. 전국에 대중교통이 보급되고 유동인구가 늘어남에 따라 교통사고의 선수와 피해자수도 급격히 증가했다. 교통사고의 건수는 자

---

23) 『朝鮮日報』 1923.1.30.
24) 『朝鮮日報』 1923.3.9.
25) 『朝鮮日報』 1923.3.9.
26) 『朝鮮日報』 1928.2.2.
27) 『東亜日報』 1923.5.9.
28) 『東亜日報』 1923.5.1.

동차가 가장 많고 철도가 그 다음이었다. 사람이 사망하는 사고는 철도가 가장 많았지만, 자동차도 이에 못지않았다. 전차 사고는 사람의 왕래가 많고 승하차 인원이 집중했던 시내의 중심부에서 자주 발생했다.

그런데 경성부민이 피부로 느끼는 교통사고의 원흉은 이무래도 대중의 '발'로 여겼던 전차였다. 그리하여 1920년대 초부터 이미 '경성의 전차라 하면 사람을 부상케 하고 사람을 죽이는 事故專門'이라는 인식이 서울 시민들에게 뿌리 깊게 자리 잡았다.'[29] 이러한 汚名은 그 후 개선되기는 커녕 더욱 악화되어 1940년에 이르러서도 御用新聞인 『매일신보』조차도 '電車事故의 頻發로 交通地獄化한 鐘路, 警察에서 拔本的 對策을 講究'[30] 라는 식의 기사를 여러 번 싣는 지경이 되었다.

3) 대형 교통사고의 일례-進明女高普의 경우

교통사고의 규모에 대해서는 앞에서 연도별 발생 추세와 그 내역을 설명하면서 이미 언급했기 때문에 새삼스럽게 重言復言할 필요는 없을 것이다. 다만 한 가지 지적해 둘 것은 당시 자동차 등 승차 가용인원이 적었기 때문에 오늘날과 같이 한꺼번에 수 십명이 죽거나 다치는 사고는 별로 없었다는 사실이다. 따라서 일제하의 교통사고는 소규모로 빈번하게 발생하는 추세였다고 할 수 있을 것이다.

그런 가운데서도 서울의 한복판에서 1929년 4월 22일에 발생한 進明女高普 학생 탑승 전차 전복사고는 대단히 충격적인 사건이었다.[31] 이날

29) 『東亞日報』 1923.6.3.
30) 『매일신보』 1940.9.26.
31) 이 사건에 대해 각 신문들은 며칠 동안 大書特筆했기 때문에 그 전모를 잘 알 수 있었다. 이에 대해 가장 정확하게 소개하고 이는 글은 孫禎睦, 「電車의 부설 · 확장 및 철거의 過程」, 서울특별시 중구, 1994, 『中區誌』(下卷), 서울특별시 중구, 730~

아침 진명여고 학생들은 개교 23주년 기념식을 마치고 학교 설립자인 純獻貴妃陵(淸凉里 소재의 永徽園) 참배 겸 꽃놀이를 가기 위해 孝子洞線 종점 '진명여고 앞' 정류장에서 3대의 전세 전차에 분승하였다.

그런데 운전기사 石甲同이 과속으로 몰던 전차가 積善洞 西十字閣에서 급커브를 돌다가 뒤집혀져 120여 명의 학생이 교통사고의 참화를 입게 되었다. 현장은 피바다가 되었으며, 88명의 학생이 京城醫學專門學校 부속병원 등에 입원하였다(<사진 13－1> 참조). 전차사고치고는 엄청난 규모였다. 경전의 사장이 東京에서 來韓하여 사죄하였을 뿐만 아니라, 총독부에서도 사고를 連發하는 경전에 대해 경고문을 보냈다. 각 신문이 이 사고를 연일 大書特筆했음은 물론이었다.

사고의 후유증은 컸다. 사고 후 두 달여가 지난 시점에서도 120여 명의 피해 학생 중에서 입원 중인 학생이 31명, 全快된 학생은 30명에 불과했다.[32] 4학년 崔季淑 학생은 사고로 인한 정신적 · 육체적 충격으로 끝내 숨을 거두었다.[33] 사고 후 4개월이 지난 후에도 학교에 나오지 못하는 학생이 68명, 중태 학생이 20여 명이라는 기사를 보건대 사고의 고통이 오랜 동안 심각했음을 알 수 있다.[34] 위자료 지급 등의 문제가 모두 처리된 것은 사고가 발생한 후 1년 반이 지난 1930년 9월 5일이었다.[35]

당시 여학교는 전국에 10여 개에 불과한데다가, 특수 계층의 자녀가 다니는 경우가 많았다. 진명여고보가 대표적인 예였다. 그렇기 때문에 이번 전차 사고는 또 다른 면에서 서울뿐만 아니라 전국의 화제가 되었다.

732쪽이다.
32) 『매일신보』 1929.6.25.
33) 『매일신보』 1929.8.22.
34) 『매일신보』 1929.8.22.
35) 당초의 위자료 청구액은 15만 원이었으나, 최종 수령액은 1만 6천 원이었다(『東亞日報』 1930.9.7.).

3. 교통사고의 원인

1) 공통 원인

<표 13-3>은 <표 13-2>와 같은 계열의 조사 자료로서, 교통사고의 내역을 교통수단, 사고유형, 피해상황, 사고원인 등으로 나누어 정리한 아주 귀중한 자료이다. 특히 교통사고의 원인을 교통수단, 운전자, 이용자 등으로 나누어 귀책사유까지 아주 자세하게 분류하였기 때문에 교통사고의 전모를 파악하는데 안성맞춤이다. 다만 1932년 한 해 동안 전국에서 발생한 교통사고를 조사한 것이기 때문에 서울의 사정이라고 일반화하여 말하기 어렵겠다. 그렇지만 서울이 교통사고가 빈발한 지역이었기 때문에 전반적 상황을 파악하는 데 매우 많은 도움을 줄 것임에는 틀림없다. <표 13-3>를 바탕으로 하여 먼저 교통사고의 원인을 개관한 다음, 교통수단 별로 교통사고의 실상을 좀 더 자세하게 살펴보도록 하자.

교통사고의 원인을 정확하게 분석해보면 교통사고의 유형, 운전자의 기술이나 직업의식, 승객의 질서의식이나 준법정신 등이 어느 정도 발달되어 있는가를 짐작할 수 있다.

교통수단의 종류를 불문하고 사고 발생의 원인을 보면, 종업원의 과실이 1,577건, 피해자의 부주의가 1,466건, 교통기기의 고장이 143건, 기타가 1,444건이었다. 그중에서 사망사고의 원인을 보면 , 피해자의 부주의가 221건, 종업원의 과실이 99건, 교통기기의 고장이 9건, 기타다 56건이었다. 부상의 경우도 순위는 마찬가지였다.

<표 13-3> 교통사고의 유형 · 피해 · 원인 일람(1932년, 조선총독부 경무국 조사)

교통수단	사고유형		고장			종업원의과실			피해자의부주의			기타			합계		
			건수	사망	부상	건수	사망	부상	건수	사망	부상	건수	사망	부상	건수	사망	부상
자동차	충돌	사람	19	3	15	325	50	310	440	26	409	51	1	49	835	80	783
		각종차량	7		4	220	5	176	162	2	114	54		28	443	7	262
		기타	11		6	75	2	47	18	2	13	21	2	10	125	6	76
	전복		16		16	76	2	76	4		3	5		4	101	2	99
	추락		29	1	18	91	5	98	5		5	12		4	37	6	125
	뛰어타고내림					1		1	23	5	17	1		2	25	5	20
	법규위반	형법				37	9	16	4	2	2	3	2	1	44	13	19
		단속규칙	5		1	592	3	28	39		3	634		1	1.270	3	33
	기타		11			69	2	8	26	3	13	71		2	177	5	23
	합계		98	4	60	1,486	78	700	721	40	579	852	5	101	3.157	127	1.440
전차	충돌	사람				7		6	113	3	120	11	1	10	131	4	136
		각종차량				29		9	74		50	18		9	121		68
		기타				1		1	2		2				3		3
	전복					1		34							1		34
	탈선		4									1			5		
	뛰어타고내림					2		2	16		15				18		17
	법규위반	형법				4		4				1	1		5	1	4
		단속규칙				1									1		
	기타								1		1	5			6		2
	합계		4			45		56	206	3	188	36	2	20	291	5	264
사설철도	충돌					9	4	10	15	8	6	1	1		25	13	16
	전복																
	탈선		4			1						4			9		
	열차방해 또는투석		2						3		1	82		1	87		2
	뛰어타고내림								1		1				1		1
	기타		27		1	3	1	3	26	17	8	49	12	1	105	30	13
	합계		33		1	13	5	13	45	25	16	136	13	2	227	43	32

국유철도	충돌				9	5	11	39	26	14		2		55	33	25
	전복				3	2	1				2		1	5	2	2
	탈선	14		1	4								1	28		2
	열차방해 또는투석	8						21	7	8	243	2	7	272	9	15
	뛰어타고내림				2		2	137	13	45	31	1	4	170	14	51
	기타	26	5	3	12	9	2	297	107	52	130	31	16	465	152	73
	합계	48	5	4	33	16	16	494	153	119	420	36	29	995	210	168
총계		143	9	65	1,577	99	785	1,466	221	902	1,444	56	152	4,670	385	1,904

* **참고자료** : 足立正行, 1933, 『朝鮮滿州陸運總覽』, 交通評論社, 458~460쪽.

그런데 서울에서 발생한 교통사고의 원인을 심층적으로 파악하는 데는, 1932년에 경성의 교통대책을 주제로 내건 현상공모에서 2등으로 뽑힌 大谷留五郎의 논문이 아주 유용하다. 이 논문에 따르면, 경성에서 발생한 교통사고의 원인은 다음과 같았다.

먼저 遠因(간접적 원인)이다.

> ① 인구의 도시집중에 따른 혼잡
> ② 중층건물이 증가하여 협소한 지구대에 많은 인구를 수용하여 생기는 혼잡.
> ③ 아침저녁 같은 시간에 도시의 중앙으로 출입하는 인구의 증가, 곧 러시아워의 출현.
> ④ 속도가 빠른 교통수단의 증가 등.

다음은 近因(직접적 원인)이다.

> ① 도로의 협애, 특히 경성의 도로는 전차, 자동차 등의 교통수단을 예상하고 만든 것이 아니기 때문에 대중교통이 발달하면서 왕래의 혼잡이 극심해졌다.

② 운전종사자의 과실

- 기술상의 결함, 곧 운전조종의 미숙 · 과오.
- 정신적 혼란, 곧 냉철함의 상실
- 환경에 적응하지 못함, 곧 시골 출신의 운전자가 도시의 복잡함에 익숙하지 못함.
- 육체적 · 정신적 과로.
- 경쟁, 곧 교통수단 간의 속도 싸움.

③ 피해자의 부주의

- 좌측통행을 지키지 않고 차도를 걷는다.
- 샛길(옆길)에서 갑자기 튀어나온다.
- 유소년이 가로상에서 논다.
- 급하게 서두른다.
- 철도 · 궤도를 무단으로 통행하거나 침범한다.
- 가로에 장애물을 놓아둔다.

④ 기타

- 기계의 고장
- 전차 선로가 한 쪽에 치우쳐 있다.
- 도로의 곡선이 급하다.
- 언덕이 급경사이다.
- 도로의 요철이 심하다.
- 조명장치가 미흡하다.
- 법규가 정비되어 있지 않다 등.[36]

大谷의 지적은 부연설명이 필요 없을 만큼 자상하고 적확하다고 볼 수 있다. 필자가 앞에서 언급한 것과 거의 일치한다. 다음에는 교통수단별로 나누어 사고의 원인을 좀 더 자세히 알아보자.

---

36) 大谷留五郎, 1932.11, 앞의 논문, 68~69쪽.

2) 자동차 사고

<표 13-3>에 따르면 1932년의 자동차 사고 건수는 모두 3,157이었다. 그중에서 고장은 98건(3%), 종업원의 과실은 1,486건(47%), 피해자의 부주의는 721건(27%)이었다. 종업원의 과실이 압도적으로 많았다.

고장으로 인한 사고 중에서는 추락이 29건(30%)으로 가장 많았고, 그 다음이 사람과의 충돌 19건(19%)이었다. 전복(16건)과 다른 차량과의 충돌(7건)도 무시할 수 없다. 교통수단 자체에 결함이 많았던 셈이다.

종업원의 과실 중에서는 단속규칙 위반이 592건(40%), 사람과의 충돌이 325건(22%), 각종 차량과의 충돌이 220건(15%) 순으로 많았다. 추락(91)건과 전복(76)건도 많은 것으로 보아 종업원의 기술과 주의가 충실하지는 않았던 것 같다.

피해자 부주의에서는 사람과의 충돌이 440건(61%), 각종 차량과의 충돌이 162건(23%)으로 많았다. 그 다음이 단속규칙 위반(39건), 뛰어 타고 내림(23건)이었다. 일반인의 질서와 규율이 제대로 학습되지 않았던 탓도 있었을 것이다.

자동차 사고의 원인과 피해가 1932년까지 해마다 어떻게 변화해왔는가에 대해서는 다행히 <표 13-4>를 통해 정확히 파악할 수 있다. 고장으로 인한 사고는 1923년에 158건이었는데 해마다 큰 폭으로 감소하다가 1929년을 계기로 하여 급증했다. 그 후 감소와 증가를 되풀이했다. 종업원의 과실로 인한 사고는 대체로 큰 폭으로 증가하는 경향을 보였는데, 1927 이후가 특히 그러했다. 피해자의 부주의는 1923년 이래로 점차 증가하였는데 1928년을 경계로 하여 역시 급증했다. 특히 1929년이 교통사고에서 劃期가 된 것은 이해 10월에 조선박람회가 열려 관람 인파가 전국에서 서울로 몰려든데다가, 이를 계기로 하여 교통수단의 보급이 괄목할 만하게 늘어났기 때문이 아닌가 생각한다.

<표 13-4> 자동차 사고의 원인 · 유형 · 피해 상황의 연도별 추세
(1923~1932년, 조선총독부 경무국 조사)

원인 / 피해 / 연도	고장			종업원의과실			피해자의부주의			기타			합계		
	건수	사망	부상	건수	사망	부상	건수	사망	부상	건수	사망	부상	건수	사망	부상
1923	158		39	188	7	146	171	10	135	99	1	25	616	18	345
1924	89	1	49	133	9	153	199	11	172	58	1	26	479	22	400
1925	94		52	161	13	123	157	8	150	124	1	27	536	22	352
1926	116	1	53	210	17	205	225	4	213	59	1	26	610	23	497
1927	99	1	35	492	32	386	309	15	282	300	3	74	1,200	51	777
1928	82		37	656	50	526	447	22	381	246	7	77	1,431	79	1,021
1929	181	3	69	1,037	60	829	707	29	631	407	4	77	2,332	96	1,606
1930	129	4	75	1,252	70	728	642	21	597	811	7	110	2,834	102	1,510
1931	149	6	102	1,288	60	711	772	46	579	834	6	93	3,043	118	1,485
1932	98	4	60	1,486	78	700	721	40	579	852	5	101	3,157	127	1,440

* 참고문헌 : 足立正行, 1933, 『朝鮮滿州陸運總覽』, 交通評論社, 458쪽.

그런데 경성에서 자동차 사고가 빈발한 근본적인 원인은 도로, 가로등, 신호등과 같은 교통기반 시설이 열악했기 때문이었다. 1920년대 말 경성의 도로율은 겨우 7%로서, 선진국 도시의 25~30%에 불과했다. 당시의 신문기사는 이러한 사정을 적나라하게 지적하고 있다.

「所謂 大京城은 無道路 狀態 — 교통 사고 속출도 이 까닭 — 先進都市의 二割에 不過」 市區 改正을 하기 위하여 일천만 원의 십 개년 계속 사업으로 경성의 도로를 만들려고 국고 보조까지 양해되어 경성부에서는 방금 그 설계에 분망하다는 것은 기보한 바와 같거니와 이 시구 개정 계획이 실행된다 하여도 경성의 도로는 다른 도회에 비교하여 말 못되는 현상이라 한다. 현재 경성 시내의 도로는 일간 이상의 도로가 이십만칠천구백사십팔 간으로 면적은 칠십오만사천 평인데 전 경성

면적 일천육십여만 평에 비례하면 겨우 칠 퍼센트에 해당하여 현대 선진도시에서 도시 전 면적의 이 할 오 분 내지 삼 할을 이상으로 심고 계획하는데 비교하여 보면 경성은 인구로 보나 면적으로 보나 외국 도시의 도로 삼분의 일에도 못 되는 현상으로 가위 無道路狀態라 하여도 과언이 아니라 하며 이에 따라 세계 각 도시에 비하여 교통사고도 제일 많다는데 앞으로 대경성계획 즉 지금 동경보다 커진다는 도시계획이 있기 전에는 도회로서의 체면을 유하지 못할 지경이라 한다.37)

위와 같이 불량한 경성의 도로 사정은 1930년대 말에 가서도 별로 개선되지 않았다. 당시 경성의 도로 면적은 9.9%로서, 東京의 15.3%, 名古屋의 22%에 비하면 '샛길' 밖에 되지 않았다. 그리하여 어떤 신문은 다음과 같은 기사를 실었다.

「길 없는 大京城의 悲哀 – 府內의 道路總面積이 全區域의 九分에 不過, 防空과 防火, 風致上 一大支障, 理想面積은 三割程度」 지난번 경성서 개최된 都市問題會議에 서 都市區域의 도로 面積은 전구역 면적의 약 三할을 요할 것이란 試案이 제시된 바 있어 그 뒤 京城府에서는 부내의 현 도로시설을 조상에 올려놓고 검토하는 중에 있다. 도로 면적의 三할로는 도시건설의 街路網 결정에 있어서 종래 交通에만 치중하던 바를 시정하여 電車, 버스 승객의 편리, 公園, 小學校급 公設市場의 배치, 방화상의 水道幹線, 消火栓, 貯水槽 등 都市施設上 긴요한 제요소를 병합 고려할 것이란 입장에서 논의되고 있는 바 현재 경성부내 도로 면적의 비례를 살펴본다면 "길" 없는 대경성을 이루고 있는 현상에 있다는 것이다. (중략) 현재 道路面積)은 三, 四八로서 純都市區域–舊府城 三五, 三에 비례하면 현재 경성의 도로 면적이란 결국 九, 九% 즉 전면적의 九부 九리에 해당할 뿐 아니라 이를 다시 東京都市區域 一五, 三% 一割 五分 三厘, 名古屋의 二할 二부에 비하면 경성의

37) 『東亞日報』 1928.10.2.

幹線道路라는 것도 동경, 명고옥의 "샛길"밖에 되지 않는 셈이다. 이리하여 도로확장은 대경성 건설에 있어서 무엇보다 필요를 느끼고 있으나 예산 관계로 一시에는 理想案을 실현할 수 없는 형편이고 현재 부로서도 경성 시가지 계획에 의하여 도로확장 공사를 시행하고 있으나 기정 계획대로 완성을 본다하더라도 도로 면적은 전면적의 一할 二부를 벗어나지 못할 것이어서 부 도시계획과에서는 여기에 대한 대책을 강구 중에 있다 한다.[38)]

도로면적의 협소와 도로설비의 불량이 교통사고와 교통체증의 원인이라고 주장하는 것은 오늘날에도 낯익은 논리이다. 그런데 일제하의 경성은 오늘날에는 상상할 수 없을 만큼 도로사정이 열악했다. 대부분의 도로가 비좁고 비포장인 채였다. 특히 異民族의 지배하에 있었기 때문에 한국인이 많이 거주하는 지역의 도로는 일본인 집단 거류지보다 더욱 열악하였다.

자동차 사고의 빈발 지역 중에서 한국인 거리가 많고, 또 그 피해자의 대부분이 한국인이었던 까닭은 해당 지역의 교통기반시설이 불량한 데서 연유하는 바가 컸다. 신문기사는 그러한 사정을 이렇게 보도했다.

「交通 적은 龍山에 注力, 義州通 道路는 放置 – 교통량 적은 용산도로 개수만 급급, 행인 많은 의주통은 치지 도외한다. – 府協議會에 一波瀾」 경성부 협의회 제4일은 27일 오후 2시부터 경성 부청 회의실에서 개최 벽두 任興淳씨가 자기 비용으로 조사한 義州通 道路交通量을 제시하여 의주통은 龍山 漢江通보다 더욱 혼잡하여 도로를 개수할 필요가 몇 배나 간절한데 부청에서는 한강통 개수비 2만원만 계상하고 의주통을 버려둠은 어떤 까닭이냐고 남북의 차별을 암시하여 질문하였더니 岩城 토목과장은 내버려둠은 아니나 예산관계이라고 재정에 핑계하였다. 임의원은 부에 성의만 있으면 매년 조금씩이라도 예

38)『東亞日報』1938.11.2.

산을 계상하여 계속공사로 할 수도 있지 않으냐고 추궁, 李升雨씨가 재차 이 문제에 대하여 질문함에 암성 과장은 서대문 경찰서로 石橋까지 30만원이 필요하나 국부적 공사는 하는 중이라고 답변, 韓萬熙씨는 살인도로라고 하는 淸溪川 양편 도로 개수를 부르짖어 關水부윤 등과 현장 시찰을 약속할 새 金思演, 임홍순씨 등이 緩急論을 제출하여 잠시 언쟁, 曺秉相씨는 남대문 소학교 앞 도로를 급하지도 않은데 2만원씩이나 들여 개수할 필요가 무어냐고 질문, 암성 토목과장은 이 길은 총공비를 국비로 하는 것이라고 책임을 전가하였다. 成松錄씨, 竹內씨 등으로부터 토목비, 국고 보조, 기타에 대한 질문이 있었는데 의주통 도로, 청계천 도로 문제로 상당한 파란이 있었다.[39]

그 밖에 자동차 사고를 유발하는 원인으로서는 가로등이 제대로 설치되어 있지 않은데다가 교통수단조차 불을 밝히지 않고 통행했기 때문이었다. 아래와 같은 신문기사가 이러한 상황을 증명한다.

「龍山 交通事故」 용산경찰서에서는 지난 이십구일 오후 칠시부터 구시까지 두시간 동안에 관내 교통사고를 조사한 바, 등불을 켜지 않은 것이 一九七, 표등에 불을 안 켠 것이 八, 허가 없이 도로를 사용한 것이 六, 좌측통행을 위반 한 것이 二三四, 기타 七五, 합하면 五百二十件에 달한다더라.[40]

「西署 管內에 外燈 架設願」 시내 서대문서에서는 관내 각처에 外燈이 없는 관계상 밤이면 黑暗천지로 사면을 분간할 수가 없는 터이므로 교통의 불완전이 적지 아니하다 하여 동 서장의 명의로 관내 23일에 外燈設置願을 경성부에 제출하였다 한다. 금 23일 그를 접수한 경성부에서는 그 청원에 의하여 외등 설치할 개소를 조사한 후 좋도록 시설하리라 한다. 외등 설치를 요구한 곳은 ◇ 貞洞 8 ◇ 松月洞 28 ◇ 竹

39) 『東亞日報』 1930.3.29.
40) 『東亞日報』 1927.12.2.

添町 2丁目 4街 ◇ 同 185 ◇ 舘洞 98 ◇ 同 40 ◇ 沓村洞 61 ◇ 義州通 1丁目 177 ◇ 西小門町 16 ◇ 和泉町 38 ◇ 同 47 ◇ 同 154 ◇ 峆洞 9 ◇ 同 33 ◇ ■ ◇ 同 82 ◇ 同 103 ◇ 124 ◇ 中棒洞 315 ◇ 同 199 ◇ 蓬萊町 4丁目 295 ◇ 同 296 등의 앞길가로 등 23개소가 일제히 외등이 설치되는 때에는 오늘날까지 암흑하던 서부 일대는 적이 광명천지가 되리라 한다.[41]

서울의 일반 가정에도 전기가 제대로 보급되지 않았던 시기였으므로 가로등이 설치되지 않은 사정은 능히 짐작할 수 있다. 오늘날의 서울에서는 제기되기 어려운 민원이라 볼 수 있다.

3) 전차 사고

<표 13-3>에서 보듯이 전차 사고의 총 건수는 291건이었다. 그 원인 중에서 피해자의 부주의가 206건(71%), 종업원의 과실이 45건(16%), 고장은 4건(1%)였다. 자동차와는 달리 피해자의 부주의가 압도적으로 많은 것이 특징이다. 사망과 부상 모두 피해자의 부주의가 가장 큰 원인이라는 것이다.

고장에서의 원인은 모두 탈선이었다. 종업원의 과실 중에서는 각종 차량과의 충돌이 29건(64%)로 발군이었다. 그 다음이 사람과의 충돌, 법규위반이었다. 피해자의 부주의에서는 사람과의 충돌이 113건(55%), 가종 차량과의 충돌이 74건(36%), 뛰어 타고 내림이 16건(8%) 순으로 많았다.

그러면 전차 사고의 원인으로 <표 13-3>에서 가장 많이 꼽고 있는 피해자의 부주의에는 어떠한 것이 있는가? 1920년대 초의 신문기사는 당시 빈번하게 발생한 전차 사고의 대부분이 피해자가 전차와 부딪쳐 상처를 입

41) 『東亞日報』 1931.5.24.

거나 뛰어내리다가 넘어져서 부상을 입는 것이라고 진단하였다.[42]

그렇지만 우리가 지나쳐서 안 될 것은 당시에는 교통안전 시설이 거의 갖추어져 있지 않았다는 사실이다. 교통사고의 예방을 촉구하는 기사 중에 횡단보도, 신호등, 차선 또는 안전선을 지키라든지 경고음을 잘 듣고 행동하라는 내용이 전혀 없는 것으로 보아, 전차선로 주변에 교통안전 장치가 전혀 마련되어 있지 않았음을 짐작할 수 있다. 신문에는 실제로 '電車路를 過하다 다리를 중상'[43], '荷車와 電車 충돌'[44], '頻繁한 電車事故, 마음놓고 다닐 수 없는 京城市街, 운전수의 훈련이 부족한 소치'[45], '電車正面충돌, 한 채는 탈선되어'[46] 등의 기사가 한 달에도 몇 차례나 실렸다.

<표 13-3>의 통계는 전차 사고의 원인으로 피해자의 부주의를 가장 많이 꼽았지만, 경성부민들이 느끼는 주요원인은 오히려 停電 · 故障 · 脫線 등 전차 설비의 미비, 운영의 결함 등에 관련된 것들이었다. 1920년대 초의 신문기사에는 京電이 영리 추구에 급급하여 차량증가와 시설정비를 게을리함으로써 승객의 무리한 승하차나 운전수의 過失을 조장하고 있다는 사실을 다음과 같이 지적하고 있다.

> 회사측의 결점을 이제 들어 말할진대 첫째, 운전하는 차량 수효가 적은 것이니 운전하는 차량 수효가 많아서 기다리는 시간이 적을 것 같으면 승객들이 그다지 급히 서둘러서 타려고 할 것이 아니며 그에 따라서 시간의 경제가 과연 얼마나 될 것인가. 지금 현상으로 보면 한 번 바꾸어 타면 족하여도 5,6분 내지 10여 분을 기다리는 까닭에 조금만 급한 일이 있으면 뒤를 기다리는 시간을 생각하는 까닭에 갑자기

42) 『朝鮮日報』 1921.9.10.
43) 『朝鮮日報』 1923.5.3.
44) 『朝鮮日報』 1923.6.3.
45) 『朝鮮日報』 1923.5.8.
46) 『朝鮮日報』 1923.5.13.

서두르다가 실수하는 일이 적지 아니하며 …… 그리고 요사이 운행하는 전차를 볼 것 같으면 10여 년씩 운전을 하여 이제는 그만 아주 폐물이 되어서 기계는 어떻게 지탱하겠으나 차체로부터 운전대는 거의 무너지게 되어 승객의 수효는 불과 30여명 밖에 못 탈 것을 그것도 운전하는 電車輛數의 하나를 계산하니 더욱이 차량의 부족함을 感할 것이다. 그리고 어떠한 때에는 앞에 불도 꺼진 것을 가지고 그대로 진행할 때가 있으니 그와 같은 때는 위험하기 짝이 없다. 정전이 될 것 같으면 아무리 他力으로 얼마간 더 갈 힘이 있다고 하더라도 정거를 하고 불이 들어오기를 기다릴 것이다. 그리고 또 한가지 말할 것이면 조선에서는 우측통행을 하는 까닭에 전차도 또한 우측통행을 하지만은 그것을 고치어 반대로 전차반대측 통행을 할 것 같으면 사람과 서로 반대가 되어 항상 서로 마주보고 진행을 하게 될 것이다.[47]

「事故의 頻發은 電車가 낡은 까닭, 실상의 과실보다 기계가 낡아서 죄에 빠지는 원한, 京城電車乘務員 手記(三)」 아침에서 밤까지 서서만 지내는 승무원들의 고통–누구에게 하소를 하겠습니까. 다만 신세 한탄만 하는 것이올시다. 차장은 돈 때문에 욕을 보는 반면에 운전수는 사고 때문에 경찰서 출입이 잣습니다. 그것도 자기의 부주의로 사람이 치었다하면 호소 무처이겠으나 요사이 시내로 다니는 전차의 반수 이상은 헌 전차이라. "브레이크"가 완전치 못한 관계상 급히 정거가 자유롭지 못하여 사람이 상할 때가 많으니– 그러한 때에도 욕보는 사람은 가엾은 운전수들뿐이올시다.[48]

실제로 전차가 정전 · 탈선 · 고장으로 사고를 일으키는 것은 다반사였다. 이런 사고로 인한 전차 운행의 차질은 짧게는 5분 길게는 2~3일까지 미쳤다. 그리하여 '朝夕으로 大停電 한번에 네시간씩'[49], '電車에 故障, 약

---

47) 『朝鮮日報』 1921.9.11.
48) 『朝鮮日報』 1925.2.1.
49) 『東亞日報』 1920.4.21.

1시간 동안 교통이 막히어'[50], '電車脫線 頻繁'[51] 등의 기사가 결코 낯설지 않았다.

4) 철도 사고

철도 사고는 영업선 연장의 확장과 정비례하여 증가하는 경향을 보였다. 이것은 일제 당국도 심히 걱정하는 바였다. 신문기사에 따르면, 1906년부터 1933년까지 철도 사고로 인한 사망자는 4,217명, 부상자는 3,736명이었다. 철도망이 확장되고, 철도에 대한 지식과 이해가 확산되는 것과 비례하여 사고 피해도 대폭 늘어나는 경향이었다. 1906년에 사망자 47명, 부상자 35명이었는데, 1915년에 사망자 104명, 부상자 102명, 1924년에 사망자 157명, 부상자 156명, 1933년에 사망자 314명, 부상자 236명으로, 10년마다 두 배 가량 늘어났다.[52]

---

50) 『東亞日報』 1920.5.25.

51) 『東亞日報』 1920.7.2.

52) 철도사고의 증가 추세는 다음과 같은 신문기사를 통해 잘 알 수 있다.
「鐵道普及에 正比例 犧牲者 年復年增加」 조선철도의 대동맥이 되는 경부선(京釜線)이 노인지 삼십일년, 그 동안 철도가 실어다 준 신문명, 신문화의 발전은 실로 눈부신 바가 있으나 그 반면에는 기계문명이 가져온 비극과 참극도 또한 많아서 철도사고로 말미암아 비명에 슬퍼진 가여운 넋이 오천명에 가깝다. 철도국에서는 이들 가엽게 놀란 혼을 위로하고 그 명복(冥福)을 빌기 위하여 전조선 여섯군데 운수사무소(運輸事務所)를 시켜 불식(佛式)의 시식(施食)을 하여왔는데 금년에 이르러서는 철도 본국에서 이를 전조선의 사고낙명여자(事故落命者)를 도통으로 재(齋)지내주자는 의견이 돌아오는 양춘가절을 기하여 시행하게 될 모양이다. 이제 사고로 인한 사상자의 연대별을 보면 지난 명치 삼십구년(1906년－필자 주)부터 소화팔년도(1933년－필자 주) 말까지의 수효 총계가 사망자 사천이백십칠명, 부상자 삼천칠백삼십육명으로 사상총계가 칠천구백오십삼명인데 철도가 보급됨에 따라 이에 대한 이해와 지식이 일반적으로 보급되는 것도 사실이나 사고의 건수는 이상하게도 이와 정비례하여 사고는 해마다 늘어가고 있다. 즉 명치 삼십구년에는 사자가 사십칠명이고 부상자가 삼십오명밖에 아니 되던 것이 그후 십년만인 대정 사년(1915년－필자 주)에는 사망자가 일백사명 부상자가 일백이명이어서 사상총계 이

<표 13-3>에 의하면 국유철도의 사고는 모두 995건이었다. 그 원인 중에서 피해자의 부주의가 494건(50%), 고장이 48건(5%), 종업원의 과실이 33건(3%)였다. 여기에서도 피해자의 부주의가 발군의 원인이었다. 사설철도의 사고는 모두 227건인데 피해자의 부주의가 45건, 고장이 33건, 종업원의 과실이 13건이었다. 종업원의 과실이 비교적 적은 것은 철도종사원은 체계적인 교육을 통해 양성되었기 때문인 것으로 추측된다.

국유철도의 고장(26건) 중에서는 탈선이 14건(29%), 열차 방해 또는 투석이 8건(17%)이었다. 열차 방해 또는 투석으로 인해 철도가 이렇게 자주 고장을 일으켰다는 것은 철도부설 당시 치열하게 전개되었던 한국인들의 反鐵道 항일투쟁이 식민지 치하에서도 연면히 계승되고 있었다는 측면에서 대단히 주목할 만한 사실이라고 할 수 있다.[53]

국유철도 종업원의 과실(33건)에서는 충돌이 9건, 탈선이 4건, 전복이 3건이었다.

국유철도 피해자의 부주의(494건)에서는 뛰어 타고 내림이 137건, 충돌이 39건, 열차 방해 또는 투석이 21건이었다. 뛰어서 승하차하는 것은 전차에서도 높은 비율을 차지한 사고 원인이었다. 피해자의 부주의에서도 열차 방해 또는 투석이 꽤 높은 빈도로 발생하고 있음을 주목할 필요

백오명으로 갑절식의 증가를 보였고 또 그후 십년인 대정 십삼년(1924년-필자 주) 에는 사망자 일백오십칠명이고 부상자가 일백오십육명이어서 사상총계 삼백십삼명으로 십년전보다 약 오할 가량의 증가를 도 보였으며 또 그후 십년만인 소화팔년에는 사망자 삼백십사인 부상자 이백삼십육명이어서 사상총계 오백오십명으로 십년전보다 역시 오할의 놀라운 증가를 보였고 소화 구년도(1934년-필자 주)에는 사월부터 구월까지의 상반기(上半期)의 통계만도 사망자 일백육십육명 부상자 일백십이인의 번거러운 숫자를 나타내었다(『朝鮮日報』 1935.2.15).

53) 철도부설 당시에 한국인들이 전개한 反鐵道 항일투쟁과 이에 대한 일본군의 탄압에 대해서는 정재정, 1998, 『일제침략과 한국철도 (1892~1945)』, 서울대학교 출판부, 169쪽~370쪽을 참조할 것.

가 있다. 일제에 저항하다가 사고에 휩쓸리게 되는 안타까운 일이 실제로 벌어졌던 것이다.

사설철도의 고장 33건 중에는 탈선이 4건, 열차 방해 또는 투석 2건이 들어있다. 종업원의 과실 13건 중의 대부분은 충돌이다. 피해자의 부주의 45건 중에서는 충돌 15건, 열차 방해 또는 투석이 3건 들어있다. 열차 방해와 투석은 사설철도에서도 주목할 만한 현상이다.

그런데 1930년 전후의 한 신문기사는 경성 일원에서 발생한 철도 사고의 내역과 원인을 아래와 같이 보도하고 있다.

> 「경성-철원간 기관차 同乘記 (3)-月江生」……그 동안 경성운수사무소 관내의 열차 방해 선로 장애 및 사상사고의 비교건수를 조사 발표한 바에 의하면 다음과 같다. 열차에 돌을 던진 것, 궤도 위에 돌을 둔 것, 기타의 열차 방해가 작년(1931년-필자 註)에는 59건으로서 소화 4년도(1929년-필자 주)는 85건이요, 소화 5년도는 78건이다. 이와 같이 해마다 줄어가는 현상이다. 선로 장애는 대개 우마차를 선로에 두는 것, 자동차나 우마차의 길목을 횡단한 것, 선로 안으로 통행하는 것 등 일체를 한 묶음으로 소화 4년은 183건이던 것이 5년에는 165건이요, 작년에는 166건으로 늘었다. 열차에 뛰어 들어가 자살한 건수가 4년에는 17인, 5년에는 14인이요, 작년에는 21인이다. 그밖에 사상건수는 4년이 109건, 5년이 80건, 작년이 105건이다. 또 특히 금년(1932년-필자 주) 9월 17일부터 5일간 철도 선로를 통행하는 사람 수를 총동원하여 조사한 결과 다음과 같이 경인선이 제일 많다.
>
> 경인선 5,120인, 마차 7
> 京城新■間 1,362인, 마차 25
> 용산선 2,009인
> 경원선 2,732인, 마차 24
> 함경선(新北靑까지와 其他線) 2,359인, 마차 102 [54]

이 기사의 내용도 <표 13-3>의 내역을 뒷받침한다고 볼 수 있다. 다만 열차에 뛰어들어 자살한 사람이 20여 명이나 된 것은 충격적인 사실이다.

그런데 피해자의 부주의가 원인이 된 철도 사고에는 선로를 베고 자다 치여 죽은 사건도 가끔 섞여 있어서 사람들을 안타깝게 만들었다. 예를 들면 이러한 경우도 있었다.

> 「線路를 베고 자다-또 轢死-沿江 豆毛里 압서」 19일 오후 9시 30분경에 西氷庫를 떠나 왕십리로 향하든 京元線의 뎨 5백 80호 臨時列車가 豆毛里 交叉點에 다다럿슬 즈음에 술이 폭취하야 선로를 벼개삼고 잠을 자고 잇든 高揚郡 漢芝面 水鐵里 94번지 金哲植(42)을 轢殺하야 현장에는 선혈이 림리한 처참한 광경을 이루엇섯다 더라.[55]

경성에서는 여름의 무더위에 지친 사람들이 시원한 철로 선로를 베개삼아 베고 누웠다가 참변을 당하는 사건이 가끔 발생했다. 위의 사건은 서늘한 10월 하순에 발생했기 때문에 취객의 실수임에 틀림없다.

3. 경성부민의 교통개선 요구와 단체 행동

1) 교통시설의 확충 요구

경성부민들은 때때로 京電과 총독부 당국에 대해 지옥과 같은 교통대란과 빈번한 교통사고 문제를 해결해 줄 것을 강력히 요구했다. 경성부민

54) 『東亞日報』 1932.10.30.
55) 『朝鮮日報』 1929.10.23.

들이 방안으로 제시한 것은 주로 차량의 증대와 종업원의 자질향상, 그리고 노선의 확충과 도로의 정비 등이었다. 신문지상에는 이미 1920년대 초부터 노후한 차량을 교체하고 신차량을 늘려주길 요구하는 기사가 자주 등장했다.

> 회사측의 결점을 이제 들어 말할진대 첫째, 운전하는 차량 수효가 적은 것이니 운전하는 차량 수효가 많아서 기다리는 시간이 적을 것 같으면 승객들이 그다지 급히 서둘러서 타려고 할 것이 아니며 그에 따라서 시간의 경제가 과연 얼마나 될 것인가. 지금 현상으로 보면 한 번 바꾸어 타면 족하여도 5,6분 내지 10여분을 기다리는 까닭에 조금만 급한 일이 있으면 뒤를 기다리는 시간을 생각하는 까닭에 갑자기 서두르다가 실수하는 일이 적지 아니하며……그리고 요사이 운행하는 전차를 볼 것 같으면 10여년씩 운전을 하여 이제는 그만 아주 폐물이 되어서 기계는 어떻게 지탱하겠으나 차체로부터 운전대는 거의 무너지게 되어 승객의 수효는 불과 30여명 밖에 못 탈 것을 그것도 운전하는 전차량수의 하나를 계산하니 더욱이 차량의 부족함을 感할 것이다. 그리고 어떠한 때에는 앞에 불도 꺼진 것을 가지고 그대로 진행할 때가 있으니 그와 같은 때는 위험하기 짝이 없다.[56)]

차량과 노선의 절대 부족에 대한 경성부민들의 분노는 府內 인구가 100만명을 돌파한 1930년대 후반에는 폭발 직전에 다다랐다. 大京城이 해결해야 할 긴급한 당면 문제의 하나로 전차와 버스의 滿員 완화가 浮上한 것이다. 그리하여 京城府會 議員들은 이에 대한 조사위원회를 만들어 경전에 대해 다음과 같은 요구사항을 제시했다.

---

56)『朝鮮日報』1921.9.11.

① 車線增價
② 從業員增加及待遇改善
③ 新線開設
④ 運轉系統의 再檢討
⑤ 러시아워에 全力發揮
⑥ 從業員의 철저한 訓練[57]

경전은 위와 같은 요구에 대해 여러 가지 대응책을 제시했지만, 전시체제의 통제경제 아래에서 근본적인 해결책을 마련할 수는 없었다. 그리하여 경성부회는 전차버스문제대책실행위원회를 구성하여 경전에 대해 다시 아래와 같이 요구했다.

一. 전차대수를 증가할 것.
一. 전차의 부족은 버스를 가지고 보충할 것.
一. 연락버스의 영업시간을 선자와 마찬가지로 연장할 것.
一. 속력의 개선을 도모할 것.
一. 오전 1시에 버스를 1회 운전할 것.
一. 급행버스 이외에 전차와 병행버스를 운전할 것.
一. 학생의 전차할인권은 앞으로도 폐지하지 말 것.
一. 급행버스에 승환을 인정하고 요금을 5전 균일로 할 것.
一. 러슈아워－에만 운전할 것이 아니라 급행버스를 종일 운전할 것.
一. 교통질서의 함양과 향상에 노력할 것.
一. 新線으로서 전차는 혜화정－돈화선, 한상교 영등포선, 왕십리

57) 『東亞日報』 1939.9.30. 각 항목에 대한 부연 설명을 하면 다음과 같다. ① 현존 車臺의 최대 한도 사용, 물자 배급 한도내에서의 신차 증설, ② 현 종업원 1,300명 중 전업자 많아 승무원 부족, 대우 불량으로 취직 2년 미만에 퇴직자 속출, ③ 주요 선로에 버스와 병행 운전, 신시가 지대에 新線 개설, ④ 남대문통에 3,4대씩 연거푸 통과하면서 종로, 광화문통에는 차대수가 적어 혼잡 야기, ⑤ 하루 승객 연인원 35만명 중 7만명은 출근시간 전후, 교통사고의 화근, ⑥ 승무원의 불친절과 차내의 불결, 기술과 정신 훈련 철저.

> 성동중학선을 실현하고, 버스는 신당정 삼각지선, 원정 마포선, 돈암선 신설정선을 시급히 실현할 것.[58]

당시는 노량진 · 영등포 · 신설동 등이 신시가지로 편입된 상태였기 때문에 도심으로 출입하는 유동인구가 큰 폭으로 증가하고 있었다. 그리하여 이 지역의 주민들의 여론은 더욱 거세었다.[59] 아무리 어용적 성격이 강했더라도 경성부의회는 이들의 여론을 무시할 수는 없었던 것이다.

경성부민의 요구에는 민족적 갈등도 숨어 있었다. 한국인이 많이 거주하고 있던 지역의 불평불만이 더욱 강렬했던 것이다. 예를 들면 영천 일대의 주민들은 다음과 같은 행동을 보였던 것이다.

> (電車配定을 均衡하고 夜間運轉을 延長하라 – 出勤時間엔 車 不足으로 殺風景 – 西部 京城府民의 不平聲) 칠십만 부민이 가장 많이 이용하는 장안의 대중적 교통기관인 京電 전차와 버스의 配車가 불균형, 혹은 부족하여 요새 같으면 아직도 바람끝이 찬 정류장에 남녀노소가 심하면 오분, 더 심하면 십분씩 차 오기를 고대하게 될 뿐 아니라 아침 일분 일초의 시각을 다투는 학생, 혹은 봉직자들이 전차와 버스가 늦어 지각을 하게 하는 수가 곧잘 있다하여 작금 경전에 대한 비난이 자자하던 바 이십오일 드디어 부민의 고조된 불평 불만이 장안 일각에서 폭발되고 말았다. 이십오일 서대문서에 들어온 靈泉 일대 십만 서부 부민의 총의를 대표하였다 하여도 과언이 아닌 경찰당국의 보고서에 의하면 영천일대의 주민의 대부분은 매일 아침 都心線 지대로 출근하는 회사원 혹은 학생들의 절대 다수를 점령하였는데 경전에서는 아침 전차의 배차가 다른 선에 비하여 부족, 혹은 불균형할 뿐 아니라 설상가상으로 배차하는 것조차 승객이 많이 탈 수 없는 구식차를 배차하여 출근시간만 되면 戰時狀態 같은 살풍경을 이루게 하고, 혹은 출

58) 『東亞日報』 1939.12.23.
59) 『東亞日報』 1940.1.20 ; 1940.1.27.

근시간을 늦게 한다하여 영천선을 이용하는 주민들의 경전에 대한 불평을 많이 만만한 것이다. 그리하여 일부 주민 중에는 방금 주민대회를 열고 아침 출근시간 때의 전차배차를 윤택하게 하여 달라는 것을 결의할 형세이라는데 이와 동시에 밤늦게 일을 하고 돌아오는 부근 주민들을 위하여 요새 전차 운전을 밤 十一시 三十분이면 거두어 가는 것을 연장 운전하여 달라는 것까지 진정할 터이라는데 경전측에서 성의 있는 태도를 기대한다고 한다.[60]

위와 같은 불평불만은 동대문 以東의 지역에서도 고조되고 있었다.[61] 그 전에도 경성부는 도로를 개수하는데 수익자 부담의 원칙을 내세워 한국인들의 반발을 산 적이 있었다. 즉 경성부가 市區改定事業을 추진하면서 공사비의 반을 연변 주민에게 부담시키려 하자, 한국인들은 이러한 방침이 餘裕綽綽한 일본인을 北村으로까지 확장시키고 氣盡力盡한 한국인을 시외로 驅逐하려는 음모라고 반발했던 것이다.[62]

2) 교외선 철폐 저지 운동

경성부민들이 京電과 일제 당국을 상대로 전개한 訴請運動 중에서 성공을 거둔 사례로서는 교외선 철폐 저지를 들 수 있다.

교외선 철폐란 市外인 청량리 · 왕십리 · 마포의 각 도로를 改修하고 鋪裝하는 공사가 1933년 봄에 시공되는 것을 기회로 京電이 새 도로의 전차선을 폐지하고 그 대신 버스를 운전한다는 계획이었다. 이에 대해 해당 지역의 주민들은 오래전부터 도시발전을 沮害하고 대중생활을 위협하는 처사라고 맹렬한 반대운동을 전개했다.[63] 청량리선 · 마포선 · 왕십리선

60)『東亞日報』1939.2.2.
61)『東亞日報』1939.2.2.
62)『東亞日報』1925.6.2.

연선의 주민들은 연일 주민대회를 개최하고 위원을 뽑아 주민의 서명 · 날인을 받아 진정서를 작성하여 경성부청 · 경전 · 체신국 · 철도국 · 경기도청 · 신문사 등을 歷訪하면서 자신들의 주장을 전파했다. 그리고 각 지역운동의 연대를 모색했다.64) 지역에 따라 약간의 차이는 있었지만, 그들이 주장했던 교외선 철폐 반대 이유를 청량리를 예로 들어 제시하면 다음과 같았다.

① 전차는 안전하며 발착이 확실하지만 버스는 위험이 많고 발착이 또한 전차보다 확실하지 못한 것.
② 버스는 신체가 약한 이나 또는 부녀는 승차하기가 불편한 것.
③ 다소간이라도 부피가 있는 짐을 휴대한 농촌사람 등은 전차를 탈 수 있는 있지만 버스로는 극히 불편한 것.
④ 통근하는 관공리, 회사원, 통학생과 기차여객이며 경성의 각 시장에 왕래하는 전차승객이 극히 많은 특수 지역에 있는 청량리 주민은 버스만의 교통기관으로는 만족할 수 없는 것,
⑤ 청량리의 삼림지대는 경성부민의 보건상, 휴양상 극히 필요한 산적지로서 이에 이해가 많은 단체를 안전하게 지체없이 운수하는 것은 전차가 가장 적당하며 버스만으로는 사실상 불가능한 것.
⑥ 전차 철폐는 동부지방의 발전을 저해하는 결과를 낳는 것.
⑦ 경전측은 채산상 교외 전차를 부득이 철폐한다고 하지만 청량리선에는 이유가 되지 않는 것.

---

63) 『朝鮮日報』 1932.11.25. 이 기사는 교외 주민들이 자신의 지역을 이렇게 인식하고 있었음을 보여 주고 있다.
"대 경성은 지형으로 보아 산성에 둘러 박힌 것이 좀더 자유로운 팽창을 하기에는 어려운 조건도 된 것이나 이미 성내에 차고 남은 인구는 부득이 시외로 넘쳐흐르지 않을 수 없었다. 즉 근래에 급속도로 발전되어 가고 있는 시외를 보라. 서편으로 麻浦, 東幕, 阿峴, 新村 등지며 동으로 동대문 일대 清涼里 방면이며 光熙門 밖 新堂里며 往十里 일대며 그 외에도 西氷庫, 城北洞 등지야말로 대 경성의 장래 발전 여하를 결정지을 대경성의 배양지가 되어 있는 것이다."

64) 『朝鮮日報』 1932.11.28.

⑧ 장래 청량리가 발휘해야 할 지리적 사명의 수행상 이곳을 중심으로 한 교통기관의 완비는 극히 필요한 것.
⑨ 현재 전차의 불완전한 설비 제도를 속히 개선을 요하는 것.[65]

위에 든 사항들은 직 · 간접으로 교통사고와 관련된 것들이었다. 예를 들면 京城帝大 豫科部長 戒能은 그 관련성을 이렇게 말했다.

> 시외선은 그 승객이 대부분 농촌사람이라 다소의 짐을 가지게 되므로 전차로는 능히 왕래할 수 있으나 『버스』로는 이것이 전연 불가능하다. 『버스』를 대용할 때는 도로의 鋪裝을 한다하나 그것은 발달된 도시의 도로 같으면 모르나 청량리선과 같이 牛馬車가 수 없이 다니는 도로에는 결코 舖道를 보호, 지속할 수 없고 또 교통사고가 많이 일어날 것이므로 이는 위험천만한 일이다.[66]

그런데 교외선 전차 철폐는 당연히 민족에 따라 이해관계가 달랐다. 교외에 거주하는 사람들의 대다수가 한국인이었기 때문에 그것은 한국인에게 더 많은 불편을 초래하게 마련이었다. 그뿐만 아니라 시내의 한국인 상권을 약화시킬 위험성도 컸다. 和信百貨店 李 營業課長은 이렇게 말했다.

> 교외선 철폐 문제는 직접 간접으로 종로상계에 영향이 적지 않은 문제입니다. 그것은 시외와 시내라는 사이에 없는 성벽을 쌓는 것과 마찬가지의 결과를 지어 시외의 손님이 시내로 들어오지 못하므로 종로일대만 말할 것이 아니라 시외와 가까운 시내 상인들에게는 더욱 큰 문제가 될 것입니다. 한편으로 생각하면 시외의 상점이 번창하리라고 생각하는 이도 있을는지 모르나 어떤 점으로는 다소의 영향은 있어도 결국은 시내에 들어와야 살 물건에 대하여서는 교통이 불편하

65) 『東亞日報』 1932.12.6.
66) 『朝鮮日報』 1932.11.28.

여지는 만큼 매매도 적어질 것이 사실입니다. 시내 상인들로서도 적지 않은 문제일 줄을 압니다.[67]

경전의 교외선 철폐 계획은 결국 실패로 끝났다. 앞에서 살펴본 것처럼 경전은 京城府營 버스를 매수하여 전차와 병행하지 않는 노선에 배치하고 전차와의 연계 즉 환승 시스템을 구축하는 방향으로 선회하였던 것이다.

4. 당국의 교통안전 대책과 규율의 강제

1) 교통시설의 개수

경성부는 일찍부터 부내의 교통량을 조사했다. 1924년 10월에는 136명의 조사원을 동원하여 47개소에서 교통량을 조사했다. 도시계획에 참고하겠다는 것이었다.[68]

그 후 경성부는 1928년 10월부터 1937년까지 3년에 한 번씩 모두 네 차례의 교통량조사를 실시했다. 조사는 매우 광범위하여, 가을철 평일을 택해 오전 6시부터 오후 6시까지 30－137지점에서 경성상업학교 학생 약 500명을 동원하여, 사람, 諸車, 자전거, 각종 자동차, 전차 등의 교통량을 1시간마다 右行 · 左行 별로 조사했다.[69] 조사결과는 교통정책을 입안하는 자료로서 활용되었다. 이에 대한 일반인들의 관심도 높아서, 그 경과는 신문에 자세히 보도되곤 했다.

67) 『朝鮮日報』 1932.11.28.
68) 『매일신보』 1924.10.12.
69) 孫禎睦, 1994, 「道路와 自動車」, 『中區誌』(下卷), 서울특별시 중구, 653쪽.

1938년 당시 경성부내의 도로연장은 48.4 km로서 총면적 대비 2.7%, 주거면적 대비 4%, 舊府域은 총면적 대비 7.6%, 新府域은 총면적 대비 0.8%이었다. 1 · 2 · 3등 도로는 6.9 km, 시구개수도로 1.8 km, 4미터 이상 주요 등외도로 15 km, 등외도로는 24.8 km였다. 도로의 포장률은 시구개수도로 이상은 90%로서 양호한 편이었으나, 등외도로는 21.7%에 불과했다. 1945년 당시 전차선로는 39 km, 운행대수는 257 대였다.[70]

일제 당국은 도로와 선로의 폭이 좁기 때문에 사고가 더욱 자주 발생한다고 판단하고 새로운 선로는 길의 폭이 십오 간 이상 되는 곳, 그리고 될 수 있는 대로 길의 중앙에 부설하도록 했다.[71] 또 해마다 교통량이 격증하여 혼잡을 겪던 黃金町(지금의 을지로) 1정목부터 황금정 7정목까지의 도로는 넓이 22 m를 30 m로 확장하려 했다. 그의 延長은 2.8 km였다.[72] 그리고 경성부 청사–황금정 입구까지, 남대문 1, 2 정목–황금정 5정목까지의 도로는 폭 21 m를 30 m로로, 황금정 7정목 도로는 21 m를 28 m로 확장함으로써 부청사 앞에서 경성 운동장까지의 직통도로를 일신할 계획이었다. 그뿐만 아니라 황금정 입구 십자거리와 永樂町(지금의 저동), 若草町(지금의 초동), 황금정 4정목, 奬忠壇 입구 등의 도로 교차점은 전부 街角을 둥글게 하고 곳곳마다 잔디밭을 만들어 대경성의 메인스트리트로 만들려고 했다.[73]

이 도로들은 대부분 일본인 우세 지역을 관통했다. 그렇다고 해서 일제는 경성의 시가지를 일본인과 한국인의 주거지로 인위적으로 나누지는 않았다. 그리하여 일제 말기가 되면 경성에서 한국인과 일본인의 잡거 ·

70) 원제무, 1994, 「서울시 교통체계 형성에 관한 연구–1876년부터 1944년까지의 기간을 중심으로–」, 『서울학연구』 2, 서울시립대학교 서울학연구소, 102~105쪽.
71) 『東亞日報』 1922.9.12.
72) 『東亞日報』 1935.8.5.
73) 『東亞日報』 1935.9.19.

혼거 지역이 늘어났다. 일제의 도로 · 선로 개수가 이런 현상을 오히려 촉진했다.[74]

오늘날 도회지의 거리에는 신호등 · 횡단보도 · 차선 · 표지판 등등 갖가지 교통안전시설로 뒤덮여 있다고 해도 과언이 아니다. 일제하의 경성에서도 이와 같은 교통안전시설들이 불완전하게나마 등장하고 있었다.

경찰은 교통이 혼잡하여 단속이 아주 어려웠던 종로 십자로와 황금정 십자가의 전차 정류소에 길이 열 칸, 넓이 한 칸 반의 안전구역을 설정하고 白煉瓦로 표시하여 일체의 통행을 금지시켰다. 그곳에는 左大廻 右小廻라 하는 표목을 꽂아 위험지역임을 알렸다.[75]

경성부내의 交叉點에는 교통정리 시설로서 機械信號와 手信號에 의한 斷續式 시설이 15개소, 소위 로타리식 循環式 시설이 2개소 설치되어 있었다. 순환식은 西大門 광장과 京城中學(지금의 경희궁 서울역사박물관) 앞에 있었는데, 교통정리에 매우 좋은 성적을 올린다는 평판이 있어서 주요 단속식 정리 시설을 순환식으로 점차 개선하기로 했다. 朝鮮銀行앞, 苑南町, 三角地 광장, 東小門 광장 등이 우선 설치 대상이었다.[76]

일제말기에는 교통이 繁劇한 지역에는 지하횡단보도를 신설하려고 했다. 사람과 高速車의 氾濫으로 날마다 사고가 발생하여 시민들이 안심하고 보행할 수 없었던 종로네거리와 남대문앞 광장은 기계신호에 의한 교통정리로 방임되었다.[77] 경성부는 이러한 지역에 地下橫斷步道를 신설하여 교통비극을 완화시키려 했던 것이다.[78] 경성역전에는 전차와 버스 정

---

74) 경성의 도로개수와 도시개발에 대해서는, 염복규, 2016, 『서울의 기원 경성의 탄생』, 이레아를 참조할 것.

75) 『朝鮮日報』 1921.8.27.

76) 『東亞日報』 1938.11.12.

77) 『東亞日報』 1939.1.17.

78) 『東亞日報』 1938.11.12.

류장으로 직통하는 지하도를 건설하고, 여기에 목욕탕 · 식당 등의 상점가를 건설하기로 했다.[79]

2) 단속과 계도의 강화

경성에 교통안전 시설이 제대로 갖춰 있지 않고 또 경성부민들이 교통질서 의식이 미숙한 상황에서 교통안전 캠페인은 절박하고도 효율적인 방책이었다. 그리하여 각 경찰서에서는 사람들이 많이 왕래하는 거리에 사고 예방을 강조하는 게시판을 세운다든지,[80] 다달이 교통안전일을 제정하여 운전수와 총대 그리고 순사와 보통학교 학생들을 동원하여 교통안전에 대한 선전을 대대적으로 전개했다.[81] 그 모습의 一端을 소개하면 다음과 같다.

> 제일회 교통선전 데-이인 십오일은 예정과 같이 오전 팔시부터 수백 대의 자전거와 백여 대의 자동차로 시내 각처를 순회하며 교통선전(비라)를 뿌리고 한편으로는 各町洞總代들이 교통선전(비라)를 방방곡곡에 뿌리는 등 여러 가지로 선전을 하였다.[82]

철도 사고를 예방하기 위해서 용산 철도국 京城運輸事務所에서는 시기를 정해 각 선별로 사법경찰, 교원, 신문 · 통신 기자 등을 기관차에 동승시켜 기관차 승무원들의 고심하는 업무 상태를 이해하고 선로교통도덕의 향상을 도모하도록 선전하는 소위 기관차 同乘會를 계속 실시했다. 이때

79) 『東亞日報』 1939.6.29.
80) 『朝鮮日報』 1921.5.30.
81) 『朝鮮日報』 1931.3.29.
82) 『朝鮮日報』 1925.4.16.

배포된 철도통행을 엄금한다는 '삐라'에는 다음과 같은 슬픈 사연의 '아리랑' 노래가 쓰여 있었다.

> 철도길 벼개에 단잠이 드니
> 날밝자 집안이 울음판이라
> 아리랑 아리랑 아라리요
> 아리랑 철도를 벼개 말아[83)]

철도 궤조를 베개삼아 잠들었다가 열차에 치어 죽는 사고가 빈발하는 것에 경종을 울리는 가사였다. 오늘날에는 상상할 수 없는 일이지만 근대 문명을 받아들이는 과정에서 겪은 비극이라고 할 수 있다.

예나 지금이나 단속은 교통사고 예방에는 傳家의 寶刀였다. 일제하 경성에서도 갖가지 교통 단속이 수시로 실시되었다.

1920년대 초 경기도 보안과에서는 경성부내에서 자동차, 전차 등 탈것의 속력을 8마일 이내로 제한하기로 했다. 그 이상의 속력으로써 빨리 달아나는 자는 용서 없이 단속했다.[84)] 1930년대 초가 되면 자동차의 속도 단속은 30마일로 완화되는데, 교통사고 방지를 위해 수시로 불시 단속이 행해졌다.[85)]

賞春客이 많아지는 봄이 되면 교통이 빈번 · 복잡한 길거리에 쓸데없이 자전거를 타고 돌아다니는 사람이 있어서 사고가 많이 발생한다는 것을 이유로 내세워, 경찰 당국은 自轉車取締規則에 의거해 열두 살 이하의 아이들이 소형 자전거 또는 완구용 자전거를 타지 못하도록 엄중히 단속하였다.[86)] 또 사고유발의 주범인 자동차에 대해서도 단속을 강화해 위반한

83) 『東亞日報』 1932.10.28.
84) 『朝鮮日報』 1921.4.30.
85) 『朝鮮日報』 1934.3.25.

운전수의 면허장을 취소하거나 영업정지 처분을 내렸다.[87]

자동차에 방향지시등이 언제부터 부착되었는지 확실히 알 수는 없지만, 그 전 단계에서도 수신호를 통한 방향지시는 행해졌던 모양이었다. 1920년대 초 경성의 네거리에서는 다음과 같은 낭만적(?) 몸짓이 연출되고 있었다.

> 시내 교통이 점점 복잡함으로 따라서 이에 대한 사고도 매우 많을 터이므로 경기도 경찰부에서는 이것을 제지하기 위하야 여러 가지의 방법을 강구하는 중인데 재작일부터 자동차 운전수에게 새 체제를 주었다는 바인데 그 자세한 말을 들은 즉 열십자로 된 길을 통과할 때에는 바른편으로 통행하고자 할 때에는 바른편 손을 들고 왼편으로 돌고자 할 때는 왼편 손을 들며 앞으로 직행을 하고자 할 때에는 팔을 바로 들 것이며 만약 교통순사 앞에서 서고자 할 때에는 警笛을 두 번 울 것이라더라.[88]

단속의 가장 극단적인 단계는 통행제한이었다. 1920년대 말부터 이미 자동차를 비롯한 탈 것은 제한의 대상이 되었다. 복잡한 거리에서 인간이 이제 주인으로서의 권리를 주장하기 시작한 것이다. 그 예를 하나 들어보자.

> 本町通 一, 二, 三丁目의 區間에서 다음과 같이 交通을 制限함
> 一. 自動車의 通行을 禁함
> 二. 自轉車의 乘用을 禁함
> 　但 午前 零時부터 未明까지는 此限에 不在함
> 三. 荷車 牛車 馬車는 午後 四時부터 同 十時까지 通行을 禁함.

86) 『朝鮮日報』 1926.4.1.
87) 『朝鮮日報』 1929.6.14.
88) 『朝鮮日報』 1924.7.17.

但 制限 時間 外라도 本地域에서 通拔을 禁함
四. 人力車는 徐行할 것[89]

본정통은 지금의 충무로 일대, 곧 신세계백화점 건너 중앙우체국을 끼고 명동으로 들어가는 골목길이다. 일제하에서는 가장 번화한 상점가였다. 이곳에 부분적으로나마 차량통행을 금지하거나 제한한 것은 보행자를 보호하기 위한 고육지책이라고 볼 수 있다. 오늘날 '차 없는 거리'의 원조인 셈이다.

사람과 각종 차량의 통행을 좌측으로 하느냐 우측으로 하느냐의 문제는 교통통제상의 기초를 이루는 것으로서 중요과제의 하나이다. 좌우측 어느 쪽을 택하느냐에 따라 諸車의 출입구와 운전자의 위치가 달라지고 신호체계와 좌우회전의 원칙이 달라진다.[90]

한국에서는 일제 강점 이전에도 우측통행을 해왔는데 1913년에 道路取締規則이 시행되면서부터 제도화되었다. 이 규정에는 도로에서 보행자는 우측, 우마 · 제차는 도로 중앙부의 右方을 통행할 것, 보행자와 우마 · 제차가 만났을 때에는 서로 右方으로 피할 것, 다만 實車와 公車가 만났을 때는 공차가 避讓할 것, 우마 · 제차가 앞에 가는 자를 추월코자 할 때는 左方으로 나아갈 것 등이 들어있었다.[91] 당시 일본에서는 좌측통행을 하고 있었음에도 불구하고 식민지 한국에서 우측통행을 실시한 까닭은 무엇일까? 대륙과의 연결을 원활히 하고자 대륙식을 따랐다고 볼 수밖에 없지 않을까?

---

89) 『東亞日報』 1928.3.29.
90) 일제하의 좌우통행의 始末에 관해서는 서울특별시 중구, 孫禎睦, 1994, 「도로와 자동차」, 앞의 책, 657~659쪽을 참조할 것.
91) 『官報』 1913.5.29. 第247號.

그런데 조선총독부는 1921년 10월 도로취체규칙 등을 개정하여 종전의 규정 중에서 우측은 좌측으로, 右方은 左方으로, 右折은 左折로 바꾸었다. 그리고 이를 동년 12월 1일부터 시행하기로 했다.[92] 그 까닭은 무엇일까? 일본과 일치시킴으로써 식민지 지배의 효율성을 기하려고 했던 때문일까? 그 이유가 좀 아리송하다.

어쨌든 일제는 좌측통행의 실시와 더불어 강력한 계도와 단속을 실시했다. 그 모습의 한 편을 보기로 하자.

> (12월 1일부터 좌측통행—형형색색의 선전방법, 전차도 좌측 轉運—오늘부터 길가 나들이는 왼편으로 가야만 한다고) 오늘부터는 길에 다니는 이가 왼편으로 통행하게 되었다. 그런데 각도 각 도회에서는 경무당국이 중심이 되어 여러 가지 방법으로 대대적으로 선전을 하는데 경기도에서는 경찰부가 중심이 되어 계획하는 모양이오. 민간측의 각 싱점에시는 좌측통행의 간핀과 쪽지를 많이 붙여놓았다. 경기도 경찰부의 선전삐라 수십만 장은 지난달 중순 경부터 경성, 인천 兩府는 물론이고 관내에 있는 전선대마다 붙였으며 또 오늘은 소학교, 보통학교 아이들에게 조그만 기를 주고, 소방대의 자동차행렬이나 비번 순사가 총출동하여 통행하는 사람에게 좌측통행이라고 쓴 카드를 줄 터이오. 소방대에서는 행렬을 지어 소방대 교통선전가를 합창하면서 시내를 돌아다닐 터이오. 또 인력거와 지게꾼에게도 조그만 기를 나눠주며 자동차에는 운전대 전면에 광고판을 붙이며 경성전기회사에서는 전차를 좌측운전으로 고치고 또 교통선전의 의미를 大書特書하여 붙였는데 당일은 여하히 기괴한 현상을 볼 것이라더라.[93]

좌측통행 단속은 그 후 교통정리의 중요 방법이 되었다. 1923년의 어느 날은 경찰서에서 車馬는 중앙, 사람은 좌측이라는 선전판을 세우고 당

92) 『官報』 1921.10.25. 第2761號.

93) 『朝鮮日報』 1921.12.1.

번 · 비번 순사는 물론 보안과장 이하 각서 서장까지 총출동하여 아침 여덟 시부터 저녁 네 시까지 정리했다.[94]

5. 교통대란과 교통사고의 함의

1) 타율적 근대의 업보

일제 강점 말기 경성은 인구 100만 명에 자동차 5,000대와 전차, 기차 등이 오가는 대도시였다. 물론 인구 1,000만 명에 자동차 200만대, 거미줄 같은 지하철과 버스 노선, 바람처럼 빠른 고속철도와 비행기가 쉴 새 없이 오가는 오늘의 서울과는 비교할 수 없었다. 그러나 그런 일제 강점기의 경성도 교통대란과 교통사고에 몸살을 앓았다. 따라서 교통대란과 교통사고는 대도시에 사는 경성부민이 발전된 대중교통을 이용하면서 치러야만 했던 값비싼 대가였다고 할 수 있다. 곧 근대문명의 업보인 셈이다.

일제 당국이 조사한 바에 따르면, 일제 강점기 경성부의 교통사고는 승객과 보행자의 부주의 곧 피해자의 과실로 인해 발생한 경우가 많았다. 이런 통계에는 피해자에게 책임을 전가하려는 지배자의 의도가 상당히 개입되어 있다고 볼 수 있다. 사실은 교통수단 운전자의 기술부족이나 과속 또는 난폭운행으로 인한 교통사고도 이에 못지않았다. 이런 점을 감안한다 하더라도 피해자나 가해자의 근대적 교통수단에 대한 이해부족, 잘못된 이용, 질서의식 결핍 등이 교통사고의 배경을 이루었음에는 틀림없다. 그러므로 교통사고는 문명의 利器를 배우고 활용하는 과정에서 겪어

94) 『東亞日報』 1923.5.28.

야 했던 불가피한 통과의례였다고도 볼 수 있다.

그런 측면을 고려한다 하더라도, 일제 강점기 경성에서 발생한 교통대란과 교통사고의 좀 더 근본적인 원인은 교통기관의 발달이 미진한 가운데 무리하게 운영된 교통체계에서 찾는 것이 더 진실에 가까울 것이다. 경성부민들은 항상 만원버스, 만원전차, 만원열차에 시달려야 했다. 그 당시에도 '교통지옥'이라는 말이 유행했다. 교통안전에 관한 기반시설도 매우 열악했다. 도로와 선로는 부족하고 협소했다. 차량도 낡고 고장이 잦았다. 거리에는 신호등, 차선, 횡단보도 등이 거의 갖추어져 있지 않았다. 이런 사정이 일제 강점기 경성의 교통대란과 교통사고를 부추긴 요인이었다.

일제하 경성에서 시행된 교통사고 방지대책은 대체로 다음과 같이 대별할 수 있을 것이다.

> ① 운전조종자의 양성 · 훈련, 곧 기술 교습과 교양 교육.
> ② 일반시민의 교육 · 훈련, 곧 교통도덕의 주입과 교통관습의 체득.
> ③ 교통정리 경찰관과 신호관리 요원의 증파, 곧 교통 혼잡의 정리와 교통 불안의 제거.
> ④ 도로 규칙의 제정과 시행, 곧 단속과 계도.
> ⑤ 도로 · 궤도 · 선로 등 물적 시설의 정비와 신설, 곧 교통수단과 교통설비의 개성과 증설 등.[95]

이상과 같은 교통사고 예방대책은 강도의 차이는 있을지라도 오늘날에도 통용될 수 있는 사항들이다. 곧 서울시민들은 이미 일제하에서도 교통사고라는 근대문명의 업보에 시달리며, 이것을 극복하기 위해 갖은 방법을 모색하고 있던 셈이다.

---

95) 大谷留五郎, 1932.11, 앞의 논문, 69~72쪽.

2) 주체 형성의 대가

경성부민들은 일제 당국에 교통개선을 요구했다. 교외선 철폐를 저지하기 위해 집단행동을 벌였다. 이런 운동은 일정 부분에서 성과를 거뒀다. 그리고 일제 당국으로 하여금 교통대란과 교통사고를 개선하기 위해 나름대로 노력하도록 만들었다. 그러나 전시체제 하의 통제경제, 물자와 재정의 부족 등의 상황에서 근본적인 해결방안을 시행할 수는 없었다. 실행에 옮겨진 몇 가지 정책마저도 일본인 우세 지역에 집중되었고, 한국인 우세 지역은 소외되었다. 교통대란과 교통사고의 방지 대책에서도 민족차별은 관철되었던 것이다.

교통사고는 피해자와 가족 등 관련자에게 크나큰 슬픔과 고통을 주는 것은 말할 필요도 없다. 시야를 넓혀 국가와 사회의 차원에서 보더라도 교통사고의 손실은 심각하다고 할 수 있다. 1994년에 전국에서 일어난 교통사고로 인한 경제적 손실 곧 사회적 비용은 어림잡아 6조 6천억 원 이상이었다. 그해의 국방예산이 12조 7천여 억 원, 복지와 환경 예산이 4조 8천여 억 원이었으니, 손실의 규모가 얼마나 엄청난 액수이었는가를 짐작할 수 있을 것이다.[96] 여기에는 교통대란으로 발생한 손실은 들어있지 않다.

선진국의 문턱에 들어섰다고 일컬어지는 한국에서, 또 세계 10대 규모의 도시로 발전했다고 자랑하는 서울에서 왜 이렇게 엄청난 규모의 교통사고가 해마다 되풀이하여 발생하는가? 서울의 교통대란과 교통사고의 역사적 연원을 추적해본 이 글을 통해 몇 가지 교훈을 얻을 수 있다고 생각한다. 교통사고야말로 서울시민이 근대문명을 수용하면서 치러야 할 가장 큰 대가였으며, 또 그러한 경험을 통해 서울시민은 근대문명을 주체

96) 『東亞日報』 1995.1.5.

로서 성장해갔기 때문이다.

한국에서 기차 · 전차 · 자동차 등의 근대적 교통수단은 일제 강점기에 대중의 '발'로서 수용되고 이용되었다. 일제 식민지 지배의 거점이었던 경성의 경우가 특히 그러하였다. 일본인들은 먼저 경성에 근대적 교통기관을 도입하고, 그것의 소유와 운영을 거의 독점했다. 서울 인구의 80% 정도를 차지하고 있던 한국인들은 단순한 이용자였을 뿐이었다. 그것도 비싼 운임을 지불하면서도 항상 짐짝취급을 당하는 신세였다.

한국인들은 근대문명의 利器인 대중교통기관을 주체적으로 건설하고 운용했어야 할 시기에, 오히려 그것을 객체적으로 수용하고 이용하는 처지로 밀려나 차별과 억압을 당했다. 이러한 쓰라린 경험이 근대문명에 대한 왜곡된 인식과 태도를 심어준 측면도 있다. 곧 한국인들이 근대문명을 수용하는 과정에서 체득한 비뚤어진 의식과 행동이 부지불식간에 몸에 배어, 자신이 근대문명의 주체가 된 오늘에도 교통질서를 확립하는 데 방해가 된다. 그것이 또 교통사고를 유발하여 한국은 아직도 '교통사고의 왕국'이라는 오명을 쓰고 있는 것은 아닐까?

'일제하의 철도와 서울 그리고 시민의 삶'을 종합적으로 검토한 이 책의 마지막 장에서 교통대란과 교통사고를 다룬 것은 한국인 아니 서울특별시민이 현대문명의 떳떳한 주인으로서, 나아가 미래문명의 당당한 개척자로서 새로 태어나기를 바라는 필자의 문제의식이 깃들어 있다고 할 수 있다.

종장

철도네트워크와 서울시민의 근대문명

1. 동북아시아 속의 서울 철도망

불과 두 세대 전인 일제 강점기만 하더라도 서울의 교통 환경은 오늘과 비교할 수 없을 정도로 달랐다. 현재 대한민국의 수도인 서울은 안으로 촘촘히 깔린 도로망과 철도망을 매개로 하여 전국 각처와 거미줄처럼 얽혀 있다. 또 밖으로는 세계 유수의 조밀한 항공로를 통해 지구촌 구석구석과 연결되어 있다. 이로써 안으로 서울의 內包는 겹겹이 두터워지고, 밖으로 서울의 外延은 아득히 확장되었다. 서울에 항공로가 거의 개설되어 있지 않은데다가, 철도 이외에는 육상교통이 별로 발달되지 않았던 일제 강점기에는 상상할 수조차 없던 교통혁명이 일어난 셈이다. 이에 따라 서울시민의 일상과 여가, 의식과 행동 역시 딴 세상처럼 바뀌었다.

그런데 사실은 일제 강점기, 그중에서도 특히 1930년대 이후 경성 곧 서울은 나름대로 두터운 내포와 드넓은 외연을 가지고 있었다. 당시 서울은 비록 일제의 식민지 조선의 수도였지만 인구 100만 명 정도를 포용한 거대 도시였고, 수억의 인구가 밀집한 동북아시아의 교통 중심지이었다.

동북아시아는 지역에 따라 역사적 연원과 현실적 상황이 사뭇 달랐지만, 일본의 본토, 식민지(朝鮮), 괴뢰국(滿洲國), 점령지(華北 · 華中) 등의 처지에서 철도네트워크를 매개로 하여 밀접히 연결되어 있었다.

한국은 일본–한반도–만주–유라시아대륙을 잇는 교량의 위치에 있어서, 그 위를 관통하는 한국철도는 한반도뿐만 아니라 동북아시아에서도 樞軸의 역할을 했다. 이에 따라 그 중핵에 자리 잡은 경성의 위상이 대단히 높았을 것임은 능히 짐작할 수 있다. 국토와 민족이 남북으로 분단되어 철도마저 허리가 잘린 오늘의 관점에서는 가늠하지 못할 정도로 한국철도와 경성은 동북아시아의 철도네트워크에서 중요한 위치를 차지했다. 비행기와 자동차가 아직 국제연락의 대중교통에 도달하지 못했기 때문에 가능한 일이었다.

당시 동북아시아의 간선철도망은 대부분 일본에 의해 부설되고 운영되었다. 일본이 철도를 활용하여 이 지역에 대한 침략과 지배를 확장해나갔기 때문이다. 일본은 동북아시아의 간선철도를 표준궤간(1.435m)으로 통일하고 연락운수체계를 정비함으로써 열차가 동일궤도 위에서 자유롭게 출입하도록 만들었다. 일본은 철도를 지렛대로 삼아 각 지역을 강력히 지배하고, 이러한 지배를 통해 다시 철도의 유기적 운영을 강화해나갔다. 철도에 관한 한 일본은 동북아시아의 제국이었다.

일본은 대한제국을 강점하기 10년도 전에 한국에 철도를 부설했다. 서울을 장악하기 위해 1899년에 부설한 경인선(서울–인천, <지도 1–2>의 ①, <지도 2–1> 참조)이 그것이다. 그 후 일본은 한국의 남부지역을 지배하기 위해 경부선(1905, 서울–부산, <지도 1–2>의 ①, <지도 3–1> 참조)을, 서북지역을 침공하기 위해 경의선(1906, 서울–신의주, <지도 1–2>의 ②, <지도 4–1> 참조)을, 동북지역을 지배하기 위해 경원선(1914, 서울–원산, <지도 1–2>의 ④, <지도 5–1> 참조)을 부설했다.

그리고 식민지지배 기반이 강고해지자 한반도의 중앙을 동서로 횡단하기 위한 발판으로서 경춘선(1939, 서울－춘천, <지도 1－2>의 ③, <지도 6－1> 참조)을, 내륙을 남북으로 종관하기 위한 신간선으로서 경경선(1942, 서울－경주, <지도 1－2>의 ⑨, <지도 7－1> 참조)을 부설하였다.

이처럼 서울을 거점으로 한 철도네트워크가 짜지는 데는 40여년의 세월이 걸렸다. 그 동안 서울의 인구는 20만 명 미만에서 100만 명 가까이로 늘어났고, 그 영역은 도성을 넘어 몇 배로 확장되었다. 철도는 서울의 팽창을 추동했고, 서울의 팽창은 철도의 수요를 창출했다.

일본은 일본과 만주를 최단거리로 연결하는 것을 염두에 두고 한국의 간선철도망을 구축되었다. 그리하여 그 기점은 한만의 국경도시이거나 항구도시인 경우가 대부분이었다. 대륙침략을 위한 병참수송을 경제수탈 이상으로 고려했기 때문이다. 경우에 따라서 철도의 부설 자체가 전쟁을 계기로 추진되기도 하였다. 경부선, 경의선, 경원선, 경경선 등의 창설이 그러했다. 그러므로 일본의 한국철도정책, 곧 일본이 한국철도에 거는 기대는 '國防共衛 經濟共通'이라는 한마디에 압축되어 있다고 할 수 있다. 일본은 철도를 매개로 하여 한국과 일본의 국방과 경제를 하나로 묶겠다는 방침이었다.

일본은 한국을 강점한 직후 압록강철교를 가설했다(1911, <사진 1－1> 참조). 이로써 한국철도와 만주철도는 직접 연결되고, 곧 부산－長春 사이에 직통급행열차가 운행을 개시했다. 釜山棧橋가 준공된 이후부터 한국을 종관하는 국제연락열차는 부두에서 바로 관부연락선(下關－釜山)과 접속하였다(<사진 1－5> 참조). 경부선과 경의선이 일본서부와 만주남서부를 직통으로 잇는 교량의 역할을 하게 된 것이다. 이와 연결되는 간선철도로서 일본에서는 東海道線(東京－神戶)과 山陽線(神戶－下關, <지도 1－1>의 ⓙ 참조)이, 만주에서는 安奉線(安東－奉天, <지도

1－1>의 ⓐ참조)과 滿鐵本線(連京線, 大連－長春<新京>, <지도 1－1>의 ⓑ참조)이 이미 가동 중이었다. 이에 서울은 일본－한국－만주 철도의 통과지점으로서 중요성을 높여갔다(<지도 1－1>의 ⓐ · ② · ① · ⓚ · ⓙ 참조).

경원선이 부설된 후 그 연장선으로 함경선(원산－회령, <지도 1－2>의 ⑤ 참조)과 도문선('北鮮鐵道', 上三峰－雄基, <지도 1－2>의 ⑭ · ⑮ 참조)이 뻗어가고, 그 위에 上三峰橋(1927, <사진 1－3> 참조)와 圖們橋(1933, <사진 1－2> 참조)가 가설되자 한국철도는 만주의 중앙부와 동북부에 직접 연결되었다. 서울에서 분기한 일본－한국－만주 노선이 새롭게 탄생한 것이다(<지도 1－1>의 ④ · ⑤ · ⓒ · ⓕ). 이와 동시에 한국의 동북 끝 해안에 '北鮮三港'(청진, 나진, 웅기, <지도 1－2>의 ⑤참조)이 정비되자 동해항로를 거쳐 일본의 중앙지역과 만주의 중앙지역 및 동북지역을 최단거리로 연결되는 새로운 철도망이 구축되었다. 일본에서는 北陸線(東京－新潟), 한국에서는 '北鮮鐵道', 만주에서는 京圖線(新京－圖們)과 圖佳線(圖們－佳木斯)이 그것들이다(<지도 1－1>의 ⓜ · ⓝ · ⑤ · ⑥ · ⓖ 참조). 서울은 이 노선들과도 직통열차를 운행하였다.

서울은 국제연락운수의 강도를 높여가는 동북아시아 철도네트워크의 결절지역이었다. 서울은 일본본토의 3분의 2에 해당하는 광대한 식민지 조선의 수도로서 정치 · 경제 · 사회 · 문화뿐만 아니라 자연환경과 지정학적 측면에서도 한반도의 중심이었다. 그리하여 서울을 거점으로 한 철도망과 철도역은 여객과 화물의 수송에서 한국철도의 대부분을 담당했다. 경인선, 경부선, 경의선, 경원선과 경성역, 용산역, 영등포역, 청량리역 등이 중요한 역할을 했다. 게다가 서울은 동북아시아 각국의 수도인 東京, 新京(長春), 北京을 잇는 국제 철도네트워크의 한가운데에 있었기 때문에, 일본세력이 강화되면 될수록, 철도교통이 발전하면 할수록 서울의 위상은 높아져 갔다. 곧 동북아시아의 철도네트워크와 연동하여 서울의 외연은 확대되고 내포는 두터워졌다. 1942년이 그 피크였다.

서울을 경유하여 부산에 發着하는 급행열차와 보통열차는 만주의 奉天, 新京, 哈爾濱, 牧丹江, 佳木斯까지 직통 운행하였다. 서울과 北京 사이에도 직통급행열차가 왕래했다. 平壤－吉林, 淸津－新京, 羅津－新京, 羅津－佳木斯 구간에서는 급행열차와 보통열차가 운행되었다. 서울에서 승차한 여객이 哈爾濱이나 牧丹江 등에서 북만철도(동청철도, 시베리아철도)의 열차로 바꿔 타면 유라시아대륙의 주요 도시까지 직접 갈 수 있었다(<그림 10－1>과 <그림 10－2> 참조). 실제로 서울에서는 모스크바나 파리에 가는 열차표를 판매했다(<사진 10－5>와 <사진 10－6> 참조). 그 역방향의 여행도 가능했다. 이처럼 서울과 北京(1,617 km), 哈爾濱(1,322 km), 모스크바(8,972 km), 파리(12,000 km)는 철도네트워크를 통해 하나로 엮여 있었다.

한편 서울을 왕래하는 여객은 황해항로, 동해항로, 관부연락항로 등을 경유하여 일본본토 각지와 최단거리로 연결되었다. 특히 서울은 철도와 해로를 통해 東京(1,788 km)과 긴밀히 묶여 있었다(<그림 10－1> 참조). 이처럼 일제 강점기 동북아시아에서는 오늘과는 차원이 다른 국제연락의 교통시스템이 나름대로 작동하고 있었던 것이다. 철도가 그 추축이었다.

철도를 통해 서울의 외연과 내포를 강화시키는 데 큰 영향을 미친 또 하나의 요인은 열차운행속도의 향상이었다. 열차은행속도의 향상은 여행거리를 확장하고 여행시간을 단축해주었다. 경부선의 개통 당시 30여 시간이나 소요되었던 서울과 부산은 1년여 만에 11시간으로 줄어들었다. 한국의 첫 직통급행열차 '隆熙號'는 부산－신의주(<지도 1－1>의 ①·②, <지도 3－1>과 <지도 4－1>)를 26시간에 주파했다(1908).

일본의 지배세력이 한국뿐만 아니라 만주까지 확대됨에 따라 열차의 운행속도는 더욱 빨라졌다. 부산-奉天(<지도 1-1>의 ①·②·ⓐ) 노선에 처음 투입된 직통급행열차 '히까리(ひかり)'(<사진 10-2> 참조)는 부산-신의주 사이의 소요시간을 17시간으로 단축했다(1933). 이와 더불어 경원선과 함경선에도 급행여객열차가 운행되었다. 곧이어 부산-奉天 사이에 직통급행열차 '노조미(のぞみ)'가 增設되고, '히까리'는 新京까지 연장 운행되었다(1934). 이때 滿鐵에서는 大連-新京(<지도 1-1>의 ⓑ 참조) 사이 704 km를 8시간 30분에 주파하는 '아시아(あじあ)'가 운행을 개시했다. 한국에서는 이에 뒤질세라 부산-서울 사이 450 km를 6시간 45분에 주파하는 특별 급행열차 '아까쯔끼(あかつき)'(<사진 10-3> 참조)가 등장했다(1936).

중일전쟁 발발 이후 부산-북경 사이에는 직통급행열차(나중에 '大陸'으로 命名, <사진 10-4> 참조)가 운행을 개시했다. 부산-봉천 사이의 '노조미'는 新京까지 운행을 연장했다(1938, <지도 1-1>의 ⓑ 참조). 부산-북경 노선에는 직통급행열차 '興亞'가 증설되었다(1939, <지도 1-1>의 ⓘ 참조). 중일전쟁이 확대되어감에 따라 일본과 중국 사이에 폭주하는 교통수요를 충족시키기 위함이었다. 서울-牧丹江(<지도 1-1>의 ④·⑤·ⓖ 참조), 평양-吉林 사이에도 직통여객열차가 신설되었다(1940). 서울-목단강 구간의 직통여객열차는 증설되고, 부산-新京의 '히까리'는 哈爾濱까지 운행을 연장했다(1942, <지도 1-1>의 ⓔ 참조).

서울이 동북아시아 철도네트워크에서 차지하는 결절로서의 위상, 곧 외연과 내포의 밀도는 일제의 위세 아래 활기를 띠었던 철도여행의 경로와 장소를 통해서도 확인할 수 있다. 일본인이 주도한 동북아시아의 철도여행은 크게 보아 네 가지 코스가 있었다.

① 관부연락선을 타고 와서 부산에 상륙하여 한국을 종관하여 만주를 돌아보고 다시 한국을 종관하여 귀국하는 경로(<지도 1-1>의 ⓚ · ① · ② · ⓐ · ⓑ 참조)

② 下關 등에서 출발하여 황해항로를 지나 大連에 상륙하여 만주를 관광하고 한반도를 거쳐 부산을 통해 귀국하는 경로, 이것의 역코스도 이 경로에 해당한다(<지도 1-1>의 ① · ⓑ · ⓐ · ② · ① · ⓚ 참조).

③ 新潟 등을 출발하여 동해항로를 통해 '北鮮三港' 등에 상륙하여 '北鮮鐵道'를 거쳐 만주를 돌아보고 한반도를 종관하여 부산을 통해 돌아가는 경로(<지도 1-1>의 ⓝ · ⓜ · ⑤ · ⑥ · ⓒ · ⓑ · ⓐ · ② · ① 참조).

④ 博多 등을 출발하여 동중국해를 거쳐 上海 등에 상륙하여 중국을 북상하여 만주를 돌아보고 한반도를 종관하여 부산을 통해 귀국하는 경로(<지도 1-1>의 ⓘ · ⓑ · ⓐ · ② · ① · ⓚ 참조).

위의 네 여행경로는 모두 한국을 경유하게 되어 있었다. 여행객들은 거의 대부분 서울에서 1박 또는 2박을 하면서 시내나 그 주변을 관광했다. 한국철도가 각 여행경로의 중추이었고, 서울은 반드시 거치는 장소였다. 서울의 관광코스는 京城府京城觀光協會가 만든 <京城案內>(1940 등)에 간명하게 소개되어 있다. 여기서 추천하는 볼거리는 한국의 역사유적, 일본의 치적을 보여주는 시설, 일본인의 숭배 장소 등이었다(<지도 10-1> 참조).

그런데 동북아시아 철도네트워크의 번성은 1942년을 정점으로 하여 내리막길을 걸었다. 아시아 · 태평양전쟁에서 일본의 패색이 짙어지고 철도운영시스템이 붕괴되어감에 따라 국제직통열차운행은 잇달아 폐지되었다. 급기야 '決戰非常措置要綱'(1944)이 발포되어 轉嫁貨物을 수송하기 위해 여객열차가 화물열차로 대체되는 경우도 빈발했다. 雪上加霜으로 관부연락선 등이 미군의 공격으로 침몰하거나 좌초하는 사건도 사주 발생했다. 그리하여 일본−한국−만주−중국을 연결하는 한국철도의 역할은 현저히 약화되었다. 이에 따라 서울의 외연은 축소되고 내포는 엉성해졌다.

2. 서울시민의 식민지 철도 체험

일제하의 철도는 그 자체가 군사시설이자 정치기구였다. 한반도에서 철도는 러일전쟁부터 아시아 · 태평양전쟁에 이르기까지 일본군과 군용물자를 실어 나르는 데 가장 중요한 역할을 하였다(<사진 11−1> 참조). 그리고 일본의 지배세력을 전국 방방곡곡에 침투시키는 수단으로 활용되었다. 일제는 순종 황제로 하여금 황실열차를 타고 철도연선을 순행하고, 심지어는 東京에까지 가서 천황을 만나도록 했다(<지도 11−1> 참조). 그리고 조선총독은 특별열차를 타고 수시로 전국을 순시 · 시찰함으로써 지배자로서의 위용을 과시하고, 근대문명을 실어다주는 전도사로서의 자애를 각인시켰다(<지도 11−2> · <지도 11−3> 참조).

정반대로 독립운동이나 민족운동도 철도를 타고 전국으로 확산되었다. 3 · 1독립만세운동은 철도연선을 따라 치열하게 전개되었고, 비밀결사나 의열투쟁도 철도를 활용함으로써 빈도와 강도를 증대시킬 수 있었다(<지도 11−4> 참조). 지배와 저항의 중심은 항상 서울이었기 때문에 서울시민들은 철도가 문명의 흉기이자 이기로 활용되는 사례를 수없이 목격하거나 경험했다. 서울시민들은 순종 황제가 특별열차를 타고 한국을 순행하고 일본에 행차하는 것을 봉송 · 봉영하면서 군주에 대한 연민의 충성과 더불어 식민지 백성으로서의 비애를 짓씹을 수밖에 없었다(<사진 11−4> 참조). 이 모든 것이 남의 철도가 초래한 업보였다.

일제 강점기의 철도는 서울에서 전차, 버스 등 대중교통의 이용을 선도했다. 그리고 철도를 비롯한 대중교통은 서울시민의 삶 자체를 크게 변모시켰다. 철도 이전 서울의 교통수단은 사람의 두 다리와 소달구지 그리고 돛단배가 고작이었다. 지체 높은 벼슬아치라면 가마나 나귀를 탈 수 있을 정도였다. 그런데 철도 이후 권력자나 특권층뿐만 아니라 남녀노소 구별 없이 누구나 요금만 내면 전차(<사진 12-2> 참조), 기차(<사진 2-5>와 <사진 12-3> 참조), 버스(<사진 12-5> 참조) 등을 탈 수 있게 되었으니 서울시민의 생활과 의식에 준 충격은 이만저만이 아니었다.

1899년 5월 서울에서 처음 운행을 개시한 전차는 기차와 더불어 일제 강점기 내내 서울의 주요 대중교통기관으로서 서울시민과 哀歡을 함께 나눴다. 전차가 가장 번성했을 때인 1939년의 궤도 연장은 39 km, 차량 수는 199대, 정류장 수는 109개소였다. 절정기에는 하루에 257대의 전차가 48만여 명의 승객을 실어 날랐다. 초창기에는 대한제국 황실이 출자했던 것을 일제 강점기에는 일본자본인 경성전기주식회사가 독점했다.

기차는 1899년 9월 노량진과 제물포 사이에서 웅장한 모습을 드러낸 이후 서울에 진입하여 경부선, 경의선, 경원선, 경춘선, 경경선 등을 통해 사방을 왕래했다. 서울에는 십여 개의 철도역이 설치되어 끊임없이 여객과 화물을 싣고 내렸다. 그중에서도 경성역은 가장 번성하여 1940년에는 하루 평균 4만여 명의 여객으로 붐볐다. 하루 수입만도 3~4만 원이었다.

서울에서는 전차만으로는 교통수요를 충당할 수 없어서 1928년에 처음으로 버스를 운행했다. 그런데 버스노선이 대부분 전차노선과 겹친데다가, 전차와 경쟁에서 밀려 적자에 시달렸다. 경성부는 결국 버스를 경성전기주식회사에 매각했다. 그리하여 서울의 대중교통은 이 회사가 독점하게 되었다. 이 회사는 전차와 버스의 연계운행을 시도하여, 많을 때는 180대의 버스가 운행된 적도 있다. 그러나 전쟁이 막바지에 접어든 1942년 이후에는 가솔린 등의 자재가 부족하여 운행 중지의 상황에 이르렀다. 조선총독부는 심각해진 서울의 교통난을 타개하려는 방편으로 '걷자, 步道는 도시인의 訓練道場'이라는 허울 좋은 구호를 내걸고 서울시민에게 걸어 다닐 것을 장려했다.

철도를 비롯한 대중교통의 이용은 서울시민의 일상과 여가 그리고 의식과 행동에 큰 변화를 가져왔다. 대중교통은 운영원리상 요금만 내면 누구나 공평하게 이용할 수 있었다. 특히 기차에서는 요금에 따라 1등, 2등, 3등을 선택할 수 있었다. 신분보다도 돈에 따라 승객에 대한 처우가 달라진 것이다. 그럼에도 불구하고 현실에서는 일본인과 한국인에 대한 차별대우는 확연히 존재했다. 같은 돈을 내고도 일본인은 우아하게 여행을 즐겼던 반면에 한국인은 개돼지 취급을 당하기 일쑤였다. 한국인은 열차에서 수시로 검문검색에 시달렸다. 국경을 통과하는 신의주나 관부연락선과 접속하는 부산이 특히 심했다. 대중교통에서도 식민지의 민족모순은 여전히 벌어지고 있었다.

기차와 전차의 보급 등으로 서울에는 통학과 통근이라는 새로운 생활모습이 나타났다. 특히 1936년 서울의 시가지 확장되고 인구가 100만 명 가까이 되자 도성 밖에 대단위 주거지가 형성되었다. 그리하여 아침저녁 출퇴근, 등하교 시간대에는 전차와 버스 등에서는 '교통지옥'이라는 말이 저절로 나왔다. 1920년대부터 그런 형상이 부분적으로 나타났는데, 1930년대 말에 이르러서는 '교통지옥' '교통암흑'이라는 말이 유행했다. 통학이나 통근을 하는 서울시민 중에는 10분 이상 기다려서 겨우 전차에 매달린다거나 단판씨름을 벌여 간신이 버스에 몸을 싣는 '전투행위'를 매일 되풀이했다. 일제 강점기의 서울에서도 '교통대란'이 일어나고 있던 것이다.

'교통대란'과 더불어 서울에서는 교통사고도 잇달아 발생했다. 1931년에 서울을 포함한 경기도에서 발생한 교통사고는 744건, 사망자는 61명이었다. 그 후 교통사고로 인한 인명의 살상이 늘어나서 전차에 대해서는 '殺傷機化한 경성전차'라는 무서운 이름이 붙었다(<사진 13-1> 참조). 철도를 베고 자다가 치여 죽은 사고도 가끔 발생하였다. 조선총독부 당국의 조사결과에 따르면, 서울의 교통사고는 승객과 보행자의 부주의 곧 피해자의 과실로 인한 경우가 많았다. 운전자의 기술부족이나 과속 또는 난폭운행으로 인한 교통사고도 이에 못지않았다.

그러나 서울에서 발생한 교통사고의 좀 더 근본적인 원인은 교통기관이 아주 부족하고 발달이 미진한 가운데 무리하게 운영을 강행한 데 있었다. 도로는 협소하고 선로는 부족했다. 차량은 老朽하고 고장이 잦았다. 거리에는 신호등, 차선, 횡단보도 등이 갖춰져 있지 않았다. 이런 열악한 교통기반이 서울의 교통사고를 부추긴 요인이었다.

서울시민은 당국에 교통여건의 개선을 요구했다. 그리고 교외선철폐저지운동을 벌여 뜻을 관철했다. 대중교통을 이용하는 과정에서 시민의 역량이 성장했음을 보여준 사례였다. 당국은 교통사고를 방지하기 위해 교통수단의 운행을 조정하는 등 나름대로 노력을 기울였다. 그러나 전시통제경제의 실시 등으로 물자와 재정이 부족한 상황에서 근본적인 해결책을 시행할 수는 없었다. 오히려 교통질서준수캠페인을 벌이는 등 서울시민의 의식과 행동을 규율하는 쪽에 더 치중하였다. 교통대란과 교통사고의 체험은 서울시민들이 근대문명을 수용하는 과정에서 치러야만 했던 값비싼 대가였다고 할 수 있다.

반면에 서울시민들은 대중교통을 이용하면서 새로운 속도감과 시간관념을 체득하였다. 서울시민들은 정각에 출발하는 기차와 전차를 타기 위해서 시간을 분 단위로 쪼개어 사용하게 되었다. 또 새처럼 빠른 기차를 타다보니 가야하는 거리는 단축되고 여행하는 공간은 확장되었다. 교통사고를 피하기 위해서는 행동에서 질서와 규율을 지키지 않으면 안 되었다. 도로사용규칙이나 교통법규는 이제 일상을 규제하는 관습이 되었다. 여객이 자유로이 출입하는 철도역이나 빽빽이 들어찬 차내에서는 신분이나 체면을 따질 수가 없었다. 대중교통을 이용하면서 서울시민들은 빠르게 개방과 평등의 사회로 빨려 들어갔다.

서울시민들은 대중교통을 활용하여 귀성이나 방문의 기회를 넓혀갔다. 가족과 친척의 상봉과 이별 등도 잦아졌다. 여행과 관광이 여가소비의 하나로 등장했다. 서울과 개성 사이에서는 꽃구경열차가 운행되고, 서울과 수원 사이에서는 달맞이열차가 운행되었다. 서울에서 가끔 열린 공진회와 박람회를 구경하기 위해 몰려온 여행객으로 기차와 전차는 만원이었다. 봄에는 전차와 기차를 타고 창경원과 우이동의 벚꽃놀이에 나갔다. 겨울에는 경원선 열차를 타고 삼방산에 스키를 타러 갔다. 경성역에서 밤 10시쯤 침대차를 타고 한잠자면 다음날 아침 6시쯤 금강산에 도착했다(<사진 5-4> 참조). 열차를 타고 일본과 만주를 주유하는 단체관광과 수학여행이 줄을 이었다. 이처럼 서울시민은 철도를 비롯한 대중교통을 통하여 싫든 좋든, 자발적이든 강제적이든, 빠르든 늦든 간에 근대문명을 체험하며 새 시대와 세상을 열어가는 주체로서 성장하고 발전해갔다.

요즈음 세계 각국에서는 철도르네상스를 부르짖고 있다. 선진국에서는 도시와 도시를 연결하는 고속철도망이 이미 거미줄처럼 뻗어있고, 중국 등의 개발도상국가에서도 시속 300 km 이상으로 달리는 고속전철이 속속 개통되고 있다. 한국에서 KTX가 전국을 누비게 된지도 10년이 넘는다. 지금은 남북한철도의 연결을 실현하고, 러시아, 중국, 몽골 철도를 경유하는 유라시아철도망의 구축을 모색하고 있다. 그러므로 동북아시아의 철도 네트워크 속에서 '일제하의 철도와 서울 그리고 시민의 삶'을 논한 이 책은 과거의 사실을 밝히는데 그치지 않고 미래의 과제를 풀어가는 데도 많은 示唆를 줄 것이다. 독자 여러분의 고견과 질정을 바라마지 않는다.

· ABSTRACT ·

Railways and Modern Seoul

Chung Jae Jeong

In a country like Korea which suffered a colonial control, it is easy to study the history of railways from two contrary perspectives: 'invasion' and 'development'. I have viewed it with a broader, more composite international standpoint by connecting railways to the city, Seoul, and life of its citizens. With eyes focusing on the overall network of the railways built in the North East Asia during the first half of the 20th century, I have extended the boundary of the study by harmonizing history, geography, economy, locational features of the city and culture to a variety of topics: the formation process of the railway network based on Seoul, the transportation system of the Seoul province restructured by the railways, the transportation business of the railways, the analysis of passengers and freights processed by each railway station in Seoul, military transportation, the role in the Independence movements performed by the railways, its citizens' experience of modern colonial lives, and their thoughts.

· Contents ·

Part 2 The Transportation Business of the Railways and Seoul's Status

Ch. 8 The Management of the Railways and Affiliated Institutions of Seoul

Ch. 9 A General View on the Railway Transportation and Results achieved by the Stations in Seoul

Ch. 10 International Transportations of the Railways and Seoul's Status

Part 3 The Roles of the Railways and Seoul Citizens' Experiences of the Modern Age

Ch. 11 Political Roles of Railways — Conflicts between Dominance and Resistance

Ch. 12 Railways, Public Transportation, and Life of Citizens

Ch. 13 Traffic Disasters in Seoul and Reactions by Civic and Public Sectors

Postlude : The Railway Network and the Modern Civilization of Seoulites

· 표 일람표 ·

정재정 鄭在貞, CHUNG JAE-JEONG

한국근대사, 한일관계사, 역사교육의 전문가이다. 서울대학교와 동경대학에서 학부와 대학원을 마치고 문학박사를 취득했다. 서울시립대학교 교수, 박물관장, 시민대학장, 인문대학장, 대학원장, 동북아역사재단 이사장 등을 역임했다. 역사문제연구소, 역사교육연구회, 한국사연구회, 경제사학회, 한일관계사학회 등에서 활약하고, 국사편찬위원회, 서울시사편찬위원회, 독립기념관, 서울역사박물관, 한성백제박물관 등의 위원, 한일미래포럼, 대한민국역사박물관 등의 운영자문위원장을 맡았다. 한국과 일본, 중국, 북한, 독일, 미국 등의 역사공동연구에 참가하고, 한일 양국정부가 지원한 한일역사공동연구위원회(1,2기)의 총간사를 겸임했다. 북해도대학, 동경대학 등의 특임교수, 국제일본문화연구센터, 동북대학, 에커트국제교과서연구소 등의 외국인 연구원으로서 교육과 연구에 임했다.

주요 著書로 『일제침략과 한국철도, 1892~1945』, 『韓國의 論理－轉換期의 歷史教育과 日本認識』, 『일본의 논리－전환기의 역사교육과 한국인식』, 『서울과 교토의 1만년』, 『주제와 쟁점으로 읽는 20세기 한일관계사』, 『한일의 역사갈등과 역사대화』, 『한일회담·한일협정, 그 후의 한일관계』, 『新しい韓国近現代史』, 『韓国と日本一歴史教育の思想』, 『帝国日本の植民地支配と韓国鉄道』, 『日韓′歴史対立′と′歴史対話′』 등, 주요 譯書로 『식민통치의 허상과 실상』, 『한국병합사의 연구』, 『러일전쟁의 세기』, 『일본의 문화내셔널리즘』, 『일본군 '위안부' 문제의 해결을 위하여』 등, 주요 공저로 『근대조선의 경제구조』, 『한국철도 100년사』, 『한일교류의 역사』, 『서울역사 2000년』, 『서울 근현대 역사기행』, 『한국과 일본의 역사인식』, 『Designing History in East Asian Textbooks』, 『History Textbooks and the Wars in Asia』, 『近代朝鮮工業化の研究』 등 다수가 있다.

철도와 근대 서울

초판 1쇄 인쇄일 | 2018년 4월 29일
초판 1쇄 발행일 | 2018년 4월 30일

지은이 | 정재정
펴낸이 | 정진이
편집장 | 김효은
편집/디자인 | 우정민 박재원
마케팅 | 정찬용 정구형
영업관리 | 한선희 우민지
책임편집 | 우정민
펴낸곳 | 국학자료원 새미 (주)
등록일 2005 03 15 제25100-2005-000008호
서울특별시 강동구 성안로 13 (성내동, 현영빌딩 2층)
Tel 442-4623 Fax 6499-3082
www.kookhak.co.kr
kookhak2001@hanmail.net

ISBN | 979-11-88499-39-7 *93910
가격 | 70,000원

* 이 도서의 국립중앙도서관 출판예정도서목록(CIP)은 서지정보유통지원시스템 홈페이지(http://seoji.nl.go.kr)와 국가자료공동목록시스템(http://www.nl.go.kr/kolisnet)에서 이용하실 수 있습니다.(CIP제어번호: CIP2018012450)